BABEL / SINDBAD

Contes populaires de Palestine, n° 564.
Dame merveille et autres contes d'Egypte, n° 326.
Roman de Baïbars
  Les Enfances de Baïbars, n° 327.
  Fleur des Truands, n° 328.
  Les Bas-Fonds du Caire, n° 329.
  La Chevauchée des fils d'Ismaïl, n° 330.
Edouard Al-Kharrat, *Alexandrie, terre de safran*, n° 291.
Jacques Berque, *Les Arabes* suivi de *Andalousies*, n° 250.
Mahmoud Darwich, *La Palestine comme métaphore*, n° 555.
Mohammed Dib, *Au café*, n° 210.
Mohammed Dib, *Le Talisman*, n° 256.
Hanan El-Cheikh, *Histoire de Zahra*, n° 378.
Hanan El-Cheikh, *Le Cimetière des rêves*, n° 535.
Alain Gresh et Tariq Ramadan, *L'Islam en questions*, n° 530.
Naguib Mahfouz, *Le Voleur et les Chiens*, n° 209.
Naguib Mahfouz, *Récits de notre quartier*, n° 374.
Naguib Mahfouz, *Matin de roses*, n° 464.
Naguib Mahfouz, *Le Mendiant*, n° 522.
Naguib Mahfouz, *L'Amour au pied des pyramides*, n° 543.
Tayeb Salih, *Saison de la migration vers le Nord*, n° 230.

LES FILS DE LA MÉDINA

Titre original :
Awlâd Hâratinâ
Editeur original :
Maktabat Misr, Le Caire
Publié avec l'accord de
The American University in Cairo Press

ISBN 978-2-7427-4482-4

Illustration de couverture :

La Ruelle, 1993

NAGUIB MAHFOUZ

LES FILS DE LA MÉDINA

roman traduit de l'arabe
par Jean-Patrick Guillaume

Préface de Jacques Berque

BABEL

PRÉFACE

Au vieux Caire, sur les ruines de deux palais des Fatimides, a poussé l'auguste et poussiéreux dédale qui a nom Gamaliyya. Des sécantes le percent, au prix de maintes concessions à l'oblique et au clair-obscur. Elles débouchent enfin, grâce à la Conquérante et à la Victorieuse[1]*, deux portes monumentales du rempart, sur de vagues espaces et un cimetière où dort peut-être Ibn Khaldûn.*

Naguib Mahfouz n'est pas exactement fils de la Gamaliyya, mais d'un quartier tout proche[2]*. Tout jeune cependant l'aura fasciné la vie truculente, qui pullule sur les splendeurs souterraines de ces hérétiques. Aussi donna-t-il comme titre à l'un des volumes de la trilogie romanesque qui l'a rendu célèbre :* Bayn al-Qasrayn (Entre les deux palais). *Un réalisme limoneux, une intrigue vigoureuse, l'appréhension de ce genre alors presque tout nouveau en Orient : le roman, le placèrent alors au*

1. La Conquérante, la Victorieuse, en arabe : *Al-Qahira* : Le Caire.
2. Naguib Mahfouz raconte sa découverte du vieux Caire, enfant, dans *Récits de notre quartier*, un roman assez autobiographique, Paris, 1988, Sindbad, et dans ses entretiens avec Gamal Ghitany : *Mahfouz par Mahfouz*, Paris, 1991, Sindbad.

premier rang de la jeune littérature arabe. Nous sommes en 1959. Par une démarche allant au rebours de celle qui d'une splendeur de légende avait fait déchoir ces foules jusqu'à la plus humble des vérités, son art sera remonté de l'observation concrète à la restitution d'une mythologie.

De là ce héros fondateur, Gabalawi. Chez les Arabes, ce qui fonde, c'est par excellence l'ancestralité. Ce puissant seigneur, aux origines turbulentes, érigea en legs de mainmorte (un waqf*) tout cet espace urbain. Dans sa jeunesse, dit-on, il avait été l'un des plus redoutés des* futuwwas. *Ce terme, augmentatif dialectal du classique* fata, *"jeune homme, héros, compagnon initiatique" en est venu à désigner, suivant la déchéance des temps, l'homme de main, le fier-à-bras qui distribue à la force de ses muscles et de son gourdin sanctions ou protections selon le cas à la masse apeurée des bonnes gens. Ceux-ci vivent de quelques miettes de la fondation, administrée par une intendance sans scrupules, aux termes d'une charte dont elle garde jalousement le secret. Gabalawi demeure, infiniment vieux, isolé dans sa grande maison, apparemment indifférent aux brutalités, injustices et prévarications.*

Les choses pourraient durer indéfiniment ainsi, dans cette aura de permanence qui semble couvrir les choses de l'Orient, et cache à l'étranger leurs évolutions profondes ou leurs révolutions. A celles-ci Mahfouz dédie cette saga cairote, où le réalisme de la description, l'acuité sans indulgence des caractères, une rêverie ajustée à la mélopée des aèdes, se mêlent aux rigueurs d'une idéologie. Car ne nous y trompons pas : le récit qui tantôt s'égaie de rumeurs populaires, tantôt voltige sur les fumées somnolentes du haschisch, témoigne d'une critique aussi radicale que feutrée.

Critique de l'institution politique, ramenée à l'exploitation frauduleuse du legs ancestral : critique de hiérarchies fondées sur de prétendus droits d'héritage ; critique de l'adhésion des masses, aussi faciles à soulever qu'à perdre ou qu'à décevoir ; critique enfin des figures de proue – ne sommes-nous pas sous Gamal Abdel Nasser ? Aussi bien le roman n'est-il pas davantage une analyse sociologique ? Ce pourrait être aussi un apologue. Et voilà un point qui mérite d'être élucidé.

Quatre protagonistes s'y succèdent en effet, qui surent mobiliser passagèrement les ferveurs de la Gamaliyya. Tous entamèrent une œuvre trop tôt retombée. L'un personnifiait la force, le second la charité, le troisième les dynamiques d'une morale communautaire, le quatrième enfin la recherche alchimique. C'est le dernier qui apparemment obtint, avant une fin terrible, le résultat le plus considérable, encore qu'aussitôt confisqué… En fait, ces personnages ne rappellent-ils pas, trait pour trait, Moïse et Jésus et Mohammed ? Quant au quatrième…

Or le rapprochement que je viens de faire, les premiers lecteurs du roman, qui paraissait en feuilleton dans Al-Ahram, *ne le firent que trop. Les mêmes religionnaires, gageons-le (ou bien leurs émules), qui avaient, en 1925, si ardemment condamné le livre de Taha Hussein sur la poésie jahilite, menaçaient de rééditer le scandale. Le régime nassérien ne dispensa pas, en l'occurrence, plus d'encouragements à la liberté de l'écrivain que ne l'avait fait le Wafd dans le premier cas.*

L'auteur dut publier son livre à Beyrouth, diminué de quelques coupures. Et lorsqu'il reçut le prix Nobel en 1988, certains murmures lui rappelèrent que ses détracteurs avaient la mémoire longue.

A nous qui voyons dans cet ouvrage son chef-d'œuvre, et l'un des sommets de la littérature arabe contemporaine, de telles critiques paraissent plus inquiétantes pour ceux qui les conçoivent que pour ceux qui en font l'objet.

Oui, l'histoire du quartier, Mahfouz la donne en tant qu'elle symbolise celle de l'univers, et trois des quatre héros successifs suggèrent de façon transparente les trois révélations. Mais depuis quand faut-il taxer d'impiété la figuration cosmique par des images ou des vicissitudes du monde ? D'illustres mystiques n'ont pas fait autre chose que de mettre en œuvre ces analogies. Le respect que le signataire de ces lignes voue à l'Islam – du dehors, il est vrai – s'étonnerait de voir la dévotion se scandaliser d'une transposition de l'histoire sainte dans la chronique familière des hommes.

On lui objectera certes le quatrième épisode, celui qui fait mourir le fondateur de vieillesse ou de saisissement, de par l'œuvre de la connaissance, que suggère le nom même du héros : Arafa. D'accord. Avouons même que l'événement consonne avec la thèse de la "mort de Dieu", que Nietzsche formula vers 1880, et qui depuis n'a cessé d'alimenter l'inquiétude de l'Occident. Il est vrai aussi que dès le début des années cinquante, au Liban, une neuve poésie arabe en appelait, non sans effraction des systèmes établis, qu'ils fussent politiques, littéraires ou religieux, à la résurrection printanière de Thammuz. Loin de nous la présomption de trouver le moindre lien entre cette sorte de néo-paganisme et la pensée profondément égyptienne, musulmane et critique de Naguib Mahfouz ! Ces coïncidences, toutefois, ont dû compter aux yeux de ses adversaires.

En tout état de cause, le temps devrait être passé dans son pays, comme il est passé ailleurs, où l'on puisse imputer à un quelconque créateur de fictions le discrédit qu'on veut bien attacher à ses personnages, à leurs discours ou à leur tribulation. Mieux vaudra pour certains de nos amis arabes se défaire en la matière d'une assez préoccupante insularité…

Du reste, les esprits soupçonneux devraient se rassurer en achevant ce récit dont le dénouement, en somme, leur donne satisfaction. L'indiscret alchimiste qui a causé, ou crut avoir causé, la mort du seigneur, expiera dûment ses fautes. Il trouvera sur le Muqattam, cette sorte de néant solennel et doré qui domine la Cité des Morts, son calvaire, à cette différence près qu'il sera non pas crucifié mais enterré vivant. Voilà donc notre coupable châtié, et l'inspiration mauvaise avec lui. Censeurs, de quoi vous plaignez-vous ?

Hélas, je sais de quoi. C'est de la dernière phrase du livre, à savoir que malgré l'involution catastrophique de toute l'aventure, “Patience, disaient-ils, tout a une fin, même l'oppression ! Le soleil finira bien par se lever, et nous verrons la chute du tyran, et l'aube viendra, pleine de lumière et de merveilles…” *Voilà bien un optimisme qu'on ne peut pardonner.*

JACQUES BERQUE

AVERTISSEMENT DU TRADUCTEUR

Deux termes apparaissent de façon récurrente dans ce roman : *waqf* et *futuwwa*. Termes-clés, puisqu'ils désignent l'enjeu des conflits successifs qui agitent le quartier Gabalawi ; termes aussi dont aucun équivalent français ne peut rendre la spécificité, ancrée dans un type d'organisation sociale que l'on retrouvait, jusqu'à une période encore toute récente, dans la plupart des grandes villes du Moyen-Orient.

Un *waqf*, en droit musulman, désigne en principe un bien ou un ensemble de biens (généralement immobiliers) instaurés en fondation pieuse ou charitable. Ces biens sont juridiquement la propriété du *waqf* et ne peuvent en aucun cas être vendus ni aliénés. Au cours du temps, ce type d'organisation a, dans certains cas, été détourné de sa vocation originale, et nombre de riches notables ont institué leur patrimoine en *waqf* à usage familial : les revenus, dans ce cas, étaient répartis parmi les descendants du fondateur, en principe jusqu'à la fin des temps. L'avantage de cette solution était qu'elle évitait de morceler le patrimoine par le jeu du droit successoral musulman, qui ignore l'indivision ; au reste, elle pouvait être légitimée selon le principe que la charité envers ses proches est une obligation pour tout bon croyant.

Un *waqf* est géré par un intendant, qui peut être le fondateur lui-même ou une autre personne désignée par lui. Dans le cas de *waqfs* familiaux, c'est souvent un membre de la famille. D'une manière générale, ces fonctions tendent à devenir héréditaires, par une sorte de consensus tacite. Au bout de plusieurs générations, une certaine confusion peut ainsi s'installer entre les biens du *waqf* et la fortune personnelle de l'intendant, surtout si celui-ci est peu scrupuleux : grâce à la richesse et à la position sociale qu'il a acquises, il pourra facilement échapper à tous les contrôles : témoin la mésaventure qui arrivera à Qasim lorsqu'il voudra attaquer l'intendant en justice.

Un nombre important de quartiers du Caire sont ainsi des *waqfs*, souvent très anciens ; ils ont souvent pour point de départ le palais de quelque "magnat", autour duquel s'est petit à petit aggloméré un quartier, dont les habitants sont en quelque sorte les dépendants et les protégés de la famille fondatrice (dans la mesure du moins où elle réside encore sur place, ce qui n'est plus guère le cas aujourd'hui). Indépendamment de ses sous-entendus symboliques, l'attitude des gens du quartier vis-à-vis de la "Grande Maison" et de l'étrange vieillard qui l'habite est, en ce sens, parfaitement conforme à la réalité.

L'intendant représente donc le versant économique, mais aussi (en raison des liens privilégiés qu'il prétend entretenir avec le Fondateur) "spirituel" du système de pouvoir qui tient le quartier Gabalawi ; les *futuwwas* en constituent le versant temporel, le "bras séculier". Il s'agit là d'une institution qui, si l'on en trouve certains traits dans la plupart des grandes villes méditerranéennes, n'a conservé sa forme la plus élaborée que dans les vieux quartiers du Caire, la "Mère des cités", dont on ne dira jamais assez à quel point elle est incroyablement ancienne.

Pour dire les choses simplement, le *futuwwa* est le "protecteur" attitré d'un quartier, qui, moyennant une contribution plus ou moins volontaire des habitants, y garantit un minimum d'ordre et de cohésion sociale, et défend son honneur et son prestige vis-à-vis de l'extérieur. Il s'agit donc d'un pouvoir de fait, sans reconnaissance officielle, et fondé uniquement sur la force physique et la capacité d'intimidation de celui qui l'exerce ; d'un pouvoir sans autre contrôle qu'une sorte de "code d'honneur" non écrit, et assez rudimentaire, que ce roman évoque à plusieurs reprises avec une grande précision.

Le *futuwwa* est, par définition, un personnage ambigu, à double face : il y a de bons *futuwwas*, qui taxent les riches pour secourir les pauvres, mais il y en a surtout de mauvais, qui préfèrent s'allier aux notables pour exploiter et pressurer la population. En fait, Mahfouz, probablement à juste titre, suggère clairement que le bon futuwwa est essentiellement une figure légendaire destinée à légitimer les mauvais. Il convient cependant de souligner que les pires d'entre eux gardent un aspect positif : la protection qu'ils garantissent est bien réelle, faute de quoi leur prestige, fondement de leur pouvoir, serait atteint. Sans doute cette protection est-elle largement soumise à des conditions arbitraires, et le prix à payer est-il souvent exorbitant, mais ceci est une autre affaire.

L'un des moments critiques où se joue le prestige des *futuwwas* est constitué par les processions nuptiales, au cours desquelles le marié est promené par les hommes du quartier à travers la ville ; le *futuwwa* qui l'escorte, se trouvant hors de son territoire, est particulièrement exposé aux attaques de ses rivaux, surtout ceux qui protègent les quartiers par lesquels passe la procession. Inversement, l'ampleur du circuit que suivra celle-ci sera proportionnelle au prestige du *futuwwa* qui la protège. Souvent, d'ailleurs, le passage du cortège sera négocié par avance avec les *futuwwas* des quartiers concernés ; il n'en reste pas moins que l'intrusion d'une masse d'"étrangers" dans un espace ressenti par ses occupants comme strictement privé constitue toujours un moment dangereux, où une bagarre peut éclater malgré toutes les précautions.

Particulièrement vaste et peuplé, le quartier Gabalawi est subdivisé en "secteurs", ayant eux aussi une organisation autonome, symbolisée notamment par la présence d'un *futuwwa,* soumis à l'autorité du *futuwwa* en chef. Chacun de ces secteurs, constitué d'un ou de plusieurs pâtés de maisons, fonctionne un peu comme une "famille élargie", notamment pour ce qui touche à l'honneur sexuel : témoin la mésaventure de Yasmina, à laquelle on reproche non pas son inconduite (en quelque sorte statutaire et donc tolérée) mais le fait d'avoir eu des bontés pour un homme d'un autre secteur, fût-il *futuwwa*.

Le lecteur pourra trouver étrange le rôle voyant qu'occupent l'alcool et le haschisch, normalement prohibés par la loi islamique, dans la vie sociale des "Gabalawites". Rappelons simplement que ces prohibitions sont à peu près aussi respectées dans la plupart des pays musulmans que celle qui concerne les relations sexuelles hors mariage dans les sociétés chrétiennes. Le haschisch, en particulier, a dans le petit peuple du Caire la même fonction ambiguë que l'alcool dans le prolétariat français du début du siècle : fléau social en un sens, mais aussi exutoire à une misère sans issue plausible, voire même facteur de sociabilité : le haschisch ne se consomme pas dans la solitude, mais dans des cercles d'amis, plus ou moins stables, constitués sur la base d'affinités électives entre les participants. Dans l'état d'hyperesthésie induit par la drogue, les sentiments et les dispositions de chacun tendent à se répercuter sur tout le groupe ; aussi la règle fondamentale est-elle de ne pas "casser l'ambiance", par des manifestations intempestives de dépression ou d'agressivité, ou en abordant des sujets jugés déplaisants ou attristants. Tout ceci contribue à faire du haschisch, quels qu'en soient par ailleurs les effets négatifs, un élément essentiel de convivialité, voire d'intégration sociale.

Peinture minutieusement réaliste d'un certain milieu social, ce roman est aussi, en un sens, un récit symbolique, voire une fable philosophique : à travers les destinées des héros successifs, le lecteur n'aura pas de mal à retrouver celles des grandes figures de la tradition prophétique judéo-christiano-islamique, depuis Adam-Adham jusqu'à Qasim-Mahomet (le cas d'Arafa est un peu à part, mais ici aussi le symbolisme est transparent).

Ces figures sont évoquées sous la forme particulière qu'elles ont prise dans l'imaginaire islamique, qui ne correspond pas toujours absolument à celui des deux autres religions abrahamiques ; la plupart des allusions n'en sont pas moins suffisamment faciles à décrypter pour que l'on se soit dispensé d'en fournir une glose, qui eût alourdi la traduction sans grand profit pour le lecteur.

Ce dernier aspect du roman fut d'ailleurs à l'origine d'un scandale retentissant, lors de sa première parution, en 1959, sous forme de feuilleton dans le quotidien *Al-Ahram*. La pression des bien-pensants fut telle que Gamal Abdel Nasser dut intervenir personnellement auprès du journal pour que la publication n'en fût pas interrompue. Cependant, l'ouvrage ne parut en volume qu'en 1967, à Beyrouth, aucun éditeur égyptien n'ayant voulu assumer les risques d'une telle entreprise. En 1988, lors de la proclamation du prix Nobel attribué à Naguib Mahfouz, le président Moubarak fit savoir qu'aucune de ses œuvres ne serait interdite de publication en Egypte. Les milieux intégristes protestèrent. Et Mahfouz de faire savoir qu'il se rangeait à la décision d'interdiction, maintenue par l'Université religieuse traditionnelle d'Al-Azhar… "car nous avons besoin d'elle pour défendre l'Islam contre les milieux extrémistes".

L'édition libanaise présente quelques différences, très mineures à la vérité, avec l'édition originale ; elle comporte notamment trois ou quatre coupures manifestement inspirées par des raisons de prudence. Celles-ci ont été rétablies dans la présente traduction qui, pour le reste, suit le texte de Beyrouth.

JEAN-PATRICK GUILLAUME

PROLOGUE

Voici l'histoire de notre quartier, ou plus exactement les histoires de notre quartier. A l'exception de la toute dernière période, je n'ai pas été directement témoin des événements qui sont rapportés ici : je les transmets d'après les récits des conteurs publics, si nombreux chez nous. Chacun les transmet à sa façon, tels qu'il les a entendus dans le café de son secteur, et qu'ils lui sont parvenus à travers les générations. C'est là mon unique source d'information.

Fréquentes sont les occasions qui incitent à évoquer ces récits : chaque fois que l'un de nous se trouve dans une situation difficile, qu'il a à souffrir de l'injustice ou de l'oppression, il montre du doigt la Grande Maison, qui se dresse au haut bout du quartier, là où il donne sur le désert, et soupire : "Là est la maison de notre Ancêtre à tous. Nous descendons tous de lui, nous avons tous droit à son *waqf*[1] : pourquoi avons-nous toujours faim ? pourquoi sommes-nous toujours si malheureux ?" Puis il se met à raconter, tirant un exemple et une leçon de la destinée des grands hommes de notre quartier, Adham et Gabal, Rifaa et Qasim.

1. Bien de mainmorte attaché à une fondation. *(Toutes les notes sont du traducteur.)*

Cet Ancêtre dont je viens de parler est une énigme. Il est doué d'une longévité plusieurs fois supérieure à la normale, à tel point qu'il est passé en proverbe. Depuis très longtemps, il vit retiré dans sa maison, à cause de son grand âge. Les récits qui courent à ce sujet sont à peine croyables ; il se peut, d'ailleurs, que l'imagination ou l'intérêt ait pris une certaine part à leur élaboration. Quoi qu'il en soit, il se nomme Gabalawi, et il a donné son nom à notre quartier. Il possède tout ce qui s'y trouve, *waqfs*, terrains et bâtiments, ainsi que toute la portion de désert qui l'entoure. J'ai entendu une fois un homme dire : "Il est à l'origine de notre quartier, et notre quartier est l'origine du Caire, la Mère des cités. Au commencement, il vivait seul, dans le désert et les terrains vagues ; et puis il en est devenu le propriétaire grâce à la force de ses bras et au prestige dont il jouissait auprès du gouverneur. C'était un homme comme on n'en voit plus, un *futuwwa*[1] dont le nom suffisait à faire trembler les bêtes sauvages." Et j'ai entendu quelqu'un d'autre dire de lui : "C'était un vrai *futuwwa* ; mais il n'était pas comme les autres. Il ne forçait personne à lui payer le prix de la protection, il n'était pas hautain et arrogant, mais compatissant envers les faibles."

Et puis il est venu un temps où certains – peu nombreux à la vérité – ont commencé à parler de lui en des termes qui ne convenaient pas à sa puissance et à sa majesté. Ainsi va le monde !

Quant à moi, je ne me suis jamais lassé d'écouter les récits qui se transmettent sur son compte. Bien des fois,

1. Personnage central de la vie des quartiers populaires du Caire, le *futuwwa* en est le "protecteur" officieux, chargé d'y maintenir l'ordre et d'en défendre le prestige, moyennant une "contribution" plus ou moins volontaire.

j'ai rôdé autour de la Grande Maison, dans le vain espoir de l'apercevoir un instant. Bien des fois, je me suis tenu devant le portail immense, contemplant le crocodile empaillé accroché au linteau. Bien des fois, je suis allé m'asseoir dans le désert du Muqattam[1], non loin du haut mur d'enceinte, sans rien distinguer d'autre que les cimes des mûriers, des sycomores et des palmiers qui entourent la maison de toutes parts, ou que les volets clos qui ne laissent échapper aucun signe de vie.

N'est-il pas triste d'avoir un ancêtre comme celui-ci, et de ne pouvoir le rencontrer ? N'est-il pas étrange qu'il se cache dans cette grande maison toujours fermée, quand nous vivons dans la poussière ? Si vous demandez comment nous en sommes arrivés là, on commencera tout de suite à vous raconter nos histoires, on vous parlera d'Adham, de Gabal, de Rifaa et de Qasim ; mais rien de tout cela ne vous paraîtra bien convaincant.

J'ai dit que personne ne l'a vu depuis qu'il s'est retiré du monde. Mais de cela, la plupart ne semblent pas se soucier. Depuis le début, la seule chose qui les intéresse, c'est le *waqf* et les Dix Conditions sur lesquelles chacun a son idée. De là sont nées les querelles qui divisent notre quartier depuis l'origine, et qui n'ont fait que croître et embellir au cours des générations.

C'est une bien sinistre farce, en effet, que de mentionner le lien de parenté qui nous unit. Sans doute, nous constituons et avons toujours constitué une seule famille, où aucun étranger n'a jamais pu pénétrer. Sans doute, chacun d'entre nous connaît tous les autres habitants du quartier, hommes et femmes. Et malgré cela, aucun quartier n'est plus riche en discordes et en conflits que le nôtre,

1. Montagne poussiéreuse et jaunâtre qui surplombe Le Caire.

ni plus divisé en factions hostiles. Pour chaque homme de bonne volonté, on y trouverait dix *futuwwas* brandissant leurs gourdins et appelant au meurtre. Si bien que les gens se sont habitués à acheter la paix et la tranquillité, en payant le prix de la protection et en subissant sans broncher les pires avanies. D'ailleurs, un châtiment impitoyable et immédiat suit toute velléité de rébellion, en acte ou en parole, voire en pensée, si son auteur la laisse transparaître sur son visage.

Mais la chose la plus étrange, c'est que les habitants des quartiers voisins, Otouf, Kafr Zaghari, la Darrasa ou la Huseiniyya, nous envient pour la richesse de nos *waqfs* et la bravoure invincible de nos *futuwwas*. Ils ne se doutent pas que nous ne valons guère mieux que des mendiants, que nous vivons dans la crasse, infestés de mouches et de poux, que nous nous nourrissons de vieilles croûtes de pain, que nous sommes vêtus de haillons. Ils admirent nos *futuwwas* et leurs airs de matamores, mais ils oublient que, tout en se pavanant, ils nous marchent sur la poitrine, et que nous n'avons d'autre consolation que de montrer du doigt la Grande Maison et de soupirer tristement : “C'est là qu'habite Gabalawi : il est notre ancêtre, et nous sommes ses descendants.”

J'ai été témoin de la dernière période de la vie de notre quartier, et j'ai assisté aux événements dont Arafa fut le héros. C'est d'ailleurs l'un des compagnons de celui-ci qui m'a incité à écrire ce livre. “Tu es l'un des rares, ici, à savoir écrire, me dit-il un jour. Pourquoi ne mettrais-tu pas par écrit les histoires de notre quartier ? Les conteurs les transmettent par fragments, sans ordre, en les arrangeant chacun selon ses intérêts ou ses opinions. Il serait bon qu'elles soient toutes rassemblées sous forme d'un livre, qui ferait autorité, et dont chacun pourrait tirer profit. D'ailleurs, je te fournirai certains renseignements que personne ne connaît."

Je me suis donc attelé à ce projet, d'une part parce qu'il me semblait digne d'intérêt, d'autre part par amitié envers celui qui me l'avait proposé. Je fus ainsi le premier habitant du quartier à exercer le métier d'écrivain, ce qui me valut surtout des avanies et des sarcasmes. Mon travail consiste à rédiger des pétitions et des suppliques pour ceux qui ont subi une injustice ou qui demandent des secours : si je ne vis pas mieux que les plus misérables des habitants de notre quartier, ce n'est assurément pas faute de clients ! Et je ne parle pas de l'effet déprimant et démoralisant que procure la fréquentation quotidienne des secrets et des peines de nos semblables…

Mais en voilà assez ! Je ne prends pas la plume pour raconter ma vie et mes malheurs ; malheurs bien dérisoires au demeurant, si on les compare à ceux de notre quartier, de notre quartier si riche en événements étranges et mystérieux. Comment est-il apparu à l'existence ? Que lui est-il arrivé ? Qui sont ses fils ?

ADHAM

1

Au commencement, là où se trouve actuellement notre quartier, il n'y avait que le désert du Muqattam qui s'étendait à perte de vue. Au milieu du désert se dressait la Grande Maison construite par Gabalawi, comme un défi à la solitude, aux fauves et aux bandits de grands chemins. Son haut mur d'enceinte enfermait une vaste étendue de terrain, dont la moitié ouest constituait un verger et la moitié est était occupée par une imposante demeure, composée de trois corps de bâtiment.

Or, un jour, le Fondateur fit venir ses fils dans la grande salle du rez-de-chaussée, qui donnait sur le *selamlik*[1] : c'était là qu'il se tenait habituellement. Ils vinrent tous les cinq, Idris, Abbas, Ridwan, Galil et Adham. Vêtus de leur djellaba de soie, ils s'alignèrent devant leur père, n'osant lever les yeux vers lui qu'à la dérobée, tant sa majesté leur en imposait. Sur son ordre, ils

1. Sorte de grande véranda qui, dans les maisons nobles, sert de pièce de réception officielle.

prirent place autour de lui. Après les avoir tenus un long moment sous son regard d'aigle, le Patriarche se leva et, se dirigeant vers la porte du *selamlik*, tourna ses yeux vers le jardin, où les mûriers, les sycomores et les palmiers formaient une masse de verdure compacte, où les arbustes à henné et les jasmins poussaient en tonnelles, le long des murs. Tout bruissait du chant des oiseaux et du murmure de la vie, en contraste avec le silence pesant qui régnait à l'intérieur de la pièce.

Les cinq frères crurent que le *futuwwa* du désert les avait oubliés ; avec sa taille immense et sa vaste carrure, il semblait étranger à l'espèce humaine, comme un être tombé des étoiles. Ils échangèrent des regards interrogateurs : le Patriarche agissait toujours ainsi lorsqu'il avait pris une décision importante, et ils se sentaient un peu inquiets, car le vieux Gabalawi se comportait en despote absolu chez lui comme dans le désert, et eux-mêmes, ses propres enfants, ne comptaient pour rien.

Soudain, il se retourna et, sans bouger de sa place, déclara, de sa voix profonde qui réveillait les échos de la vaste pièce :

— J'ai décidé d'abandonner l'administration du *waqf* et de la confier à l'un d'entre vous.

A nouveau, il les examina attentivement ; mais les cinq visages ne reflétaient aucun sentiment particulier. La direction du *waqf* n'avait rien pour tenter ces jeunes gens amis de leurs aises et de leurs plaisirs. En outre, Idris, en sa qualité de frère aîné, serait évidemment désigné pour occuper cette place : cela allait de soi. "Quelle corvée ! se dit simplement celui-ci. Des soucis à n'en plus finir et des locataires tous plus pouilleux les uns que les autres !"

— Mon choix s'est porté sur votre frère Adham, reprit soudain Gabalawi. C'est dorénavant lui qui dirigera le *waqf*, sous ma surveillance.

La surprise se peignit sur tous les visages ; les jeunes gens échangèrent des regards stupéfaits. Seul Adham gardait les yeux baissés, plein d'embarras et de confusion.

— C'est pour vous dire cela que je vous avais convoqués, poursuivit Gabalawi en tournant le dos d'un air indifférent.

Une rage soudaine s'empara d'Idris, qui chancela comme un homme ivre. Ses frères lui lancèrent un regard inquiet ; chacun d'entre eux – à l'exception d'Adham, évidemment – s'efforçait de dissimuler son mécontentement envers une décision qui évinçait Idris, et les humiliait eux-mêmes par contrecoup.

— Mais, père… risqua l'aîné d'une voix étrangement calme.

— Mais quoi ? coupa Gabalawi d'une voix glaciale, sans même se retourner.

Les autres baissèrent les yeux, de peur que l'Ancêtre n'y lût les sentiments qui les agitaient.

— Mais je suis le frère aîné… reprit Idris avec obstination.

— Oui, je crois que je suis bien placé pour le savoir ! rétorqua Gabalawi d'un ton agacé.

— Un fils aîné a des droits ! On ne peut pas l'en priver sans raison.

Le Patriarche fixa un long moment son fils, comme pour lui donner le temps de reprendre ses esprits.

— Je puis vous assurer que j'ai fait mon choix dans l'intérêt de tous, déclara-t-il enfin.

Cette nouvelle gifle fit perdre à Idris le peu de retenue qui lui restait. Il savait fort bien que son père abominait la contestation plus que tout au monde, et qu'en s'obstinant dans son attitude il s'exposait aux plus graves conséquences, mais il ne se possédait plus. Il vint se mettre à côté d'Adham, gonflant la poitrine et se pavanant comme un coq, pour bien souligner à quel point il était plus grand, plus fort et plus beau que son cadet.

— Nous, nous sommes les fils d'une *hanem*[1], d'une dame de haute naissance, jeta-t-il. Alors que lui, sa mère n'est qu'une esclave noire…

Le visage basané d'Adham pâlit légèrement, mais il ne bougea pas.

— Prends garde, Idris ! fit Gabalawi en levant la main d'un air menaçant.

Mais les tourbillons d'une rage démente avaient emporté l'autre au-delà de toute mesure.

— Et par-dessus le marché il est le plus jeune ! clama-t-il. Donne-moi une seule raison pour le choisir de préférence à moi ! Depuis quand les esclaves sont-ils devenus les maîtres ?

— Tiens ta langue, si tu ne veux pas qu'il t'arrive malheur, insolent !

— Tu peux la couper, ma langue ! J'aime mieux ça que l'humiliation.

— Nous sommes tous tes fils, intervint Ridwan, parlant d'une voix douce. Nous avons le droit de nous sentir peinés si nous avons perdu ta confiance, même si nous ne contestons pas ta décision. Tout ce que nous désirons, c'est de comprendre pourquoi…

Gabalawi, subitement calmé, se tourna vers le jeune homme.

1. Titre d'origine turque donné aux femmes et filles de notables.

— Adham s'entend bien avec les locataires : il les connaît presque tous par leur nom. En outre, il sait écrire et compter…

La stupeur se peignit sur le visage d'Idris et de ses frères : depuis quand frayer avec la populace, ou avoir fréquenté l'école du quartier, était-il un titre de supériorité ? Et d'ailleurs, pourquoi la mère d'Adham l'avait-elle envoyé à l'école, sinon parce qu'elle désespérait d'en faire un *futuwwa* présentable ?

— Et c'est ça ta seule raison pour me faire avaler cette couleuvre ? demanda Idris d'un ton ironique.

— Telle est ma volonté ! trancha Gabalawi d'un ton sec. Tu n'as qu'à t'incliner. Et vous, qu'en dites-vous ? poursuivit-il en se retournant brusquement vers les autres.

— Nous entendons et nous obéissons, articula Abbas en détournant les yeux.

— A tes ordres, père, murmura rapidement Galil.

— Sur ma tête et mon œil, renchérit Ridwan, la bouche sèche.

— Bande de lâches ! éclata Idris, le visage déformé par la rage. Je savais bien que vous vous dégonfleriez ! Et maintenant, vous n'avez plus qu'à vous aplatir devant le fils de la moricaude !

— Idris ! tonna Gabalawi, un éclair menaçant dans les yeux.

— Tu te moques bien de tes devoirs de père ! Tu es né *futuwwa* et tyran, et tu ne sais faire que ça ! Et nous, tes fils, tu nous traites exactement comme tu traitais tes innombrables victimes.

Gabalawi avança lentement de deux pas et dit d'une voix dangereusement calme :

— Tiens ta langue !

— Tu ne me fais pas peur, et tu le sais bien ! Si tu veux mettre le fils de la moricaude au-dessus de moi, ne t'attends pas à ce que je te chante l'air du fils obéissant !

— C'est de ma femme que tu parles, vaurien ! Maintenant, tiens ta langue où je te fais rentrer sous terre !

Les frères, et Adham tout le premier, étaient terrorisés : ils connaissaient le caractère violent de leur père. Mais Idris avait dépassé le stade où l'on se préoccupe du danger : il avait réellement perdu la raison.

— Tu m'as toujours détesté ! clama-t-il. Je ne m'en étais pas rendu compte, mais tu m'as toujours détesté. C'est sûrement cette négresse qui t'a monté contre moi. Quelle blague ! Le seigneur du désert, le maître des *waqfs*, le *futuwwa* qui fait trembler tout le monde se laisse embobiner par une esclave ! Pour sûr que ça va jaser dans les chaumières !

— Pour la dernière fois, tiens ta langue, maudit !

— Je ne me laisserai pas insulter à cause d'Adham ! Cela, même la boue ne le supporterait pas. Nous allons être la risée de tout le monde !

— Hors de ma vue ! tonna Gabalawi d'une voix si forte qu'elle fut entendue jusque dans le jardin et dans l'appartement des femmes.

— Je suis chez moi ! C'est ici que se trouve ma mère ; et elle, au moins, c'est une grande dame.

— Tu es chassé de cette maison ! Va-t'en pour toujours !

Le grand visage du Patriarche avait pris une couleur terreuse, comme les eaux du Nil au moment de la crue. Il s'avança, massif comme une tour, fermant ses poings durs comme du granit. Tous comprirent que c'en était fait d'Idris. Ce n'était d'ailleurs qu'une tragédie de plus parmi toutes celles que cette maison avait vécues en silence. Combien de grandes dames avaient-elles été transformées d'un mot en pitoyables mendiantes ! Combien d'hommes en étaient sortis, après des années de loyaux services, portant sur leur dos nu les marques du fouet plombé, perdant le sang par le nez et la bouche ! La sollicitude que le Maître manifeste envers chacun tant qu'il est content de lui ne sert plus à rien dès lors qu'on a provoqué sa colère. Oui, Idris avait beau être l'aîné du Fondateur, et presque son égal pour la force et l'apparence, c'en était fait de lui.

— Tu n'es plus mon fils, et je ne suis plus ton père, reprit Gabalawi en faisant deux pas en avant. Cette maison n'est plus ta maison, tu n'y as plus ni mère, ni frère, ni serviteur. Le vaste monde est devant toi : pars, et que ma colère et ma malédiction t'accompagnent. L'expérience t'apprendra ce que tu vaux réellement, quand tu erreras misérablement, privé de mon affection et de ma sollicitude.

— Je suis chez moi, et je ne sortirai pas ! cria rageusement Idris en frappant du pied le tapis persan.

Avant qu'il ait eu le temps d'esquisser un geste de défense, le Patriarche bondit sur lui, et, lui serrant l'épaule de sa poigne d'acier, le poussa devant lui, à travers la porte du *selamlik*, au bas du perron, le long du passage couvert, sous les berceaux de jasmin et d'arbres à henné, et jusqu'au grand portail ; arrivé là, il le jeta dehors et referma le battant. Puis, élevant la voix de façon à être entendu de toute la maison, il cria :

— La mort pour tous ceux qui le laisseront entrer ou l'aideront à le faire.

Et, levant la tête vers les fenêtres du harem, il reprit :

— Et répudiation immédiate à toutes celles qui se risqueraient à en faire autant !

2

A compter de ce jour malheureux, Adham se rendit chaque matin au bureau du *waqf*, dans l'espèce de loge qui se trouvait à la droite de la porte de la Grande Maison. Il s'appliquait avec zèle à son travail, percevant les loyers, distribuant les parts de bénéfices à ceux qui y avaient droit, et rendant compte de tout à son père. Il manifestait beaucoup de courtoisie et de tact dans ses relations avec les locataires, auprès desquels il jouissait d'une grande popularité, et ce en dépit de leur caractère notoirement grossier et chicaneur.

Les statuts du *waqf* étaient un secret soigneusement gardé par le Fondateur. La nomination d'Adham à la direction avait fait naître l'inquiétude parmi les habitants de la maison : était-ce le signe que le Patriarche comptait en faire son légataire universel ? A la vérité, il n'avait jamais manifesté auparavant la moindre différence dans son comportement à l'égard de ses fils ; aussi l'affection et la bonne entente avaient-elles longtemps régné entre eux. Même Idris – le plus fort, le plus beau, le plus prompt aussi à tomber dans les excès de la jeunesse –, même Idris ne s'était jamais trouvé en conflit avec aucun des autres ; bien au contraire, c'était un garçon au caractère généreux et ouvert, agréable à vivre, qui attirait l'affection et le respect de tous.

A bien y réfléchir, peut-être les quatre frères aînés nourrissaient-ils un sentiment de secrète supériorité envers Adham, mais aucun d'entre eux ne l'avait jamais manifesté ouvertement, que ce fût en paroles ou en actions. Peut-être aussi Adham était-il plus sensible qu'eux à ce qui le séparait ; peut-être comparait-il fréquemment leur teint clair à sa peau sombre, leur force à sa délicatesse, la noblesse de leur mère à la condition humble de la sienne ; peut-être cela lui inspirait-il parfois une tristesse cachée. Mais l'atmosphère de la maison, embaumée par les arbustes aromatiques, soumise à la volonté et à la sagesse du Patriarche, chassait rapidement ces impressions pénibles ; aussi avait-il grandi pur de cœur et d'esprit.

— Bénis-moi, dit-il à sa mère avant de se rendre pour la première fois au bureau du *waqf*. Ce travail qui m'a été confié sera une épreuve pour toi et pour moi.

— Que le succès t'accompagne, répondit-elle. Tu es un bon fils, et ceux qui ont le cœur bon finissent toujours par réussir...

Adham se rendit donc au bureau du *waqf*, épié par plus d'un regard, depuis le *selamlik* ou de derrière les fenêtres ; il s'assit à sa place et commença son travail. La position qu'il occupait était la plus importante de toute cette zone, qui s'étendait dans le désert depuis le Muqattam à l'est jusqu'au Vieux-Caire à l'ouest.

Il s'était donné pour ligne de conduite d'exercer la plus scrupuleuse exactitude ; il enregistrait soigneusement chaque millime dans ses livres de comptes, ce qui n'avait jamais encore été fait dans l'histoire du *waqf*. Il versait leur pension à ses frères avec un tact et une gentillesse qui dissipa bientôt les ressentiments qu'ils pouvaient éprouver à son égard, et remettait le solde à son père.

— Eh bien, Adham, comment trouves-tu ton travail ? lui demanda un jour ce dernier.

— Dès lors que tu me l'as confié, il est la chose la plus importante de ma vie.

Le visage grave et imposant du Patriarche s'éclaira d'un sourire : malgré son caractère dominateur, il était accessible à la flatterie. D'ailleurs, Adham aimait réellement les soirées qu'il passait assis au côté de son père, le couvant de regards chargés d'admiration et d'amour. Son plus grand bonheur était de l'écouter lorsqu'il évoquait, pour lui et ses frères, les récits des premiers temps, ses aventures de jeunesse, lorsqu'il errait dans la région, son terrible gourdin à la main, exerçant sa domination partout où il posait le pied.

Le départ forcé d'Idris ne changea pas grand-chose aux habitudes de ses frères : Abbas, Ridwan et Galil continuèrent à se réunir sur la terrasse de la maison, pour manger, boire et jouer aux dés. Quant à Adham, il avait toujours préféré passer son temps dans le jardin, à jouer de la flûte. Lorsqu'il assuma la direction du *waqf*, il conserva cette habitude, même s'il avait moins de temps à y consacrer. Son travail fini, il étendait une natte au bord d'un canal d'irrigation et s'y asseyait, le dos appuyé au tronc d'un sycomore ou d'un palmier ; ou bien encore il se couchait sur le dos, à l'ombre d'un berceau de jasmin, et contemplait les oiseaux innombrables. Puis il prenait sa flûte et s'exerçait à imiter leurs chants joyeux, ou encore il regardait le ciel, limpide et pur, à travers les branches.

Un jour, son frère Ridwan passa près de lui, alors qu'il était ainsi occupé.

— Tu dois vraiment trouver que tu perds ton temps, quand tu travailles au *waqf* ! lui lança-t-il d'un ton légèrement moqueur.

— Si je ne craignais pas de fâcher le père, j'aurais de quoi me plaindre, concéda Adham en souriant.

— Quant à nous, Dieu merci, nous avons tout notre temps de libre.

— J'en suis content pour vous.

— Tu n'aimerais pas redevenir comme nous ? insista Ridwan, cachant son agacement sous un sourire.

— Les meilleurs moments, pour moi, ce sont ceux que je passe dans le jardin avec ma flûte.

— Et dire qu'Idris désirait tant ce travail ! soupira le jeune homme avec amertume.

— Idris n'avait pas de temps pour le travail ; c'est pour d'autres raisons qu'il s'est révolté. Mais le vrai bonheur, c'est seulement dans ce jardin que tu le trouveras...

"Le jardin, le chant des oiseaux, l'eau, le ciel, tout ce bonheur qui m'enivre : voilà la vraie vie, se dit Adham après le départ de Ridwan. J'ai l'impression de toujours courir après quelque chose, mais quoi ? Parfois il me semble que la flûte est sur le point de me le dire, mais la question reste sans réponse. Si les oiseaux parlaient la même langue que moi, alors je saurais. Les étoiles aussi parlent. Mais toucher les loyers, c'est comme scier du bois : il n'y a pas la moindre musique là-dedans."

Un jour qu'Adham contemplait son ombre sur le sentier qui serpentait entre les rosiers, il aperçut soudain une autre ombre qui se détachait de la sienne : quelqu'un arrivait derrière lui, tournant le coin du sentier. Par un étrange effet d'optique, cette ombre nouvelle semblait sortir de ses côtes. Il se retourna et vit une jeune fille brune qui, l'ayant soudain aperçu, faisait mine de revenir sur ses pas. Il lui fit signe de s'arrêter, et, après l'avoir un instant contemplée en silence, lui demanda d'une voix douce :

— Qui es-tu ?

— Oumayma, répondit-elle d'une voix hésitante.

Ce nom lui disait quelque chose ; il croyait se souvenir qu'il s'agissait d'une servante de la maison, plus ou moins parente de sa mère.

— Et que viens-tu faire dans le jardin ? poursuivit-il, désireux de prolonger la conversation.

— Je croyais qu'il n'y avait personne, murmura-t-elle en baissant les yeux.

— Mais vous n'avez pas le droit de venir ici…

— J'ai mal agi, maître, avoua-t-elle d'une voix presque inaudible.

Elle recula jusqu'au tournant du sentier et disparut. Adham entendit le bruit d'un pas rapide qui s'éloignait. “Comme elle est belle !” murmura-t-il. Il lui semblait qu'il n'avait jamais autant fait partie du jardin qu'en ce moment : les roses, les jasmins, les girofliers, les oiseaux et lui-même ne formaient plus qu'un seul chant. “Oumayma est belle, se disait-il. Tous mes frères sont mariés, sauf Idris le révolté. Et puis, sa peau a la même couleur que la mienne. Et son ombre était mêlée à la mienne, comme si nous formions un seul corps. Mon père ne se moquera sûrement pas de mon choix ; après tout, n'a-t-il pas épousé ma mère ?”

3

Lorsque Adham revint à son travail, il avait le cœur rempli d'une ivresse obscure. Il s'efforça en vain de vérifier les comptes de la journée ; le souvenir de la brune Oumayma l'occupait tout entier. Il n'y avait rien d'étonnant à ce qu'il l'ait vue ce jour-là pour la première fois. Dans cette maison, les femmes jouaient un rôle comparable à celui des organes internes dans le corps humain : leur possesseur est, d'une certaine façon, conscient de leur existence, il vit grâce à eux, mais il ne les voit pas.

Mais la plaisante rêverie du jeune homme fut soudain dissipée par une voix de tonnerre qui éclata, toute proche :

— Ho, Gabalawi ! Je suis ici, dans le désert, et je vous maudis tous, hommes et femmes ! Et si ça ne vous plaît pas, je vous défie de sortir ! Tu m'entends, Gabalawi ?

— Idris ! murmura Adham.

Sortant en hâte dans le jardin, il aperçut son frère Ridwan qui avançait vers lui, l'air manifestement troublé.

— Idris est ivre, lui lança-t-il. Je l'ai vu par la fenêtre, il ne tient pas sur ses jambes ! Dieu sait quels scandales nous réserve l'avenir !

— Quel crève-cœur ! soupira Adham en fermant les yeux.

— Que faire maintenant ? Qui sait quelle catastrophe…

— Ne faudrait-il pas en parler au père ?

— Tu sais bien qu'une fois qu'il a pris une décision, il n'y a plus moyen de le faire revenir en arrière. Sans compter que cette nouvelle incartade d'Idris l'aura rendu encore plus furieux contre lui.

— Nous nous serions bien passés de tous ces malheurs !

— Tu peux le dire ! Les femmes pleurent dans tout le harem, Abbas et Galil font des têtes d'enterrement, le père s'est enfermé seul dans sa chambre et personne n'ose l'approcher !

— Ne faudrait-il pas faire quelque chose ? insista Adham.

— Ecoute, il semble que nous tenions tous à notre tranquillité. Or, le plus sûr moyen de la perdre, c'est de chercher à la garder à tout prix. Alors moi, je ne vais pas risquer ma position, quand bien même le ciel tomberait sur la terre. Quant à l'honneur de la famille, il se vautre en ce moment dans la poussière, avec Idris.

"En ce cas, pourquoi es-tu venu me voir ?" pensa Adham. Soudain, il se sentit étranger, rejeté comme un oiseau de mauvais augure.

— Je ne suis pour rien dans tout cela, soupira-t-il ; et pourtant je ne pourrai jamais être heureux si je me tais…

— Oui, tu as personnellement quelques bonnes raisons pour agir, lui lança Ridwan en s'éloignant.

Adham resta seul. La voix de son frère résonnait encore à ses oreilles : "Tu as quelques bonnes raisons…" Oui. Sans avoir commis aucun crime, il était en position d'accusé. Chaque fois que quelqu'un s'apitoyait sur le sort d'Idris, c'était le nom d'Adham qu'on maudissait. Se dirigeant vers la porte, il l'ouvrit sans bruit et sortit.

Idris était là, tout proche. Dépoitraillé, les cheveux en désordre, il tournait sur lui-même en titubant et en roulant des yeux hagards. Soudain, apercevant Adham, il se ramassa sur lui-même, prêt à bondir, comme un chat sur une souris. Mais son ivresse le trahit : il chancela soudain, ramassa une poignée de terre et la jeta sur son frère, le touchant à la poitrine et souillant sa djellaba.

— Frère ! l'interpella Adham de sa voix douce.

— Tais-toi, chien fils de chien ! Tu n'es pas mon frère et mon père n'est pas le tien ! J'abattrai cette maison sur vos têtes !

— Mais tu es le meilleur et le plus noble de notre famille, poursuivit Adham du même ton.

— Qu'est-ce que tu viens faire ici, fils de moricaude ? ricana l'autre. Retourne chez ta mère et envoie-la en bas, dans la chambre des servantes !

— Ne te laisse pas emporter par la colère. Ne claque pas la porte au nez de ceux qui travaillent pour toi.

— Maudite soit la maison qui n'est accueillante qu'aux lâches ! tonna Idris en agitant les bras. Ceux qui trempent leur pain dans la honte de l'esclavage et qui adorent leurs propres chaînes ! Je ne rentrerai pas dans une maison dont tu es le chef. Va dire à ton père que je vis dans le désert d'où il est venu, et que je me suis fait coupeur de routes, comme lui, et aussi méchant, cruel et vicieux qu'il l'était ! Partout on me montre du doigt en disant : "C'est le fils de Gabalawi." Je vous traînerai dans la boue, vous tous qui vous prenez pour des princes et n'êtes que des voleurs !

— Reprends-toi, frère ! Prends garde à ce que tu dis, n'aggrave pas ta situation. La porte n'est pas définitivement fermée, sauf si tu la fermes toi-même. Je te promets que tout redeviendra comme avant.

— Et au nom de quoi me le promets-tu, fils de moricaude ?

— Au nom de la fraternité !

— La fraternité ! Je l'ai balancée dans les premières latrines que j'ai rencontrées !

— C'est la première fois que je t'entends parler sur ce ton.

— Et vous en verrez de pires chaque jour ! hurla Idris avec un rire dément. Je vous roulerai dans la honte, le scandale et l'infamie ! Ton père m'a chassé sans le moindre scrupule, qu'il en supporte les conséquences !

Il se rua sur Adham, qui l'esquiva sans reculer d'un pas. Idris trébucha, se rattrapa de justesse au mur et resta un instant immobile, haletant de rage et cherchant une pierre du regard. Adham revint lestement en arrière et rentra dans la maison, le cœur lourd et les yeux rougis. Soudain, alors qu'il regardait vers le *selamlik*, il aperçut son père qui traversait la grande salle. Sans se rendre compte de ce qu'il faisait, il s'approcha de lui, laissant son chagrin prendre le pas sur sa crainte. Gabalawi le regardait d'un air impassible ; il se dressait de toute sa taille gigantesque, devant le *mihrab* [1] peint en trompe-l'œil sur le mur de la salle.

— Que le salut soit sur vous, dit Adham en courbant la tête.

— Dis-moi, pourquoi es-tu sorti ? demanda-t-il en l'examinant de son regard insondable.

— Père, mon frère Idris…

— Ne prononce plus jamais ce nom devant moi ! coupa le Patriarche d'une voix qui résonna comme un coup de hache. Allons, va à ton travail, poursuivit-il en s'éloignant.

4

A mesure que les nuits succédaient aux jours sur ce coin de désert, Idris s'enfonçait davantage dans l'ignominie : le compte de ses méfaits s'allongeait et s'aggravait. Il rôdait autour de la maison, hurlant les injures les plus ordurières ; ou bien il s'asseyait près de la porte, nu comme un ver, faisant mine de prendre le soleil, tout en chantant des chansons obscènes. Il écumait les quartiers voisins, provoquant les passants du regard et cherchant

1. Niche, dans une mosquée, indiquant la direction de La Mecque.

querelle à tous ceux qui croisaient son chemin. Les gens l'évitaient, chuchotant sur son passage : "C'est le fils de Gabalawi !"

Il n'avait guère de mal à trouver sa subsistance : il se servait tranquillement dans les gargotes ou les voitures des marchands ambulants, puis, quand il était rassasié, s'en allait sans dire merci ni payer sa note. Quand il était d'humeur à faire la noce, il entrait dans la première taverne venue et se gorgeait de *bouza*[1] ; alors l'ivresse lui déliait la langue, et il se mettait à révéler tous les secrets de sa famille, s'étendant longuement sur ses bizarreries, ses coutumes ridicules, et sa lâcheté honteuse, mettant en valeur sa propre rébellion contre son père, le plus grand tyran de toute la région. Puis il passait aux calembours obscènes, qui le faisaient hurler de rire ; parfois il se mettait à chanter et à danser. Et la soirée se terminait immanquablement par une bagarre, après quoi il s'en allait en saluant à la cantonade.

Il s'était ainsi rendu tristement célèbre dans la région. Les gens se gardaient de lui autant qu'ils le pouvaient, mais, pour le reste, ils l'acceptaient avec résignation, comme une catastrophe naturelle. Tout cela ne manqua pas d'augmenter les soucis et la peine de la famille. Vaincue par le chagrin, la mère d'Idris fut frappée d'une attaque, et mourut peu après. Lorsque Gabalawi vint la voir pour un dernier adieu, elle fit un geste de refus de sa main valide et rendit l'âme, le cœur plein de tristesse et de colère. Le chagrin s'appesantit encore davantage sur la maison, comme une toile d'araignée. Les joyeuses veillées sur la terrasse cessèrent et la flûte d'Adham se tut.

1. Bière forte à base d'orge d'un usage très répandu dans les quartiers populaires.

Un jour, la colère du Patriarche se souleva à nouveau ; cette fois, elle tomba sur une femme. La voix puissante retentit dans toute la maison, maudissant une servante, Nargis, et la chassant de la maison. Le même jour, on apprit qu'elle avait été séduite par Idris, quelque temps avant son expulsion. La malheureuse sortit donc, se lamentant et se frappant le visage ; après avoir erré à l'aventure toute la journée, elle finit par rencontrer son séducteur, qui la prit à sa remorque, sans un mot de bienvenue ni de reproche : elle pourrait lui être utile en cas de besoin.

Mais, si grand que soit le malheur, il vient toujours un moment où l'on s'y habitue. La vie reprit son cours normal dans la Grande Maison, comme reviennent les habitants d'une ville détruite par un tremblement de terre. Ridwan, Abbas et Galil retrouvèrent le chemin de la terrasse, et Adham recommença à passer ses soirées dans le jardin, à communier avec sa flûte. Il se rendit compte qu'Oumayma illuminait ses pensées et réchauffait son cœur, et que l'image de son ombre enlacée à la sienne hantait son imagination. Un jour, il se rendit dans la chambre où se tenait sa mère, occupée à broder un châle, et il lui vida son cœur.

— Il s'agit d'Oumayma, ta parente, déclara-t-il pour finir.

Pour toute réponse, elle eut un pâle sourire : la joie qu'elle éprouvait à cette nouvelle était impuissante à vaincre la douleur du mal qui la rongeait.

— C'est bien, Adham, dit-elle enfin. C'est une bonne fille, et elle fera une épouse digne de toi. Tu seras heureux, avec l'aide du Seigneur... Mais ne la gâte pas trop, si tu ne veux pas qu'elle t'empoisonne l'existence, ajouta-t-elle en voyant le jeune homme rougir de plaisir.

J'en parlerai à ton père : peut-être aurai-je le bonheur de voir tes enfants avant de mourir.

Lorsque Gabalawi le fit venir, il le trouva qui souriait avec bonté. "Rien n'est égal à la sévérité de mon père, hormis sa bienveillance", se dit-il.

— Eh bien, Adham, tu veux donc te marier ? lui dit le Patriarche. Comme le temps passe ! Cette maison, tu le sais, méprise les pauvres ; mais en choisissant Oumayma, tu as voulu faire honneur à ta mère. Je te souhaite d'avoir beaucoup d'enfants : Idris est perdu, Abbas et Galil sont apparemment stériles, et aucun des enfants de Ridwan n'a survécu. Aucun d'eux n'a hérité de moi, sinon mon orgueil. Alors, toi, remplis cette maison de ta descendance, et je n'aurai pas vécu en vain.

Les noces d'Adham furent mémorables ; le quartier n'avait jamais rien vu de pareil, et aujourd'hui encore, elles sont passées en proverbe chez nous. On avait suspendu des lanternes aux arbres du jardin et tout autour du mur d'enceinte, si bien que la maison évoquait un lac de lumière au milieu du désert. Des pavillons édifiés sur les terrasses des toits abritaient les chanteurs et les chanteuses. Des tables chargées de nourriture et de boissons s'étendaient dans la grande salle, le jardin, et jusque dans le désert, aux alentours du portail. La procession de noces partit du fond de la Gamaliyya, vers minuit ; elle fut suivie par tous ceux qui aimaient Gabalawi, ou qui le craignaient. Adham, vêtu d'une djellaba de soie et d'une écharpe brodée, était flanqué d'Abbas et de Galil, pendant que Ridwan ouvrait la marche, entre deux rangées de porteurs de flambeaux. A l'avant du cortège, s'avançait une immense troupe de chanteurs et de danseurs. Les chants s'élevaient de partout, mêlés aux clameurs des musiciens et aux acclamations des admirateurs de Gabalawi et d'Adham, si bien que le quartier s'éveilla et mêla ses cris de joie à l'allégresse générale.

Partie de la Gamaliyya, la procession traversa Otouf, puis Kafr Zaghari et la Mabyada ; même les *futuwwas* joignaient leur voix au concert d'acclamations. On dansa, on but, on fuma : les tavernes distribuaient la *bouza* gratuitement, si bien que même les enfants étaient ivres, et tous les cercles de haschisch avaient aligné leurs narguilés le long du chemin, les offrant gracieusement aux membres de la noce ; l'air embaumait de l'odeur du kif et de l'indien.

Alors qu'ils arrivaient à destination, Idris apparut soudain, comme un démon vomi par les ténèbres. Il se dressait au tournant du chemin, là où il aboutissait au désert. En l'apercevant, les porteurs de lanternes qui précédaient la procession s'arrêtèrent, et se mirent à chuchoter son nom ; les chanteurs sentirent leur gorge se dessécher d'un coup, et se turent ; les danseurs se figèrent sur place ; les hautbois et les tambours ne tardèrent pas à les imiter, et les rires cessèrent. La plupart de ceux qui étaient là ne savaient que faire : se soumettre ne les mettrait pas à l'abri des coups, mais résister revenait à combattre le fils de Gabalawi. Soudain, Idris prit la parole :

— C'est la noce de qui, bande de lâches ? demanda-t-il en brandissant son gourdin.

Seul le silence lui répondit. Tous les yeux étaient fixés sur Adham et ses frères.

— Tiens ! Et depuis quand êtes-vous devenus les amis du fils de la négrillonne et de son père ? poursuivit-il d'une voix mordante.

— Sois raisonnable, frère, et laisse passer la noce, s'interposa alors Ridwan.

— Tu es bien le dernier à pouvoir parler, Ridwan ! Ridwan le traître ! Ridwan le lâche ! Ridwan qui a abandonné son frère, et vendu son honneur pour une vie facile !

— Je t'en prie, ce n'est pas la peine d'étaler nos querelles en public…

— Ne t'en fais pas, tout le monde les connaît déjà, vos petites saletés ! ricana Idris. C'est seulement par trouille qu'ils sont venus : sans ça, vous n'auriez même pas trouvé un seul chanteur pour cette noce !

— Notre père nous a confié Adham, déclara Ridwan d'un ton ferme. Nous le défendrons.

— Tu parles ! Tu n'es même pas capable de te défendre toi-même !

— Réfléchis un peu, frère : c'est seulement en te montrant raisonnable que tu peux espérer rentrer à la maison.

— Tu mens ! Tu sais parfaitement bien que je ne rentrerai jamais !

— En ce qui me concerne, je ne te blâmerai pas, reprit tristement Ridwan. Seulement, laisse passer la noce.

Pour toute réponse, Idris se rua sur le cortège comme un taureau furieux, son gourdin se levait et s'abattait, fracassant les lampes, crevant les tambours, éparpillant les fleurs. Les gens, terrifiés, couraient en tous sens comme des grains de sable dans une tempête. Ridwan, Abbas et Galil, épaule contre épaule, protégeaient Adham ; cette vue augmenta encore la fureur d'Idris.

— Ordures ! hurla-t-il. Vous le méprisez, mais vous le défendez quand même, tellement vous avez peur de ne plus être logés et nourris à l'œil !

Il se jeta sur eux ; mais les trois frères se bornèrent à parer ses coups avec leurs gourdins, tout en battant en retraite. Soudain, Idris bondit, se glissa entre eux et se fraya un chemin jusqu'à Adham. Aux fenêtres, les gens se mirent à hurler, pendant que le jeune homme criait, tout en se mettant en garde :

— Idris, réfléchis ! Je ne suis pas ton ennemi !

Mais le forcené levait déjà son gourdin, quand soudain un cri s'éleva : "Gabalawi !"

— Voici le père qui arrive ! lança Ridwan à Idris.

Celui-ci fit un bond de côté et se retourna : Gabalawi approchait, entouré d'un groupe de domestiques qui portaient des flambeaux.

— Tu peux être content ! cria Idris. Un de ces jours, je te donnerai un bâtard pour petit-fils !

Il s'élança dans la direction de la Gamaliyya ; tous s'écartèrent sur son passage, et bientôt les ténèbres l'avalèrent. Le Patriarche, s'efforçant de garder un maintien impassible sous les milliers de regards qui l'observaient, s'approcha des quatre frères.

— Que tout le monde reprenne sa place ! ordonna-t-il d'un ton impérieux.

Les porteurs de lanternes se rangèrent à nouveau, les tambours et les hautbois recommencèrent à jouer, les chanteurs à chanter, les danseurs à danser, et la noce se remit en marche.

La Grande Maison veilla jusqu'à l'aube, parmi les réjouissances, les beuveries et les chansons. Lorsque Adham entra enfin dans la chambre qui donnait sur le désert du Muqattam, il trouva Oumayma qui l'attendait, debout à côté du miroir, le visage encore couvert du voile blanc. Adham était complètement ivre, à ne plus tenir sur ses jambes ; il s'approcha d'elle en faisant un effort surhumain pour contrôler ses mouvements et découvrit le merveilleux visage, qui se tournait vers lui en souriant. Il s'inclina pour l'embrasser sur les lèvres et déclara d'une voix pâteuse :

— Tout est bien qui finit bien.

Puis il se dirigea en chancelant vers le lit, sur lequel il s'écroula tout habillé. Oumayma regardait son image dans le miroir, un sourire timide aux lèvres.

5

Avec Oumayma, Adham découvrit un bonheur total, absolu. Dans la simplicité de son cœur, il ne cessait de le proclamer par ses paroles et ses actions, suscitant l'ironie de ses frères. A l'issue de chaque prière, il étendait les bras et disait à haute voix : "Loué soit le Seigneur, pour tous Ses bienfaits. Pour l'affection de mon père, qu'Il soit loué. Pour l'amour de mon épouse, qu'Il soit loué. Pour le rang auquel j'ai été élevé, tout indigne que je suis, qu'Il soit loué. Pour le jardin et la flûte, qu'Il soit loué."

Les femmes de la Grande Maison disaient toutes qu'Oumayma était une épouse avisée, qu'elle soignait son mari comme si c'était son fils, qu'elle avait su s'attirer l'affection de sa belle-mère et qu'elle tenait son intérieur avec le plus grand soin. Quant à Adham, il se montrait un mari plein d'affection et agréable à vivre. L'amour l'occupait tout entier, au point qu'il s'oubliait lui-même ; il avait abandonné ses distractions innocentes dans le jardin, et passait auprès de sa femme toutes les heures qu'il ne consacrait pas à l'administration du *waqf*.

Cette période de félicité s'étendit bien au-delà des prévisions narquoises de Ridwan, Abbas et Galil ; mais elle finit tout de même par se fondre dans un bonheur raisonnable, de même que les eaux d'une cascade impétueuse et écumante se fondent dans un fleuve tranquille. Les vieilles questions reprirent leur place dans le cœur d'Adham ; il se rendit compte que le temps ne passe pas comme un clin d'œil, que la nuit succède au jour, qu'un tête-à-tête qui durerait indéfiniment perdrait tout intérêt, et que le jardin était un ami sûr ne méritant pas d'être abandonné. Rien de tout cela ne signifiait que son cœur se fût détourné d'Oumayma, il en était sûr. Mais la vie a des cycles et des périodes, on ne peut les découvrir que progressivement.

Un beau jour, donc, il revint à sa place favorite dans le jardin. D'un long regard, il embrassa les fleurs et les oiseaux, comme pour leur demander pardon de les avoir si longtemps délaissés. Soudain, il vit Oumayma qui venait vers lui, le visage illuminé de bonheur.

— J'ai jeté un coup d'œil par la fenêtre pour voir ce qui te retenait, déclara-t-elle. Pourquoi ne m'as-tu pas appelée pour que je te rejoigne ?

— J'avais peur que tu ne t'ennuies.

— M'ennuyer ? Au contraire, j'ai toujours aimé ce jardin. Tu te rappelles quand nous nous y sommes rencontrés pour la première fois ?

Il prit sa main dans la sienne et s'adossa au tronc d'un palmier, levant les yeux vers les branches et vers le ciel. Elle lui répéta encore combien le jardin lui plaisait ;

plus il s'enfonçait dans le silence, plus elle multipliait les paroles, car elle détestait le silence autant qu'elle aimait le jardin. Son sujet de conversation favori était elle-même et ses propres faits et gestes ; mais elle ne dédaignait pas non plus consacrer quelque temps aux événements marquants de la vie dans la Grande Maison, notamment ceux qui concernaient les épouses de Ridwan, Abbas et Galil. Soudain, sa voix prit un ton de doux reproche :

— Tu es donc bien loin de moi, Adham ? demanda-t-elle.

— Comment pourrais-je l'être, quand tu remplis mon cœur ? protesta-t-il en souriant.

— Mais tu ne m'écoutes pas…

C'était vrai. Il n'avait pas souhaité sa présence, même si elle ne le gênait nullement ; et d'ailleurs, si elle avait fait mine de partir, il l'aurait retenue, en toute sincérité. La vérité, c'est qu'il la considérait comme une partie de lui-même.

— J'aime ce jardin, dit-il comme pour s'excuser. Autrefois, je n'avais pas de plus grand plaisir que d'y passer mon temps. Ici, les arbres, les oiseaux, les ruisseaux me connaissent aussi bien que je les connais. Je voudrais te faire partager cet amour. Regarde comme le ciel est beau à travers les branches…

Elle leva les yeux l'espace d'un instant, puis les tourna à nouveau vers lui en souriant.

— Oui, il est vraiment beau ; tu as raison d'y voir le plus grand bonheur de ta vie.

— Mais c'était avant que je te connaisse ! protesta Adham, sensible au reproche implicite que contenaient ces paroles.

— Et maintenant ?

— Maintenant, sa beauté me semblerait vide sans ta présence.

— Heureusement qu'il ne t'en veut pas de l'avoir délaissé pour moi ! dit-elle en lui jetant un regard malicieux.

Riant, Adham l'attira contre lui et l'embrassa sur la joue.

— Ces fleurs ne sont-elles pas plus dignes de notre intérêt que les faits et gestes de mes belles-sœurs ? demanda-t-il.

— Elles sont sûrement plus jolies ! Mais tes belles-sœurs ne cessent pas de parler de toi… Et l'administration du *waqf* par-ci, et encore l'administration du *waqf* par-là, et la confiance de ton père, et que sais-je encore ! Elles n'en finissent pas !

— Et pourtant, qu'est-ce qui leur manque ?

— La vérité, c'est que j'ai peur du mauvais œil…

— Maudit *waqf* ! gronda Adham, dans un soudain accès de colère. A cause de lui j'ai perdu l'affection des miens, et je n'ai plus une minute de tranquillité. Qu'il aille au diable !

— Ne sois pas ingrat, Adham, protesta-t-elle en posant un doigt sur ses lèvres. L'administration du *waqf* est une responsabilité importante, et nous vaudra bien des avantages dont tu n'as même pas idée.

— Pour l'instant, elle ne nous a valu que des ennuis ! Témoin, la tragédie d'Idris, pour ne citer qu'elle…

Elle sourit, mais sans arriver à dissimuler l'anxiété au fond de ses yeux.

— Regarde notre avenir comme tu regardes les branches des arbres, et le ciel et les oiseaux.

Désormais, Oumayma vint chaque jour rejoindre son mari dans le jardin. Elle parlait toujours autant, mais Adham s'y habitua ; il ne l'écoutait qu'à moitié, ou même pas du tout. Au besoin, il prenait sa flûte et jouait les airs qui lui passaient par la tête. Il pouvait dire, en toute sincérité, qu'il était parfaitement heureux. Même la tragédie d'Idris ne l'affectait plus autant que par le passé : il avait fini par s'y habituer.

Mais le mal dont souffrait sa mère s'aggravait. De nouvelles douleurs firent leur apparition, plus cruelles que les précédentes, ce qui plongea Adham dans l'affliction. Souvent, elle le faisait venir près d'elle et le couvrait d'interminables bénédictions. Un jour, elle lui dit : "Prie toujours le Seigneur qu'Il te tienne à l'abri du malheur et qu'Il te guide dans la voie droite." Ce soir-là, elle ne le laissa pas partir. Parfois elle gémissait, parfois elle lui parlait et lui rappelait ses ultimes recommandations. Quand elle finit par rendre l'âme, Adham était encore là. Il la pleura beaucoup, ainsi qu'Oumayma. Gabalawi vint se recueillir un instant près d'elle, puis il l'ensevelit avec respect, les yeux voilés de tristesse.

A peine Adham était-il revenu à une vie normale qu'un changement brusque et inexplicable apparut dans le comportement d'Oumayma. Elle cessa tout d'abord de venir au jardin avec lui ; contrairement à ce qu'il s'était imaginé parfois, la solitude ne lui causa aucun plaisir. A ses questions, elle répondit par de vagues excuses, prétextant les travaux ménagers ou la fatigue. Il s'aperçut qu'elle ne l'accueillait plus avec l'ardeur des premiers jours ; lorsqu'il prenait l'initiative, elle se laissait faire sans aucun entrain, comme si elle accomplissait par complaisance une tâche un peu rebutante. Adham s'interrogeait : lui-même avait connu une période assez semblable, mais son amour était resté solide et avait vaincu. Assurément, il aurait pu la rudoyer ; parfois, il était même tenté de le faire, mais l'abattement d'Oumayma, sa pâleur, ses efforts manifestes pour lui complaire, tout cela le retenait. A certains moments, elle semblait triste, à d'autres distraite ; une fois, il surprit même un regard de répulsion dans ses yeux, ce qui le rendit furieux et inquiet à la fois. "Attendons un peu, se dit-il. Ou bien cela s'arrangera tout seul, ou bien qu'elle aille aux cent mille diables !"

Vers ce temps-là, il se rendit dans le cabinet de travail de son père pour lui présenter les comptes du mois. Pendant tout le temps qu'il parla, le Patriarche l'observa avec attention, sans paraître prêter attention à ses propos.

— Qu'est-ce qui ne va pas ? lui demanda-t-il soudain.

— Mais... rien, père, déclara Adham en redressant la tête d'un air étonné.

— Parle-moi d'Oumayma, insista l'autre en plissant les yeux.

— Elle va bien... Tout est pour le mieux.

— Allez, vide ton sac !

Adham garda le silence un instant ; il se disait que son père était réellement capable de lire dans les esprits.

— Elle a beaucoup changé, avoua-t-il enfin. J'ai l'impression qu'elle me fuit.

— Vous vous êtes disputés ?

— Jamais de la vie !

— Grand nigaud, va ! s'écria Gabalawi en souriant. Tâche de la traiter le plus doucement que tu pourras, et laisse-la tranquille tant qu'elle ne t'appellera pas elle-même. Tu vas bientôt être père !

6

Adham était assis dans le bureau du *waqf* et recevait les nouveaux locataires, qui se tenaient devant lui en une longue file. Il les expédia l'un après l'autre, et bientôt il n'en resta qu'un seul, le dernier.

— Ton nom, mon ami ? lui demanda Adham, sans relever la tête.

— Idris Gabalawi, répondit une voix.

Il releva brusquement la tête et vit son frère qui se tenait devant lui ; il bondit sur ses pieds et se mit en posture de défense, observant l'autre d'un air méfiant. Mais Idris semblait profondément changé. Il était vêtu pauvrement et paraissait calme, presque humble. Son visage portait une expression de tristesse résignée : il faisait penser à un vêtement jadis amidonné qu'un long séjour dans l'eau aurait avachi. A cette vue, Adham sentit ses vieilles rancœurs se dissiper, même s'il n'était pas absolument rasséréné.

— Idris ! s'écria-t-il.

— Ne crains rien, fit Idris en baissant la tête avec une douceur inaccoutumée. Ici, je ne suis que ton hôte, si tu es assez généreux pour me laisser entrer.

“Est-ce vraiment Idris qui parle ainsi ? se demandait Adham. Est-ce lui qui prononce ces paroles courtoises ? Le malheur aurait-il fini par l'apprivoiser ?” A dire la vérité, cette nouvelle humilité semblait encore plus pénible que son ancienne arrogance. Adham se demandait avec inquiétude si le seul fait de le recevoir ne serait pas interprété comme un défi à l'autorité du Patriarche ; mais, après tout, ce n'était pas lui qui l'avait invité. Sans prendre clairement conscience de son geste, il lui fit signe de s'asseoir sur un siège proche du sien. Idris prit place et les deux frères échangèrent un regard curieux.

— Je me suis glissé parmi la foule des locataires pour pouvoir te dire un mot en particulier, commença Idris.

— Quelqu'un t'a vu ? l'interrompit Adham d'un ton inquiet.

— Personne de la maison, en tout cas. Ne t'inquiète pas, je ne viens pas t'empoisonner l'existence : j'ai confiance dans la générosité de ton caractère.

Le sang aux joues, Adham baissa la tête pendant que son frère continuait.

— Tu t'étonnes peut-être de me voir si changé ; tu te demandes sans doute où sont passées mon arrogance et mon humeur batailleuse… Ah, si tu savais ce que j'ai souffert, tu ne te poserais pas ces questions ! Et pourtant, ce n'est qu'à toi que je puis parler de tout cela ; un homme comme moi ne peut oublier sa fierté naturelle que devant une nature aussi bonne et généreuse que la tienne.

— Puisse Dieu alléger tes peines et les nôtres, murmura Adham. Tu m'as causé bien du souci et du chagrin !

— J'aurais dû le savoir dès le début, mais la colère m'avait fait perdre la raison, et le vin m'avait fait oublier mon honneur. Ensuite, la vie de débauche et de parasite que j'ai menée m'a dérobé la dernière étincelle d'humanité qui me restait. Franchement, est-ce que tu m'avais jamais vu me comporter ainsi, avant ?

— Jamais ! Tu étais le meilleur des frères et le plus noble des hommes !

— Que maudits soient ces jours ! Aujourd'hui, je ne suis plus rien qu'un misérable qui traîne dans le désert, une femme enceinte accrochée à ses basques, abreuvé de malédictions en tout lieu, vivant de rapines et de violence.

— Tu me déchires le cœur, frère !

— Pardonne-moi, Adham. Oui, je te retrouve tel que je t'ai toujours connu. Ne t'ai-je pas porté dans mes bras quand tu étais petit ? Ne t'ai-je pas vu passer de l'enfance à l'adolescence ? Déjà en ce temps-là, tu donnais les preuves de ta générosité et de ta noblesse de caractère. Ah, que Dieu maudisse la colère !

— Qu'Il la maudisse dans les siècles des siècles !

— Hélas, j'ai bien des torts envers toi ! poursuivit Idris comme s'il se parlait à lui-même. Mes malheurs passés et à venir ne sont qu'un faible châtiment au regard de tous mes crimes !

— Puisse Dieu alléger tes peines ! Sais-tu que je n'ai jamais désespéré de ton retour ? Même au plus fort de la colère de notre père, j'ai osé lui parler en ta faveur.

Idris sourit, découvrant des dents jaunies et gâtées.

— J'en étais sûr. Je me suis toujours dit que s'il y avait un espoir de faire revenir notre père sur sa décision, ce serait toi qui y parviendrais.

— Maintenant que tu es revenu à de meilleurs sentiments, tu ne crois pas le moment venu de lui parler ? suggéra Adham.

— "Qui a vécu un jour de plus que toi est plus expérimenté d'un an", dit le proverbe. Et je suis ton aîné de dix ans… Non, crois-moi, notre père peut tout pardonner, sauf un affront public. Après ce qui s'est passé, je n'ai plus aucun espoir de revenir dans la Grande Maison.

Adham était obligé de reconnaître qu'Idris avait parfaitement raison ; cela ne fit qu'accroître sa gêne et son embarras.

— Alors que puis-je faire pour toi ? murmura-t-il.

— Ne t'inquiète pas, je ne viens pas te demander de l'argent… D'ailleurs je suis persuadé que tu es un administrateur trop scrupuleux pour me secourir sur les revenus du *waqf* ; tu prendrais sur ton salaire, et cela je ne peux pas l'accepter, d'autant plus que tu seras bientôt père de famille. Non, ce n'est pas la pauvreté qui m'a poussé à venir te voir ; je voulais simplement te dire à quel point je regrette ma conduite passée et combien je souhaite retrouver ton affection. Cela dit, il me reste un dernier espoir…

— Parle, frère ! Dis-moi de quoi il s'agit.

Idris se pencha vers son frère, comme s'il craignait que les murs ne l'entendissent.

— Je voudrais au moins être sûr de mon avenir. Bientôt je serai père, comme toi : quel sera le sort de mes enfants ?

— Tu sais que je t'aiderai autant que je le pourrai.

— Et je t'en remercie… Mais ce que je voudrais savoir, c'est si notre père m'a déshérité ou non.

— Comment le saurais-je ? Mais si tu veux mon avis…

— Ce n'est pas ton avis que je veux connaître, mais la décision de notre père.

— Tu sais bien qu'il ne parle jamais de ses projets.

— Oui, mais il l'a certainement noté dans le registre du *waqf*.

Adham hocha la tête sans rien dire.

— Tout est là-dedans, insista Idris.

— Je ne suis au courant de rien, ni personne d'autre dans la maison, tu le sais bien. Je ne suis qu'un simple exécutant, soumis en tout au contrôle de mon père…

— Il s'agit d'un gros registre, poursuivit Idris avec un regard triste. Je l'ai vu une fois quand j'étais enfant : j'ai demandé au père ce qu'il y avait dedans – en ce temps-là j'étais son préféré – et il m'a répondu qu'il contenait tout ce qui nous concerne. Nous n'en avons plus jamais parlé par la suite : j'ai essayé plusieurs fois de le questionner, mais il a toujours refusé de me répondre. Or, je suis sûr qu'il a enregistré ses dispositions au sujet de mon avenir.

— Dieu seul le sait.

— Il se trouve dans le cagibi qui donne sur sa chambre : tu sais, la porte qui ouvre tout au fond, à gauche. Elle est toujours fermée, mais la clé se trouve dans un petit coffret d'argent, dans le tiroir de la table de nuit. Quant au registre, il est posé sur une petite table.

— Où veux-tu en venir ? murmura Adham, quelque peu embarrassé.

— S'il y a encore pour moi un peu d'espoir en ce monde, il se trouve inscrit dans ce registre…

— Et tu voudrais que… autant l'interroger tout de suite sur les Dix Conditions ! s'écria Adham, terrifié.

— Mais non, je sais bien qu'il ne te répondra pas, et qu'il se met-tra en colère. Peut-être même devinera-t-il le vrai motif de tes questions : en ce cas, gare à toi ! Non, je ne voudrais à aucun prix que ta bonté pour moi te fasse perdre l'affection de notre père. D'ailleurs, s'il avait l'intention de faire connaître les Dix Conditions, ce serait fait depuis longtemps… Non, le seul moyen sûr d'accéder au registre, c'est celui que je t'ai indiqué : il te serait très facile, pendant que notre père se promène dans le jardin, au lever du jour…

— Mais c'est une chose abominable que tu me demandes là ! s'écria Adham en pâlissant.

— Ce n'est pas un crime pour un fils que de vouloir connaître l'avenir que lui réserve son père.

— Mais tu voudrais que je vole un secret que notre père a décidé de garder !

— Lorsque j'ai décidé de venir te voir, je me disais bien que ça ne serait pas facile de te demander un service que tu juges contraire à la volonté de notre père. Et pourtant, j'ai gardé espoir. J'ai pensé que, si tu te rendais compte combien j'ai besoin de ton aide, tu ne me la refuserais pas. Après tout, ce n'est pas un crime ; tu verras, tout se passera très bien, et tu auras sauvé une âme de l'enfer sans rien y perdre.

— Que Dieu nous mette à l'abri des dangers !

— Amen ! Mais, je t'en supplie, sauve-moi de cette torture !

Adham se leva d'un air égaré ; son frère l'imita, un sourire mélancolique aux lèvres.

— Je t'ai importuné, Adham, déclara-t-il d'un ton las. Voilà bien ma pire infortune : je ne puis rencontrer personne sans lui porter malheur, d'une façon ou d'une autre. Je suis maudit…

— Tu ne peux pas savoir combien je souffre de ne pouvoir t'aider !

Idris lui posa la main sur l'épaule et l'embrassa tendrement sur le front.

— Je suis le seul responsable de mon triste sort : au nom de quoi t'imposerais-je un fardeau au-dessus de tes forces ? Il vaut mieux que je te laisse en paix. Que la volonté de Dieu s'accomplisse.

Ayant dit, il s'en alla.

7

Pour la première fois depuis quelque temps, le visage d'Oumayma marquait une certaine animation.

— Ton père ne t'avait encore jamais parlé du registre du *waqf* ? demanda-t-elle à Adham.

Celui-ci, assis en tailleur sur le canapé, regardait par la fenêtre le désert plongé dans l'obscurité.

— Il n'en a jamais parlé à personne, déclara-t-il.

— Pas même à toi ?

— Moi ? Je ne suis que l'un de ses fils.

— N'empêche ! C'est toi qu'il a choisi pour administrer le *waqf*, objecta-t-elle en souriant.

— Je t'ai dit qu'il n'en parle à personne.

— Ne te fais donc pas tant de souci, Idris n'en vaut pas la peine, après tout ce qu'il t'a fait…

— Idris a bien changé depuis ce temps-là, soupira Adham en se tournant vers la fenêtre. Je le vois sans cesse devant mes yeux, avec son air triste et repentant…

Adham gardait les yeux fixés sur les ténèbres impénétrables. Il avait beau tourner et retourner tout cela dans sa tête, aucune réponse n'émergeait.

— Tu as raison, ça ne sert à rien de se faire du souci, déclara-t-il enfin.

— Tout de même, je me demande si tu n'aurais pas intérêt à renforcer tes liens avec Idris, et avec tes autres frères ; sinon tu finiras par te retrouver seul contre eux…

— Tu ne penses qu'à toi, dans cette affaire, pas à Idris.

— Eh bien, où est le mal ? protesta-t-elle. Oui, je pense à moi, à toi et à notre enfant !

Mais que voulait-elle à la fin ? L'obscurité se faisait de plus en plus épaisse ; elle avait englouti jusqu'au Muqattam. Adham garda le silence.

— Tu n'es jamais entré dans le cagibi de ton père ? demanda-t-elle à brûle-pourpoint.

— Non, jamais. Quand j'étais enfant, j'étais très attiré par cet endroit, mais il ne m'a jamais laissé y entrer.

Quant à ma mère, elle m'interdisait même de m'approcher de la porte.

A quoi jouait-elle ? S'il avait abordé le sujet, c'était justement pour qu'elle le dissuade d'entrer dans les vues d'Idris, pour qu'elle le conforte dans la position qu'il avait prise, et voilà qu'au contraire elle semblait l'encourager. Il se sentait comme un voyageur perdu qui, appelant au secours, voit arriver un bandit de grands chemins.

— Et la table de nuit sur laquelle se trouve le coffret d'argent, tu sais où elle est ? poursuivit-elle.

— Tous ceux qui sont entrés dans la chambre savent où elle est ! Pourquoi cette question ?

Oumayma se rapprocha de lui.

— Franchement, tu n'aimerais pas y jeter un œil, à ce registre ?

— Grand Dieu non ! Pourquoi en aurais-je envie ?

— Qui pourrait résister à l'envie de connaître son avenir ?

— Tu t'inquiètes de ton avenir à toi ?

— Du tien et du mien, et de celui d'Idris, qui semble te causer tant de chagrin malgré tout ce qu'il t'a fait !

Le plus exaspérant, c'est qu'elle exprimait tout haut ses pensées les plus secrètes ! Agacé, il se tourna vers la fenêtre.

— Je ne veux pas ce qui déplaît à mon père, déclara-t-il.

— Et pourquoi fait-il tant de mystères là-dessus ? insista-t-elle.

— C'est lui que ça regarde ! Tu n'arrêtes pas de poser des questions, ce soir !

— L'avenir ! poursuivit-elle, comme se parlant à elle-même. Nous connaîtrions notre avenir et celui de ce pauvre Idris, sans que cela nous demande autre chose que de lire un bout de papier. Et je défie quiconque, ami ou ennemi, d'affirmer que nous agirions avec de mauvaises intentions, ou que nous ferions le moindre tort à ton père bien-aimé.

— Comme le ciel est beau ! fit Adham, feignant d'ignorer ce qu'elle venait de dire. Dommage que la nuit soit un peu trop fraîche, je serais bien allé au jardin, pour regarder les étoiles à travers les branches.

— Il a sûrement dû favoriser certains d'entre vous…

— Je me passerais volontiers de faveurs qui ne valent que des ennuis.

— Quel dommage que je ne sache pas lire ! soupira-t-elle. Je serais prête à y aller moi-même.

Ces mots s'accordaient si bien avec son désir secret qu'ils accrurent son irritation envers sa femme et envers lui-même. Il se rendit compte qu'il avait déjà transgressé l'interdit : il y pensait comme à quelque chose qui a déjà eu lieu. Quand il se tourna vers sa femme, son visage, dans la clarté tremblotante de la lampe, portait une expression boudeuse qui masquait mal sa faiblesse.

— Ah, vraiment j'ai été bien inspiré de te parler de tout ça ! grommela-t-il.

— Comme si je te voulais du mal ! Et d'ailleurs j'ai autant d'affection pour ton père que tu en as toi-même.

— Ne parlons plus de cela ! C'est le moment de se reposer, pas de se torturer la cervelle.

— Je ne pourrai pas trouver de repos avant que cette affaire soit réglée.

— Seigneur, rends-lui son bon sens ! soupira Adham.

— Ecoute, est-ce que tu n'as pas déjà désobéi à ton père en recevant Idris dans le bureau du *waqf* ?

— Je l'ai trouvé devant moi : je ne pouvais pas ne pas le recevoir !

— Oui, mais est-ce que tu l'as dit à ton père ?

— Ce que tu peux être pénible, ce soir, Oumayma !

— Alors, poursuivit-elle d'une voix triomphante, si tu considères normal de lui désobéir pour quelque chose qui pourrait te faire du mal, pourquoi refuserais-tu de lui désobéir pour quelque chose qui peut t'être utile, à toi et à Idris, et qui ne causera de tort à personne ?

Il aurait pu couper court à la discussion s'il l'avait voulu. Mais il était déjà engagé sur la pente fatale. En réalité, s'il la laissait parler, c'était parce qu'une partie de lui-même souhaitait qu'elle l'encourageât.

— Que veux-tu dire ? demanda-t-il avec une colère qu'il ne sentait qu'à demi.

— Je veux dire que tu n'as qu'à rester éveillé jusqu'à l'aube : alors tu auras la voie libre…

— Tu as vraiment perdu la raison, ma parole ! Ça doit être la grossesse…

— Tu sais très bien que j'ai raison ! C'est simplement que tu as peur. Il n'y a pas de quoi se vanter…

Il se força à prendre un visage sévère, espérant dissimuler sa volonté faiblissante.

— Eh bien, nous nous souviendrons de cette nuit comme de celle de notre première dispute.

— Adham ! reprit-elle avec une douceur étrange. Réfléchissons-y sérieusement.

— Il n'en viendra rien de bon.

— C'est ce que tu dis maintenant, mais tu verras !

"C'est comme un incendie qui s'approche de moi, se dit-il. Si je tombe dedans, toutes mes larmes ne suffiront pas à l'éteindre." Il se tourna vers la fenêtre, fixant une étoile plus brillante que les autres. Il songeait que les habitants de cette étoile devaient être particulièrement heureux, ne serait-ce que parce qu'ils vivaient loin de la Grande Maison.

— Personne n'aime mon père autant que moi, murmura-t-il dans un souffle.

— Qui prétend le contraire ?

— Oumayma, tu as vraiment besoin de dormir.

— Avec toutes ces histoires, comment veux-tu que je ferme l'œil ?

— J'espérais tant que tu me ferais entendre la voix de la raison…

— Eh, est-ce que je fais autre chose ?

— Et si c'était ma perte que tu m'envoies ?

— Ton destin serait aussi le mien : douterais-tu de mon amour ?

— Et même cette étoile ne sait pas quel sera mon destin, soupira-t-il, d'un ton qui indiquait que sa résolution était prise.

— Ton avenir, tu le liras dans le registre du *waqf*…

Il tourna son regard vers les étoiles qui ne dorment jamais ; un nuage éclairé par la lune dissimulait leur lumière paisible. Il s'imagina qu'elles épiaient leur entretien et murmura : "Que le ciel me soit propice."

— Tu m'as appris l'amour du jardin, murmura alors Oumayma d'un ton caressant ; laisse-moi te rendre la pareille.

8

Au lever du jour, le Patriarche sortit de sa chambre et se rendit au jardin. Du fond du couloir, Adham l'épiait ; Oumayma était derrière lui et lui serrait l'épaule dans les ténèbres. Ils écoutaient le bruit des pas lourds et réguliers, sans pouvoir distinguer dans quelle direction ils allaient. Gabalawi était habitué à se diriger dans l'obscurité du petit matin, sans lampe ni compagnon. Lorsque le bruit s'éteignit, Adham se tourna vers son épouse et murmura :

— On ne ferait pas mieux d'abandonner ?

— Que je sois maudite si j'ai la moindre intention de nuire à quiconque, répondit-elle en le poussant en avant.

Il s'avança prudemment, le cœur ravagé par la crainte et la honte ; dans sa poche, sa main serrait un bout de bougie qu'il avait emporté avec lui. Son autre main, tâtonnant sur le mur, rencontra la porte de la chambre.

— Je reste ici pour faire le guet, lui glissa Oumayma. Entre, et bonne chance !

Elle ouvrit la porte, puis se retira. Adham pénétra dans la pièce, marchant à pas de loup. Une pénétrante odeur de musc l'enveloppa. Il ferma la porte ; écarquillant les yeux dans l'obscurité, il finit par distinguer les pâles rais de lumière matinale qui marquaient le pourtour des volets fermés. Il lui semblait que le crime, si crime il y avait, était déjà commis du simple fait qu'il avait pénétré dans la chambre : il ne lui restait plus qu'à aller jusqu'au bout. Il longea le mur de gauche, se heurtant parfois aux fauteuils, puis le mur du fond, et ne tarda pas à trouver la table de nuit ; il ouvrit le tiroir, et chercha le coffret à tâtons. L'ayant trouvé, il ressentit un besoin irrépressible de se reposer et de retrouver ses esprits.

Revenant vers la porte du cagibi, il trouva le trou de la serrure, y glissa la clé, la tourna, ouvrit : il était dans cet endroit où nul autre que son père n'était jamais entré. Ayant refermé, il sortit sa bougie et l'alluma. La pièce carrée, sans fenêtre, avait un très haut plafond ; le sol était recouvert d'un tapis de petites dimensions, et, le long du mur de droite, s'appuyait une petite table élégamment sculptée qui portait le gros registre, retenu au mur par une chaîne d'acier.

Adham avala péniblement sa salive ; il serra les dents, comme pour écraser la peur qui courait dans ses membres et faisait trembler la bougie dans sa main, et s'approcha de la table, fasciné par la reliure du registre, richement décorée de filets d'or. Il ouvrit le volume, luttant contre le trouble qui l'empêchait de concentrer son attention, et commença à déchiffrer la première page, calligraphiée en style *farsi : "Par le Nom de Dieu..."*

Soudain, il entendit la porte s'ouvrir. Il se retourna d'un bloc, sans se rendre compte de ce qu'il faisait, comme si la porte en s'ouvrant l'avait aspiré vers elle. A la lumière de la chandelle, il aperçut Gabalawi qui bouchait l'encadrement de sa forme massive et le regardait d'un air glacial. Adham ne pouvait détacher son regard du sien ; il lui semblait avoir perdu la faculté de parler, de bouger, et même de penser.

— Dehors ! gronda Gabalawi.

Mais Adham était incapable de faire un mouvement ; il resta à sa place, comme s'il s'était changé en pierre. A ceci près qu'une pierre ne ressent ni honte ni désespoir.

— Dehors ! répéta le Patriarche.

La peur le réveilla soudain ; il sortit du cagibi, tenant toujours sa chandelle qui lui brûlait les doigts. Oumayma se tenait au milieu de la chambre, pleurant en silence. Le Patriarche lui fit signe de se mettre à côté d'elle.

— Maintenant, tu vas me dire toute la vérité, reprit-il d'un ton sévère. Qui t'a parlé du livre ?

Adham répondit sans hésiter, comme un récipient qui se brise, répandant son contenu :

— Idris.

— Quand ?
— Hier matin.
— Comment vous êtes-vous rencontrés ?
— Il s'est glissé parmi les nouveaux locataires, jusqu'à ce qu'il se trouve seul avec moi.
— Pourquoi ne l'as-tu pas chassé ?
— Je n'en ai pas eu le cœur, père.
— Ne m'appelle plus ton père !
— Tu resteras mon père, malgré ta colère et malgré ma sottise, chuchota Adam, rassemblant ses forces.
— Et c'est lui qui t'a encouragé à faire ce que tu as fait ?
— Oui, Seigneur, intervint Oumayma.
— Tiens ta langue, vermine, ce n'est pas à toi que je parle ! gronda le Patriarche. Adham, réponds !
— Il était désespéré, malheureux, plein de repentir ; il voulait simplement s'assurer de l'avenir de ses enfants.
— Et tu as fait tout cela pour lui !
— Non ! Je lui ai dit que je ne pouvais pas...
— Alors, qui t'a fait changer d'avis ?
— Le diable... soupira Adham avec abattement.
— Tu as parlé de ça à ta femme ? poursuivit Gabalawi, impitoyable.

Oumayma poussa un sourd gémissement ; le Patriarche lui fit signe de se taire, puis pointa le doigt vers Adham.
— Oui, avoua-t-il.
— Et que t'a-t-elle dit ?

Adham avala sa salive sans répondre.
— Parle, misérable ! ordonna Gabalawi en haussant soudain la voix.
— Elle avait envie de prendre connaissance de ton testament, et il lui semblait que cela ne pouvait faire de mal à personne.

— Ainsi, tu reconnais avoir trahi celui qui t'a mis au-dessus de tes aînés et de tes supérieurs !

— Il ne servirait à rien de chercher à justifier mon crime, soupira Adham. Mais ton pardon et ta miséricorde sont plus grands que ma faute.

— Ainsi, tu complotes avec Idris, que j'ai chassé à cause de toi ?

— Je n'ai pas comploté ! J'ai seulement mal agi, et je n'ai d'autre espoir qu'en ton pardon.

— Seigneur… gémit Oumayma d'une voix suppliante.

— Je t'ai dit de te taire !

Il les contempla un instant, l'un après l'autre, de son regard sévère ; puis il reprit, d'une voix terrible :

— Sortez tous les deux de cette maison !

— Père ! gémit Adham.

— Sortez, avant que je vous jette dehors !

9

Pour la seconde fois, la porte de la Grande Maison s'ouvrit pour laisser passer les exilés. Adham sortit le premier, portant un ballot de vêtements ; Oumayma le suivait, chargée d'un second balluchon et de quelques provisions. Tous deux étaient tristes, abattus, pleurant sans espoir ; lorsqu'ils entendirent la lourde porte se refermer, ils ne purent s'empêcher de pousser un gémissement.

— La mort est encore une punition trop légère pour moi, sanglota Oumayma.

— Tu dis vrai pour une fois dans ta vie ; mais je ne vaux pas mieux que toi, répondit Adham d'une voix qui tremblait.

Ils ne s'étaient pas éloignés de quelques pas qu'ils entendirent un éclat de rire dément, atroce, hideux. Se retournant, ils aperçurent Idris ; il se tenait devant la cahute qu'il s'était bâtie avec de vieux bouts de tôle et de bois. Sa femme, Nargis, assise à proximité, filait en silence. Idris riait aux éclats, avec une joie mauvaise, pendant qu'Adham et Oumayma le regardaient avec étonnement. Il se mit à danser en claquant les doigts, si bien que sa femme, n'en pouvant plus, rentra chez elle ; Adham la suivit de ses yeux rougis par les larmes et la colère. Il venait de comprendre le piège, le piège ignoble et criminel que lui avait tendu son frère ; il venait aussi de prendre la mesure de sa propre naïveté, de son insondable bêtise qui provoquaient ces manifestations de joie. Oui, c'était bien le véritable Idris, l'incarnation du mal. Le sang d'Adham se mit à bouillir ; sa cervelle était en feu. Ramassant une poignée de terre, il la lança vers son frère en criant, d'une voix étranglée par la colère :

— Ordure ! Maudit ! Tu es pire qu'un scorpion !

Pour toute réponse, Idris dansa de plus belle, balançant le cou en cadence et jouant des sourcils.

— Crapule ! Salaud ! Traître ! Menteur ! hurla Adham avec une fureur redoublée.

Idris roulait des hanches en minaudant, la bouche ouverte dans un rire silencieux.

— Putain ! Roulure !

L'autre se mit à frétiller de la croupe en tournant lentement sur lui-même avec des mines provocantes. Aveuglé par la colère, Adham laissa tomber son ballot et, repoussant Oumayma qui s'accrochait à lui, se rua sur son frère, le saisit à la gorge et serra de toutes ses forces. Mais rien de tout cela ne semblait avoir le moindre effet sur Idris : il continuait à danser, ployant sa taille avec affectation. Rendu enragé par ce spectacle, Adham le bourra à coups de poing, sans obtenir plus de résultats : Idris redoubla de pitreries, chantant d'une voix éraillée :

Une poule sur un mur
Qui picote du pain dur…

Soudain, il s'arrêta ; son visage prit une expression mauvaise. D'une brusque poussée, il projeta Adham en arrière ; celui-ci recula de trois pas, perdit l'équilibre et tomba sur le dos. Avec un cri de terreur, Oumayma se précipita vers lui et l'aida à se relever, époussetant ses vêtements.

— Qu'as-tu à faire avec ce sauvage ! lui dit-elle. Eloignons-nous plutôt de lui.

Silencieusement, il reprit son ballot ; elle fit de même, et ils se dirigèrent vers l'autre côté de la Grande Maison. Là, vaincu par la fatigue et l'accablement, Adham laissa tomber son ballot à terre et s'assit dessus.

— Reposons-nous un peu, dit-il.

Oumayma s'assit à son tour en face de lui et se remit à pleurer. La voix d'Idris s'éleva à nouveau, puissante comme le tonnerre : il se tenait devant la Grande Maison dans une posture de défi et criait :

— Tu m'as chassé à cause du plus méprisable de tes fils : vois à présent comment il s'est comporté envers toi ! Toi-même, tu as dû le jeter dans la poussière : je t'ai rendu la monnaie de ta pièce, afin que tu saches qu'Idris ne plie pas devant ta tyrannie. Maintenant tu vieilliras seul, avec tes bons à rien de fils, et tu n'auras d'autre descendance que ceux qui se traîneront dans la poussière et se rouleront dans les ordures : ils seront marchands de patates douces et de graines de courge, à la merci des *futuwwas* d'Otouf et de Kafr Zaghari, et ton sang se mêlera à celui des familles les plus viles. Et pendant ce temps, toi, tu resteras à croupir dans ta chambre, à raturer ton vieux grimoire au gré de ta colère et de ton échec ! Tu vieilliras seul dans l'obscurité et quand tu mourras il n'y aura personne pour te pleurer ! Et toi, reprit-il en se tournant vers Adham, toi, mollasson comme tu es, comment vas-tu te débrouiller tout seul ? Tu es trop faible pour te défendre et tu n'as personne pour le faire à ta place. A quoi te sert de savoir lire et compter ? Ha ! ha ! ha !

Oumayma, pendant ce temps, ne cessait de pleurer ; Adham, agacé, lui ordonna de cesser.

— Tu sais, je pleurerai beaucoup, lui dit-elle en séchant ses larmes. Après tout, c'est moi la coupable…

— Je le suis autant que toi. Si je n'avais pas été aussi faible et aussi lâche, rien ne serait arrivé.

— Non, c'est ma faute à moi, et à moi seule.

— Tu t'accables toi-même pour éviter que je le fasse ! lui lança-t-il avec colère.

Elle perdit un peu de son ardeur auto-accusatrice et baissa la tête un instant, avant de reprendre d'une voix faible :

— Je ne pensais pas qu'il pousserait la dureté aussi loin !

— Moi, je le connais : je n'ai pas d'excuse.

— Comment vivrai-je ici, dans mon état ?

— Vivre dans ce désert après avoir connu la Grande Maison ! Ah, si les larmes pouvaient servir à quelque chose ! Mais la seule solution, c'est de nous bâtir une cahute.

— Où donc ?

Adham regarda autour de lui, s'arrêtant un instant sur la cabane d'Idris.

— Il ne faut pas que nous nous éloignions de la Grande Maison, même si cela nous oblige à supporter le voisinage d'Idris. Seuls dans ce désert, nous ne survivrions pas.

— Tu as raison, approuva Oumayma après avoir réfléchi. Et puis, ainsi, nous resterons sous les yeux de ton père : peut-être son cœur finira-t-il par s'attendrir.

— Le désespoir me tue ! soupira Adham. Si tu n'étais pas là, je croirais vivre un cauchemar… Qui peut savoir s'il s'est détourné de nous à jamais ? En tout cas, je ne me révolterai pas comme Idris, ça, jamais ! D'ailleurs, je ne ressemble en rien à Idris : pourquoi mon père me traiterait-il comme il le traite ?

— On n'a encore jamais vu un père comme le tien ! commenta Oumayma avec amertume.

— Quand apprendras-tu à tenir ta langue !

— Mais enfin, je n'ai commis aucun crime ! Raconte à n'importe qui ce que tu as fait, et la punition qui s'en est suivie, je te parie que personne ne voudra y croire ! Non, depuis que les pères existent, on n'a jamais vu de père comme le tien !

— Mais depuis que le monde existe, on n'a jamais vu d'homme comme lui ! La montagne, le désert et le ciel connaissent sa force et sa fierté : il faudrait avoir perdu l'esprit pour défier un tel homme.

— A force de se comporter en despote, il aura bientôt chassé tous ses fils de la maison !

— Nous sommes les premiers à en sortir ; ce qui veut dire que nous sommes les plus mauvais.

— Non, protesta-t-elle, ce n'est pas vrai !

— C'est au moment de l'épreuve qu'on peut juger les caractères.

Ils se réfugièrent tous deux dans le silence. A perte de vue, le désert s'étendait, sans aucun être vivant, sauf quelques passants, au loin, sur le flanc de la montagne. Le soleil dardait ses rayons brûlants sur le sable, se reflétant sur les cailloux et des éclats de verre. Le paysage était plat, monotone, sans autre trait saillant que la montagne qui barrait l'horizon, un gros rocher, à l'est, semblable à la tête d'un géant dont le corps aurait été enterré dans le sable, et la cabane d'Idris, qui se dressait comme un défi sordide à la gauche de la Grande Maison. Tout cela suait la misère, le chagrin et la peur.

— Ce sera dur de vivre ici, soupira Oumayma.

— Ce sera encore plus dur de faire que ces portes se rouvrent devant nous, ajouta Adham, les yeux fixés sur la Grande Maison.

10

Adham et Oumayma se mirent donc à construire leur cabane, sur la droite de la Grande Maison. Ils allaient chercher des pierres et des ardoises dans le Muqattam et récupéraient de vieilles planches aux abords d'Otouf, de la Gamaliyya et de Bab el-Nasr. Ils se rendirent compte que le travail prendrait plus longtemps qu'ils ne l'avaient cru tout d'abord, et, bientôt, les quelques provisions qu'Oumayma avait emportées touchèrent à leur fin. Adham décida donc de commencer tout de suite à travailler pour gagner sa vie. Il alla vendre quelques-uns de ses beaux vêtements, et, avec l'argent, acheta une charrette à bras : il comptait se faire marchand ambulant. Lorsqu'elle le vit rassembler ses vêtements, Oumayma fondit en larmes ; Adham accueillit ces manifestations de sensiblerie avec une ironie amère :

— De toute façon, que veux-tu que j'en fasse ? Tu me vois vendre des patates avec ma cape de poil de chameau brodée d'or ?

Le lendemain, il se rendit à la Gamaliyya, poussant sa charrette à travers le désert ; la Gamaliyya qui se souvenait encore de sa procession de noces. Le cœur serré par la honte, il sentit sa voix s'étrangler et ne put lancer son appel. Au bord des larmes, il s'enfuit vers des quartiers plus lointains.

Du matin au soir, sans repos, il arpentait la ville en criant sa marchandise, les bras cassés par l'effort, les pieds douloureux dans ses sandales en loques, le corps ravagé de courbatures. Et puis, tant de choses le dégoûtaient : les marchandages sordides, être obligé de s'étendre à même la terre, le long d'un mur, lorsque la fatigue l'empêchait de poursuivre sa marche, se soulager en pleine rue, debout dans un coin.

La vie tout entière prenait à ses yeux un aspect irréel : le jardin, la direction du *waqf*, la chambre qui donnait sur le Muqattam, tout cela lui semblait appartenir à une vieille légende. "Rien n'est vrai en ce monde, se disait-il, ni la Grande Maison, ni la cabane que je n'ai pas encore terminée, ni le jardin, ni cette charrette à bras, ni hier, ni aujourd'hui, ni demain. J'ai bien fait de m'installer en face de la Grande Maison : peut-être ainsi ne perdrai-je pas entièrement mon passé, comme j'ai perdu mon avenir. Et pourtant… Qu'y aurait-il d'étrange à ce que je perde la mémoire comme j'ai perdu la confiance de mon père et ma véritable nature."

Lorsqu'il revenait auprès d'Oumayma, au début de la nuit, ce n'était pas pour se reposer, mais pour continuer à travailler à la cabane. Un jour, épuisé par la chaleur de midi, il s'assit un instant dans le quartier des Chauves-Souris et s'endormit. Un bruit l'éveilla en sursaut : il aperçut une bande de petits voyous qui pillaient sa marchandise. L'un d'entre eux, le voyant se lever d'un air menaçant, avertit ses camarades d'un coup de sifflet et donna une vigoureuse poussée à la charrette, dans l'espoir que le propriétaire, soucieux de récupérer son bien, s'abstiendrait de se lancer à leur poursuite. Les concombres roulèrent à terre, pendant que la bande s'égaillait comme une nuée de sauterelles.

Adham ressentit une telle rage que, oubliant sa bonne éducation, il laissa échapper un torrent d'obscénités et de paroles ordurières ; puis il se mit en devoir de ramasser ses concombres. En voyant qu'ils étaient tombés dans une flaque de boue, il sentit redoubler sa rage impuissante.

— Pourquoi ta colère est-elle comme un brasier qui brûle sans merci ? s'écria-t-il à l'adresse de son père. Pourquoi préfères-tu ton orgueil à ta propre chair et à ton propre sang ? Comment peux-tu vivre dans l'opulence et le loisir, quand tu sais que nous sommes foulés aux pieds comme des insectes ? En vérité, le pardon, la douceur et l'indulgence n'ont pas de place dans ta maison !

Alors qu'il reprenait les poignées de sa charrette, s'apprêtant à la pousser loin de ce quartier maudit, une voix moqueuse l'interpella soudain :

— Eh, l'oncle ! Combien tu les vends, tes concombres ?

C'était Idris. Idris, splendidement vêtu d'une djellaba rayée et coiffé d'un turban immaculé, qui l'observait avec une indifférence étudiée, un sourire narquois aux lèvres. C'en était trop pour Adham, qui mit sa charrette en mouvement et fit mine de s'éloigner ; mais son frère se mit en travers de sa route.

— Eh bien, en voilà une façon de traiter la clientèle ! lui lança-t-il en jouant la surprise.

— Laisse-moi tranquille ! répondit Adham, les dents serrées.

— Dis donc, c'est comme ça qu'on parle à son frère aîné ? poursuivit l'autre sur le même ton.

— Ecoute, Idris, tu ne crois pas que tu m'as assez fait de mal comme ça ? Je ne veux plus te connaître, et je ne veux plus que tu me connaisses.

— Alors que nous sommes quasiment voisins ? Impossible !

— Je n'ai pas la moindre envie que nous soyons voisins ; si je me suis installé là, c'est uniquement pour rester près de la maison…

— De la maison dont tu t'es fait chasser !

Adham se tut, le visage ravagé par la tristesse.

— Eh oui, poursuivit Idris, on s'attache toujours à ce qui vous rejette, pas vrai ? Alors, comme ça, tu espères encore rentrer un jour dans la Grande Maison ? Petit rusé, va ! Voyez-vous ça ! C'est chétif comme une femmelette, mais c'est malin comme un singe. Enfin, tout ça c'est bien joli, mais tu sauras que je ne te laisserai pas rentrer seul, quand bien même le ciel nous tomberait sur la tête !

— Tu trouves que tu ne m'as pas fait assez de mal ?

— Et toi, alors, tu ne m'en as pas fait autant ? C'est à cause de toi que j'ai été chassé, moi qui étais l'astre lumineux de cette maison !

— Dis plutôt que c'est ta propre arrogance qui t'en a fait chasser.

— Tandis que toi, c'est ton manque de volonté ! rétorqua Idris en éclatant de rire. Eh oui, mon pauvre vieux, il n'y a de place dans cette maison ni pour la force ni pour la faiblesse… sauf chez ton père qui, comme tous les tyrans, s'accorde tous les droits : celui d'être fort au point de détruire ceux qui lui sont le plus chers, et celui d'être faible au point d'épouser une femme comme ta mère !

— Laisse-moi m'en aller ! dit Adham d'une voix qui tremblait de colère. Si c'est la bagarre que tu cherches, prends-t'en à quelqu'un d'aussi fort que toi !

— Ton père, lui, s'en prend aussi bien aux faibles qu'aux forts.

Voyant qu'Adham gardait obstinément le silence, il reprit :

— Pas moyen de te faire dire un mot contre lui, hein ? Ah, tu es un petit malin, toi ! J'avais raison, tu espères encore rentrer un jour à la maison. En attendant, poursuivit-il en s'emparant d'un concombre et en le contemplant avec dégoût, tu aurais quand même pu te trouver un travail moins minable ! Je me demande comment tu peux supporter la vue de ces concombres pleins de boue.

— Mon travail me satisfait comme il est !

— Dis plutôt que tu ne peux pas faire autre chose ! Et pendant ce temps-là, ton père pète dans la soie… Réfléchis un peu : est-ce qu'il ne serait pas plus digne de t'associer à moi ?

— Je n'aime pas la vie que tu mènes.

— Regarde un peu cette djellaba ! Hier encore, son propriétaire se pavanait dedans, l'imbécile !

— Et comment l'as-tu obtenue ?

— Comme le font les forts !

— Oui, par le meurtre ou le vol ! Je n'arrive pas à croire que tu es réellement mon frère, Idris, dit Adham avec tristesse.

— De quoi t'étonnes-tu ? Ne suis-je pas le fils de Gabalawi ?

— Maintenant, oui ou non, vas-tu me laisser passer ? s'écria Adham, soudain à bout de patience.

— Eh, va où tu voudras, pauvre idiot !

Et, s'étant rempli les poches de concombres, il lança un dernier regard méprisant à son frère, cracha dans la charrette et s'en fut.

Oumayma se leva pour l'accueillir en le voyant approcher de la cabane ; le désert était plongé dans les ténèbres. A l'intérieur brillait la flamme d'une petite chandelle, comme la dernière étincelle de vie dans la poitrine d'un mourant ; le ciel, lui, était plein d'étoiles et, à leur lumière, la Grande Maison apparaissait comme le fantôme d'un géant. Observant que son mari demeurait muré dans le silence, Oumayma comprit qu'il était d'une humeur massacrante et qu'il valait mieux le laisser en paix. Elle lui apporta une cruche pleine d'eau et une djellaba propre. Adham se lava le visage et les pieds et se changea, puis il s'assit, les jambes étendues. Elle s'approcha prudemment de lui, s'assit à son tour, et dit d'une voix câline :

— Ah, si je pouvais prendre sur moi un peu de ta fatigue !

C'était comme si elle lui frottait une plaie à vif.

— Tais-toi ! hurla-t-il. Toutes ces fatigues, toute cette misère, c'est de ta faute !

Elle s'éloigna de lui, au point de disparaître dans l'obscurité ; mais sa colère ne s'apaisa pas pour autant.

— Je ne peux pas te voir sans me rappeler ma bêtise et mon inconscience ! Maudit soit le jour où je t'ai aperçue pour la première fois !

Un long gémissement s'éleva dans les ténèbres ; mais il ne fit qu'augmenter la colère d'Adham, qui poursuivit :

— Fiche-moi la paix avec tes larmes ! C'est ta perfidie qui déborde, rien de plus !

— Tout ce que tu peux dire n'est rien comparé à ce que je souffre ! pleurnicha-t-elle.

— Je ne veux plus t'entendre ! Disparais loin de moi !

Et, faisant une boule de ses vêtements sales, il les lui envoya à la tête.

— Attention ! Mon ventre ! gémit-elle.

La colère d'Adham retomba d'un seul coup, remplacée par l'inquiétude. A son silence, elle comprit son changement d'humeur.

— Très bien, je m'en vais ! dit-elle d'un ton tragique, en se levant et en s'éloignant de quelques pas.

— Est-ce que c'est vraiment le moment de faire des simagrées ? lança Adham en faisant mine de se lever. Allez, reviens, drôlesse !

Il scruta les ténèbres jusqu'à ce qu'il la voie revenir vers lui ; alors il s'appuya le dos contre le mur de la cabane et leva la tête vers le ciel. Il aurait bien voulu se rassurer sur l'état de son ventre, mais cela aurait été au-dessous de sa dignité : l'honneur voulait qu'il laisse passer quelques instants avant de le faire.

— Va laver quelques concombres pour le dîner ! grogna-t-il, en guise d'entrée en matière.

11

L'endroit ne manquait pas d'une certaine sérénité. Sans doute n'y avait-il là ni plantes, ni eau, ni oiseaux gazouillant sur les branches, rien que le désert nu et inhospitalier ; mais la nuit le revêtait d'un charme obscur et mystérieux, où l'imagination pouvait se déployer sans entrave. La voûte du ciel cloutée d'étoiles. La femme dans la cabane. Les voix de la solitude. Le chagrin, comme un charbon ardent sous la cendre. Le haut mur de la Maison, rempart opposé à la nostalgie. Ce père tout-puissant, comment lui faire entendre mes soupirs ? Il serait plus sage d'oublier le passé, mais que nous reste-t-il d'autre ? Voilà pourquoi je hais ma faiblesse, je maudis ma lâcheté, voilà pourquoi j'ai pris la misère pour compagne : je lui ferai beaucoup d'enfants. L'oiseau qu'aucune force ne pourrait bannir du jardin est plus heureux que mes rêves, et mes yeux brûlent de nostalgie pour les ruisseaux qui serpentent entre les rosiers. Où est le parfum des arbustes à henné et des jasmins ? Où sont la paix de l'âme et les airs de la flûte ? Où sont-ils ? O mon père au cœur dur, la moitié d'une année s'est écoulée : quand donc fondra la glace de ta sévérité ?

Soudain, la voix d'Idris s'éleva au loin, chantant d'une voix discordante. Il alluma du feu devant sa cabane ; on aurait dit une étoile déchue tombée sur terre. Sa femme allait et venait, traînant son ventre distendu, pour lui apporter à manger ou à boire. Soudain, pris par l'ivresse, il se mit à apostropher la Grande Maison :

— C'est l'heure de la *mouloukhiyya* [1] et du poulet rôti, bonnes gens ! Empiffrez-vous et crevez empoisonnés !

Puis il se remit à chanter.

1. Plante comestible proche de la mauve des jardins ; on en fait une sorte de soupe épaisse, accompagnée de viande.

“Chaque fois que je trouve un moment de tranquillité, il faut que ce démon arrive, allume du feu, fasse ses pitreries et me gâte mon repos !” se dit amèrement Adham. Oumayma apparut à la porte de la cabane ; contrairement à ce qu’il pensait, elle ne dormait pas. Sa grossesse l’épuisait, et la fatigue et la misère l’avaient flétrie en quelques semaines.

— Tu ne viens pas dormir ? demanda-t-elle d’une voix douce.

— Laisse-moi goûter le seul bon moment de la journée ! répondit-il, agacé.

— Demain, tu vas te lever avant l’aube pour partir avec ta charrette : tu as vraiment besoin de repos.

— Quand je suis seul, ainsi, je redeviens un seigneur, ou presque. Je regarde le ciel et je me rappelle les jours anciens…

— Ah, soupira-t-elle, je voudrais tant qu’un jour ton père passe par ici ; je me jetterais à ses pieds et je lui demanderais pardon…

— Je t’ai déjà dit de ne plus y penser ! Ce n’est pas ainsi que nous pourrons retrouver son affection.

— C’est que je pense à l’avenir de l’enfant qui habite mon ventre, chuchota-t-elle après un silence.

— Et moi, crois-tu que j’ai d’autre souci ? Même si je ne suis plus qu’une bête malpropre.

— Par Dieu, tu es le meilleur des hommes !

— Non, je ne suis plus un être humain ! protesta Adham avec un rire amer. Il n’y a que les animaux qui passent leur temps à penser au prochain repas.

— Ne te tourmente pas ; beaucoup d’hommes ont commencé comme toi, et sont devenus de riches propriétaires.

— Rêves de femme enceinte !

— Je t'assure que tu redeviendras quelqu'un d'important, et que notre fils grandira dans l'abondance.

— Et comment y arriverai-je, par la *bouza* ou par le haschisch ? ricana Adham.

— Par le travail.

— Travailler pour manger est la malédiction des malédictions ! dit-il avec colère. Dans le jardin, j'étais heureux, je vivais, je n'avais rien d'autre à faire que de regarder le ciel et de jouer de la flûte. Maintenant, je ne suis plus qu'un animal ; je pousse ma charrette devant moi jour et nuit, pour gagner juste de quoi manger le soir et chier le matin ! Oui, la malédiction des malédictions ! La vraie vie, c'est dans la Grande Maison qu'elle est : là, il n'y a pas besoin de travailler pour manger ; là, il n'y a que la joie, la beauté et les chansons !

— Tu as parfaitement raison, Adham ! fit la voix d'Idris. Le travail est une malédiction et un avilissement insupportable. N'est-ce pas pour cela que je t'ai proposé de t'associer à moi ?

Se retournant, Adham vit la forme d'Idris que se dressait dans l'obscurité, non loin de là. Il agissait toujours ainsi, se glissant dans les ténèbres, invisible, pour épier les conversations ou s'y mêler lorsque cela lui chantait.

— Retourne dans ta cabane ! lui lança Adham en se levant.

— Mais je ne fais que dire la même chose que toi, protesta l'autre d'un ton faussement sérieux. Oui, le travail est une malédiction qui dégrade l'homme !

— Mais la vie de truand que tu me proposes est encore plus ignoble !

— Alors, si le travail est une malédiction et si la vie de truand est ignoble, comment s'y prendra-t-on pour vivre ?

Voyant qu'Adham gardait le silence, il poursuivit :

— Tu voudrais peut-être qu'on te paye pour ne rien faire ? Mais ça voudrait dire que tu vivrais aux crochets des autres… En voilà un casse-tête, pas vrai, petit moricaud ?

— Rentre chez toi ! Puisse Dieu confondre Satan !

La femme d'Idris l'appela de loin ; il s'éloigna en chantonnant.

— Evite-le à tout prix, conseilla Oumayma à son mari.

— Eh, il me tombe dessus à l'improviste, sans que je sache comment il est venu !

Tous deux se réfugièrent un instant dans le silence ; puis Oumayma reprit d'une voix douce :

— Je ne puis me défaire de l'idée que nous ferons de cette cabane une maison semblable à celle qui nous a chassés ; rien n'y manquera, ni le jardin ni les rossignols. Et notre enfant y trouvera la paix et le bonheur.

Adham se leva, dissimulant un sourire ironique dans l'obscurité.

— "Qui veut mes beaux concombres ! Doux comme la crème ! Doux comme le miel !" Je sue sang et eau, les voyous me prennent pour souffre-douleur, je ne sens plus mes pieds, et tout ça pour quelques millimes.

Il rentra dans la cabane, suivi de sa femme qui poursuivait son idée :

— Mais le temps de la joie et des chansons reviendra, insista-t-elle en le suivant vers la porte de la cabane.

— Si tu trimais autant que moi, tu ne trouverais pas le temps de rêver.

— Dieu n'est-il pas capable de rendre notre cabane aussi belle que la Grande Maison ? persévéra-t-elle en s'étendant à son côté sur la paillasse.

— Mon seul souhait, c'est d'y rentrer, déclara Adham en bâillant.

Puis, bâillant encore plus fort, il ajouta :

— Quelle malédiction que le travail !

— Peut-être, mais c'est une malédiction qu'on ne peut lever que par le travail, conclut Oumayma d'une voix ensommeillée.

12

Une nuit, Adham fut réveillé par des gémissements épouvantables ; il resta un instant suspendu entre le sommeil et la veille, avant de se rendre compte que c'était Oumayma qui poussait des cris de douleur : "Ah, mon dos ! Ah, mon ventre !" Il s'assit d'un bond, écarquillant les yeux dans l'obscurité.

— C'est probablement une fausse alerte de plus ! déclara-t-il. Allume donc la chandelle.

— Allume-la toi-même, gémit Oumayma. Cette fois-ci, c'est sérieux.

Il se leva, tâtonna un instant parmi la batterie de cuisine et finit par trouver la chandelle, qu'il alluma et fixa sur la table. Oumayma était à demi assise, appuyée sur ses coudes, la tête rejetée en arrière ; elle semblait avoir du mal à respirer.

— Tu dis la même chose chaque fois que tu as mal, reprit Adham, inquiet malgré tout.

— Non, cette fois je suis absolument sûre que c'est la bonne.

Il l'aida à s'appuyer le dos contre le mur.

— En tout cas, c'est à peu près le moment, concéda-t-il. Tiens bon, je cours à la Gamaliyya chercher la sage-femme.

— Que Dieu t'accompagne. Quelle heure est-il ?

— L'aube n'est pas loin, déclara Adham après être sorti de la cabane et avoir observé le ciel. Je ne tarderai pas.

Il partit en courant vers la Gamaliyya ; quelque temps après, il revint, tirant une vieille femme par le bras. En approchant de la cabane, il entendit les hurlements d'Oumayma qui déchiraient le silence. Le cœur battant, il pressa le pas, sourd aux protestations de la sage-femme. Ils entrèrent. Tout en ôtant son manteau, la vieille dit en riant à Oumayma :

— Eh bien, la délivrance est là ! Encore un peu de courage, et tout sera fini.

— Comment te sens-tu ? demanda Adham.

— A moitié morte, gémit-elle. Je sens mon corps qui part en morceaux, tous mes os se brisent... Ne t'en va pas !

— Mais non, mais non ! protesta la sage-femme. Il va aller bien sagement attendre dehors que tout soit fini !

En sortant à l'air libre, Adham aperçut une silhouette qui se dressait à proximité ; avant même d'avoir distingué ses traits, il sut de qui il s'agissait, et sa poitrine se serra.

— Les douleurs ont commencé ? demanda Idris avec une feinte politesse. La pauvre ! Il n'y a pas longtemps que ma femme est passée par là, elle aussi, comme tu sais. Mais ce n'est pas aussi terrible que ça en a l'air : la douleur ne dure pas, et tu te retrouves avec le lot que tu as tiré à la tombola du destin. Moi, ça a été Hind ; elle est mignonne, cette petite, même si elle ne fait que pisser et pleurer... Allez, du courage !

— L'affaire est entre les mains de Dieu ! soupira douloureusement Adham.

— Tu es allé chercher la sage-femme de la Gamaliyya ? poursuivit Idris avec un gros rire.

— Oui.

— Une vieille sorcière ! Et rapace en plus ! Moi aussi, je me suis adressé à elle : tu aurais dû voir la somme astronomique qu'elle m'a demandée pour prix de ses peines. Bref, je l'ai fichue dehors. Depuis, elle me couvre de malédictions chaque fois que je passe devant chez elle.

— Tu ne devrais pas traiter les gens comme ça.

— Mon jeune seigneur, c'est ton propre père qui m'a appris à les traiter comme des chiens !

A ce moment, Oumayma poussa un cri terrible, comme si elle se déchirait. Adham, qui était sur le point de dire quelque chose, referma la bouche et s'approcha de la cabane.

— Courage ! fit-il à voix basse.

— Courage, belle-sœur ! répéta Idris à pleine voix.

— Nous ferions mieux de nous éloigner un peu, proposa Adham, désireux d'éviter à sa femme d'entendre la voix d'Idris.

— Bonne idée ! Viens donc chez moi, je t'offrirai du thé. Et puis, tu en profiteras pour voir Hind : elle ronfle si joliment quand elle dort !

Adham s'éloigna dans une autre direction, s'efforçant de dissimuler sa fureur. Mais Idris ne le lâcha pas pour autant.

— Tu seras père avant que l'aube soit levée. Tu sais, ça change la vie d'un homme ; entre autres, tu connaîtras le lien que notre vénéré père déchire avec tant d'aisance et d'insensibilité…

— Je n'aime pas cette conversation, coupa Adham, les dents serrées.

— Peut-être, mais nous n'avons guère d'intérêt commun à part celui-ci.

— Idris, pourquoi ne me laisses-tu pas en paix ? soupira Adham d'un ton presque suppliant. Tu sais bien qu'il n'y a aucune affection entre nous.

— Vraiment, tu n'es pas gêné ! s'écria l'autre en éclatant d'un rire sonore. Les cris de ta femme me réveillent en pleine nuit alors que je dormais du sommeil du juste ; au lieu de me mettre en colère, je viens te proposer mon aide au cas où tu en aurais besoin, et voilà comment tu me récompenses ! Alors que notre vénéré père, lui, il a sûrement entendu les cris de ta femme, mais ça ne l'a pas empêché de se rendormir, sans cœur qu'il est !

— Ecoute, notre sort est déjà assez malheureux comme ça : tu ne pourrais pas m'ignorer comme je t'ignore ?

— Si tu me hais tant, ce n'est pas tellement parce que je suis la cause de ta punition : c'est parce que je te rappelle ta faiblesse et ta faute. Quant à moi, je n'ai plus de raison de t'en vouloir ; au contraire, tu me sers de consolation et d'amusement. N'oublie pas que nous sommes voisins, que nous sommes les premiers êtres vivants à habiter ce désert : nos enfants y grandiront côte à côte.

— Tu aimes vraiment me tourmenter…

Idris se tut un instant ; Adham crut que son supplice allait prendre fin. Mais son frère reprit soudain :

— Au fond, pourquoi ne nous entendons-nous pas ?

— Parce que je suis un marchand ambulant qui essaie de gagner honnêtement sa vie, alors que toi, tu vis de violence et de rapines.

Les cris d'Oumayma reprirent de plus belle. Adham leva la tête d'un air suppliant. L'obscurité commençait à se dissiper ; les premières lueurs de l'aube apparaissaient au-dessus de la montagne.

— Quelle malédiction que la souffrance ! soupira-t-il.

— Quel mollasson tu fais, mon pauvre Adham ! ricana Idris. Tu n'es vraiment bon qu'à administrer le *waqf* et à souffler dans ta flûte !

— Moque-toi tant que tu voudras, je souffrirai toujours autant !

— Toi ? Je croyais que c'était ta femme qui souffrait.

— Laisse-moi tranquille !

— Tu voudrais devenir père sans en payer le prix ? insista l'autre avec un calme exaspérant. Ecoute, tu n'es pas bête : je suis venu te proposer un travail qui pourrait rendre la vie plus facile aux créatures à venir. Car il ne faut pas t'y tromper : ce que nous entendons en ce moment n'est pas une fin, mais un commencement. Nos désirs ne nous laisseront pas en repos tant qu'ils ne nous auront pas écrasés sous le poids d'une montagne de marmots braillards. Qu'en penses-tu ?

— Le jour se lève ; va donc finir ta nuit.

Oumayma criait maintenant sans interruption ; n'en pouvant plus, Adham revint près de la cabane, bien visible dans la lumière naissante. Lorsqu'il arriva, Oumayma poussa un soupir profond, comme la conclusion d'une chanson triste.

— Comment ça va ? demanda Adham, s'approchant de la porte.

— Attends un peu ! répondit la sage-femme de l'intérieur.

Le cœur d'Adham bondit de joie ; il avait reconnu une note de triomphe dans la voix de la vieille. Quelques instants plus tard, elle apparut à la porte et dit :

— Dieu t'a envoyé deux beaux garçons !

— Des jumeaux ?

— Puisse Dieu te donner toujours de quoi les nourrir.

A ce moment, le rire grinçant d'Idris s'éleva derrière lui :

— Eh bien, me voilà maintenant père d'une fille et oncle de deux garçons !

Et il s'éloigna vers sa cabane en chantonnant :

Où sont passés la chance et la fortune ?
Où sont passés les beaux jours ?

— Leur mère voudrait qu'ils soient appelés Qadri et Hammam, reprit la sage-femme.

— Qadri et Hammam, Qadri et Hammam, murmura Adham.

Il était si heureux qu'il se sentait des ailes.

13

— Asseyons-nous et mangeons, dit Qadri en s'épongeant le visage du pan de sa djellaba.

— Oui, il est largement l'heure, approuva Hammam, en observant le soleil qui commençait à décliner.

Ils s'accroupirent sur le sable, au pied du Muqattam, et Hammam dénoua le mouchoir rouge à rayures qui contenait leur déjeuner : du pain, de la *taameyya* [1] et des oignons verts. Ils se mirent à manger, tout en surveillant leurs moutons d'un œil distrait. Rien dans leur taille ou dans leurs traits ne permettait de distinguer les deux frères ; sinon peut-être le regard aigu, un regard de chasseur, qui luisait dans les yeux de Qadri, donnant à sa physionomie un aspect particulier.

1. Beignets à base de fèves, appelés aussi *falafels*.

— Si ce désert était entièrement à nous, reprit celui-ci, tout en mastiquant une énorme bouchée, on serait tranquilles pour garder nos moutons.

— Oui, mais les bergers d'Otouf, de Kafr Zaghari et de la Huseiniyya viennent aussi jusqu'ici. On pourrait essayer de devenir leurs amis, comme ça on n'aurait rien à craindre d'eux.

Qadri éclata de rire, postillonnant des miettes.

— Ça, c'est encore le meilleur moyen pour se faire casser la figure !

— Mais…

— Il n'y a pas de mais, mon vieux ! Dans ce coin-ci, il n'y a qu'une méthode : tu empoignes ton gars par la djellaba et paf ! un coup de boule entre les deux yeux. Et puis tu recommences jusqu'à ce qu'il s'écroule.

— Oui, et c'est comme ça qu'on s'est fait tellement d'ennemis qu'on ne pourrait même plus les compter…

— Et alors, qui t'a demandé de les compter ?

Hammam suivait du regard un chevreau qui s'éloignait un peu trop. D'un coup de sifflet, il le rappela ; l'animal s'arrêta, puis revint dignement sur ses pas. Le jeune homme choisit un oignon, l'essuya de ses doigts et se l'enfourna voluptueusement dans la bouche.

— Voilà pourquoi on est toujours seuls ! déclara-t-il tout en mâchant à grand bruit. On passe des heures sans échanger un mot.

— Eh, qu'est-ce que tu as besoin de parler, tu chantes tout le temps !

— Oui, mais j'ai l'impression que toi, tu n'es pas toujours très heureux, dans cette solitude.

— De toute façon, j'ai tellement de raisons de ne pas être heureux, autant celle-ci qu'une autre !

On n'entendit plus qu'un bruit de mastication. Un groupe de passants apparut au loin, revenant de la montagne vers Otouf ; l'un d'eux chantait une chanson dont les autres reprenaient le refrain en chœur.

— Ce coin-ci du désert appartient à notre quartier, poursuivit Hammam. Mais si on s'écartait vers le nord ou le sud, c'est probable qu'on n'en reviendrait pas vivants.

— Sois tranquille ! répondit son frère avec un rire sonore. C'est vrai qu'il y en a pas mal, par là-bas, qui aimeraient me faire la peau, seulement tu n'en trouveras pas un pour oser se frotter à moi !

— Tu es courageux, concéda Hammam, les yeux toujours fixés sur son troupeau. Mais il ne faut pas oublier que, si on est toujours en vie, c'est grâce au nom de notre grand-père et à la réputation de notre oncle, même si nous sommes en mauvais termes avec lui.

Qadri fronça les sourcils en guise de protestation, mais garda le silence. Il tourna ses regards vers la Grande Maison qui élevait sa masse indistincte au loin, du côté de l'ouest.

— Cette maison ! Je n'en ai jamais vu de pareille, avec le désert qui l'encercle de tous les côtés, à deux pas de quartiers qui grouillent de costauds et de bagarreurs ; et pourtant personne ne va chercher querelle à son maître, notre grand-père, qui n'a jamais daigné voir ses petits-enfants, bien qu'ils vivent à quelques mètres de chez lui !

— Quand notre père en parle, c'est toujours avec respect et vénération.

— Mais pour ce qui est de notre oncle, c'est toujours avec des injures et des malédictions.

— Quoi qu'il en soit, c'est notre grand-père, murmura Hammam d'un ton embarrassé.

— Et à quoi ça nous sert, morveux ? Le père se crève à pousser sa charrette, la mère trime toute la journée et une partie de la nuit. Et nous, on est là, nu-pieds, à peine vêtus, avec des moutons et des chèvres pour seule compagnie. Pendant ce temps-là, lui, il se cache dans sa maison, à mener la belle vie, comme le sans-cœur qu'il est !

Ils avaient fini leur déjeuner. Hammam secoua le mouchoir, le replia et le mit dans sa poche ; puis il s'étendit sur le dos, la tête appuyée sur les bras, le regard perdu dans la contemplation du ciel sans nuage. Un ciel serein de fin d'après-midi, où tournoyaient les milans. Qadri se leva et s'éloigna de quelques pas pour uriner.

— Le père dit qu'il sortait souvent, autrefois : ils le voyaient passer près d'eux à l'aller ou au retour. Mais maintenant personne ne le voit plus ; on dirait qu'il a peur.

— J'aimerais tant le voir un jour ! murmura Hammam.

— Ne t'attends pas à quelque chose d'extraordinaire : il doit ressembler à notre père, ou à notre oncle, ou à tous les deux à la fois. Moi, ce qui m'étonne, c'est que le père en parle toujours avec respect, après tout ce qu'il lui a fait.

— Apparemment, il lui était très attaché ; ou peut-être qu'il considère sa punition comme méritée.

— Ou encore qu'il espère toujours se faire pardonner !

— Tu ne comprends pas le père : c'est un homme doux et affectueux.

— Il m'embête ! coupa Qadri en se rasseyant. Et toi aussi tu m'embêtes ! Je te dis que notre grand-père est un type bizarre, et qu'il n'a rien de respectable. S'il avait pour deux sous de cœur, il ne traiterait pas sa famille comme il la traite. Non, je suis d'accord avec notre oncle, c'est une vraie malédiction !

— Peut-être que ce qu'il a de plus contestable, c'est justement ce dont toi tu te vantes : la force et le goût de la violence.

— Il a reçu cette terre en cadeau, sans se fatiguer, et maintenant il joue les tyrans !

— Ne nie pas maintenant ce que tu viens de reconnaître : le gouverneur lui-même n'aurait pas supporté de vivre seul dans ce désert.

— Mais dans tout ce qu'on t'a raconté, trouves-tu quoi que ce soit pour justifier sa colère contre notre père ?

— Toi-même, combien de fois t'es-tu bagarré, pour moins que ça ?

Qadri empoigna la gargoulette, but longuement, rota, et reprit la parole :

— Et nous, ses petits-fils, quelle faute avons-nous commise ? Il n'a jamais gardé les moutons, lui ! Qu'il aille au diable ! Quand même, j'aimerais bien savoir ce qu'il y a dans son testament, et ce qu'il a prévu pour nous.

— Une fortune qui nous mettra à l'abri du besoin, et qui nous laissera vivre sans souci, dans le bonheur et la joie.

— Tu parles comme le père ; et pendant ce temps-là, nous trimons dans la poussière et la boue, en rêvant de jouer de la flûte à l'ombre d'un jardin plein d'oiseaux. Pour dire les choses franchement, je me sens plus proche de mon oncle que de mon père…

Hammam bâilla en se mettant sur son séant, puis se leva et s'étira.

— Au moins, nous sommes arrivés quelque part, déclara-t-il. Nous avons un toit, nous gagnons de quoi vivre avec nos chèvres et nos moutons…

— Et la flûte ? Et le jardin ?

Sans répondre, Hammam ramassa son bâton et se dirigea vers le troupeau. Qadri se leva à son tour et apostropha la Grande Maison.

— Alors, tu nous laisseras ton héritage, ou bien tu continueras à t'acharner sur nous après ta mort ? Réponds, Gabalawi !

— Réponds, Gabalawi ! renvoya l'écho.

14

Une silhouette s'approchait d'eux, trop lointaine pour que l'on pût distinguer ses traits. Elle continua à avancer, sans se presser, jusqu'à ce que les deux frères la reconnussent. Qadri se leva d'un geste involontaire, les yeux brillants de plaisir, tandis que Hammam observait son frère en souriant ; bientôt, il se retourna vers ses moutons d'un air indifférent.

— La nuit ne va pas tarder, dit-il à mi-voix, d'un ton significatif.

— Eh, que veux-tu que ça me fasse ! lui lança dédaigneusement Qadri.

Il avança de quelques pas, faisant de grands gestes pour accueillir la jeune fille qui approchait, traînant un peu des pieds, parce qu'elle venait de franchir une longue distance et que ses sandales dérapaient dans le sable. Elle les observait de ses yeux verts, où brillait une lueur hardie et provocante ; un grand châle l'enveloppait jusqu'aux épaules, découvrant la tête et le cou, et laissant le vent jouer avec ses tresses.

— Salut, Hind ! lança Qadri, avec une expression de joie qui rendait son visage moins dur.

— Salut, Qadri ! répondit la jeune fille. Bonsoir, cousin, poursuivit-elle à l'adresse de Hammam.

— Bonsoir, cousine, comment vas-tu ?

Qadri la prit par la main et l'emmena derrière le gros rocher qui s'élevait non loin de là. Lorsqu'ils furent hors de vue, le jeune homme prit sa cousine dans ses bras et l'embrassa longuement sur la bouche. La jeune fille s'abandonna un court instant, puis échappa aux bras de son amant. Elle resta quelques instants ainsi, le souffle court, rajustant son châle, accueillant d'un sourire le désir violent qu'elle lisait dans les yeux de Qadri. Mais bientôt son sourire s'effaça, comme si une pensée soudaine lui était venue à l'esprit, et elle dit avec une moue boudeuse :

— Tu aurais vu cette bagarre pour qu'ils me laissent venir ! Quelle vie, je te jure !

— Que veux-tu, on est des enfants d'idiots : mon père est un brave homme et un crétin, et le tien une crapule et un imbécile. Tout ce qui les intéresse, c'est de nous faire hériter de leurs bisbilles, quelle idiotie ! Mais dis-moi, comment t'es-tu débrouillée pour venir ?

— La journée s'est passée comme d'habitude : mon père et ma mère n'ont pas arrêté de se disputer, il l'a cognée une ou deux fois, elle l'a copieusement injurié et maudit, et puis elle a passé sa colère sur une cruche qu'elle a cassée en mille morceaux. Enfin, ça aurait pu être pire : souvent, quand elle est en colère, elle le prend à la gorge, malgré ses gifles. Mais quand il a bu, c'est autre chose : la seule façon d'échapper à la raclée, c'est de se tenir bien à l'écart. Si tu savais comme tout ça me dégoûte, et comme j'ai envie de m'enfuir ! Parfois je passe des heures à pleurer, tellement que j'en ai mal aux yeux. Enfin, ça ne fait rien. Donc, j'ai attendu qu'il s'en aille, et puis j'ai mis mon châle ; naturellement, ma mère a essayé de m'empêcher de partir, mais je lui ai filé entre les doigts, et me voici !

— Elle ne se doute pas que tu viens ici ? questionna Qadri en prenant les mains de la jeune fille dans les siennes.

— Je ne crois pas, et je m'en moque : quoi qu'il arrive, elle n'osera jamais le dire à mon père.

— Et lui, que crois-tu qu'il ferait s'il savait ? poursuivit-il avec un rire bref.

— Je n'ai pas vraiment peur de lui. Il est mauvais, mais au fond je l'aime bien, et lui aussi il m'aime à sa façon. Seulement, il ne prend jamais la peine de me dire que je suis pour lui la chose la plus précieuse du monde ; et c'est peut-être de là que viennent mes peines.

Qadri s'assit par terre au pied du rocher et l'invita à faire de même, en lissant le sable à côté de lui. Elle prit place à son tour, se débarrassant du châle qui l'engonçait. Qadri se pencha vers elle et l'embrassa sur la joue.

— Mon père a l'air plus facile, et pourtant il devient presque violent quand on lui parle du tien, déclara-t-il. Tu verrais ce qu'il raconte sur lui !

— Et le mien, c'est la même chose ! ajouta-t-elle en riant. Voilà bien les gens ! Eh oui, ton père reproche sa brutalité au mien, qui lui reproche sa délicatesse. Bref, ils ne sont jamais d'accord sur rien.

Qadri eut un mouvement brusque, comme pour donner un coup de tête.

— Eh bien nous, nous ferons ce que nous voudrons ! déclara-t-il.

— Mon père aussi peut faire ce qu'il veut, objecta Hind en lui lançant un regard tendre et un peu inquiet.

— Je suis capable de beaucoup de choses, tu le sais. Que veut-il pour toi, mon ivrogne d'oncle ?

— Veux-tu parler poliment de mon père ! s'écria-t-elle en riant. A vrai dire, je me le suis souvent demandé, poursuivit-elle en lui tirant doucement l'oreille. Parfois, j'ai l'impression qu'il ne veut pas me marier du tout. Si, je t'assure ! Une fois, il a dit à ma mère que le *futuwwa* de Kafr Zaghari voulait m'épouser. Ma mère était ravie, mais lui s'est mis en colère : "Pauvre idiote ! Minable ! Qu'est-ce que c'est que *futuwwa* de Kafr Zaghari ? Le dernier des domestiques de la Grande Maison vaut mieux que lui ! – Mais alors, qui vois-tu qui soit digne d'elle ? lui a demandé ma mère en pleurant. – Va demander ça au tyran qui se cache derrière les murs de sa maison. Après tout, il s'agit de sa petite-fille ! Il n'y a personne sur terre qui soit digne d'elle ! Ce que je veux pour elle, c'est un homme comme moi !" Après ça, il s'est jeté sur elle et l'a bourrée de coups de pied, jusqu'à ce qu'elle s'enfuie de la maison.

— Il est complètement fou !

— Il déteste notre grand-père, il le maudit chaque fois qu'il prononce son nom, mais, au fond de lui-même, il est fier d'être son fils.

Qadri ferma le poing et s'en donna un grand coup sur la cuisse.

— Peut-être que nous serions plus heureux si cet homme n'était pas notre grand-père.

— Peut-être, approuva Hind avec amertume.

Il l'attira contre lui avec une violence qui s'accordait à celle de ses propos ; il la maintint dans ses bras le temps que les préoccupations moroses laissent la place au désir.

— Donne-moi ta bouche, souffla-t-il.

Hammam se retira de l'endroit où il se tenait dissimulé, tout près du rocher, et revint sans faire de bruit vers son troupeau, avec un sourire embarrassé et un peu triste. Il lui semblait que l'air tout entier vibrait de soupirs d'amour, et que l'amour annonçait de nouvelles tragédies. "Comme le visage de Qadri était clair et doux, se dit-il. Il ne prend cette expression que lorsqu'il est derrière le rocher. Oui, seul l'amour a la force magique de dissiper nos peines."

Le ciel se décolorait, s'abandonnant à la nuit prochaine. Une brise languissante soufflait par intermittence. Le crépuscule avançait, comme une chanson d'adieu un peu mélancolique. Non loin de là, un bouc couvrait une chèvre.

"Ma mère se réjouira le jour où ce chevreau naîtra, se dit Hammam. Mais la naissance d'un être humain peut apporter bien des catastrophes. Une malédiction pesait sur nos têtes avant même que nous soyons nés. Quelle étrange inimitié ! On dirait que sa seule justification, c'est précisément d'opposer deux frères. Jusqu'à quand allons-nous en payer le prix ? Si nous pouvions oublier le passé, nous ne vivrions pas si mal. Mais voilà : nous restons obstinément accrochés à cette maison, qui est la source de tout notre prestige et de toute notre misère !"

Il regarda le bouc en souriant, puis s'en fut rassembler son troupeau, sifflant et agitant son bâton. Il se tourna un bref moment vers le rocher qui se dressait, vaste et silencieux, comme si le monde entier lui était indifférent.

15

Oumayma se réveilla comme d'habitude, à l'heure où il ne brille plus qu'une seule étoile dans le ciel. Elle appela doucement Adham qui s'étira en soupirant ; il se leva, encore tout engourdi par le sommeil, et se rendit dans l'appentis où dormaient Qadri et Hammam. La cabane des origines s'était agrandie et développée ; c'était presque une petite maison, au milieu d'un enclos qui servait, la nuit, à parquer le troupeau. Le mur extérieur était couvert de plantes grimpantes qui en adoucissaient l'aspect rébarbatif, preuve qu'Oumayma n'avait pas renoncé à son vieux rêve d'embellir la baraque et de la rendre aussi semblable que possible à la Grande Maison.

Adham et ses deux fils sortirent dans la cour, se lavèrent le visage et revêtirent leurs vêtements de travail. Une odeur de bois brûlé sortait de la cabane ; les deux jeunes frères de Qadri et Hammam pleuraient. Les hommes s'assirent à la petite table, devant la porte d'entrée, et commencèrent à manger, se servant à même la marmite de *foul medammes* [1]. On était en automne et l'air, à cette heure de la matinée, était frais, presque froid ; mais il rencontrait en eux des corps endurcis, habitués à supporter les caprices de l'atmosphère.

Au loin, la cabane d'Idris semblait, elle aussi, s'être agrandie et développée. Quant à la Grande Maison, elle était silencieuse et refermée sur elle-même, comme si rien ne la rattachait au monde extérieur. Oumayma sortit dans la cour, tenant à la main une cruche de lait tout frais, qu'elle posa sur la table avant de s'asseoir à son tour.

— Pourquoi ne vas-tu pas plutôt le vendre à notre respecté grand-père ? lui demanda Qadri d'un ton moqueur.

1. Fèves cuites à l'étouffée, avec du vinaigre et des aromates. Plat très populaire en Egypte.

— Tais-toi et mange ! le rabroua Adham. Si tu ne peux pas parler intelligemment, au moins fais-nous la grâce de te taire !

— Il va bientôt falloir s'occuper des conserves de citrons, d'olives et de poivrons, intervint Oumayma, parlant la bouche pleine. Tu te souviens, Qadri, comme tu t'amusais quand je faisais les conserves, et comme tu m'aidais à farcir les citrons ?

— Quand on était petits, on s'amusait de tout et de rien, murmura Qadri d'un air buté.

— Et maintenant, qu'est-ce qu'il te faut ? demanda Adham en reposant la cruche de lait. Un cheval et une armure, comme Abou Zayd al-Hilali[1] ?

— Le jour du marché approche, déclara Hammam, pendant que son frère ricanait sans rien dire. Il faut penser à choisir quels moutons nous allons vendre.

Oumayma hocha la tête en signe d'assentiment ; au même moment, Adham reprit, à l'adresse de Qadri :

— Au fait, Qadri, il va falloir que tu changes de manières ! Tous les jours, on vient se plaindre de toi. Si ça continue, tu finiras comme ton oncle…

— Ou comme mon grand-père !

— Je t'interdis de parler de lui sur ce ton, tu entends ? Et d'ailleurs, il ne t'a jamais rien fait dont tu aies à te plaindre !

— Si ! Il nous a fait du tort en t'en faisant à toi. C'est à cause de lui que nous sommes condamnés à cette vie ; et c'est la même chose pour notre cousine.

— Qu'as-tu à faire de ta cousine ? coupa Adham, les sourcils froncés. C'est son père qui est la cause de tous nos malheurs.

1. Héros d'un célèbre roman de chevalerie arabe.

— Je veux dire qu'il n'est pas convenable qu'une fille de notre sang grandisse dans ce désert pouilleux ; dis-moi un peu, quel homme acceptera de l'épouser ?

— Qu'elle épouse le diable en personne, qu'est-ce que ça nous fait ? De toute façon, c'est sûrement une garce, à l'image de son père !

Il jeta un coup d'œil à sa femme, comme pour solliciter son appui.

— Oui, tout le portrait de son père, confirma-t-elle.

— Que Dieu les maudisse tous deux ! s'écria Adham en crachant par terre.

— Ne parlons plus de ça, suggéra Hammam, ça va nous gâcher notre petit déjeuner.

— N'exagère pas, le réprimanda doucement sa mère ; les meilleurs moments de la journée sont ceux que nous passons ensemble.

La voix d'Idris s'éleva dans le lointain, vomissant des injures et des malédictions.

— Voilà la prière du matin qui commence ! commenta Adham avec une grimace de dégoût.

Il avala la dernière bouchée et se leva. Quelques minutes plus tard, il s'éloignait dans la direction de la Gamaliyya. Hammam se leva à son tour et se rendit vers le parc à bestiaux, le long du passage étroit entre la maison et le mur extérieur. Bientôt, dans un concert de bêlements et de raclements de sabots, le troupeau remplit le passage et sortit de l'enclos. Qadri se leva lui aussi, prit son bâton et, faisant un geste d'adieu à sa mère, alla rejoindre Hammam.

Lorsqu'ils approchèrent de la cabane d'Idris, celui-ci se mit soudain en travers de leur route et leur demanda d'un ton sarcastique :

— Eh bien, mes gars, à combien la tête ?

Qadri le dévisagea d'un air intéressé, alors que Hammam détournait les yeux.

— Dites, les fils du marchand de concombres, ça vous écorcherait la bouche de répondre quand on vous parle ? poursuivit Idris.

— Si tu veux acheter, tu n'as qu'à aller au marché ! lui lança Qadri d'un ton sec.

— Ah oui ? Et s'il me prenait l'envie d'en confisquer un ?

— Père, ne fais pas de scandale ! fit la voix de Hind, à l'intérieur de la cabane.

— Tais-toi, toi ! répondit l'autre d'une voix plus douce que de coutume. Laisse-moi parler aux descendants de la moricaude.

— Nous ne nous occupons pas de toi, ne t'occupe pas de nous, protesta Hammam.

— Ah ! la voix d'Adham en personne ! Mon pauvre garçon, tu serais davantage à ta place au milieu des moutons que derrière eux !

— Notre père nous a interdit de répondre à tes injures.

— Eh bien, je lui dois une fière chandelle : sans ça, j'étais un homme mort !

Puis, changeant soudain de ton, il reprit d'une voix rude :

— Petits crétins ! C'est grâce à la crainte qu'inspire mon nom que vous pouvez vivre en paix. Allez, disparaissez de ma vue !

Ils reprirent leur chemin, agitant de temps en temps leurs bâtons. Encore tout pâle d'émotion, Hammam dit à son frère :

— Ce type est vraiment dégoûtant ! Même si tôt le matin, il empeste déjà l'alcool.

— Oh ! il parle beaucoup, mais il n'a jamais levé la main sur nous.

— En tout cas, il nous a volé plus d'un mouton.

— C'est un ivrogne, mais malheureusement c'est notre oncle, on ne peut pas dire le contraire.

Le silence s'établit, pendant que les deux frères se dirigeaient vers le grand rocher. Quelques nuages épars flottaient dans le ciel ; le soleil dardait ses rayons sur le sable qui s'étendait à perte de vue. Soudain incapable de garder le silence plus longtemps, Hammam reprit la parole :

— Tu ferais une grosse erreur, si tu cherchais à établir certaines relations avec lui…

— N'essaie pas de me donner des conseils, veux-tu ? coupa Qadri, les yeux brillants de colère. Notre père suffit pour ça !

— Nous avons déjà assez d'ennuis, inutile d'en rajouter.

— Eh bien, vous n'avez qu'à rester pourrir dans les ennuis que vous vous créez vous-mêmes. Moi, je ferai ce qui me plaira !

Ils étaient arrivés à l'endroit où ils laissaient paître leur troupeau. Hammam reprit, se tournant vers son frère.

— Crois-tu vraiment que tu peux échapper aux conséquences de tes actes ?

Qadri l'empoigna soudain par l'épaule.

— La vérité, c'est que tu es jaloux ! lui cracha-t-il au visage.

Dérouté par cette sortie inattendue, Hammam resta coi un instant ; mais il était habitué aux éclats soudains de son frère.

— Que Dieu nous protège, dit-il en se dégageant.

Qadri croisa les bras sur la poitrine et hocha la tête d'un air moqueur.

— Eh bien, vas-y, fais tes bêtises ! poursuivit Hammam. Tu finiras bien par t'en mordre les doigts, mais il sera trop tard, comme d'habitude !

16

Adham et sa famille étaient assis devant la cabane et prenaient leur repas du soir à la lueur des étoiles, quand il se produisit un événement sans précédent dans ce coin du désert depuis le bannissement d'Adham : la porte de la Grande Maison s'ouvrit, et une silhouette en sortit, une lanterne à la main. Dans un silence absolu, quatre paires d'yeux ébahis suivaient attentivement la tache de lumière qui avançait avec lenteur, semblable à une étoile terrestre. Lorsqu'elle fut arrivée à mi-chemin entre la Grande Maison et la cabane, les regards se concentrèrent sur la silhouette qui apparaissait vaguement dans la lumière.

— C'est oncle[1] Karim, le portier de la maison, murmura Adham.

Leur étonnement crût encore lorsqu'ils se rendirent compte qu'il se dirigeait vers eux : tous étaient figés dans la plus totale immobilité, la bouche pleine, oubliant

1. Appellation familièrement respectueuse, adressée à un homme âgé de statut social peu élevé.

même de mâcher. Arrivé auprès d'eux, le nouveau venu leva la main et dit :

— Bonsoir, seigneur Adham.

En entendant cette voix qui n'avait plus frappé son oreille depuis vingt ans, Adham fut agité d'un violent tremblement. Toutes sortes de choses remontaient du fond de sa mémoire : les accents de la voix de son père, les effluves du jasmin et du henné, mille nostalgies et mille chagrins. Il lui semblait que la terre tremblait sous ses pieds.

— Bonsoir, oncle Karim ! répondit-il en luttant contre les larmes.

— J'espère que toi et les tiens vous vous portez bien, poursuivit l'autre, visiblement ému.

— Dieu soit loué, oncle Karim.

— J'aimerais parler plus longtemps avec toi, mais je suis chargé uniquement de te faire savoir que mon maître veut voir ton fils Hammam sur l'heure.

Un silence soudain se fit et des regards perplexes s'échangèrent. Soudain une voix s'éleva :

— Hammam seulement ?

Ils se retournèrent : Idris se dressait non loin de là, et les épiait. Sans répondre, oncle Karim leva à nouveau la main et retourna vers la Grande Maison, laissant les autres dans l'obscurité.

— Dis donc, fils de pute, tu vas nous répondre ? lança Idris.

— Pourquoi Hammam et personne d'autre ? demanda soudain Qadri, qui venait de sortir de sa stupeur.

— Oui, pourquoi ? renchérit Idris.

— Retourne chez toi et laisse-nous en paix ! lui cria Adham.

— En paix ? Tu parles ! De toute façon, je resterai.

Hammam regardait la Grande Maison sans rien dire. Son cœur battait si fort qu'il lui semblait que le Muqattam lui en renvoyait les échos.

— Va, Hammam, lui dit Adham d'un ton résigné. Va voir ton grand-père, et que la paix soit avec toi.

— Et moi ? coupa Qadri d'un ton de défi. Est-ce que je ne suis pas ton fils, moi aussi ?

— Ne parle pas comme Idris ; oui, bien sûr, tu es mon fils. Inutile de me faire des reproches, ce n'est pas moi qui décide.

— Oui, mais tu pourrais t'y opposer, intervint Idris : est-il juste que l'un de tes fils soit favorisé aux dépens de l'autre ?

— Ça ne te regarde pas ! s'écria Adham, exaspéré. Il faut que tu y ailles, reprit-il à l'adresse de Hammam. Le tour de Qadri viendra plus tard, j'en suis certain.

— Tu es un père injuste et tyrannique ! lança Idris en se retournant pour repartir. Ce pauvre Qadri, quelle faute a-t-il commise pour être puni de la sorte ? Enfin, dans notre famille de fous, la malédiction tombe d'abord sur ceux que notre vénérable père distingue.

Il dit, et les ténèbres l'avalèrent.

— Tu es injuste avec moi, père ! s'écria alors Qadri.

— Ne répète pas ce qu'il a dit. Allez, viens ici, et toi, Hammam, va-t'en vite.

— J'aurais pourtant voulu que mon frère vienne avec moi, murmura celui-ci, embarrassé.

— Il te rejoindra plus tard.

— Mais enfin, qu'est-ce que ça veut dire ? éclata Qadri. Pourquoi lui et pas moi ? De toute façon, il ne nous connaît ni l'un ni l'autre, alors pourquoi ?

Poussé par son père, Hammam s'en fut. Les larmes aux yeux, Oumayma voulut prendre Qadri dans ses bras, mais celui-ci se dégagea brutalement et s'élança sur les traces de son frère.

— Reviens, Qadri ! lui lança Adham. Ne joue pas ton avenir sur un coup de tête.

— Aucune force au monde ne pourrait me faire revenir ! lui cria le jeune homme avec rage.

Oumayma se mit à pleurer à grand bruit ; à l'intérieur de la cabane, les deux petits firent chorus. Pressant le pas, Qadri ne tarda pas à rejoindre son frère ; non loin de lui, il aperçut la silhouette d'Idris qui marchait dans la nuit, tenant Hind par la main. En arrivant à la porte de la Grande Maison, Idris repoussa Qadri sur sa gauche et Hammam et Hind sur sa droite et fit quelques pas en arrière, criant :

— Ouvre, oncle Karim ! Les petits-enfants viennent voir leur grand-père !

La porte s'ouvrit, et oncle Karim apparut sur le seuil, une lanterne à la main.

— Que le seigneur Hammam se donne la peine d'entrer, dit-il.

— Son frère Qadri est également ici, ainsi que Hind, qui ressemble trait pour trait à ma mère morte de chagrin, intervint Idris.

— Seigneur Idris, tu sais bien que seuls entrent dans cette maison ceux qui y ont été appelés.

Il fit signe à Hammam, qui entra. Qadri prit la main de Hind et fit mine de le suivre. Mais soudain une voix forte et rude qu'Idris connaissait bien s'éleva de l'intérieur du jardin :

— Retirez-vous avec votre honte et votre souillure !

Figés sur place, le garçon et la fille virent la porte se refermer. Idris se jeta sur eux, les empoignant par les épaules.

— De quelle honte veut-il parler, hein ? cracha-t-il d'une voix étranglée par la colère.

Hind poussa un cri de douleur, pendant que Qadri, se retournant brusquement, faisait lâcher prise à son oncle. La jeune fille s'enfuit dans la nuit. Idris, sautant lestement en arrière, décocha un coup de poing à Qadri qui encaissa sans broncher et frappa à son tour. Alors, ils s'abandonnèrent tous deux à leur nature violente, luttant comme deux bêtes sauvages sous les murs de la Grande Maison.

— Je vais te crever, fils de pute ! haleta Idris.

— Je t'aurai avant ! répondit Qadri, le visage en sang.

Adham arriva en courant comme un fou.

— Lâche mon fils ! criait-il à tue-tête.

— Je vais le tuer, le salaud ! répondit l'autre.

— Tu crois que je te laisserai faire ? Même si tu y arrives, tu ne lui survivras pas !

A ce moment, dans un concert de lamentations, la femme d'Idris apparut à son tour.

— Idris, Hind s'est sauvée ! Rattrape-la avant qu'elle disparaisse !

— Reprends-toi, Idris ! intervint Adham en s'interposant entre les combattants. Tu n'as aucune raison de te battre avec Qadri : ta fille, personne n'y a touché. Seulement tu lui as fait peur et elle s'est sauvée. Dépêche-toi de la rattraper !

Et, attirant Qadri, il l'entraîna avec lui.

— Dépêche-toi, lui dit-il, ta mère est folle d'inquiétude.

Pendant ce temps, Idris fonçait dans les ténèbres, criant :

— Hind ! Hind !

17

Marchant derrière oncle Karim, Hammam suivit le chemin couvert, sous le berceau de jasmin qui menait vers le *selamlik*. Dans le jardin, la nuit semblait une chose neuve, douce, fraîche, embaumée des effluves de fleurs et de plantes aromatiques. Le cœur rempli d'émerveillement et de nostalgie, le jeune homme s'avançait, persuadé qu'il allait vivre l'instant le plus important de son existence. Plusieurs fenêtres de la façade étaient éclairées derrière les écrans baissés ; la porte de la grande salle, largement ouverte, dessinait dans le jardin un vaste rectangle de lumière. Le cœur battant, Hammam tentait de s'imaginer la vie derrière ces fenêtres et dans ces salles, et se disait qu'il était lui aussi un fragment de cette maison et un morceau de cette vie, et qu'il allait à sa rencontre, dans sa grossière djellaba bleue et sa calotte blanche, les pieds nus et couverts de poussière.

Après avoir gravi les marches qui menaient au *selamlik*, les deux hommes obliquèrent vers la droite, du côté de l'aile est ; ils passèrent une petite porte donnant sur un escalier et montèrent. Il régnait dans la maison un silence absolu, sans rien qui indiquât la présence de la vie.

Ils arrivèrent enfin à une longue galerie, éclairée par un lustre suspendu au plafond décoré, et s'arrêtèrent devant une grande porte fermée. "C'est quelque part dans cette galerie, peut-être en haut de l'escalier, que se tenait ma mère, il y a vingt ans, pour faire le guet, se dit Hammam. Quel triste souvenir !"

Après avoir gratté à la porte pour annoncer leur arrivée, oncle Karim la poussa doucement et s'effaça pour laisser passer Hammam, lui faisant signe d'entrer. Le jeune homme s'avança lentement, d'un air déférent et respectueux ; il n'entendit pas la porte se refermer derrière lui. Toute son attention était concentrée sur l'homme assis en tailleur sur le divan, contre le mur du fond. Bien qu'il n'eût jamais vu son grand-père, il ne douta pas un instant de se trouver en face de lui : qui aurait pu être ce géant à la carrure imposante et terrible, sinon le Patriarche sur lequel on racontait tant de récits incroyables ?

Il s'approcha, soutenant le regard de son grand-père qui semblait vouloir vider sa mémoire de tout ce qu'elle contenait, et y verser à la place la sérénité et la paix. S'inclinant très bas, il baisa respectueusement la main qu'il lui tendait.

— Bonsoir, grand-père, dit-il avec une fermeté qui l'étonna lui-même.

— Sois le bienvenu, mon enfant. Assieds-toi, répondit le Patriarche d'une voix grave et profonde, mais qui n'était pas dépourvue d'affection.

Le jeune homme se dirigea vers un siège à la droite du divan, où il s'assit du bout des fesses.

— Allons, mets-toi à ton aise, l'encouragea Gabalawi.

Le cœur débordant de joie, il se laissa glisser au fond de son siège tout en murmurant un remerciement inaudible. Le silence s'établit. Hammam, les yeux baissés, contemplait les motifs du tapis, sous ses pieds ; mais il n'en sentait pas moins le poids du regard fixé sur lui, comme nous sentons le poids des rayons du soleil, même lorsque nous ne le voyons pas. Soudain, son regard se tourna vers le cagibi, sur sa droite ; il observa la petite porte avec crainte et tristesse.

— Que sais-tu de cette porte ? lui demanda abruptement Gabalawi.

Un frisson s'empara de Hammam ; son grand-père observait donc tout ?

— Je sais que c'est celle de tous nos malheurs, répondit-il d'une voix timide.

— Et qu'as-tu pensé de ton grand-père, quand on t'a raconté cette histoire ?

Il ouvrait la bouche pour répondre, quand l'autre le prévint :

— Dis la vérité !

Le ton de Gabalawi l'avait si bien impressionné qu'il répondit avec une franchise presque totale :

— Il m'a semblé que mes parents ont commis une bien lourde faute, et qu'ils ont subi une bien sévère punition.

— Oui, c'est bien ce que tu penses… plus ou moins, acquiesça le Patriarche avec un sourire. Sache que je ne déteste rien autant que le mensonge et la fourberie. C'est pourquoi j'ai chassé de ma maison tous ceux qui s'étaient salis. Toi, tu m'as l'air d'un garçon propre, et c'est pour cette raison que je t'ai fait venir.

— Merci, grand-père, murmura Hammam d'une voix pleine de larmes.

— J'ai décidé de te donner une chance que je n'ai encore jamais accordée à personne de l'extérieur : tu viendras vivre dans cette maison, tu y prendras femme et tu y commenceras une vie nouvelle…

Ivre de joie, le cœur battant à tout rompre, Hammam attendait la suite, comme un mélomane attend la variation après l'exposé du thème. Mais l'autre semblait retombé dans le silence.

— Je te remercie de ta sollicitude, articula-t-il après une hésitation.

— Tu la mérites.

— Mais… et ma famille ? poursuivit-il d'une voix étranglée.

— Je crois avoir clairement exprimé ma volonté, répondit Gabalawi d'un ton un peu distant.

— Eux aussi sont dignes de ta miséricorde et de ton affection…

— Tu n'as donc pas entendu ce que j'ai dit ?

— Si, mais il s'agit de mon père, de ma mère, de mon frère… mon père est un être humain.

— Tu n'as pas entendu ce que j'ai dit ?

Cette fois, il y avait de l'agacement dans sa voix. Le silence s'établit.

— Va leur faire tes adieux et reviens, reprit Gabalawi, marquant que l'entretien était terminé.

Hammam se leva, baisa la main de son grand-père et se retira. Oncle Karim l'attendait derrière la porte ; il le suivit en silence. Lorsqu'ils arrivèrent au *selamlik*, il aperçut une jeune fille, dans la tache de lumière qui éclairait le début du jardin ; bien qu'elle se fût hâtée de disparaître, il avait eu le temps d'apercevoir une joue lisse, une nuque gracile, une taille mince et souple. Il entendit à nouveau la voix de son grand-père : “Tu vivras dans cette maison et tu y prendras femme.” Epouser une jeune fille comme celle-ci, vivre la même vie que son père, jadis… comme le destin l'avait cruellement trahi ! Quel courage il lui avait fallu pour supporter, après cela, de vivre derrière sa charrette à bras ! “Quelle chance s'ouvre devant moi ! se dit-il. On dirait un rêve : le rêve qu'entretient mon père depuis vingt ans. Mais pourquoi ai-je le cœur si lourd ?”

18

Revenu à la cabane, Hammam trouva sa famille qui l'attendait avec impatience. Ils l'entourèrent, anxieux.

— Eh bien, mon garçon, quelles nouvelles ? lui demanda Adham.

Il s'aperçut alors que son frère avait un œil au beurre noir ; il s'approcha de lui pour y voir de plus près.

— Oui, ton frère s'est battu avec cet homme, confirma Adham d'une voix triste, esquissant un geste en direction de la cabane d'Idris, plongée dans l'obscurité et le silence.

— Tout ça à cause des mensonges que tu es allé colporter dans cette maison ! intervint Qadri avec colère.

— Et qu'est-ce qui se passe, là-bas ? interrogea Hammam, en montrant à son tour la cabane d'Idris.

— Ils courent après leur fille qui s'est sauvée, répondit Adham.

— Et à qui la faute, sinon à cette vieille baderne de malheur ? cria Qadri.

— Baisse la voix ! supplia sa mère.

— Et de quoi as-tu peur ? poursuivit l'autre du même ton. Tu espères toujours retourner, mais ça n'arrivera jamais ! Crois-moi, cette cabane, tu y resteras jusqu'à ta mort !

— Trêve d'absurdités ! coupa Adham. Ma parole, tu es bel et bien devenu fou ! Est-ce que tu ne voulais pas courir après cette petite fugueuse !

— Oui, et je la retrouvrai !

— Tais-toi ! J'en ai par-dessus la tête de tes bêtises !

— Nous ne pourrons plus vivre à côté d'Idris, désormais, se lamenta Oumayma.

— Je t'ai demandé : quelles nouvelles ? trancha Adham en se tournant vers Hammam.

— Grand-père veut que j'aille habiter dans la Grande Maison, répondit-il d'une voix terne.

Adham attendait la suite ; voyant que rien ne venait, il insista :

— Et nous ? Qu'a-t-il dit de nous ?

— Rien, déclara le jeune homme en hochant tristement la tête.

Qadri lança un éclat de rire strident :

— Eh bien, qu'est-ce qui te ramène ici ? lui lança-t-il.

“Oui, qu'est-ce qui me ramène ? se dit-il. Rien, sinon que ce bonheur n'est pas fait pour moi et mes pareils.”

— Je n'ai pas manqué de parler pour vous, murmura-t-il.

— Merci beaucoup, persifla Qadri. Pour le bien qui en résulte…

— Tu sais que ce n'est pas ma faute.

— Oui, soupira Adham, Hammam est incontestablement le meilleur de nous tous.

— Et toi qui dis toujours du bien de lui ! On ne peut vraiment pas dire qu'il le mérite ! poursuivit Qadri d'un ton plein d'amertume.

— Tu ne comprends rien à rien !

— Ce vieux est pire encore qu'Idris : ce n'est pas pour rien qu'il est son père…

— Tu me brises le cœur ! se lamenta Oumayma. Tu détruis toutes tes espérances pour l'avenir.

— Il n'y a d'espoir que dans le désert ! Le jour où vous aurez compris ça, vous ne vous en porterez que mieux. Vous n'avez plus rien à attendre de cette maison de malheur ; moi, je n'ai pas peur du désert. Et même Idris, je n'ai pas peur de lui, je suis capable de cogner deux fois plus dur que lui. Crachez sur cette maison et vivez tranquilles !

“Se peut-il que cette vie dure toujours ? se demandait Adham. O mon père, pourquoi as-tu réveillé nos désirs avant de nous embrasser dans ton pardon ? Qu’est-ce qui pourrait adoucir ton cœur, si ces vingt années n’y ont pas suffi ? A quoi bon espérer, si cette longue misère n’a pas réussi à nous faire pardonner de ceux que nous aimons ?”

— Raconte un peu ce qui s’est passé, Hammam, reprit-il d’une voix éteinte.

— Il a dit : “Va faire tes adieux et reviens.”

Oumayma laissa échapper un sanglot.

— Eh bien ! Qu’attends-tu ? persifla Qadri.

— Va, Hammam, reprit Adham avec force. Va en paix, et que mes bénédictions t’accompagnent.

— Va, noble seigneur, et fiche-toi du reste ! glissa Qadri, d’un ton faussement sérieux.

— Ne te moque pas de ton frère ! le réprimanda Adham. Il vaut mieux que nous tous !

— Tu parles ! C’est le plus mauvais de nous !

— Si je décide de rester, ce ne sera sûrement pas à cause de toi ! rétorqua Hamam.

— Mais va-t’en ! insista Adham. Qu’attends-tu ?

— Oui… va en paix, renchérit Oumayma.

— Non, père, je ne partirai pas.

— Tu es devenu fou, Hammam ?

— Non, père, seulement tout ça mérite réflexion.

— Tu n’as pas besoin de faire ça ! Ne me force pas à porter le fardeau d’une seconde faute !

— Je crains qu’il n’arrive un malheur, déclara Hammam d’un ton ferme, en faisant un geste vers la cabane d’Idris.

— Voyez-vous ça ! ironisa Qadri. Ça n’est même pas capable de se défendre, et ça veut jouer les protecteurs !

— Je préfère ne pas prêter attention à ce que tu dis, répondit Hammam d'un ton las.

— Pars, Hammam ! répéta Adham d'une voix suppliante.

— Je resterai près de vous, répondit celui-ci en rentrant dans la cabane.

19

Le soleil se couchait. Les derniers passants étaient rentrés chez eux. Hammam et Qadri étaient seuls dans le désert, avec leur troupeau. De toute la journée, ils n'avaient pas échangé un mot, sauf pour les nécessités de leur travail commun. D'ailleurs, Qadri s'était absenté un long moment, sans doute pour essayer de découvrir ce qu'était devenue Hind. Hammam était resté seul, à l'ombre du rocher, non loin du troupeau. Soudain, son frère lui demanda, avec une sorte de défi dans la voix :

— Eh bien ! Qu'as-tu décidé ? Tu vas là-bas, ou tu restes ?

— Ça ne regarde que moi, répliqua l'autre d'un ton agacé.

Une rage soudaine s'empara du cœur de Qadri ; son visage s'assombrit comme s'assombrissait le ciel au-dessus du Muqattam à l'approche de la nuit.

— Pourquoi es-tu resté ? Quand partiras-tu ? Quand trouveras-tu enfin le courage de dire ce que tu as l'intention de faire ?

— Tu sais bien que je suis resté pour porter ma part du malheur et de la honte que tu as attirés sur nous.

— Tu dis ça, mais la vérité, c'est que tu es jaloux ! s'écria Qadri avec un rire mauvais.

— Tu mérites davantage la pitié que la jalousie, mon pauvre Qadri.

— Tu me dégoûtes quand tu joues les petits saints ! cracha l'autre, tremblant de colère. C'est une honte pour la terre de porter des gens comme toi !

— Tu ne me fais pas peur, tu sais !

— Pourquoi ? Le grand caïd t'a promis sa protection ?

— Tu ne devrais pas te mettre en colère, ça te rend vraiment répugnant.

Qadri lui envoya une gifle en plein visage ; Hammam encaissa sans broncher et lui en renvoya une autre.

— Gare à toi ! Tu pourrais aller trop loin ! lui lança-t-il.

Plus vif que l'éclair, Qadri se pencha, ramassa une pierre, et, de toutes ses forces, la jeta sur son frère. Celui-ci fit un bond de côté, mais trop tard : le projectile l'atteignit au front. Il poussa un cri et se figea sur place, les yeux brillants de colère ; et puis, tout à coup, ils s'éteignirent, telle une flamme sur quoi on a jeté une pelletée de terre, devenant semblables à deux trous obscurs, comme tournés vers l'intérieur. Hammam chancela, fit un demi-tour sur lui-même et s'écroula face contre terre.

En une seconde, la colère de Qadri se dissipa, et l'affolement vint prendre sa place. Anxieusement, il guetta un signe de vie, mais en vain. Il se pencha sur son frère, le secoua doucement, sans obtenir de réponse. Il l'étendit sur le dos, pour lui dégager le nez et la bouche : le corps demeura inerte, les yeux grands ouverts. Qadri s'agenouilla à son côté, massant la poitrine de ses mains, regardant, épouvanté, la mare de sang qui s'était formée sous le corps ; il l'appela d'une voix suppliante, mais en vain. Son silence semblait massif, profond comme s'il était devenu une part essentielle de son être ; son immobilité semblait étrangère aussi bien au monde des vivants qu'à celui des choses inanimées, vide de toute sensation, de tout sentiment, de toute préoccupation. On aurait dit un objet venu d'ailleurs, sans aucune relation avec la terre où il était tombé par hasard.

D'instinct, Qadri reconnut la mort. Désespéré, hagard, il prit ses cheveux à pleines mains, tout en jetant des regards terrorisés autour de lui ; mais il n'y avait là rien de vivant, hormis les moutons et les insectes qui poursuivaient leurs occupations habituelles sans se soucier de lui. Bientôt, la nuit serait tombée et l'obscurité règnerait sur le désert.

Il se leva d'un air résolu, alla chercher son bâton et entreprit de creuser le sol, entre le rocher et la montagne. Il travaillait avec acharnement, ruisselant de sueur et tremblant de tous ses membres. Quand il eut terminé, il revint près de son frère et, après l'avoir secoué et appelé une dernière fois, le tira par les pieds jusqu'à la fosse. Il le regarda encore un bref instant, poussa un profond soupir, et, après une courte hésitation, combla le trou et dissimula les traces de sang qui restaient sur le sable. Enfin, épuisé, il se laissa tomber à terre ; il lui semblait que toute sa force l'avait abandonné. Il avait envie de pleurer, mais, malgré lui, ses yeux restaient secs. “La mort m'a vaincu”, dit-il à voix basse. Il ne l'avait pas appelée, il n'avait pas voulu la donner, mais elle était venue comme toujours, selon son bon plaisir. Ah ! s'il pouvait se transformer en bouc, pour se dissimuler parmi le troupeau ! Ou en grain de sable pour se cacher sur le sol ! “Non, se dit-il, dès lors que je suis pas capable de rendre la vie, plus jamais je ne dirai que je suis fort ! Ah ! si cet instant pouvait disparaître de ma mémoire ! Ce que j'ai enterré n'est ni un être vivant ni une chose inanimée : c'est l'œuvre de ma main.”

20

Qadri rentra à la maison, poussant son troupeau devant lui. La charrette d'Adham n'était pas à sa place accoutumée. La voix d'Oumayma s'éleva de l'intérieur de la maison :

— Pourquoi êtes-vous si en retard ?

Il lança le troupeau dans le passage qui menait vers le parc avant de répondre :

— Je m'étais endormi. Hammam n'est pas rentré ?

— Non, cria Oumayma, haussant la voix pour se faire entendre à travers les braillements des deux petits. Il n'était pas avec toi ?

— Il est parti vers midi sans me dire où il allait. Je croyais le trouver ici.

— Vous vous êtes disputés ? intervint Adham qui venait d'arriver et manœuvrait sa charrette pour la faire entrer dans la cour.

— Pas du tout ! protesta Qadri.

— Je suis sûr que s'il est parti, c'est à cause de toi ! Mais où peut-il être allé ?

Oumayma sortit de la maison, pendant que Qadri, après avoir fermé la porte de l'enclos à bestiaux, allait se laver le visage et les mains au bassin posé au pied de la jarre à eau. Il fallait qu'il tienne ! Son univers avait basculé, mais le désespoir est une force. Il se joignit à ses parents, tout en se séchant le visage de la manche de sa djellaba.

— Où est parti Hammam ? reprit Oumayma. C'est la première fois qu'il disparaît…

— Oui, approuva Adham. Bon, eh bien tu vas nous dire comment et pourquoi il est parti.

Qadri sentit son cœur s'arrêter de battre ; une image horrible apparut devant ses yeux.

— J'étais assis à l'ombre du rocher, parvint-il à articuler. A un moment j'ai levé les yeux, et je l'ai vu qui s'en allait vers chez nous. J'ai été sur le point de l'appeler, mais je ne l'ai pas fait…

— Eh bien, tu aurais été plus avisé de le faire, et de ne pas écouter ta mauvaise humeur, le réprimanda Oumayma.

Perplexe, Adham scrutait l'ombre autour de lui ; une faible lueur brillait à la fenêtre de la cabane d'Idris, signe que la vie y était revenue. Mais il ne s'en souciait guère ; fixant ses regards sur la Grande Maison, il murmura comme pour lui-même :

— Serait-il allé chez son grand-père ?

— Pas sans nous prévenir ! protesta Oumayma.

— Peut-être qu'il était gêné de nous en parler, suggéra Qadri d'une voix terne.

Vaguement inquiet, Adham lui jeta un regard intrigué ; l'absence d'ironie et d'hostilité dans le ton de son fils ne lui disait rien qui vaille.

— Nous l'avons encouragé à y aller, et il a refusé, rappela-t-il.

— Oui, il était gêné d'accepter devant nous, insista Qadri du même ton las.

— Ce n'est pas dans son caractère, trancha Adham. Et toi, qu'as-tu ? Tu es malade ?

— Je suis fatigué : j'ai dû faire tout le travail à moi seul…

— Je ne suis vraiment pas tranquille… murmura Adham d'une voix étranglée.

— Bon, eh bien moi, je vais à la Grande Maison voir s'ils ont de ses nouvelles, décida Oumayma.

— Personne ne te répondra, soupira Adham en haussant les épaules. De toute façon, je suis sûr qu'il n'y est pas.

— Seigneur ! Je n'ai encore jamais été inquiète comme ça, gémit Oumayma. Fais donc quelque chose, toi qui es un homme !

— Eh bien, partons à sa recherche ! proposa Adham en soupirant à nouveau.

— Il va sûrement arriver d'un instant à l'autre, intervint Qadri.

— Non, il ne faut plus attendre, déclara Oumayma. Oh ! mon Dieu ! ajouta-t-elle, saisie d'une idée soudaine. Et si c'était Idris qui l'avait attaqué en chemin !

— Mais non ! protesta Adham, agacé. C'est à Qadri qu'il en veut, pas à Hammam.

— Il n'hésiterait pas à tuer n'importe lequel d'entre nous ! J'y vais !

— Je t'en prie, les choses sont déjà assez compliquées ! Je te promets que si nous ne le trouvons pas, j'irai moi-même voir Idris et frapper à la porte de la Grande Maison.

Tout en parlant, il fixait Qadri d'un regard soupçonneux. Pourquoi était-il si éteint ? N'en savait-il pas plus qu'il ne le disait ? Mais où donc était Hammam ?

Passant outre à l'interdiction de son mari, Oumayma se jeta en avant, faisant mine de sortir ; Adham se précipita et la retint par les épaules. C'est à ce moment que la porte de la Grande Maison s'ouvrit. Tous s'arrêtèrent, fixant des yeux la silhouette d'oncle Karim qui s'approchait d'eux. Adham s'avança vers lui et lui dit :

— Bienvenue, oncle Karim !

— Mon maître demande à savoir ce qui retarde Hammam, répondit celui-ci après avoir salué à son tour.

— Nous ne savons pas où il est ! déclara Oumayma d'un ton désespéré. Nous pensions même qu'il était chez vous.

— Mon maître demande à savoir ce qui le retarde, répéta le vieil homme.

— Puisse Dieu m'accorder secours contre ce que mon cœur pressent ! murmura Oumayma.

Oncle Karim s'en fut. Oumayma se mit à remuer la tête d'un air égaré, signe qu'elle était au bord de la crise de nerfs. La poussant devant lui, Adham la conduisit dans leur chambre, à l'intérieur de la cabane, où les deux petits pleuraient.

— Maintenant tu ne sors plus ! ordonna-t-il d'une voix rude. Je te le ramènerai, c'est promis, mais gare à toi si tu mets le pied hors de la chambre !

Revenu dans la cour, il tomba sur Qadri assis par terre.

— Toi, tu vas me dire tout ce que tu sais, chuchota-t-il en se penchant sur lui.

Le jeune homme leva la tête d'un geste brusque ; mais quelque chose l'empêchait de parler.

— Dis-moi, Qadri, qu'as-tu fait de ton frère ? répéta Adham.

— Rien... répondit l'autre d'une voix à peine audible.

Adham entra un instant dans la cabane. Lorsqu'il ressortit, il avait une lampe à la main ; il l'alluma et la posa sur sa charrette de façon à ce que la lumière tombe sur le visage du jeune homme.

— Tu as le visage d'un criminel... dit-il après l'avoir examiné quelques instants.

De l'intérieur s'éleva la voix d'Oumayma prononçant des paroles indistinctes qui se mêlaient aux cris des enfants.

— Tais-toi, femme ! cria brutalement Adham. Meurs si tu veux, mais en silence !

Il examina à nouveau son fils ; soudain, il empoigna le bord de sa manche d'une main tremblante.

— Du sang ! Qu'est-ce que c'est ? Le sang de ton frère ?

Les yeux écarquillés par la terreur, Qadri fixait la manche de sa djellaba. D'un mouvement involontaire, il se recroquevilla sur lui-même, baissant la tête. Il eut un geste sans espoir, qui équivalait à un aveu. L'empoignant par le col, son père le força à se lever, et le projeta vers le dehors. Une force et une violence inaccoutumées l'habitaient. Une ténèbre plus épaisse que la nuit lui couvrait les yeux.

21

Il le poussa vers le désert, en lui disant :

— Nous obliquerons vers le désert de la Darrasa, pour éviter de passer devant la cabane d'Idris.

Les deux hommes s'enfoncèrent dans la nuit. Sous la poigne de son père, Qadri titubait comme un homme ivre.

— Dis-moi, tu l'as frappé ? marmonnait Adham d'une voix de vieillard. Avec quoi ? Comment était-il quand tu l'as laissé ?

Qadri ne répondit pas. La poigne de son père lui serrait cruellement l'épaule, mais il ne sentait rien. Sa douleur était intense, mais il n'essayait pas de l'analyser. Il aurait voulu que le soleil ne se lève jamais.

— Par pitié, parle ! insista Adham. Mais non, tu ne connais pas la pitié. J'ai attiré le malheur sur ma tête, la nuit où je t'ai conçu ! Moi que la malédiction poursuit depuis vingt ans, je viens demander de la pitié à celui qui ne la connaît pas !

Qadri éclata en sanglots si violents qu'ils se propagèrent jusque dans le bras d'Adham, qui le tenait toujours par l'épaule.

— C'est tout ce que tu trouves à répondre ? Pourquoi, Qadri ? Pourquoi ? Il t'a fait un affront ? Avoue maintenant, pendant qu'il fait noir, sinon tu te retrouveras avec ton crime dans la lumière du jour !

— Je voudrais que le jour ne se lève jamais !

— Nous sommes la famille des ténèbres ! Jamais le jour ne se lèvera pour nous. Je croyais que le mal avait pris racine dans la cabane d'Idris, mais il était dans notre sang à nous ! Idris ricane, il s'enivre, il se roule dans le ruisseau, mais nous, nous nous tuons les uns les autres. Seigneur ! Tu as tué ton frère, hein ? Avoue-le !

— Non !

— Alors où est-il ?

— Je ne voulais pas le tuer !

— Mais tu l'as fait !

Qadri fondit à nouveau en larmes. Son père lui serra l'épaule avec une violence accrue. Ainsi, Hammam était bien mort assassiné, lui, la fleur de sa vie, le bien-aimé du Patriarche. C'était comme s'il n'avait jamais existé ; n'était la douleur qui lui dévorait les entrailles, il aurait refusé d'y croire.

— Où l'as-tu laissé, assassin ? reprit-il, lorsqu'ils furent arrivés près du rocher.

Qadri se dirigea vers l'endroit où il avait enseveli son frère, entre rocher et montagne.

— Eh bien, où est-il ? s'impatienta Adham. Je ne voix rien…

— C'est ici que je l'ai enterré, murmura Qadri d'une voix à peine audible.

— Enterré ! hurla Adham.

Il sortit de sa poche une boîte de tisons ; à la lumière de la flamme, il examina attentivement les alentours, jusqu'à ce qu'il découvre un endroit où la terre était fraîchement remuée, et vers lequel menaient les traces d'un objet lourd qu'on avait traîné. Avec un soupir douloureux, il commença à gratter le sol de ses mains tremblantes ; sa funèbre besogne se poursuivit jusqu'à ce que ses doigts effleurent la tête de Hammam. Il glissa alors ses mains sous les bras du cadavre et le tira doucement à lui. Puis il se laissa tomber à genoux à côté du corps et posa les mains sur la tête, les yeux pleins de larmes ; il semblait l'image vivante du malheur et de la défaite.

— Mon pauvre enfant ! dit-il dans un soupir qui semblait sortir du fond de son âme. A côté de ton corps, mes quarante années de malheur paraissent une mince plaisanterie !

Soudain, il se leva et jeta un regard de haine et de dégoût à Qadri, debout de l'autre côté de la fosse.

— Hammam reviendra à la maison sur ton dos ! lui jeta-t-il sauvagement.

Horrifié, Qadri eut un geste de recul ; en deux bonds, son père fut sur lui et, l'empoignant à nouveau par l'épaule, lui jeta en plein visage :

— Prends ton frère sur ton dos !

— Je ne peux pas ! gémit l'autre d'une voix blanche.

— Tu as pu le tuer, tu peux le porter !

— Je ne peux pas, père !

— Ne m'appelle pas "père". Un meurtrier comme toi n'a plus de père, ni de mère, ni de frère.

— Je ne peux pas !

— Allons ! fit Adham en resserrant son étreinte. C'est à l'assassin de porter sa victime.

Qadri essaya de s'échapper, mais en vain. Perdant toute retenue, Adham fit pleuvoir sur lui une grêle de gifles, qu'il supporta sans bouger ni gémir.

— Assez perdu de temps, fit enfin Adham. Ta mère nous attend.

En entendant mentionner sa mère, Qadri fut agité d'un violent frisson.

— Laisse-moi disparaître ! supplia-t-il.

Pour toute réponse, son père le poussa vers le corps.

— En avant ! Nous le porterons tous les deux.

Il prit Hammam sous les aisselles tandis que Qadri se penchait pour le prendre par les jambes. Ils soulevèrent le corps ensemble et se dirigèrent lentement vers le désert de la Darrasa. Plongé dans sa douleur, Adham ne ressentait ni fatigue ni souffrance. Quant à Qadri, les battements de son cœur et le tremblement de ses membres le torturaient cruellement ; ses narines étaient pleines de l'odeur de la terre, et le contact du corps privé de vie qu'il tenait entre ses mains le glaçait jusqu'au fond de l'âme.

L'obscurité était épaisse autour d'eux ; seules, à l'horizon, brillaient les lumières de la ville qui ne dort jamais. Un désespoir profond s'empara du jeune homme, lui coupant le souffle ; il s'arrêta et dit à son père :

— Je le porterai tout seul.

Il passa un bras sous le dos du cadavre et l'autre sous ses jambes et se mit en route derrière Adham.

22

Lorsqu'ils arrivèrent près de la cabane, la voix inquiète d'Oumayma leur parvint :

— Vous l'avez trouvé ?

— Rentre tout de suite ! lui lança Adham d'un ton de commandement.

Passant devant Qadri, il pénétra dans la cabane pour s'assurer qu'elle était bien rentrée dans sa chambre. Qadri s'arrêta à la porte, répugnant à franchir le seuil. A un signe que lui fit son père, il eut un mouvement de recul.

— Je ne pourrai pas la regarder en face, murmura-t-il.

— Et pourtant tu as pu faire pis que cela !

— Non, souffla Qadri sans bouger de sa place, le pire, c'est ça !

Adham le poussa violemment, le forçant à avancer jusqu'à la pièce principale. Puis il se précipita sur Oumayma, étouffant le hurlement qui était sur le point de sortir de sa bouche.

— Pas de cris, femme ! lui jeta-t-il brutalement. Inutile qu'on nous entende avant que cette affaire soit close. En attendant, nous supporterons le destin que Dieu a décrété, en silence et avec courage. Le mal est sorti qui était dans ton ventre et dans mes reins, et sa malédiction s'est abattue sur nous.

Oumayma se débattait, tentait de mordre la main qui lui fermait la bouche, mais en vain. Bientôt sa respiration devint désordonnée ; elle faiblit et s'écroula enfin, évanouie. Pendant ce temps, Qadri était resté debout, immobile et silencieux, le corps de son frère entre les bras, les yeux obstinément fixés sur la lampe pour ne pas voir sa mère. Adham se dirigea vers lui et l'aida à déposer le cadavre sur le lit, avant de le couvrir avec des gestes tendres. Qadri contemplait son frère étendu sous la couverture, dans le lit qu'ils avaient partagé tout au long de leur existence, et il lui semblait qu'il n'avait plus sa place dans cette maison. Oumayma remua la tête ; ses yeux s'ouvrirent. Aussitôt Adham se précipita vers elle.

— Gare à toi si tu cries ! lui jeta-t-il.

Voyant qu'elle cherchait à se mettre debout, il l'aida, tout en lui ordonnant à nouveau le silence. Elle fit mine de se jeter sur le lit, mais l'homme s'interposa. Vaincue, elle resta debout, immobile, ne trouvant d'autre exutoire à sa douleur que de s'arracher les cheveux par poignées entières.

— Si ça peut te soulager, vas-y ! déclara Adham d'un ton indifférent. Mais surtout pas de bruit !

— Mon fils ! Mon fils ! gémit-elle d'une voix enrouée.

— Ce n'est plus que son cadavre, poursuivit-il d'un ton absent. Ce n'est plus ton fils ni le mien. Voici celui qui l'a tué : tue-le à ton tour, si tu veux.

— Même la plus sauvage des bêtes féroces n'aurait pas fait une chose pareille ! cracha-t-elle à Qadri, tout en se frappant les joues.

— Ah ça ! mourra-t-il sans être vengé ? s'écria Adham. Tu ne mérites pas de vivre, s'il y a une justice !

— Et dire qu'hier nous étions pleins d'espoir ! gémit Oumayma. Nous lui avions bien dit de s'en aller, mais il ne voulait pas. Ah ! si seulement il était parti ! Il était trop généreux, trop noble : et voilà sa récompense ! Comment as-tu pu faire cela, Qadri ? Tu as donc une pierre à la place du cœur ? Tu n'es plus mon fils et je ne suis plus ta mère !

Qadri restait obstinément silencieux. "Moi, je n'ai tué qu'une fois mais elle, elle me tue à chaque seconde, se disait-il. Je ne suis plus vivant. Qui a dit que j'étais encore vivant ?"

— Alors, que vais-je faire de toi ? lui demanda Adham.

— Tu as dit que je ne méritais plus de vivre, répondit le jeune homme.

— Comment as-tu pu le tuer ? murmura à nouveau Oumayma, que le chagrin égarait.

— Ça ne sert à rien de se lamenter, reprit Qadri avec le calme du désespoir. Je suis prêt à subir le châtiment ; la mort est encore trop bonne pour moi.

— Mais nos vies aussi, tu les as rendues pires que la mort ! lança Adham avec colère.

— Je ne veux plus de cette vie ! s'écria Oumayma en se frappant les joues. Enterrez-moi à côté de mon fils ! Ah ! pourquoi ne me laisses-tu pas crier ?

— Ce n'est pas pour te reposer la voix, crois-le bien ! rétorqua Adham avec une ironie amère. Mais j'ai peur que l'autre démon ne nous entende.

— Eh, qu'il entende tout ce qu'il voudra ! déclara Qadri d'un ton indifférent. Je ne me soucie plus de la vie.

Juste à ce moment, la voix d'Idris leur parvint du dehors :

— Frère Adham ! Viens, mon pauvre ami !

La peur les paralysa tous un instant. Adham fut le premier à se ressaisir :

— Rentre chez toi ! Gare à toi si tu me pousses à bout !

— Enfin, à quelque chose malheur est bon ! poursuivit l'autre. Au moins, votre deuil vous met à l'abri de ma colère. Mais laissons cela ! Nous sommes tous les deux dans la même situation : tu as perdu ton fils chéri, et moi ma fille unique. Nos enfants étaient notre consolation dans notre exil, et voici qu'ils ne sont plus. Viens, mon pauvre frère, et échangeons nos regrets.

Ainsi donc, le secret était éventé ! Comment était-ce possible ? Pour la première fois, Oumayma eut peur pour Qadri.

— Tu peux te moquer de notre malheur, ça m'est bien égal, lança Adham. Au point où j'en suis, on ne peut pas souffrir davantage !

— Moi, je me moque ? Sais-tu que j'ai pleuré, quand je t'ai vu sortir le corps de la fosse où l'avait enterré Qadri ?

— Sale mouchard !

— Et je n'ai pas seulement pleuré sur la victime, mais sur le meurtrier aussi ! Je me suis dit : "Quel malheur pour ce pauvre Adham ! Perdre ses deux fils la même nuit !"

Sans plus se soucier de rien, Oumayma se mit à hurler sa douleur. Soudain, Qadri se rua hors de la cabane ; Adham se précipita à sa suite, pendant qu'Oumayma criait :

— Je ne veux pas les perdre tous les deux !

Le jeune homme était sur le point de se jeter sur Idris ; Adham s'interposa et le repoussa au loin.

— Gare à toi si tu t'en prends à nous, lança-t-il à son frère, d'un ton de défi.

— Tu as toujours été un imbécile, Adham, répondit l'autre d'un ton paisible. Tu ne sauras jamais faire la différence entre un ami et un ennemi. Vas-tu te bagarrer avec ton frère pour défendre l'assassin de ton fils ?

— Va-t'en !

— Comme tu veux, ricana-t-il. Reçois mes plus sincères condoléances, et au revoir.

Il disparut dans la nuit. Adham se tourna vers Qadri : il ne vit qu'Oumayma, qui lui demanda où il se trouvait. Follement inquiet, il se mit à fouiller dans les ténèbres en criant :

— Qadri ! Qadri ! Où es-tu ?

C'est alors qu'il entendit la voix d'Idris qui répétait, comme en écho :

— Qadri ! Qadri ! Où es-tu ?

23

Hammam fut enterré au cimetière qui appartenait au *waqf*, à Bab el-Nasr. Une foule nombreuse accompagna les funérailles ; pour la plupart, il s'agissait de marchands ambulants, collègues d'Adham, mais il y avait aussi quelques-uns de ses clients habituels, qui l'avaient pris en amitié à cause de sa probité et de ses manières délicates. Idris ne manqua pas d'imposer sa présence, non seulement en assistant au cortège funèbre, mais encore en recevant les condoléances, alléguant sa qualité d'oncle paternel du défunt. Adham prit son mal en patience, et supporta sans rien dire la présence dans le cortège de plusieurs *futuwwas*, maquereaux, traîne-savates, voleurs à la tire et coupe-jarrets, les fréquentations habituelles de son frère. Lorsque l'on descendit le corps dans la fosse, celui-ci ne manqua pas de venir se planter à côté de lui sous couleur de l'encourager par des paroles de consolation. Adham serrait stoïquement les dents sans répondre, pendant que son visage ruisselait de larmes. Quant à Oumayma, elle trouva un dérivatif à sa douleur en se frappant les joues, en poussant des hurlements et en se roulant par terre.

Lorsque l'assistance se fut dispersée, Adham se tourna vers son frère et lui lança avec fureur :

— Il n'y a donc pas de limite à ta méchanceté ?

— De quoi parles-tu, mon pauvre ami ? répondit l'autre, feignant la surprise.

— Malgré toute la mauvaise opinion que j'ai de toi, je n'imaginais pas que tu en arriverais là ! La mort est la fin de tout être vivant : je ne vois pas quel plaisir tu peux prendre à celle-ci.

— Ah ! quel malheur ! Le chagrin t'a fait perdre l'esprit. Que Dieu te pardonne !

— Quand reconnaîtras-tu enfin qu'il n'y a plus rien de commun entre toi et moi ?

— N'es-tu pas mon frère ? C'est là un lien que rien ne saurait briser.

— Idris ! Ne nous as-tu pas assez fait souffrir comme ça ?

— Le chagrin te fait délirer ! Mais nous sommes tous deux dans l'affliction : tu as perdu Hammam et Qadri, et moi j'ai perdu Hind. Ah ! elle est belle, la descendance du grand et vénérable Gabalawi : une putain et un assassin ! En tout cas, tu t'en tires à meilleur compte que moi : il te reste encore des enfants pour remplacer ceux qui ne sont plus là…

— Tu n'en finiras donc jamais de m'envier ? soupira Adham d'un ton las.

— Idris, envier Adham ? s'écria l'autre, incrédule.

— Si ta punition n'est pas à la mesure de tes actes, puisse le monde tomber en poussière ! rugit Adham, exaspéré.

— En poussière ! En poussière.

Les jours passèrent, douloureux, chargés de peines. Vaincue par le chagrin, Oumayma tomba malade et dépérit. Quant à Adham, il sembla vieillir tout à coup ; alors qu'il n'avait guère dépassé la quarantaine, il semblait au bord de la tombe. La fatigue et la maladie ne les lâchaient plus. Un jour, ils n'eurent même plus la force de se lever. Oumayma ne sortit pas de son lit, dans la chambre, avec les deux petits, pas plus qu'Adham dans la pièce du devant. Le soir venu, ils ne se donnèrent pas la peine d'allumer la lampe. Adham se contentait de la lumière de la lune qui brillait dans la cour. Il somnolait, se réveillant par à-coups, entre le sommeil et la veille.

Soudain, la voix moqueuse d'Idris lui parvint du dehors :

— Tu as besoin de quelque chose ?

Le cœur serré, il s'abstint de répondre ; il craignait tout particulièrement l'heure où son frère sortait de sa cabane pour se rendre à quelque beuverie.

— Bonnes gens, je vous prends tous à témoin de ma bonne volonté et de son obstination ! reprit la voix.

Puis il s'éloigna en braillant une chanson paillarde.

Les yeux d'Adham se remplirent de larmes. “Canaille ! Il n'arrête pas de se moquer de tout, se dit-il. Il se bagarre, il tue, et tout le monde le respecte. Il opprime et il rançonne les pauvres gens, sans se soucier des conséquences, et son rire emplit l'horizon. Il prend plaisir à tyranniser ceux qui sont plus faibles que lui, il jacasse pendant les enterrements et chante sur les pierres tombales. Ma mort approche, et lui, il est toujours là à rire et à se moquer de moi. La victime est sous la terre. L'assassin a disparu et nous pleurons l'un et l'autre. Avec les jours, les rires de l'enfance dans le jardin se sont transformés en soucis et en larmes. Et ce qui reste de mon corps est torturé par la douleur. Pourquoi tant de misère ? Où sont-ils, les beaux rêves de jadis ?"

Soudain, il lui sembla entendre des pas dans la cour. Des pas lents et lourds, qui remuaient en lui d'obscurs souvenirs, comme un parfum suave qui ne se laisse ni reconnaître ni définir. Il tourna les yeux vers l'entrée de la cabane et vit que quelqu'un ouvrait la porte ; une forme massive boucha l'ouverture. Les yeux écarquillés par la stupeur, Adham regardait, partagé entre l'espoir et la désespérance. Enfin, il poussa un profond soupir.

— Père ? murmura-t-il d'un ton interrogatif.

Il lui sembla alors entendre la voix qu'il connaissait si bien :

— Bonsoir, Adham.

Les yeux pleins de larmes, il s'efforça vainement de se lever ; son cœur était empli d'une joie et d'un bonheur qu'il croyait avoir oubliés depuis plus de vingt ans.

— Laisse-moi croire... murmura-t-il d'une voix tremblante.

— Tu pleures, c'est que tu as mal agi.

— La faute est grave et la punition a été lourde. Mais même les insectes nuisibles ne désespèrent pas de trouver un abri.

— Tu me fais la morale ?

— Pardon, pardon ! Je suis écrasé par le chagrin, épuisé par la maladie. Même mon troupeau est menacé de destruction…

— C'est bien, que tu craignes pour tes moutons.

— M'as-tu pardonné ?

— Oui, répondit Gabalawi après un instant de silence.

— Dieu soit loué ! Et dire qu'il y a quelques instants je touchais le fond du désespoir !

— Eh bien, t'en voilà sorti.

— Oui ! J'ai l'impression de me réveiller après un cauchemar.

— C'est pour cela que tu es un bon fils.

— Hélas ! J'ai engendré un assassin et une victime.

— Les morts ne reviennent pas : que réclames-tu donc ?

— Jadis, je ne désirais que chanter dans le jardin ; maintenant, je n'ai plus goût à rien.

— Le *waqf* appartiendra à tes descendants, prononça le Patriarche.

— Dieu en soit loué !

— Ne te fatigue pas ; maintenant, tu peux te rendormir.

Adham et Oumayma rendirent l'âme à peu près au même moment. Idris les suivit de peu dans la tombe. Les deux garçons grandirent. Après une longue absence, Qadri revint ; il ramenait avec lui Hind et plusieurs enfants, qui grandirent auprès de leurs cousins. Plus tard, ils se mêlèrent à d'autres lignages, et leur nombre s'accrut. Grâce aux revenus du *waqf*, de nouveaux bâtiments furent édifiés ; c'est de là que date la naissance de notre quartier, dont les habitants descendent tous des lignées d'Adham et d'Idris.

GABAL

24

Les maisons construites grâce aux revenus du *waqf* s'étendent en deux rangées parallèles, qui forment notre quartier, le plus vaste de cette partie de la ville : il commence à proximité de l'endroit où la Grande Maison se dresse au milieu du désert, et s'étend tout en longueur jusqu'à la Gamaliyya. La plupart des immeubles sont bâtis en carré, avec une cour intérieure, comme c'est le cas dans le secteur de Hamdan ; mais, plus on s'éloigne vers la Gamaliyya, plus les huttes et les cabanes misérables se multiplient. Il faut encore mentionner la maison de l'intendant du *waqf*, la première de la rangée de droite à partir de la Grande Maison, et celle du *futuwwa* qui lui fait pendant du côté gauche.

La Grande Maison avait définitivement clos ses portes sur son maître et ses quelques serviteurs de confiance. Ses fils étaient morts prématurément, et, de tous ceux qui étaient nés et avaient vécu dans la Grande Maison, il n'était resté qu'un seul descendant, l'*efendi*[1], qui, à cette époque, était l'intendant du *waqf*. Quant à la masse des

1. Titre d'origine turque donné aux notables.

habitants du quartier, elle comptait surtout des marchands ambulants, des boutiquiers et des cafetiers, avec une bonne proportion de mendiants et de petits revendeurs de haschisch, d'opium et de "poudre à canon" : trafic généralisé, auquel s'adonnaient tous ceux qui le pouvaient.

Alors comme aujourd'hui, notre quartier était bruyant et surpeuplé ; les enfants, pieds nus et à peine vêtus, jouaient dans tous les coins, remplissant l'air de leur vacarme et couvrant le sol de leurs excréments. Les femmes s'agglutinaient sur le seuil des maisons, l'une hachant des feuilles de *moouloukhiyya*, l'autre pelant des oignons, une troisième allumant un brasero, toutes échangeant potins et plaisanteries, ou, au besoin, injures et malédictions. De jour comme de nuit, c'était un fracas ininterrompu, soutenu par le rythme lancinant du tambourin à exorcismes : les chansons, les pleurs, les voitures à bras courant en tous sens, les engueulades, les rixes, le miaulement des chats et le grognement des chiens se disputant les tas d'ordures. Les rats grouillaient dans les cours des maisons et nichaient dans les murs, et il arrivait fréquemment qu'un groupe se rassemble à grands cris pour tuer un serpent venimeux ou un scorpion. Quant aux mouches, leur nombre n'avait d'égal que celui des poux : elles partageaient la vie des habitants avec une familiarité amicale, mangeant dans leurs assiettes, buvant dans leurs verres, jouant autour de leurs yeux et se glissant même parfois jusque dans leur bouche.

Lorsqu'un jeune homme avait un peu d'audace dans le cœur et de force dans les bras, il cherchait aussitôt à s'imposer comme *futuwwa* dans l'un des secteurs du quartier, brutalisant et intimidant les gens paisibles et sans défense, les obligeant à travailler encore plus dur pour payer le prix de la protection, cependant que lui-même vivait dans l'oisiveté, sans autre occupation que la tyrannie. C'est ainsi qu'apparurent les *futuwwas* de secteur, comme Qidra, Laythi, Abou Sari', Barakat et Hammouda. L'un de ces *futuwwas*, Zoqlot, au cours d'innombrables bagarres, finit par vaincre ses rivaux l'un après l'autre et devint le *futuwwa* de tout le quartier. L'*efendi*, jugeant qu'il avait besoin d'un tel homme pour faire exécuter ses ordres et assurer sa protection, l'attacha à sa personne, et lui versa un gros salaire sur les revenus du *waqf*. Zoqlot s'installa dans la maison en face de celle de l'intendant et exerça désormais un pouvoir absolu. Les bagarres se firent de moins en moins fréquentes : elles auraient pu renforcer la position du vainqueur, et par conséquent menacer la sienne propre. Aussi les *futuwwas* ne trouvèrent-ils plus à exercer leur agressivité que contre les habitants paisibles et sans défense, et surtout les plus malheureux.

Comment en était-on arrivé là ?

Gabalawi avait promis à Adham que le *waqf* servirait à améliorer le sort de ses descendants. Au début, en effet, il avait été utilisé à construire des maisons, à distribuer des subsides, et tout le monde avait vécu dans une prospérité relative. Lorsque le Patriarche avait fermé sa porte et s'était retiré du monde, l'intendant avait, pendant quelque temps, suivi ce bon exemple, puis il avait succombé à la tentation des richesses et s'était mis à détourner les fonds. Au début, il avait trafiqué les comptes, rognant d'autant sur les subsides alloués à chacun ; plus tard, lorsqu'il se fut assuré à prix d'or la protection du *futuwwa* du quartier, il cessa tout bonnement de payer.

Les habitants, privés de ressources, se virent contraints de pratiquer les métiers les plus sordides ; plus leur nombre augmentait, plus leur misère croissait, et plus ils plongeaient dans le désespoir et la crasse. Les plus forts se réfugièrent dans le racket, les plus faibles dans la mendicité, et tout le monde dans le trafic de drogue. Celui qui arrivait à grand-peine, en travaillant comme un esclave, à gagner quelques bouchées de pain, devait les partager avec un *futuwwa* brutal et arrogant, à la main toujours prompte et à l'injure perpétuellement à la bouche. Seuls les *futuwwas* vivaient dans une relative abondance ; au-dessus d'eux, il y avait le *futuwwa* en chef, et au-dessus de ce dernier l'intendant du *waqf*.

Quant aux habitants du quartier, ils n'étaient que de la poussière sous leurs pieds. Lorsqu'un malheureux n'arrivait pas à payer le prix de la protection, le *futuwwa* de son secteur le rossait d'importance ; lorsqu'il allait se plaindre au *futuwwa* en chef, celui-ci le frappait à nouveau, avant de le remettre aux mains de son tourmenteur pour une nouvelle leçon. Et s'il s'adressait directement à l'intendant, c'était bien pis : tout le monde se liguait alors contre lui.

Cette situation affligeante, j'en ai été moi-même témoin à notre époque ; elle représente fidèlement ce que rapportent les traditions sur le temps passé. Quant aux conteurs des cafés, ils s'en tiennent à l'époque héroïque, évitant soigneusement tout ce qui pourrait déplaire aux puissants, et chantent les louanges de l'intendant et des *futuwwas* : leur justice dont nous n'avons jamais profité, leur compassion que nous n'avons jamais rencontrée, leur grandeur d'âme que nous n'avons jamais connue, leur désintéressement dont nous n'avons jamais vu les effets, leur équité dont nous n'avons jamais entendu parler. En vérité, je me demande ce qui a retenu nos ancêtres, et ce qui nous retient nous-mêmes dans ce quartier maudit.

La réponse est très simple : la vie que nous mènerions dans les autres quartiers serait plutôt pire. A supposer, bien sûr, que nous ne soyons pas tout bonnement massacrés par leurs *futuwwas*, pour venger les innombrables rossées que leur ont infligées les nôtres. Car c'est là ce qu'il y a de plus extraordinaire : on nous envie ! "En voilà des gens qui ont de la chance ! soupirent les habitants des quartiers voisins. Ils profitent d'un *waqf* comme il n'y en a pas deux, et leurs *futuwwas* donnent la chair de poule rien qu'à les regarder." Et pourtant, Dieu sait si notre *waqf* ne nous a jamais apporté autre chose que des misères et nos *futuwwas* que des coups et des avanies !

Et malgré tout cela nous restons, nous supportons patiemment nos soucis, dans l'attente d'un avenir meilleur dont personne ne sait quand il arrivera. Nous montrons du doigt la Grande Maison, disant : "C'est là-bas qu'est notre ancêtre à tous." Puis, baissant la voix, nous glissons un regard vers les *futuwwas* en ajoutant : "Et c'est ici que sont nos hommes. Toutes choses sont entre les mains de Dieu."

25

La patience des Hamdanites était à bout, et une sourde rébellion grondait dans leur secteur.

Ils habitaient le haut bout du quartier, tout près des maisons de l'*efendi* et de Zoqlot, autour du terrain sur lequel Adham, jadis, avait construit sa cabane. Leur chef était Hamdan, le propriétaire du café Hamdan, le plus beau de tout le quartier.

Il était assis à droite de l'entrée, vêtu d'une cape grise, une étoffe brodée roulée autour de la tête. Tout en suivant de l'œil Abdoun, le garçon, qui s'affairait entre les tables, il échangeait des remarques avec quelques clients. La salle étroite s'étendait tout en longueur jusqu'au pupitre du conteur, contre le mur du fond ; il était surmonté d'un chromo représentant Adham sur son lit de mort, élevant les yeux vers Gabalawi qui se tenait debout à l'entrée de sa cahute. Sur un geste de Hamdan, le conteur s'empara de son *rebab* [1] et se prépara à réciter. Accompagné par les accords de son instrument, il commença par rendre hommage à l'intendant, "le bien-aimé de Gabalawi" et à Zoqlot, "la parure des braves", puis se lança dans l'évocation d'une période très ancienne de l'existence de Gabalawi, avant la naissance d'Adham, pendant que l'assistance sirotait bruyamment qui son thé, qui son café, qui sa décoction de cannelle, et que la fumée, s'élevant des pipes à haschisch, formait un nuage transparent autour de la lampe. Tous suivaient avec attention le récit du conteur, soulignant d'un grave hochement de tête quelque subtile péripétie ou quelque sage maxime.

Le moment de rêve passa vite, dans le contentement et l'harmonie. Quand le conteur se tut, l'assistance lui exprima bruyamment son approbation. Atris le Chassieux prit la parole, de son banc situé au milieu de la salle, pour commenter l'épisode :

— Quand même, c'était le bon temps, alors : même Adham n'a pas eu un seul jour à souffrir de la faim !

1. Sorte de violon à deux cordes, au son grave et plaintif. Les conteurs populaires du Caire s'en servaient pour s'accompagner.

— Que Dieu bénisse ta bouche, Atris ! Ta parole est douce comme une orange !

C'était la vieille Tamarhanna, qui était brusquement apparue au milieu de la salle et posait péniblement à terre le panier d'oranges qu'elle portait sur la tête.

— Va-t'en, femme ! la rabroua le patron. On n'a pas envie d'entendre tes sornettes !

— Eh, c'est que j'aime bien rester près de toi, maître Hamdan ! rétorqua paisiblement la vieille en s'asseyant près de la porte. Un jour et la moitié de la nuit à courir et à m'égosiller pour quelques millimes ! poursuivit-elle en montrant son panier du doigt.

Le patron s'apprêtait à lui répondre vertement, quand il vit approcher Dolma, la tête basse, le visage tout maculé de poussière.

— Que le bon Dieu maudisse les tyrans ! Qidra ! Qidra, c'est le plus grand tyran de tous ! Je lui ai demandé d'attendre jusqu'à demain, le temps que Dieu m'envoie de quoi le payer, alors il m'a jeté par terre et il s'est assis sur ma poitrine si longtemps que je n'ai plus de souffle !

— Viens ici, Dolma ! Assieds-toi près de moi, fit la voix d'oncle Daabis depuis le fond de la salle. Allez, viens, et que le bon Dieu maudisse tous les fils de pute ! C'est à nous que le quartier appartient, et c'est sur nous qu'on cogne pire que des chiens. Dolma n'a même pas de quoi payer le prix de la protection à Qidra, la vieille Tamarhanna qui est presque aveugle est obligée de vendre des oranges ! Et toi, Hamdan, toi le fils d'Adham, il est où, ton courage ?

— Oui, il est où, ton courage, toi le fils d'Adham ? répéta la vieille femme, comme si elle se parlait à elle-même.

— Fiche ton camp, Tamarhanna ! gronda le patron. Il y a bien cinquante ans que tu n'es plus bonne à marier, qu'est-ce que tu viens encore t'asseoir avec les hommes ?

— Parce que tu vois des hommes ici ?

Voyant son visage renfrogné, elle reprit d'une voix plus humble, avant qu'il ait eu le temps de répondre :

— Laisse-moi écouter un peu le conteur, patron.

— C'est ça, lança Daabis au conteur, raconte-nous la décadence du clan de Hamdan dans ce quartier !

— Ne t'énerve pas, oncle Daabis ! conseilla ce dernier. Ne t'énerve pas, ô puissant seigneur.

— C'est qui, le seigneur, ici ? Le seigneur, c'est celui qui cogne, c'est celui qui tyrannise, c'est celui qui tue ! Tu sais très bien qui c'est !

— Attention ! poursuivit le conteur d'un ton inquiet. Nous pourrions bien voir apparaître Qidra ou un autre de ces démons.

— Tous de la race d'Idris ! cracha Daabis avec colère.

— Doucement, oncle Daabis, ou tu vas voir le toit nous tomber sur la tête ! supplia l'autre en baissant la voix.

Daabis se leva de sa place et, traversant le café à grands pas, alla s'asseoir à la droite de Hamdan, sur le banc. Il ouvrait la bouche pour parler, mais sa voix fut noyée dans les hurlements d'une bande d'enfants qui s'étaient répandus devant le café comme une nuée de sauterelles et se disputaient à grands cris.

— Tas de petits saligauds ! hurla-t-il, exaspéré. Allez donc vous cacher dans vos trous à rats !

Voyant qu'ils ne se souciaient pas de ses cris, il se leva d'un bond et se précipita sur la bande qui s'égailla en piaillant. Aussitôt, plusieurs voix de femmes s'élevèrent des fenêtres voisines : “Ne t’énerve pas, oncle Daabis !” “Tu n’as pas fini de faire peur aux enfants, l’ami !” Avec un geste agacé, il revint à sa place.

— Chienne de vie ! pesta-t-il. Pas moyen d’avoir la paix avec les gosses, pas moyen d’avoir la paix avec les *futuwwas*, pas moyen d’avoir la paix avec l’intendant !

Tous opinèrent du bonnet. Les Hamdanites avaient perdu leurs droits sur le *waqf*. Les Hamdanites vivaient plongés dans la crasse et le malheur. Les Hamdanites étaient sous la coupe d’un *futuwwa* qui n’était même pas de leur clan, et qui provenait de l’un des secteurs les plus méprisés du quartier. Qidra se pavanait parmi eux, giflant les uns, extorquant de l’argent aux autres. Aussi les Hamdanites étaient-ils à bout de patience, et la révolte grondait-elle parmi eux.

— Hamdan, nous nous sommes tous mis d’accord, poursuivit Daabis. Nous sommes les Hamdanites, nous sommes nombreux et honorablement connus, et nos droits sur le *waqf* sont aussi clairs que ceux de l’intendant lui-même.

— Seigneur, fais que cette nuit se passe sans catastrophe, murmura le conteur.

Hamdan s’enroula dans sa cape et leva ses sourcils épais.

— Tout ça, on l’a dit et redit, déclara-t-il. Maintenant, il va se passer quelque chose ; je sens ça dans l’air.

La voix d’Ali-Loupiotes s’éleva soudain, saluant la compagnie. Il entra dans le café, la calotte crânement inclinée sur l’œil.

— On est tous prêts, lança-t-il. Et s’il y avait besoin d’argent, chacun paiera sa part, même les mendiants.

Poussant sans façon Daabis et Hamdan, il se fit une place entre eux.

— Un thé sans sucre ! cria-t-il à l'adresse du garçon.

Ridwan toussa pour attirer son attention ; avec un large sourire, le nouveau venu sortit un sac de l'échancrure de sa tunique, l'ouvrit, en prit un petit paquet et l'envoya au conteur, puis il donna une claque sur la cuisse de Hamdan en le regardant d'un air interrogateur.

— On va aller en justice, répondit l'autre.

— C'est ce qu'on a de mieux à faire ! approuva Tamarhanna.

— Oui, mais pensez aux conséquences, intervint le conteur, tout en déballant son paquet.

— De toute façon, ça ne peut pas aller plus mal que maintenant ! s'écria Ali-Loupiotes. On est en nombre, il faudra compter avec nous. Et l'*efendi* ne peut pas ignorer nos origines : après tout, on est parents, lui et nous, on descend tous du Fondateur.

— Il faut examiner toutes les solutions, insista Ridwan en jetant un regard significatif à Hamdan.

— J'ai bien une idée, déclara celui-ci. Seulement, c'est un peu gonflé… Eh bien, poursuivit-il, voyant que tous avaient les yeux tournés vers lui, ce serait d'aller voir l'*efendi*, sous couleur de lui demander protection.

— Pour un beau coup, c'est un beau coup… et après ça, il y aura des tombes à creuser ! commenta Abdoun en apportant son verre de thé à Loupiotes.

— La vérité sort de la bouche des enfants ! intervint Tamarhanna en riant.

— Il faut y aller, et y aller tous ! insista Hamdan d'un ton décidé.

26

Un attroupement s'était formé devant la maison de l'intendant : il comprenait une bonne partie des Hamdanites, hommes et femmes. A leur tête se tenaient les notables : Hamdan lui-même, Daabis, Atris le Chassieux, Dolma, Ali-Loupiotes et Ridwan le conteur. Ridwan était d'avis que Hamdan devait entrer seul, afin que leur action ne soit pas interprétée comme un acte de rébellion et punie en conséquence. Mais Hamdan leur dit franchement : "Si j'y vais seul, ils n'auront pas de mal à me tuer, mais si on y va tous, ce sera plus difficile." L'attroupement attirait l'attention des habitants du quartier, et notamment des plus proches voisins : derrière les fenêtres, au-dessous des paniers et des couffins, au-dessus des charrettes à bras, des dizaines d'yeux les observaient. Plusieurs habitants, jeunes et vieux, s'approchèrent pour voir ce qu'ils voulaient.

Hamdan empoigna le marteau de bronze et frappa : la porte s'ouvrit quelques instants plus tard, laissant apparaître, parmi des effluves de jasmin, le visage lugubre du portier.

— Que voulez-vous ? demanda-t-il d'un ton rogue.

— Nous voulons voir notre maître l'intendant, répondit Hamdan d'un ton qui se voulait assuré.

— Vous tous ?

— Aucun d'entre nous n'a davantage le droit de parler que les autres.

— Eh bien attendez ici que j'aille demander l'autorisation.

Il s'apprêtait à leur fermer la porte au nez, quand Daabis fit un pas en avant. "Ce serait plus convenable que nous attendions à l'intérieur", dit-il. Les autres entrèrent en force, poussant devant eux Hamdan, considérablement agacé par l'initiative de son compère. Le groupe se répandit dans le passage couvert qui joignait le jardin au *selamlik*.

— Voulez-vous bien sortir ! cria le portier, furieux.

— On ne met pas un hôte à la porte ! rétorqua Hamdan. Allez, va prévenir ton maître.

L'autre leur jeta un regard malveillant et se dirigea en trottinant vers le *selamlik*, grommelant des protestations inaudibles. Tous le suivirent des yeux, continuant, même après son départ, à fixer la tenture derrière laquelle il avait disparu. Dans un silence tendu et embarrassé, les regards se tournaient un instant vers le jardin, avec sa vasque entourée de palmiers, ses treilles, ses jasmins qui grimpaient le long des murs, avant de revenir bien vite vers la tenture qui dissimulait l'entrée de la grande salle.

Celle-ci s'écarta soudain, et l'*efendi* lui-même fit son apparition, marchant à grands pas d'un air courroucé. Il s'arrêta en haut des marches, et promena sur ses visiteurs un regard dégoûté ; il était tout engoncé dans sa cape, si bien que l'on n'apercevait de lui que son visage revêche, ses pantoufles en poil de chameau et le long chapelet qu'il tenait dans sa main droite. Ses yeux s'arrêtèrent enfin sur Hamdan.

— Puisse cette matinée t'apporter du bonheur, notre maître, déclara celui-ci du ton le plus respectueux.

Mais l'*efendi* se borna, pour toute réponse, à faire un vague geste de la main.

— Qu'est-ce que c'est tout ça ? demanda-t-il d'un ton rogue.

— Les Hamdanites, notre maître.

— Et qui leur a permis d'entrer chez moi ?

— La maison de leur intendant, c'est comme si c'était la leur : ils sont sous sa protection.

— Belle excuse en vérité ! Bande de malappris !

— Nous sommes tous fils d'Adham et d'Oumayma ! protesta Daabis, que le ton conciliant de Hamdan commençait à agacer.

— Tout ça, c'est de l'histoire ancienne ! trancha l'*efendi*. Enfin, heureusement qu'il y a encore des gens qui savent se tenir à leur place !

— Nous venons implorer ton aide ! poursuivit Hamdan. Nous n'en pouvons plus de vivre dans la misère et les mauvais traitements.

— C'est vrai, ça ! renchérit la vieille Tamarhanna. Tu verrais comment on vit, il y a de quoi faire dégueuler un cafard !

— Nous vivons de mendicité, continua Daabis d'une voix qui s'élevait peu à peu, nos enfants ont faim, et nous avons la figure enflée à force de recevoir les coups de poing des *futuwwas*. C'est pas normal ! On est tous les descendants du vieux Gabalawi et on a tous droit au *waqf* !

A ces mots, la main de l'*efendi* se crispa sur son chapelet.

— De quel *waqf* tu parles, mon gars ? lança-t-il.

— Du grand *waqf* ! poursuivit Daabis, sans tenir compte des signes que lui lançait Hamdan. Du grand *waqf* – te fâche pas, notre maître –, celui à qui appartient tout le quartier et tout le terrain autour. Le *waqf* de Gabalawi, notre maître !

— Ce *waqf*, je l'ai hérité de mon père et de mon grand-père ! coupa l'intendant, les yeux luisants de colère. A force de rabâcher des sornettes, vous avez peut-être fini par y croire, mais je vous mets au défi de m'apporter des preuves !

— Mais tout le monde le sait ! protestèrent plusieurs voix, dont celle de Daabis et de Tamarhanna.

— Ça veut dire quoi : “Tout le monde le sait” ? Alors, il suffirait que vous fassiez courir le bruit que ma maison appartient à celui-ci ou à celui-là pour qu'il me la prenne ? Non mais, qui est-ce qui m'a fichu cette bande d'abrutis ! Vous fumez tous du haschisch dans le quartier ou quoi ? Dites voir un peu, avez-vous jamais touché un millime sur les revenus du *waqf* ?

— Nos pères touchaient… objecta Hamdan.

— Vous avez des preuves ?

— Ils nous l'ont dit, et nous n'avons pas de raison d'en douter.

— Mensonge sur mensonge ! trancha l'*efendi*. Allez, du balai, avant que je vous fasse jeter dehors !

— Montre-nous les Dix Conditions ! exigea Daabis d'une voix ferme.

— Et pourquoi je vous les ferais voir ? hurla l'*efendi*. Qui vous êtes, d'abord ? Et en quoi ça vous regarde ?

— On a le droit !

A ce moment, on entendit la voix de Houda *hanem*, la femme de l'intendant, qui s'élevait de l'intérieur de la pièce.

— Laisse-les tomber et rentre. Ce n'est pas la peine de te fatiguer à discuter avec eux.

— Dis un petit mot pour nous, notre bonne dame, intervint Tamarhanna.

— Au moins, les bandits de grands chemins ont la décence d'attendre que le soleil soit couché ! reprit Houda *hanem* d'une voix qui tremblait de colère.

— Que le bon Dieu te pardonne, notre dame ! C'est la faute à l'Ancien : il n'aurait jamais dû s'enfermer dans son palais…

— Hé, Gabalawi, viens voir où sont tombés tes enfants ! lança Daabis à pleine voix. Pourquoi nous as-tu laissés à la merci de ces gens sans cœur ?

Ce cri résonna si fort que quelques-uns s'imaginèrent qu'il allait réellement faire sortir le Patriarche de sa maison.

— Tout le monde dehors ! Et tout de suite ! hurla l'*efendi* d'une voix étranglée par la colère.

— Allez, venez, maintenant, enjoignit Hamdan, très gêné.

Il se dirigea vers la porte ; les autres le suivirent en silence. Mais, avant de passer la porte, Daabis, rejetant la tête en arrière, cria à nouveau :

— Hé, Gabalawi !

27

Livide de rage, l'*efendi* entra dans la grande salle ; son épouse l'attendait, debout, une expression soucieuse sur le visage.

— Bizarre ! déclara-t-elle. Où tout cela va-t-il finir ? Et tout le quartier doit être au courant... En tout cas, il ne faut pas prendre cela à la légère, ou c'en est fait de notre tranquillité.

— De la racaille ! cracha l'*efendi*. Et ça guigne le *waqf* ! Tu parles ! Il n'y en a pas un seul qui sache le nom de son père, dans ce foutoir.

— Ecoute, il faut en finir une fois pour toutes, insista Houda *hanem*. Fais venir Zoqlot et arrange-toi avec lui. Pour une fois, il gagnera l'argent que nous lui donnons...

— Et Gabal ?

— Gabal est notre fils adoptif, et même notre fils tout court. Hormis cette maison, il ne connaît rien du monde. Il n'a plus rien en commun avec les Hamdanites : s'ils le considéraient encore comme l'un des leurs, ils lui auraient demandé d'intercéder pour eux. Non, de ce côté-là, tu peux être tranquille. D'ailleurs, il ne va pas tarder à rentrer de sa tournée chez les locataires : il pourra assister à la réunion.

Quelques instants plus tard, Zoqlot pénétra dans la pièce, répondant à l'invitation de l'intendant. C'était un homme de taille moyenne, mais trapu et solidement bâti. Son visage hideux et brutal et son cou épais étaient couturés de cicatrices. Les deux hommes s'assirent côte à côte.

— Eh bien, j'en ai appris de belles ! fit le *futuwwa*.

— Les mauvaises nouvelles courent vite, commenta Houda d'un ton aigre.

— Dans cette affaire, ton prestige est atteint autant que le nôtre, ajouta l'*efendi* avec un regard en coin.

— Il y a trop longtemps que nos gourdins et nos couteaux sont au chômage !

— Pour qui se prennent-ils, ces Hamdanites ? reprit Houda avec un sourire méprisant. Ils n'ont pas donné un seul *futuwwa*, et pourtant le plus minable d'entre eux se prend pour le seigneur du quartier !

— Des boutiquiers et des mendiants ! cracha Zoqlot avec une moue de dégoût. Des femmelettes pareilles ne donneront jamais naissance à un *futuwwa* !

— Alors, Zoqlot, que faisons-nous ? intervint l'*efendi*.

— Je les écraserai comme des cafards !

Alors qu'il disait ces mots, Gabal entra dans la pièce, le visage coloré par sa longue course dans le désert. L'énergie de la jeunesse courait dans son corps mince et vigoureux et apparaissait dans son visage ouvert, son nez droit et ses grands yeux brillants d'intelligence. Il salua l'assistance avec la plus grande politesse et commença à parler des terrains qu'il avait loués dans la journée, mais Houda *hanem* l'interrompit :

— Assieds-toi, Gabal, lui dit-elle. Nous t'attendions pour parler avec toi d'une affaire importante.

Gabal prit place ; la gêne qui transparaissait dans son regard n'échappa pas à la dame.

— Tu te doutes probablement de ce qui nous occupe ? reprit-elle.

— On ne parle que de ça, dehors.

— Tu as entendu ? poursuivit-elle en se tournant vers son mari. Tout le monde s'attend à ce que nous réagissions !

— A ce stade, une poignée de terre suffira à éteindre l'incendie, commenta Zoqlot avec un sourire qui le rendit encore plus hideux. Il me tarde de me mettre au travail !

— Et toi, Gabal, que dis-tu ?

Baissant les yeux pour cacher sa gêne, celui-ci répondit :

— L'affaire est entièrement entre vos mains, mère.

— J'aimerais tout de même connaître ton avis, insista-t-elle.

Il resta un instant silencieux, désagréablement conscient de ce que les deux hommes le fixaient des yeux, le premier avec attention, le second avec agacement.

— Mère, tu m'as adopté et comblé de tes bienfaits. Mais comment te dire ? Je suis quand même un Hamdanite.

— Qu'est-ce que tu racontes ? s'indigna Houda. Tu n'as parmi eux ni père ni mère ni proches parents !

L'*efendi* laissa échapper un petit ricanement ironique, mais ne dit mot.

— Mon père et ma mère étaient des leurs, insista le jeune homme. On ne peut pas le nier…

— Moi qui croyais trouver en toi un fils, me voilà bien détrompée ! poursuivit-elle avec amertume.

— A Dieu ne plaise ! s'écria Gabal. Le Muqattam lui-même ne pourrait pas ébranler ma loyauté envers toi… Mais il ne sert à rien de nier l'évidence.

— Inutile de perdre ton temps à écouter ces récriminations, lança l'*efendi* à Zoqlot en se levant.

Ce dernier se leva à son tour, un méchant sourire sur les lèvres.

— Tout de même, ne dépasse pas les limites du raisonnable, maître Zoqlot, recommanda la dame en jetant un regard en coin vers Gabal. C'est d'une leçon qu'ils ont besoin, pas d'un massacre.

Lorsque le *futuwwa* s'en fut allé, l'*efendi* se tourna vers Gabal.

— Ainsi, tu appartiens au clan des Hamdan ? lui lança-t-il d'un ton sarcastique.

— Son cœur penche de notre côté, mais il lui était difficile de renier ses origines devant Zoqlot, intervint Houda.

— Ce sont de pauvres gens, mère, dit Gabal avec une tristesse visible. Et pourtant, par la naissance, ils sont les plus nobles du quartier.

— Un quartier de bâtards ! s'écria l'*efendi*.

— Nous sommes tous les fils d'Adham ! protesta le jeune homme. Et notre Ancêtre est toujours de ce monde, puisse Dieu lui accorder longue vie !

— Qui peut savoir s'il est réellement le fils de son père ? Il n'y a pas de mal à raconter ces vieilles sornettes de temps à autre, mais de là à s'en servir pour dépouiller le voisin !

— Nous ne leur voulons pas de mal, glissa Houda, mais à condition qu'ils ne guignent pas notre fortune.

— Bon, ça suffit maintenant, trancha l'*efendi*, décidé à clore la discussion. Retourne à ton travail et ne t'occupe pas du reste.

Gabal quitta la pièce et se rendit au bureau du *waqf*, qui se trouvait dans le pavillon du jardin. Il devait reporter sur les registres un certain nombre de contrats de location et arrêter les comptes du mois ; mais la tristesse qu'il éprouvait l'empêchait de se concentrer.

Le plus étrange dans tout cela, c'était que les gens du clan de Hamdan ne l'aimaient pas, et qu'il le savait parfaitement ; il se souvenait de l'accueil glacial qu'on lui avait réservé dans le café de Hamdan les rares fois où il y avait pénétré. Et pourtant, au lieu d'être irrité par leur insolence, il s'attristait à l'idée du malheur qui les attendait ; et il aurait volontiers volé à leur secours, s'il n'avait craint de provoquer la colère de la famille qui l'avait élevé et adopté. Que serait-il devenu, en effet, si Houda *hanem* ne l'avait pas pris en affection ? Vingt ans plus tôt, elle l'avait aperçu qui barbotait tout nu dans une tranchée remplie d'eau de pluie. Arrêtée par ce spectacle, elle avait senti son cœur privé des joies de la maternité s'émouvoir envers l'enfant. Elle se l'était fait apporter, hurlant de terreur, et avait pris des renseignements sur lui : c'était un orphelin qu'élevait une marchande de volailles. Elle avait aussitôt fait venir celle-ci et lui avait demandé de lui donner l'enfant : la brave femme avait accepté avec joie.

C'est ainsi que Gabal avait grandi dans la maison de l'intendant ; sous sa protection, il avait connu une vie infiniment plus heureuse que celle de tous les enfants du quartier. Il avait été à l'école, où on lui avait appris à lire et à écrire, et, lorsqu'il eut atteint l'âge d'homme, l'*efendi* lui avait confié la tâche d'administrer le *waqf*.

Partout où le *waqf* possédait des biens, on l'appelait "notre maître l'administrateur" et on le considérait avec respect et admiration. La vie lui avait paru belle et riche de promesses, jusqu'à la rébellion des Hamdanites : pour la première fois, il s'était senti divisé. Il y avait deux hommes en lui, l'un qui voulait rester loyal envers sa mère adoptive, et l'autre qui se demandait avec anxiété : "Que va devenir le clan de Hamdan ?"

28

Le *rebab* attaqua l'air qui accompagnait le récit du meurtre de Hammam par son frère Qadri. Les yeux se tournèrent vers Ridwan le conteur avec une attention mêlée d'inquiétude. Cette nuit-là n'était pas comme les autres : elle clôturait une journée de révolte, et parmi le clan de Hamdan, beaucoup se demandaient si elle s'achèverait sans catastrophe. Le quartier tout entier était plongé dans les ténèbres : même les étoiles se cachaient derrière les nuages d'automne, et l'obscurité n'était trouée, de place en place, que par la faible lueur qui filtrait à travers les fenêtres fermées, ou qui tombait des lanternes éclairant les charrettes à bras, et autour desquelles, comme des papillons de nuit, s'agglutinaient des groupes d'enfants chahuteurs. Dans un coin du secteur de Hamdan, Tamarhanna étendit à terre un morceau de toile à sac et se mit à fredonner une chanson. Des chats miaulèrent, s'interrompant soudain, puis recommençant, en un concert sporadique annonciateur de rivalités amoureuses ou alimentaires. La voix du conteur s'enfla soudain : "Alors Adham cria à la face de Qadri : «Qu'as-tu fait de ton frère ?»"

C'est à ce moment que Zoglot apparut dans le cercle de lumière tracé par la lampe du café. Le visage plein de haine et de mépris, une lueur mauvaise dans les yeux, son terrible gourdin à la main, il ressemblait à un démon vomi par les ténèbres. Il embrassa le café et l'assistance d'un regard lourd de menaces.

Le conteur s'interrompit au milieu d'un mot. Dolma et Atris retrouvèrent immédiatement leurs esprits. Daabis et Ali-Loupiotes interrompirent leur conversation à voix basse. Abdoun demeura immobile. Quant à Hamdan, sa main se crispa nerveusement sur le tuyau de son narguilé. Un silence de mort s'établit.

Les clients qui n'appartenaient pas au clan de Hamdan s'éclipsèrent en silence, avec des mouvements furtifs. Les *futuwwas* de secteur, Qidra, Laythi, Abou Sari', Barakat et Hammouda, apparurent à leur tour, et se rangèrent derrière leur chef. La nouvelle se répandit dans le quartier comme une traînée de poudre ; les fenêtres s'ouvrirent, les enfants accoururent, et les adultes se sentirent partagés entre la pitié et une joie trouble.

Hamdan fut le premier à rompre le silence ; se levant comme pour accueillir les nouveaux venus il lança :

— Bienvenue à maître Zoqlot, le *futuwwa* du quartier ! Faites-nous l'honneur d'entrer.

Mais l'autre, comme s'il n'avait rien vu ni rien entendu, continua à fusiller l'assistance de ses yeux méchants.

— Qui est le *futuwwa* du secteur ? demanda-t-il enfin d'une voix rude.

— C'est Qidra, répondit Hamdan, bien que la question ne lui fût pas adressée.

— Alors c'est toi le protecteur du clan de Hamdan ? reprit Zoqlot d'un ton ironique, en se tournant vers Qidra.

— Oui, je les protège contre tout le monde… sauf toi, patron, évidemment.

— Tu n'as donc trouvé que le secteur des gonzesses pour y faire le *futuwwa* ? Hé, les gonzesses ! reprit-il d'une voix tonnante. Hé, les fils de pute, vous avez oublié qu'il y a un *futuwwa* dans le quartier ?

— Maître Zoqlot, tu sais bien que nous avons toujours été en bons termes… répondit Hamdan en blêmissant.

— Ferme ta gueule pleine de croûtes, vieille pétasse ! Alors, on s'écrase, hein ? On n'a plus envie de s'en prendre à ses supérieurs ?

— On s'en est pris à personne ! protesta Hamdan d'une voix étranglée. On est seulement allés demander secours à notre maître l'intendant.

— Vous entendez ce qu'il dit, ce fils de pute ? Hamdan, vieille charogne puante, tu as oublié ce qu'elle faisait, ta mère ? Bon Dieu, il y en aura pas un dans ce quartier qui aura la paix tant qu'il n'aura pas crié le plus fort qu'il pourra : “Je suis une gonzesse !”

Levant brusquement son gourdin, il l'abattit de toutes ses forces sur le comptoir, faisant voler tasses, verres, assiettes, cuillers, bouilloires, boîtes de café, de thé, de sucre, de cannelle et de gingembre. Abdoun fit un saut en arrière, heurta une table basse et s'écroula avec elle. Zoqlot leva la main pour gifler Hamdan, qui perdit l'équilibre et tomba sur le côté, pulvérisant son narguilé. Le *futuwwa* leva une seconde fois son gourdin en hurlant :

— Pas de crime sans punition, bande de fils de putes !

Mais Daabis, empoignant une chaise, la projeta sur la grosse lampe, qui vola en éclats ; l'obscurité se fit, juste avant que Zoqlot n'abatte son gourdin sur le grand miroir qui trônait derrière le comptoir. Tamarhanna se mit à hurler, imitée par toutes les femmes du clan : c'était comme si tout le quartier s'était métamorphosé en la gorge d'un chien frappé par une pierre. Complètement déchaîné, Zoqlot lâcha une grêle de coups, qui s'abattirent sans distinction sur les hommes, les sièges et les murs. Les cris, les gémissements, les appels au secours s'entrecroisaient dans le plus grand désordre. Des formes indistinctes s'enfuyaient dans toutes les directions, se bousculant l'une l'autre.

— Tout le monde rentre chez soi ! hurla Zoqlot d'une voix de tonnerre.

Aussitôt tous se hâtèrent d'exécuter son ordre, qu'ils fussent ou non du clan de Hamdan. Laythi apporta une lanterne, faisant apparaître Zoqlot entouré des *futuwwas* au milieu du quartier désert, où l'on n'entendait plus que les cris des femmes.

— Conserve-toi pour les choses importantes, chef, lui dit Barakat avec un sourire servile. Nous, on se charge de donner une leçon à ces cafards.

— Si tu veux, on va en faire de la poussière sous les pas de ton cheval, renchérit Abou Sari'.

— Si tu me chargeais de donner une leçon aux Hamdanites, ce serait un grand bonheur pour moi de t'obéir, chef, glissa Qidra.

A ce moment, la voix de Tamarhanna s'éleva de derrière une porte close :

— Le bon Dieu te punira, sale tyran !

— Hé, Tamarhanna, hurla Zoqlot ! Je mets au défi tous les Hamdanites de compter tes amants !

— Le bon Dieu jugera entre toi et nous ! Les Hamdanites sont les plus nobles de…

Mais elle s'interrompit, comme si une main s'était posée sur sa bouche pour l'empêcher de poursuivre.

— Dorénavant, tous les hommes de Hamdan qui sortiront de chez eux, vous leur ferez leur fête ! ordonna Zoqlot aux *futuwwas*, d'une voix assez forte pour être entendue de tous.

— Vous avez entendu ? renchérit Qidra d'un ton menaçant. Celui qui se croit un homme, il n'a qu'à sortir…

— Au fait, et les femmes ? s'enquit Hammouda.

— Zoqlot s'occupe des hommes, pas des femmes, trancha ce dernier.

A partir du lendemain, plus un Hamdanite ne sortit de chez lui. Chaque *futuwwa* alla s'asseoir à la porte du café de son secteur, observant la rue. Plusieurs fois par jour, Zoqlot faisait la tournée du quartier, et tout le monde s'empressait de le saluer et de le flagorner : “Bon Dieu, c'est un vrai lion, le *futuwwa* de notre quartier ! – A la bonne heure ! Toi, tu es un homme et un vrai, tu as obligé les Hamdanites à se cacher comme des femmes ! – Bravo, Zoqlot ! Au moins tu leur as rivé leur clou, à ces prétentieux !”

Et cela n'étonnait personne.

29

“Cette injustice ne te révolte donc pas, Gabalawi ?” Gabal se posait cette question, étendu sur le sol au pied du rocher derrière lequel, s’il fallait en croire les histoires anciennes, Qadri et Hind se retrouvaient en cachette, et près duquel Hammam avait été assassiné. Il regardait le coucher du soleil d’un œil morose et insatisfait.

Il n’était pas habituellement de ceux que leurs nombreux soucis poussent à chercher la solitude ; mais, cette fois-ci, le trouble qu’il avait ressenti devant les malheurs des Hamdanites avait fait naître en lui le besoin impérieux de se retrouver face à lui-même. Peut-être le spectacle du désert réduirait-il au silence la voix intérieure qui lui reprochait sa lâcheté et sa trahison envers son clan, et qui lui suggérait, tout au fond de son cœur, que nul ne peut être heureux aux dépens d’autrui.

Le clan de Hamdan était son clan : son père et sa mère en faisaient partie, avant d’être enterrés. Aujourd’hui, spoliés de leurs biens, ils étaient soumis à la plus noire des tyrannies. Mais qui les avait spoliés ? Précisément son bienfaiteur, celui dont l’épouse l’avait sorti de la boue pour l’élever au rang des habitants de la Grande Maison.

Dans ce quartier, tout se réglait par la terreur et l’intimidation : quoi d’étonnant à ce que ses véritables maîtres soient emprisonnés dans leurs propres maisons ? Notre quartier n’a pas connu, tout au long de son existence, un seul jour de justice et de sécurité : tel est notre destin depuis qu’Adham et Oumayma ont été chassés de la Grande Maison. Cela, le sais-tu seulement, Gabalawi ?

On dirait que les ténèbres de l’injustice se font de plus en plus épaisses à mesure que ton silence se prolonge.

Jusqu'à quand te tairas-tu, Gabalawi ? Les hommes sont enfermés chez eux, leurs femmes ne peuvent pas sortir sans s'exposer à la dérision, et moi je remâche mon humiliation en silence.

Et le plus étrange, c'est que les gens du quartier trouvent cela drôle. Ah ! il y a vraiment de quoi rire ! Ils sont toujours prêts à acclamer le vainqueur et à chanter les louanges du puissant, quel qu'il soit. Ils se prosternent devant les gourdins, dans l'espoir de dissimuler la terreur tapie au fond d'eux-mêmes. Chaque bouchée qu'ils mangent est trempée dans l'humiliation : personne ne sait quand viendra son tour de se faire casser la tête.

Gabal leva les yeux vers le ciel : il était silencieux, calme et comme assoupi. Quelques nuages moutonnaient à l'horizon ; les derniers milans retournaient vers leurs aires. C'était l'heure où les hommes rentrent chez eux et où les bêtes malfaisantes sortent de leurs trous. Soudain, Gabal entendit une voix grossière qui criait tout près de lui :

— Halte-là, fils de pute !

Arraché à ses réflexions, le jeune homme se leva, tentant de se souvenir à qui pouvait appartenir cette voix. Contournant le rocher de Hind, il vit un homme qui s'enfuyait d'un air terrorisé et un autre qui le poursuivait et semblait sur le point de le rattraper. En les observant plus attentivement, il vit que le fuyard n'était autre que Daabis, et son poursuivant Qidra, le *futuwwa* du secteur des Hamdanites. Comprenant de quoi il retournait, il resta à observer la poursuite d'un cœur troublé, pendant que les deux hommes s'approchaient de lui. Qidra ne tarda pas à rattraper Daabis et à lui mettre la main au collet ; les deux hommes s'arrêtèrent, hors d'haleine.

— Comment oses-tu quitter ton trou, vipère ? jeta Qidra entre deux halètements. Sois tranquille, tu ne t'en tireras pas à bon compte !

— Laisse-moi, Qidra, supplia l'autre en se protégeant le front des deux bras. Tu es notre *futuwwa*, tu dois nous défendre !

— Maudit fils de garce ! cracha Qidra en secouant le malheureux si violemment qu'il fit tomber son turban. Tu sais bien que je vous protégerais contre n'importe qui, sauf Zoqlot !

— Au secours, Gabal, s'écria Daabis en apercevant le jeune homme. Protège-moi : tu es des nôtres avant d'être des leurs !

— Personne ne pourra te tirer de mes pattes, fils de pute ! ricana Qidra d'un air de défi.

Mais Gabal, sans presque s'en rendre compte, s'était mis en marche et se trouvait tout près d'eux.

— Laisse-le tranquille, maître Qidra, dit-il d'une voix douce.

— Je sais très bien ce que j'ai à faire ! rétorqua l'autre en le toisant avec insolence.

— Sans doute avait-il une bonne raison pour sortir de chez lui.

— Rien d'autre que son mauvais destin !

Le *futuwwa* serra un peu plus fort l'épaule de Daabis, qui poussa un gémissement.

— Laisse-le tranquille ! répéta le jeune homme. Tu vois bien qu'il est plus âgé que toi et qu'il n'a pas ta force.

Lâchant l'épaule de sa victime, Qidra lui assena sur la nuque une claque violente qui le plia en deux, suivie d'un coup de genou dans les reins qui le fit tomber face contre terre : après quoi il s'agenouilla sur lui et commença à le bourrer de coups de poing en claironnant d'une voix haineuse :

— Tu n'as donc pas entendu ce qu'a dit Zoqlot ?

— Que Dieu te maudisse, toi et ton Zoqlot, salaud ! s'écria Gabal en proie à une fureur soudaine.

A ces mots, l'autre s'arrêta de frapper et leva la tête, lui jetant un coup d'œil intrigué.

— C'est toi qui viens me dire ça, Gabal ? Tu n'étais donc pas là quand notre maître l'intendant a ordonné à Zoqlot de donner une leçon aux Hamdanites ?

— Je t'ai dit de le laisser tranquille !

— Si tu crois que tu peux me parler sur ce ton parce que tu fais le larbin chez l'intendant, tu te trompes ! rétorqua l'autre d'une voix mauvaise.

Pour toute réponse, Gabal, fou de colère, se jeta sur lui et lui lança un coup de pied dans les côtes, qui le fit rouler à terre.

— Retourne chez ta mère pendant qu'il en est encore temps ! lui jeta-t-il.

Qidra bondit sur ses pieds, ramassa son gourdin au passage et le leva rapidement ; mais Gabal, plus prompt, lui porta un violent coup de poing à l'estomac. L'autre chancela, fou de douleur, et le jeune homme en profita pour lui arracher son arme. Les deux hommes se firent face, s'observant prudemment ; puis Qidra fit deux pas en arrière, se pencha avec la vitesse de l'éclair et ramassa une pierre.

Mais Gabal ne lui laissa pas le temps de la lancer : frappé d'un coup de gourdin à la tête, le *futuwwa* poussa un gémissement sourd, tourna sur lui-même et s'effondra face contre terre, perdant du sang en abondance.

A ce moment, la nuit était tombée. Gabal, regardant autour de lui, n'aperçut que Daabis, qui époussetait sa djellaba et se tâtait douloureusement les endroits où Qidra l'avait frappé.

— Tu es un vrai frère, Gabal ! dit-il enfin au jeune homme.

Mais celui-ci était penché sur le corps de Qidra ; il le retourna sur le dos et le contempla avec inquiétude.

— Il est évanoui, murmura-t-il.

Daabis s'approcha à son tour et cracha sur le visage ensanglanté. Gabal le repoussa et se pencha à nouveau sur le corps, le secouant doucement, mais sans aucun résultat.

— Qu'est-ce qu'il a donc ? se demanda-t-il.

Daabis se pencha à son tour, posa son oreille sur sa poitrine, observa attentivement le visage à la lueur d'une allumette.

— Il a qu'il est mort ! déclara-t-il enfin en se relevant.

— Ce n'est pas vrai ! s'écria le jeune homme, devenu affreusement pâle.

— Tout ce qu'il y a de plus mort, aussi vrai que tu es vivant !

— Quelle horreur !

— Et lui, alors ? Combien a-t-il battu de gens ? Combien en a-t-il tués ? Qu'il aille pourrir en enfer !

— Oui, mais moi je n'ai jamais battu ni tué personne…

— Que veux-tu, c'était de la légitime défense.

— Mais je n'avais pas l'intention de le tuer…

— Toi, tu es un vrai costaud, Gabal, tu n'as pas besoin de les craindre. Et même, si tu voulais, tu ferais un bon *futuwwa*.

— Malheur ! gémit Gabal en se frappant le front. Au premier coup de bâton que je donne de ma vie, me voilà devenu un assassin !

— Oui, eh bien ce n'est pas une raison pour s'endormir ! coupa Daabis. Allez, viens, on va l'enterrer, autrement, ça va faire du vilain !

— Ça va faire du vilain, qu'on l'enterre ou pas.

— T'en fais pas, je pleurerai pas pour ça ! Vivement le tour des autres. En attendant, aide-moi à cacher cette charogne.

S'emparant du gourdin, Daabis s'affaira à creuser une fosse, non loin de l'endroit où, jadis, Qadri avait creusé celle de son frère. Gabal, le cœur gros, se mit à l'aider. Au bout de quelques instants, Daabis reprit la parole, cherchant à alléger la peine de son compagnon.

— T'en fais donc pas ! Tu sais bien que, dans notre quartier, tuer un homme, ça ne tire pas à conséquence.

— N'empêche, jamais je n'aurais pensé que je deviendrais un assassin, soupira Gabal. Seigneur ! Je ne savais pas que je pouvais me laisser entraîner si loin par la colère.

Quand la fosse fut prête, Daabis s'épongea le front et se moucha dans ses doigts pour chasser la poussière qui lui remplissait les narines.

— Et voilà ! dit-il avec une joie méchante. La fosse est assez grande pour ce fils de pute et tous les autres *futuwwas* réunis !

— Respecte les morts ! le réprimanda Gabal. Nous finirons tous comme lui.

— Quand ils nous respecteront vivants, on les respectera morts, rétorqua l'autre.

Ils soulevèrent le cadavre et le descendirent dans la fosse ; Gabal posa son gourdin à côté de lui, puis ils le recouvrirent de terre.

Lorsque Gabal releva la tête, il vit que la nuit avait englouti le monde. Il poussa un long soupir, retenant ses larmes.

30

Où donc était Qidra ?

Zoqlot se posait cette question. Les autres *futuwwas* aussi. Leur compagnon semblait avoir disparu du monde de la même façon que les Hamdanites avaient disparu du quartier. Qidra habitait le secteur voisin de celui des Hamdanites ; étant célibataire, il lui arrivait souvent de passer la nuit au-dehors, et de ne rentrer qu'au petit matin, voire plus tard encore. Il n'était même pas rare qu'il s'absente un jour ou deux, mais toute une semaine sans donner de nouvelles, cela faisait beaucoup, surtout en ce moment où le blocus du secteur de Hamdan exigeait de lui une présence et une vigilance renforcées.

Naturellement, les Hamdanites furent les premiers soupçonnés. Un jour, les *futuwwas* envahirent leurs maisons, Zoqlot en tête. Mais ils eurent beau fouiller partout, depuis les chambres jusqu'aux terrasses, retourner la terre des jardins, distribuer gifles, coups de pied et crachats, ils ne trouvèrent aucun indice suspect. Ils se répandirent ensuite dans le désert, interrogeant tous ceux qui passaient, sans plus de résultat.

C'était encore de Qidra qu'ils parlaient ce soir-là, en se passant la pipe à haschisch, sous la treille, dans le jardin de Zoqlot. Ils étaient plongés dans l'obscurité, hormis la faible lueur de la petite lampe posée à quelques pieds du brasero, à côté de laquelle Barakat était occupé à hacher et à rouler la pâte, à éparpiller les braises et à pétrir les boulettes pour préparer les pipes. La lumière tremblotante au passage de la brise se reflétait sur les visages maussades de Zoqlot, Hammouda, Laythi et Abou Sari', faisant ressortir leurs yeux aux paupières tombantes et aux regards inquiets, épiant sans cesse les coins obscurs. Le coassement des grenouilles s'élevait dans la nuit, semblable à l'appel au secours d'un muet.

— Mais où a donc pu passer cet imbécile ? grogna Laythi, en passant à Zoqlot la pipe que lui tendait Barakat. On dirait que la terre l'a avalé.

Zoqlot inhala profondément, en tapotant le tuyau de la pipe du bout de l'ongle, puis lâcha une épaisse bouffée.

— Qidra ? lâcha-t-il. Pour ça, oui, la terre l'a avalé ! Même que ça doit faire huit jours qu'il est couché dessous…

Tous les regards se tournèrent vers lui, hormis celui de Barakat, toujours absorbé par son travail.

— Quand un *futuwwa* disparaît, il n'y a qu'une explication, poursuivit Zoqlot. Ça sent la mort…

— Et qui l'a tué, chef ? demanda Abou Sari', plié en deux par une quinte de toux.

— Justement, c'est ça qui est bizarre : c'est forcément un Hamdanite !

— Mais ils ne sortent pas de chez eux ! Et en plus on a fouillé leurs maisons…

— Et les autres gens du quartier, qu'est-ce qu'ils disent ?

— Dans mon secteur, on dit que les Hamdanites y sont sûrement pour quelque chose, répondit Hammouda.

— Réfléchissez un peu, bande d'abrutis ! Si les gens croient qu'un Hamdanite a fait le coup, on est obligés de faire comme si c'était vrai.

— Et à supposer que ce soit un gars d'Otouf ?

— Même à supposer que ce soit un gars de Kafr Zaghari ! L'important, ce n'est pas de punir le coupable, c'est de faire passer aux autres l'envie de l'imiter.

— Ben ça alors ! soupira Abou Sari' d'un ton admiratif.

— Que Dieu ait pitié des Hamdanites, ricana Laythi en secouant la pipe au-dessus du brasero avant de la passer à Barakat.

Leurs rires mauvais se mêlèrent au coassement des grenouilles et ils hochèrent la tête d'un air menaçant, pendant qu'une brise soudaine agitait les feuilles séchées.

— Ce n'est plus une affaire entre les Hamdanites et l'intendant ! s'exclama Hammouda en frappant une main contre l'autre. Cette fois-ci, c'est l'honneur des *futuwwas* qui est en jeu.

— Oui, acquiesça Zoqlot en assenant un coup de poing sur son coussin. C'est la première fois qu'un *futuwwa* est tué par les gens du secteur qu'il protège.

Une fureur soudaine crispa ses traits, rendant son visage tellement hideux que ses compagnons, pris de peur, se gardèrent de prononcer une parole ou de faire un geste qui eût attiré sur eux la colère de leur chef. On n'entendit plus que les glouglous de la pipe et les toux étouffées.

— Et si Qidra revenait malgré tout ? risqua Barakat.

— Alors je rase ma moustache, pauvre crétin ! lâcha Zoqlot d'un ton rageur.

Barakat fut le premier à éclater de rire, imité par les autres. Puis ils se turent à nouveau. Des visions de carnage dansaient devant leurs yeux : des gourdins fracassant des crânes, des ruisseaux de sang teignant la poussière, des femmes hurlant à travers les fenêtres et sur les terrasses, des dizaines d'hommes se débattant dans les derniers spasmes de l'agonie. Une sourde excitation naissait en eux, un désir de fauves tendus vers la curée, et ils échangèrent des regards féroces. Ils se moquaient bien de Qidra ; d'ailleurs aucun d'entre eux n'avait jamais eu la moindre affection pour lui, ni pour personne d'autre. La seule chose qui les unissait, c'était la volonté de terroriser leurs semblables et de défendre leurs privilèges.

— Et maintenant ? demanda Laythi.

— Je retourne voir l'intendant, comme convenu, répondit Zoqlot.

31

— Notre maître, déclara Zoqlot, les Hamdanites ont tué leur *futuwwa* Qidra.

En disant ces mots, il fixait l'intendant, qui était assis dans la grande pièce, flanqué à sa droite de Houda *hanem* et à sa gauche de Gabal.

— J'avais effectivement appris sa disparition, répondit l'intendant sans émotion apparente. Mais vous êtes vraiment sûrs qu'il ne va pas réapparaître un jour ou l'autre ?

— Sois tranquille, il ne reviendra plus. Je m'y connais.

— S'il a réellement été tué, alors la situation est grave, intervint Houda en jetant un regard en coin à Gabal, qui gardait les yeux obstinément fixés sur le mur d'en face.

— Il n'y a qu'une solution : une punition collective. Ou alors nous sommes fichus, vous et moi.

— Oui, il y va de notre autorité, acquiesça l'*efendi* en jouant nerveusement avec les grains de son chapelet.

— Tu veux dire qu'il y va du *waqf* tout entier ! le corrigea Zoqlot d'un ton lourd de sous-entendus.

— Et qui vous dit que ce n'est pas un coup monté ? intervint Gabal, sortant brusquement de son mutisme.

— Inutile de perdre notre temps à discuter ! grogna Zoqlot avec colère.

— Peux-tu prouver qu'il a été tué ? insista le jeune homme.

— Personne du quartier n'aurait pu disparaître ainsi sans laisser de traces, à moins d'avoir été tué, trancha l'*efendi* d'une voix qui se voulait assurée.

Une bouffée de brise automnale entra soudain par la fenêtre, sans arriver à adoucir cette atmosphère lourde de rêves sanglants.

— Si nous ne réagissons pas tout de suite, ce seront les *futuwwas* des quartiers voisins qui le feront pour nous ! reprit Zoqlot. Nous n'avons pas de temps à perdre en bavardages.

— Mais puisque les Hamdanites sont enfermés chez eux ! objecta Gabal.

— Un joli casse-tête ! ricana le *futuwwa*. Alors, poursuivit-il en le fusillant du regard, tout ce qui t'intéresse, c'est de disculper les tiens ?

— Ce qui m'intéresse, c'est d'établir la vérité, rétorqua Gabal avec une colère mal contenue. Vous autres, vous vous en prenez aux gens pour les motifs les plus futiles, et même parfois sans motif du tout ! Tout ce qui t'intéresse, c'est d'obtenir l'autorisation de massacrer des malheureux !

— Ceux de ton clan sont des criminels ! s'exclama Zoqlot d'une voix vibrante de haine. Ils ont tué Qidra qui défendait le *waqf* !

Gabal se tourna alors vers l'intendant :

— Seigneur, laisseras-tu cet homme assouvir ses instincts sanguinaires ?

— Si nous perdons notre autorité, nous sommes morts, répondit l'*efendi*.

— Voudrais-tu que nous nous fassions enterrer vifs dans ce quartier qui nous appartient ? renchérit Houda.

— Tu défends les criminels, mais tu oublies ceux qui t'ont élevé par pure charité ! insista Zoqlot d'un ton haineux.

Une vague de colère se leva dans la poitrine de Gabal, emportant avec elle toutes ses bonnes résolutions.

— Ce quartier est rempli de criminels, mais les Hamdanites n'en font pas partie ! déclara-t-il d'une voix forte.

La main de Houda se crispa sur la frange de son châle ; les narines de l'*efendi* s'ouvrirent toutes grandes et son visage pâlit de colère. Encouragé par ces manifestations, Zoqlot poursuivit d'une voix mordante :

— Evidemment, tu as une excuse pour défendre les criminels, puisque tu en fais partie !

— Quant à toi, tu n'as aucune raison de les attaquer, puisqu'il n'y en a pas de plus grand que toi dans le quartier !

— Sans la place que tu occupes dans cette maison, je te ferais sortir d'ici en quatre morceaux ! lança le *futuwwa* en se levant d'un bond.

— Ne rêve pas, Zoqlot ! rétorqua le jeune homme avec un calme plus inquiétant encore que l'agitation de son adversaire.

— Arrêtez ! tonna l'*efendi*. Vous n'avez pas honte, en ma présence !

— Si je me dispute avec lui, c'est uniquement pour défendre ton autorité, glissa Zoqlot.

Les doigts de l'*efendi* torturaient le chapelet, menaçant de briser le fil.

— Je ne te permets pas de défendre les Hamdanites ! déclara-t-il d'une voix forte.

— Mais cette brute porte sur eux des accusations fausses pour régler des comptes personnels !

— Tu me laisseras seul juge en la matière !

Il y eut un instant de silence. On entendit les oiseaux gazouiller dans le jardin, puis un grand tumulte s'éleva de la rue, entremêlé d'insultes et d'obscénités.

— Notre maître l'intendant me permet-il de châtier les coupables ? demanda Zoqlot avec son mauvais sourire.

Comprenant que le moment de vérité était arrivé, Gabal se tourna vers la *hanem* et lui dit d'un air désespéré :

— Mère, je me trouve obligé de me joindre aux miens et de partager leurs épreuves.

— Tu n'es qu'un ingrat ! s'écria Houda en proie à une nervosité visible. Ah ! je m'étais bien trompée sur ton compte !

Un sentiment obscur poussa Gabal à relever la tête à ce moment-là : il surprit sur le visage de Zoqlot un hideux sourire d'exultation, et il serra les lèvres sous l'effet de la colère.

— Je n'ai pas le choix, déclara-t-il. Mais je n'oublierai jamais ce que tu as fait pour moi, tant que je vivrai.

— En voilà assez, trancha l'*efendi* d'un ton sec. Dis-nous simplement si tu es avec nous ou contre nous !

La tristesse de Gabal s'alourdit encore : il comprit qu'il lui fallait trancher les derniers liens qui le rattachaient à sa vie présente.

— Tu es mon bienfaiteur, et je ne puis pas me déclarer contre toi. Mais je serais déshonoré si je laissais mon clan se faire massacrer tout en vivant sous ta protection.

— Maître Zoqlot, il vaudrait mieux remettre cette conversation à plus tard, intervint Houda qui, se voyant menacée dans son sentiment maternel, était en proie à la plus vive agitation.

Zoqlot fit la grimace ; ses yeux se portèrent alternativement sur l'*efendi* et sur son épouse.

— C'est que je ne sais pas ce qui peut arriver d'ici à demain ! grogna-t-il.

— Réponds-moi, Gabal : es-tu avec nous ou contre nous ? insista l'intendant, à qui les oreilles commençaient à chauffer. Ou bien tu es des nôtres et tu restes avec nous, ou bien tu t'en vas chez les tiens !

Observant la réaction de Zoqlot à cette question, Gabal perdit toute patience :

— Seigneur, tu me chasses : je m'en vais !

— Gabal ! s'écria douloureusement Houda.

— Et le voilà bien comme sa mère l'a mis au monde ! ricana Zoqlot.

Gabal se leva et se dirigea d'un pas ferme vers la porte de la salle. Houda se leva à son tour, mais l'*efendi* la retint fermement, l'empêchant de bouger. Gabal disparut. Un vent soudain se leva, remuant les tentures et faisant claquer les fenêtres. Une atmosphère tendue et crispée régnait dans la pièce.

— Bon, eh bien, au travail ! dit Zoqlot d'un ton calme.

— Non ! protesta Houda avec une résolution nerveuse. Pour l'instant, le siège suffit : gare à celui qui touchera un cheveu de la tête de Gabal !

Zoqlot ne se mit pas en colère : la victoire qu'il venait de remporter l'avait mis de bonne humeur. Il se borna à jeter un coup d'œil interrogatif à l'intendant.

— Nous reparlerons de cela plus tard, déclara celui-ci en faisant la grimace.

32

Gabal jeta un regard d'adieu au jardin et au pavillon. Il se remémorait la tragédie d'Adham telle que le conteur la rabâchait tous les soirs. Lorsqu'il arriva à la porte, le gardien se leva.

— Qu'est-ce qui peut bien t'appeler à sortir à nouveau, mon maître ? lui demanda-t-il.

— Je m'en vais pour de bon, oncle Hassanein ! déclara le jeune homme avec agacement.

Le portier resta bouche bée, le contemplant avec un vague chagrin.

— C'est à cause des Hamdanites ? murmura-t-il enfin.

Gabal inclina la tête en silence.

— Qui l'aurait cru ? s'exclama le vieillard. Dieu du ciel ! Comment la *hanem* peut-elle laisser faire une chose pareille ? Et comment vas-tu vivre, mon petit ?

L'autre franchit le seuil, jetant un regard sur l'impasse toute remplie de gens, d'animaux et d'ordures.

— Je vivrai comme les gens du quartier, prononça-t-il enfin.

— Mais tu n'es pas fait pour ça.

— Si, c'est seulement le hasard qui m'en a tiré.

Il s'éloigna de la maison, poursuivi par la voix du portier qui lui recommandait d'un ton lugubre de se garder des *futuwwas*.

L'impasse s'étendait devant lui, avec son sol de terre battue, ses ânes, ses chats, ses bandes d'enfants et ses taudis. Il perçut tout à coup l'étendue du bouleversement qui venait de se produire dans sa vie. C'en était fini de la richesse et de l'insouciance : l'avenir ne lui réserverait que peines et fatigues. Mais sa révolte masquait encore le chagrin qu'il éprouvait, et il se moquait bien des fleurs, des oiseaux et de la tendresse maternelle ; du moins se l'imaginait-il.

— Tu viens nous donner un coup de main pour donner une leçon aux Hamdanites ? lui lança Hammouda le *futuwwa* avec une politesse ironique, lorsqu'il passa près de lui.

Sans répondre, le jeune homme se dirigea vers la principale maison du secteur de Hamdan et frappa à la porte.

— Mais qu'est-ce que tu leur veux ?

— Je retourne chez les miens !

Les yeux porcins du *futuwwa* s'arrondirent dans une expression pleine de stupeur et d'incrédulité. Zoqlot, qui sortait à ce moment-là de chez l'intendant, aperçut les deux hommes.

— Laisse-le passer ! cria-t-il à Hammouda. Seulement, s'il essaye de sortir après, tu le massacres !

La surprise fut remplacée sur le visage de Hammouda par un sourire de satisfaction imbécile. Gabal continua à frapper à la porte : plusieurs fenêtres s'ouvrirent dans la maison et dans les maisons voisines, et de nombreuses têtes apparurent, notamment celles de Hamdan, Atris, Dolma, Ali-Loupiotes, Abdoun, Ridwan le conteur et Tamarhanna.

— Tiens, voilà le fils-à-papa ! s'écria Dolma d'un ton sarcastique. Qu'est-ce que tu veux, mon gars ?

— Tu es pour nous ou contre nous ? demanda Hamdan.

— Ils l'ont fichu à la porte ! expliqua Hammouda. Il retourne au tas de fumier d'où il était venu.

— C'est vrai qu'ils t'ont chassé ? insista Hamdan.

— Ouvre la porte, oncle Hamdan, répéta Gabal d'une voix calme.

La vieille Tamarhanna poussa un cri de joie :

— Ton père était un honnête homme et ta mère une femme de bien !

— Félicitations, mon gars ! Le témoignage d'une vieille pute, ça compte pas pour rien ! s'écria Hammouda avec un gros rire.

— Et ta mère à toi, qu'est-ce qu'elle allait fricoter la nuit au Hammam des Sultans ? rétorqua la vieille du tac au tac.

Elle ferma le volet juste à temps : la pierre lancée par Hammouda vint le heurter avec un fracas qui fit pousser un cri de joie aux enfants dissimulés dans les coins. La porte de la maison s'ouvrit et Gabal entra. Un air frais et humide, plein d'odeurs inconnues, le frappa au visage. Les habitants s'empressèrent autour de lui, dans un grand concert d'embrassades et d'exclamations de bienvenue.

Mais la cérémonie fut bientôt interrompue par le fracas d'une engueulade qui s'éleva du fond de la cour. Tournant la tête, Gabal vit Daabis qui se colletait avec un certain Kaabelha, un autre habitant de l'immeuble. S'approchant, il s'interposa vivement entre les deux hommes.

— Vous n'avez pas honte ? Vous vous disputez pendant que les autres vous maintiennent prisonniers ici ! leur jeta-t-il.

— Il m'a volé une patate dans le panier que j'avais mis sur ma fenêtre, haleta Daabis.

— Non, mais, tu m'as t'y seulement vu la voler ? protesta l'autre. T'as pas le droit de dire ça, Daabis !

— Si nous voulons que le ciel ait pitié de nous, commençons par nous montrer indulgents les uns envers les autres ! tança Gabal.

— Attends, attends, poursuivit Daabis comme s'il n'avait rien entendu, je vais la lui faire recracher, moi, cette patate !

— Mais puisque je te jure que ça fait une semaine que j'en ai pas seulement goûté une, de patate ! rétorqua Kaabelha en rajustant sa calotte.

— Tu parles ! De toute façon, il n'y a pas d'autre voleur que toi dans l'immeuble.

— Ne fais pas comme Zoqlot ! Il ne faut pas condamner sans preuve ! intervint Gabal.

— Je m'en vais lui donner une leçon, à ce fils de voleuse !

— Est-ce que je te parle de ta mère à toi, la marchande de radis ! rétorqua l'autre.

A ces mots, Daabis se rua sur Kaabelha et lui porta un coup de tête en pleine figure. L'autre recula en titubant, le visage en sang. Poursuivant son avantage, Daabis continua à le cogner méthodiquement, sourd aux exhortations de la petite foule qui s'était rassemblée. Finalement, Gabal, excédé, l'empoigna par le cou et se mit à serrer ; l'autre avait beau se débattre, il n'arrivait pas à se dégager.

— Alors, tu veux me tuer comme tu as tué Qidra ? râla-t-il enfin.

D'une poussée, Gabal le projeta contre le mur ; ses yeux brillaient de colère. Les autres, indécis, regardaient alternativement les deux hommes : était-ce vraiment Gabal qui avait tué Qidra ? Soudain, Dolma lui sauta au cou, et Atris s'exclama :

— Ta venue est vraiment une bénédiction ! Tu es la fleur des Hamdanites !

— Mais je ne l'ai tué que pour te défendre ! protesta Gabal, en jetant un regard noir à Daabis.

— N'empêche que ça t'a fait plaisir, de tuer, grogna l'autre, en baissant la voix.

— Dis donc, tu n'as pas honte, espèce d'ingrat ! se hâta d'intervenir Dolma. Allez, viens, mon jeune seigneur, poursuivit-il en prenant le bras de Gabal. Tu t'installeras chez moi.

Le jeune homme céda aux sollicitations de son hôte ; mais il lui semblait qu'un gouffre sans fond s'ouvrait sous ses pieds.

— N'y a-t-il pas un moyen de fuir d'ici ? glissa-t-il à l'oreille de Dolma, tout en marchant avec lui.

— De quoi as-tu peur, Gabal ? Tu ne crois quand même pas qu'il y a des mouchards parmi nous ?

— Daabis n'est guère malin…

— Peut-être, mais il a de l'honneur !

— A la vérité, j'ai surtout peur que vous soyez accusés à cause de moi.

— Si tu veux, je te montrerai comment tu pourras t'enfuir. Mais où comptes-tu aller ?

— Le désert est plus vaste qu'on ne le croit.

33

Gabal ne put s'enfuir que tout à la fin de la nuit. Profitant du silence nocturne et du sommeil qui appesantissait les paupières des *futuwwas*, il se glissa de terrasse en terrasse jusqu'à ce qu'il arrive à la Gamaliyya. Malgré l'obscurité totale, il prit la direction de la Darrasa, puis obliqua à travers le désert, s'orientant vers le rocher de Hind et Qadri. Lorsqu'il arriva à destination, sous la faible lueur des étoiles, il lui fut impossible de lutter plus longtemps contre la fatigue et le manque de sommeil : il s'étendit sur le sable, s'enveloppa dans son manteau et s'endormit profondément.

A son réveil, les premiers rayons du soleil frappaient le haut du rocher. Il se leva en hâte, soucieux d'arriver à la montagne avant que les premiers passants ne commencent à circuler dans le désert. Mais, avant de se mettre en route, il ne put s'empêcher de jeter un coup d'œil vers l'endroit où il avait enterré Qidra. Un frisson le parcourut, et il s'enfuit, la bouche sèche et le cœur inquiet. Sans doute n'avait-il tué qu'un vulgaire criminel ; et pourtant, à le voir s'éloigner ainsi de sa tombe, c'est lui qu'on aurait pris pour un meurtrier en fuite.

"Nous n'avons pas été créés pour tuer, se dit-il. Et malgré cela, qui saurait compter le nombre des assassinats qui ont eu lieu chez nous ?" Mais ce qui l'étonnait le plus, c'est qu'il n'ait pas trouvé d'autre endroit pour dormir que celui où il avait enterré sa victime. Il ressentit, plus fort que jamais, le besoin de s'éloigner, de dire adieu une fois pour toutes à tous ceux qu'il aimait et à tous ceux qu'il haïssait : sa mère, Hamdan, les *futuwwas*.

Le cœur lourd de chagrin et de solitude, il arriva au pied du Muqattam ; il se dirigea vers le sud, et, au milieu de la matinée, arriva à Souk el-Muqattam. Se retournant, il jeta un long regard vers le désert. "Maintenant, ils sont loin derrière moi", se dit-il, un peu tranquillisé. Puis il observa plus attentivement le spectacle qui s'étendait devant lui : la petite place sur laquelle, de toutes parts, donnaient une quantité de ruelles et d'impasses, et qui résonnait des cris des hommes et du braiment des ânes.

De nombreux signes annonçaient les préparatifs d'une fête : la place était remplie d'une cohue de passants, de marchands ambulants, d'idiots, de derviches mendiants et de baladins, bien que les festivités ne dussent commencer qu'au coucher du soleil. Promenant son regard sur la foule agitée, Gabal finit par apercevoir, aux marges du désert, une cahute en planches entourée de bancs de bois, qui semblait être le café le mieux achalandé du quartier. Il se dirigea vers un banc libre et s'assit, fatigué par sa longue course.

Frappé par l'apparence distinguée et les vêtements élégants du jeune homme, le patron s'avança pour l'accueillir, Gabal demanda du thé, et, tout en buvant, se mit à observer la foule pour se distraire. Bientôt, son attention fut attirée par un tumulte croissant autour du petit kiosque qui abritait une fontaine publique : les gens s'y pressaient pour remplir leurs récipients, et la bousculade tournait franchement à l'émeute. Plusieurs bagarres avaient éclaté, faisant des victimes. Les malédictions et les injures fusaient de partout. Deux jeunes filles, prises au milieu de la foule, poussaient des cris perçants en essayant de reculer pour échapper à la presse, leurs bidons vides à la main.

Elles étaient vêtues de robes aux couleurs vives qui les couvraient jusqu'aux chevilles, ne laissant apercevoir que leurs visages, qui rayonnaient de l'éclat de la jeunesse. Le regard de Gabal glissa rapidement sur la plus jeune et s'arrêta sur l'autre, celle qui avait les yeux noirs. Elles se retirèrent toutes deux à l'écart de la foule, non loin de l'endroit où il était assis.

Bien que leurs traits présentassent un air de famille, celle qui avait attiré son regard était de loin la plus séduisante. "Comme cette fille est jolie ! se disait-il. Je n'en ai jamais vu d'aussi belle dans notre quartier."

Pendant ce temps, elles remettaient de l'ordre dans leur chevelure et se recoiffaient de leur foulard ; puis elles s'assirent sur leurs bidons retournés.

— Comment allons-nous faire, avec cette foule ? dit la cadette d'un ton plaintif.

— Ah ! cette fête, quelle plaie ! renchérit la jolie. Et pendant ce temps-là, le père nous attend à la maison. Il va être furieux.

— Et pourquoi ne va-t-il pas remplir ses bidons lui-même ? intervint Gabal, se mêlant à la conversation.

Elles se retournèrent vivement, prêtes à le remettre vertement à sa place ; mais l'apparence distinguée du jeune homme les radoucit quelque peu.

— Et qu'est-ce que ça peut te faire ? se borna à répondre son élue. Est-ce qu'on s'est plaintes à toi ?

— Je voulais simplement dire qu'un homme se débrouille mieux dans une cohue pareille, expliqua Gabal, ravi de voir qu'elle lui répondait.

— C'est notre travail à nous ; lui, il a bien assez à s'occuper.

— Et qu'est-ce qu'il fait, ton père ? poursuivit-il en souriant.

— Ça ne te regarde pas !

Ignorant les regards de ceux qui l'entouraient, Gabal s'approcha des deux jeunes filles.

— Si vous voulez, je vais remplir vos bidons, proposa-t-il d'un ton courtois.

— On ne t'a rien demandé ! rétorqua la jolie en détournant la tête.

Mais l'autre, plus hardie, se hâta d'accepter.

— Volontiers, et merci beaucoup, fit-elle.

Elle se leva, forçant sa sœur à l'imiter. Gabal s'empara des deux bidons et s'enfonça dans la foule, écartant de son torse robuste et de ses larges épaules tout ce qui se trouvait sur son passage. Après avoir triomphé de tous les obstacles, il arriva au kiosque, versa deux millimes au préposé, remplit ses bidons et retourna auprès des deux jeunes filles, qu'il trouva en train d'échanger des propos peu amènes avec une bande de voyous qui les importunaient. Furieux, le jeune homme posa les bidons à terre et se tourna vers eux d'un air menaçant. L'un d'eux s'avança : Gabal l'envoya rouler à terre d'un coup de poing en pleine poitrine. Proférant des injures abominables, les autres se rassemblèrent pour se jeter sur lui tous ensemble, mais soudain une voix nouvelle retentit :

— Voulez-vous bien me fiche le camp, bande de crapules !

Tous se retournèrent vers celui qui avait crié ainsi : c'était un homme d'âge mûr, pas très grand, mais bien râblé, avec des yeux très noirs qui semblaient jeter des éclairs. "Maître Balqiti !" murmurèrent les voyous d'un ton respectueux ; ils s'éclipsèrent en hâte, non sans jeter à Gabal plus d'un regard furieux.

Pendant ce temps, les deux jeunes filles s'étaient rapprochées du nouveau venu, comme pour trouver refuge auprès de lui.

— Ça n'a pas été facile, aujourd'hui, entre la fête et ces sales types ! s'excusa la plus petite.

— C'est justement en ne vous voyant pas rentrer que je me suis rappelé que c'était jour de fête, répondit

Balqiti tout en observant Gabal avec attention. Je suis arrivé au bon moment, on dirait. Je te remercie, poursuivit-il en se tournant vers le jeune homme. Tu es un homme d'honneur : une espèce qui se fait rare, par les temps qui courent.

— Ce n'est qu'un bien petit service, ça ne vaut pas la peine d'en parler.

Sur ces entrefaites, les deux jeunes filles s'étaient éclipsées en silence, leurs bidons à la main. Gabal aurait bien voulu remplir une dernière fois son regard de la beauté de l'aînée, mais il n'osa détourner ses yeux de ceux de Balqiti : il lui semblait qu'ils avaient le pouvoir de lire jusqu'au fond des âmes, et il craignait qu'il ne vît les désirs qui l'agitaient.

— Tu les as protégées contre ces vauriens, poursuivait ce dernier : les gens comme toi méritent d'être pris pour amis. Bandes de crapules ! Oser s'en prendre aux filles de Balqiti ! C'est la *bouza,* naturellement ! Tu n'as pas remarqué qu'ils étaient ivres ? Si, si, insista-t-il, voyant que l'autre hochait négativement la tête. Tu peux m'en croire, j'ai l'odorat plus fin que le Djinn rouge. Mais ça ne fait rien. Au fait, tu ne me connais pas ?

— Non, maître, je n'ai pas cet honneur.

— Alors tu ne dois pas être du quartier ?

— En effet.

— Eh bien, je suis Balqiti, le charmeur de serpents.

— Mais oui, ça me revient à présent ! s'exclama Gabal. J'ai déjà entendu parler de toi dans mon quartier : là-bas, beaucoup de gens te connaissent.

— Et quel quartier est-ce ?

— Le quartier Gabalawi.

— Mazette ! Quel honneur tu nous fais ! s'écria le vieil homme en haussant les sourcils. Qui donc n'a jamais entendu parler de Gabalawi et de son *waqf*, ni de Zoqlot, votre *futuwwa* ? Ainsi donc, tu viens pour la fête, maître…

— Gabal. En fait, je suis à la recherche d'un nouveau logis.

— Tu as émigré de chez toi ?

— Oui…

— Je vois, fit l'autre en l'examinant avec une attention redoublée. Partout où il y a des *futuwwas*, il y a des gens qui émigrent ! Mais, dis-moi un peu, qui as-tu tué, un homme ou une femme ?

— Pour un homme aussi courtois, tu as de bien mauvaises plaisanteries, reprocha Gabal, le cœur brusquement serré.

— Que veux-tu, répondit l'autre avec un sourire édenté, tu n'es pas un de ces pauvres bougres que les *futuwwas* aiment à martyriser pour le plaisir et tu n'as pas la mine d'un voleur : la seule raison pour laquelle un homme comme toi pourrait émigrer de son quartier, c'est une affaire de sang !

— Puisque je te dis… poursuivit le jeune homme d'une voix douloureuse.

— Mon jeune seigneur, je me moque bien de savoir si tu as tué ou non : tu m'as prouvé que tu es un homme d'honneur, et ça me suffit. De toute façon, il n'y a pas un homme ici qui n'ait tué ou volé une fois dans sa vie. Et pour te prouver que je te parle du fond du cœur, je t'invite à venir chez moi boire une tasse de café et fumer une pipe ou deux !

— Avec plaisir et honneur, accepta Gabal, qui reprenait espoir.

Bras dessus bras dessous, ils se frayèrent un chemin à travers le souk jusqu'à l'entrée d'un quartier qui s'ouvrait à sa partie supérieure. Lorsqu'ils eurent laissé la cohue derrière eux, Balqiti reprit la parole :

— Tu venais voir quelqu'un en particulier dans le quartier ?

— Non, je ne connais personne.

— Et tu n'as nulle part où aller ?

— Non.

— Eh bien, si tu veux, tu t'installeras chez moi le temps de trouver un logement.

— Ta générosité me confond, maître Balqiti, répondit Gabal, le cœur soudain en fête.

— Ça t'étonne ? fit l'autre en riant. Ma maison est pleine de vipères et de cobras, elle peut bien abriter un homme en plus ! Ça te fait peur ? Tu sais, je suis charmeur de serpents : tu apprendras chez moi à apprivoiser ces bestioles !

Ils traversèrent tout le quartier et arrivèrent jusqu'à l'orée du désert. Gabal aperçut alors une petite maison qui se dressait à l'écart ; ses murs n'étaient que de pierres sèches, mais par comparaison aux autres maisons du quartier, elle semblait toute neuve.

— La maison de Balqiti le charmeur de serpents ! déclara celui-ci en la désignant d'un geste plein de fierté.

34

— J'ai choisi cet endroit isolé pour y construire ma maison, parce que la plupart des gens considèrent un charmeur de serpents comme une sorte de gros cobra, poursuivit Balqiti pendant que les deux hommes approchaient de l'entrée.

Ils pénétrèrent dans un vestibule d'assez belle taille, sur lequel donnaient trois pièces aux portes closes.

— Ici, reprit Balqiti en indiquant la porte qui faisait face à l'entrée, ce sont les instruments de travail... vivants ou non. N'aie pas peur, la porte est toujours fermée à clé. D'ailleurs je peux t'assurer que les serpents sont plus faciles à vivre que bien des hommes... comme ceux que tu fuis, par exemple. Et puis, tout le monde a peur d'eux, même les *futuwwas* : quant à moi, ils me font vivre, et c'est grâce à eux que j'ai pu bâtir ma maison. Là, poursuivit-il en indiquant la porte de droite, c'est la chambre de mes filles. Leur mère est morte voici quelque temps, en me laissant à un âge où on ne se remarie plus. Et là-bas (il indiqua la porte de gauche), ce sera notre chambre à tous deux.

Soudain, la voix de la plus jeune des deux filles retentit du haut d'une échelle de meunier située au coin de la pièce, et qui permettait de monter sur la terrasse :

— Chafiqa ! Si tu m'aidais à faire la lessive au lieu de rester là à bayer aux corneilles !

— Attention, Sayyida, tu vas réveiller les serpents ! intervint Balqiti. Et toi, Chafiqa, ne reste donc pas à bayer aux corneilles.

Elle s'appelait donc Chafiqa ! Quelle fille adorable ! Même sa froideur n'avait pas réussi à le blesser, et il avait cru lire un remerciement silencieux dans ses yeux noirs. Comment lui faire comprendre que c'était uniquement pour revoir ses yeux qu'il avait accepté l'invitation de son père ?

Mais ce dernier ouvrait déjà la porte située dans le mur de gauche, s'effaçant pour laisser entrer son hôte, avant de pénétrer à son tour. Prenant Gabal par le bras, il le conduisit vers le divan qui occupait toute la longueur de la petite chambre, et le fit asseoir à son côté. D'un regard, le jeune homme embrassa la pièce. Un lit recouvert d'une courtepointe brune occupait le côté opposé au divan ; le sol était masqué par une natte de roseaux à motifs géométriques, au milieu de laquelle trônait un plateau de cuivre décoloré par endroits, contenant tout l'attirail du fumeur : un brasero où la cendre formait une pyramide, un narguilé, un tisonnier, une paire de pincettes et une poignée de tabac aromatisé au miel.

A travers l'unique fenêtre, il ne pouvait apercevoir que le désert, le ciel pâle et, tout au loin, le flanc abrupt du Muqattam. Un silence pesant régnait, interrompu de loin en loin par le cri d'une bergère. Des bouffées d'air brûlant, tout chargé de l'ardeur du soleil, pénétraient par la fenêtre ouverte. Un peu gêné par l'examen silencieux auquel le soumettait Balqiti, le jeune homme se creusait la tête pour relancer la conversation de façon à détourner l'attention de son hôte ; mais à ce moment, des pas légers firent frémir le plafond au-dessus de leur tête, et son cœur frémit à l'unisson : ce ne pouvait être qu'elle. Un désir généreux remplit tout son être, et il pria silencieusement pour que le bonheur s'installât dans cette maison, quand bien même elle serait pleine de serpents en liberté.

Une idée, cependant, lui causait du souci : "Cet homme pourrait bien m'avoir attiré dans un guet-apens, se disait-il. S'il me tue et m'enterre dans le désert comme j'ai enterré Qidra, elle ne saura jamais que je suis mort par amour pour elle."

— Tu as du travail ? demanda soudain Balqiti, interrompant la rêverie de son invité.

— J'en trouverai, déclara celui-ci, se rappelant soudain qu'il ne lui restait que quelques piécettes en poche. Je suis prêt à faire n'importe quoi.

— Peut-être que tu n'en as pas besoin dans l'immédiat ?

— Au contraire, protesta-t-il, vaguement inquiet. Le plus tôt sera le mieux.

— Tu as une carrure à faire un bon *futuwwa*.

— Non, j'ai horreur de la violence.

— Que faisais-tu dans ton ancien quartier ?

— Je travaillais à l'administration du *waqf*, avoua Gabal après une courte hésitation.

— Aïe, mon pauvre garçon ! Et pourquoi as-tu abandonné une si belle existence ?

— Que veux-tu, c'est la vie !

— Une histoire de femme, peut-être ? poursuivit Balqiti avec un sourire égrillard.

— Crains Dieu ! se récria Gabal. De tels propos conviennent-ils à un homme respectable comme toi ?

— Tu te méfies encore de moi, hein ? Cela ne fait rien : bientôt tu t'apprivoiseras et tu me raconteras tous tes secrets.

— Peut-être…

— Tu as de l'argent ?

— Un petit peu, mais pas assez pour me dispenser de travailler.

— On ne te la fait pas, hein ? ricana Balqiti avec un clin d'œil. Tu sais, tu ferais un bon charmeur de serpents : nous pourrions nous associer. Ne prends pas cet air étonné : je ne suis plus tout jeune, et j'ai besoin d'un aide.

Bien qu'il ne prît pas cette proposition au sérieux, Gabal ressentait un besoin profond de renforcer ses liens avec son étrange hôte. Il allait ouvrir la bouche, quand celui-ci l'interrompit :

— Nous y réfléchirons à loisir. Pour le moment…

Il se leva, s'empara du brasero et sortit, manifestement pour l'allumer.

Vers la fin de l'après-midi, les deux hommes sortirent ensemble. Pendant que Balqiti faisait sa tournée, Gabal alla flâner au souk, et en profita pour faire quelques achats. Le soir venu, il retourna vers la maison isolée au bord du désert, se guidant sur un rai de lumière qui filtrait à travers la fenêtre. Lorsqu'il arriva à proximité, le bruit d'une discussion animée frappa son oreille, et, sans l'avoir voulu, il ne put s'empêcher d'entendre Sayyida qui déclarait :

— Si ce que tu dis est vrai, père, il s'agit d'un criminel en fuite ; or nous n'avons aucun moyen de pression sur les *futuwwas* du quartier.

— Pourtant, il n'a pas l'air d'un criminel, objecta Chafiqa.

— Tu le connais donc si bien que ça, ma petite vipère ? glissa Balqiti d'un ton ironique.

— En ce cas, pourquoi aurait-il quitté une vie agréable et prospère ? insista Sayyida.

— Il n'y a rien d'étonnant à ce qu'un homme fuie un quartier bien connu pour le nombre de ses *futuwwas*, rétorqua sa sœur.

— Je me demande bien comment tu sais tout ça. Tu l'as lu dans le marc de café peut-être ? ironisa Sayyida.

— Voilà ce que c'est que de fréquenter les serpents, commenta Balqiti avec un soupir de feint désespoir. J'ai engendré deux vipères.

— Tu comptes vraiment installer chez nous un homme dont tu ne sais rien ?

— Je sais beaucoup de choses sur lui, et je finirai par tout savoir : mes yeux ne sont pas si mauvais que vous le croyez. Et puis, si je l'ai invité c'est parce qu'il s'est comporté en homme d'honneur. Un point, c'est tout : je ne reviendrai pas sur ma décision.

En d'autres circonstances, Gabal n'aurait pas hésité à s'en aller sans rien dire : avait-il hésité à abandonner son ancienne vie, si plaisante et confortable ? Mais il ne pouvait résister à la force qui l'attirait vers cette maison. Son cœur s'enivra de joie en entendant la voix de celle qui le défendait, cette voix compatissante qui dissipait la solitude de la nuit et du désert, et donnait au mince croissant de lune qui brillait au-dessus de la montagne l'apparence d'un sourire amical dans les ténèbres.

Après avoir laissé passer quelques instants, il toussa pour avertir de sa présence, puis frappa à la porte. Balqiti vint lui ouvrir, le visage éclairé par la lampe qu'il tenait à la main. Les deux hommes se rendirent dans leur chambre ; avant de s'asseoir sur le divan, Gabal posa sur le plateau un petit paquet qu'il tenait à la main.

— Quelques dattes, un bout de fromage, un peu de halva et de la *taameyya* toute chaude, déclara-t-il en réponse au regard interrogateur de son hôte.

— Les meilleures nuits sont celles qu'on passe entre ça et ça, approuva celui-ci, montrant successivement le narguilé et le paquet. Pas vrai, fils de Gabalawi ?

Malgré lui, le jeune homme sentit son cœur bondir dans sa poitrine. Son imagination lui représenta soudain le visage souriant de la *hanem*, le jardin embaumé de jasmin, bruissant du gazouillement des oiseaux et du soupir des jets d'eau, la tranquillité, la paix, les longues rêveries, le bonheur perdu. Il lui sembla qu'il allait se noyer dans un désespoir sans fond ; mais l'instant d'après une vague de joie le ramena vers la terre ferme, vers la jolie fille au cœur tendre, vers la force mystérieuse qui l'attachait à cette maison pleine de serpents.

— Que la vie est douce sous ton toit, mon oncle ! soupira-t-il dans un soudain accès d'enthousiasme, pendant qu'un courant d'air faisait trembler la flamme de la lampe.

35

Tourmenté par l'appréhension, Gabal mit longtemps à s'endormir. Maintes visions horribles se présentaient devant ses yeux, filles des ténèbres de la nuit dans une maison étrangère ; dans l'une d'elles, l'image de sa bien-aimée lui apparaissait sous la forme d'une pluie de pétales de jasmin tombant sur un sol couvert de mauvaises herbes, grouillant de vermine et d'insectes malfaisants.

L'objet de sa crainte n'était pas tant les serpents qu'une possible trahison de la part de cet homme qui semblait ronfler si tranquillement dans l'obscurité, quelque part près de lui. Mais qui sait si ce ronflement n'était pas une feinte ? Il n'avait plus confiance en rien ni personne : cet imbécile de Daabis, qui lui devait pourtant la vie, allait sûrement vendre la mèche. Du coup, Zoqlot se déchaînerait, sa mère pleurerait, et une nouvelle flambée de violence embraserait ce quartier maudit. Et jusqu'à ce tendre sentiment qui l'avait conduit dans cette maison, dans la chambre de son compagnon le charmeur de serpents : vivrait-il assez longtemps pour manifester clairement ses intentions, comme il convenait à un homme d'honneur de le faire ?

Bref, il ne s'endormit qu'un peu avant l'aube. Quand il s'éveilla, la lumière entrait à flots par la fenêtre fermée. Soulevant ses paupières encore lourdes de sommeil, il vit Balqiti assis sur son lit : penché en avant, il se massait les jambes de ses mains aux veines bleuâtres, à travers la couverture. Le jeune homme ne put s'empêcher de sourire, en dépit du manque de sommeil qui lui faisait la tête lourde et douloureuse, et il envoya à tous les diables les fantômes qui viennent se nicher, la nuit, dans votre tête, et que la lumière du jour disperse comme autant de chauves-souris. "Et pourtant, se dit-il, de telles chimères ne sont-elles pas de nature à inquiéter un assassin ? Oui, sans doute, notre noble et glorieuse famille a le crime dans le sang !"

Balqiti bâilla à grand bruit, avec un curieux sifflement qui n'était pas sans évoquer celui du naja ; puis sa poitrine se souleva convulsivement, et il fut pris d'une violente et interminable quinte de toux, qui faillit lui faire jaillir les yeux hors de la tête. Sa crise passée, le vieil homme poussa un profond soupir.

— Bonjour, risqua alors Gabal en se mettant sur son séant.

— Bonjour, maître Gabal, répondit l'autre, le visage encore congestionné par la toux. Tu n'as guère dormi cette nuit, on dirait ?

— Pourquoi, tu trouves que j'ai mauvaise mine ?

— Non, mais tu as passé ton temps à te retourner dans le noir et à lever la tête pour m'observer, comme si tu n'étais pas tranquille…

"Ah ! le rusé serpent ! Tout ce que je demande, pour l'amour de deux yeux noirs, c'est que tu ne sois pas venimeux !"

— En effet, concéda Gabal, j'ai eu un peu de mal à m'endormir : je ne suis pas encore familiarisé avec la maison.

— Non mon garçon ! rétorqua Balqiti en riant. Si tu as mal dormi, c'est parce que tu avais peur de moi, c'est tout ! Tu te disais : “Il va sûrement m'assassiner pour me voler, et puis il m'enterrera quelque part dans le désert, comme j'ai enterré l'homme que j'ai tué !”

— Tu…

— Ecoute-moi, Gabal : il n'y a rien de plus malfaisant que la peur. C'est quand ils ont peur que les serpents mordent.

— Je t'assure que tu as cru lire dans mon cœur ce qui n'y était pas ! protesta Gabal, essayant de dissimuler le sentiment de défaite qui l'habitait.

— Tu sais bien que j'ai dit la vérité, mon petit bureaucrate au chômage !

Une voix s'éleva quelque part dans la maison :

— Viens ici, Sayyida !

L'âme de Gabal s'illumina d'une joie soudaine : ce nid de serpents abritait aussi une colombe. Une colombe qui avait pris sa défense, et qui l'avait attiré vers l'arbre verdoyant de l'espérance.

— On se lève tôt, dans cette maison, fit observer Balqiti. Les filles sortent à l'aube chercher de l'eau et du *medammes* pour leur vieux père, avant de le flanquer à la porte avec son panier à serpents, pour qu'il aille gagner de quoi manger pour tout le monde.

La paix entra dans l'âme du jeune homme, et il ressentit un élan d'affection pour cette famille qui l'avait adopté. Un besoin irrépressible le poussa à ouvrir son cœur, sans plus se soucier des conséquences.

— Ecoute, maître, je vais te raconter toute mon histoire, commença-t-il.

Balqiti sourit sans rien dire et continua à se frotter les jambes.

— Voilà : j'ai en effet tué un homme, comme tu l'as deviné mais j'avais mes raisons…

Il lui rapporta tout ce qui s'était passé le jour où il avait tué Qidra.

— Quelle bande de crapules ! s'écria Balqiti quand il eut terminé. Quant à toi, tu t'es comporté en homme d'honneur : je ne m'étais pas trompé sur ton compte. Et maintenant, poursuivit-il en se redressant, un secret en mérite un autre : sache que moi aussi, je suis originaire du quartier Gabalawi.

— Toi !

— Eh oui ! Je me suis enfui tout jeune, pour ne plus avoir à supporter les *futuwwas*.

— Ils sont le fléau de notre quartier ! approuva machinalement le jeune homme, encore tout étonné par la révélation qu'il venait d'entendre.

— Oui, et pourtant nous restons attachés à notre ancien quartier, malgré les *futuwwas*. C'est pourquoi je t'ai pris en affection dès que j'ai su d'où tu venais.

— Et de quel secteur étais-tu ?

— Du secteur des Hamdanites, comme toi !

— Ça alors ! Quelle surprise !

— Il n'y a rien d'étonnant en ce bas monde. Mais tout cela, c'est de l'histoire ancienne : plus personne ne me connaît là-bas, pas même la vieille Tamarhanna, bien que nous soyons plus ou moins cousins.

— Je la connais bien, c'est une femme courageuse… Mais dis-moi, avec quel *futuwwa* avais-tu des problèmes ? Zoqlot ?

— Zoqlot ? A l'époque, ce n'était qu'un minable petit *futuwwa* de secteur !

— Eh oui, comme je disais, ils ont toujours été la plaie du quartier.

— Je crache sur le passé et tout ce qu'il contient ! conclut Balqiti. Quant à toi, il ne faut plus penser désormais qu'à l'avenir. Je te le dis encore une fois, tu ferais un bon charmeur de serpents. J'ai un bon circuit, vers le sud, loin de notre ancien quartier ; et de toute façon vos *futuwwas* ne mettent pas le pied ici.

Gabal, cela va sans dire, ignorait le premier mot de cet étrange métier ; si la proposition lui plaisait, c'était seulement dans la mesure où elle lui donnait le moyen de rester auprès de cette famille.

— Tu crois que je ferais l'affaire ? demanda-t-il d'une voix qui indiquait clairement qu'il était d'accord.

Le vieil homme bondit hors de son lit avec l'agilité d'un acrobate et se tint devant lui, se dressant de toute sa courte taille ; le col de sa tunique, largement ouvert, laissait apparaître l'épaisse toison blanche qui lui couvrait la poitrine.

— Tu es d'accord ! Je ne m'étais pas trompé sur toi ! s'écria-t-il d'un ton satisfait. Je t'assure, poursuivit-il en serrant la main que lui tendait Gabal, tu m'es encore plus sympathique que tous mes serpents !

Eclatant d'un rire joyeux et limpide, le jeune homme retint la main de son hôte, qui lui jeta un regard interrogateur.

— Maîte Balqiti, déclara-t-il, incapable de cacher son secret plus longtemps, j'ai l'honneur de solliciter l'alliance de la maison.

— Tu parles sérieusement ? demanda l'autre, une lueur amusée au fond de ses petits yeux rougis.

— Je le jure par le Maître des cieux !

— Eh bien, à la bonne heure ! Je me demandais quand tu allais te décider à aborder la question. Mais oui, mon bon Gabal, je ne suis pas aussi bête que tu le crois ! Enfin, tu es un homme à qui je puis promettre ma fille en toute tranquillité d'esprit. Et, Dieu merci, Sayyida fera une excellente épouse, comme sa mère avant elle.

A ces mots, le large sourire de Gabal se rétrécit à vue d'œil, comme une fleur trop épanouie qui commence à se faner aux extrémités. Il craignit de voir s'évanouir son beau rêve au moment même où il était presque à sa portée.

— … mais c'est Chafiqa que tu veux ! conclut Balqiti en éclatant de rire. Mais oui, mais oui, mon garçon, entre ce que j'ai lu dans tes yeux, ce que m'a dit ma cadette et ce que j'ai appris en fréquentant les serpents, je suis au courant de tout. Pardonne-moi cette plaisanterie : c'est notre façon, à nous autres amuseurs publics, de conclure ce genre d'affaires.

Gabal poussa un profond soupir ; sa poitrine se remplit de la fraîcheur de la paix et de la satisfaction. D'un coup, il retrouva l'entrain et l'énergie de la jeunesse. Il ne pensait plus à sa vie passée, au luxe et au prestige qu'il avait laissés derrière lui : qu'un voile impénétrable recouvre le passé, que l'oubli avale à jamais les peines et les chagrins, et, plus que tout, le souvenir d'un amour maternel perdu à jamais !

Lorsque le soleil fut haut sur l'horizon, Sayyida poussa le youyou rituel, et l'heureuse nouvelle se répandit dans les quartiers avoisinants.

Le soir même, le Souk el-Muqattam vit passer le cortège de noces de Gabal.

36

— Passer son temps à manger, boire et faire l'amour, c'est bon pour les coqs et les lapins, mais ce n'est pas une vie d'homme ! déclara Balqiti d'un ton ironiquement sentencieux. Avec tout ça, tu n'as rien appris, et tu es presque au bout de ton argent.

Les deux hommes étaient assis sur une peau de mouton devant la porte de la maison. Gabal, les jambes paresseusement étendues dans le sable chauffé par le soleil, arborait un air satisfait et béat.

— Notre aïeul Adham a vécu et est mort en soupirant après la vie calme et innocente du jardin de la Grande Maison, déclara-t-il.

— Viens vite, Chafiqa ! cria l'autre en éclatant de rire. Viens porter secours à ton mari avant qu'il ne meure d'une flemmingite aiguë !

La jeune femme apparut sur le seuil de la maison, tenant à la main le plateau sur lequel elle triait des lentilles, coiffée d'un foulard rouge sombre qui faisait ressortir l'éclat de son teint.

— Qu'y a-t-il, père ? demanda-t-elle sans lever les yeux de son travail.

— Ton mari n'aspire qu'à deux choses : te plaire et vivre sans rien faire !

— Et comment espère-t-il me plaire s'il me laisse mourir de faim ? plaisanta Chafiqa.

— Ça, c'est le secret du prestidigitateur ! répondit Gabal sur le même ton.

— Veux-tu bien ne pas te moquer du plus difficile des métiers ! protesta Balqiti en lui décochant une bourrade affectueuse dans les côtes. Dis-moi un peu : comment t'y prendrais-tu pour cacher un œuf dans la poche d'un spectateur et le retrouver dans celle d'un autre ? ou pour transformer une bille en poussin ? ou pour faire danser un serpent ?

— Apprends-lui tout ça, père ! approuva Chafiqa, l'œil brillant. Ça lui fera du bien : tout ce qu'il sait faire, c'est rester assis sur un fauteuil confortable dans les bureaux du *waqf*.

— Eh bien, au travail ! conclut Balqiti en se levant et en entrant dans la maison.

Pendant ce temps, Gabal contemplait sa femme avec admiration.

— La femme de Zoqlot est mille fois moins belle que toi, et pourtant elle passe ses journées sur un divan moelleux, et ses soirées dans un jardin qui embaume le jasmin, parmi le bruissement des jets d'eau, déclara-t-il.

— Eh oui, telle est la vie de ceux qui volent le pain des autres, observa la jeune femme avec une ironie teintée d'amertume.

— Et pourtant, il existe une voie qui mène au bonheur parfait, poursuivit-il en se grattant la tête d'un air pensif.

— Ne rêve pas ! Tu ne rêvais pas quand tu m'as aidée au souk. Tu ne rêvais pas quand tu m'as défendue contre les voyous. Et c'est à cause de cela que je t'ai aimé.

Gabal eut soudain envie de l'embrasser. Il était persuadé d'en savoir plus qu'elle sur ce point, mais cela ne l'empêchait pas de respecter le point de vue qu'elle venait d'exprimer.

— Quant à moi, je t'ai aimée sans aucune raison, comme ça, déclara-t-il.

— Par ici, il n'y a que les fous qui rêvent.

— Eh bien, que veux-tu que je fasse, ma belle ?

— Je voudrais que tu sois aussi travailleur que mon père.

— Alors, pourquoi es-tu si belle ?

Un sourire se dessina sur les lèvres de Chafiqa pendant que ses doigts s'affairaient à trier les lentilles.

— Lorsque j'ai fui mon quartier, j'étais le plus malheureux des hommes, poursuivit-il. Et pourtant, sans cela, je ne t'aurais jamais épousée.

— En quelque sorte, nous devons notre bonheur aux *futuwwas* de ton quartier, de la même façon que mon père doit sa subsistance aux vipères et aux najas !

— Et pourtant, le plus sage des habitants de mon quartier était certain qu'il y avait un moyen permettant à tous de vivre heureux dans les jardins, sans rien faire d'autre que de chanter...

— Encore tes rêveries ! Allez, voici mon père qui arrive avec son panier à serpents, va le rejoindre et que Dieu te garde.

Gabal se leva et rejoignit son beau-père ; les deux hommes s'éloignèrent par le chemin habituel.

— Tâche d'apprendre par les yeux comme tu apprends par la tête, recommanda Balqiti. Regarde comment je fais, et surtout ne me pose pas de questions devant les gens. Plus tard, je t'expliquerai ce que tu n'auras pas compris.

Gabal trouva le métier réellement difficile ; mais, dès le début, il le prit au sérieux et se donna pour but de le maîtriser complètement, quel que fût l'effort à fournir. A vrai dire, il n'avait guère le choix, à moins qu'il acceptât de devenir marchand ambulant, *futuwwa*, voleur à la tire ou bandit de grands chemins. Pour le reste, son nouveau quartier ne différait en rien de l'ancien, à part le *waqf* et les récits qui couraient sur son compte. Il ne gardait plus aucune nostalgie de ses rêves d'autrefois, du souvenir de sa gloire passée, ni des folles espérances pour lesquelles les Hamdanites avaient tant souffert, comme Adham avait souffert avant eux. Il avait décidé d'oublier le passé en s'absorbant entièrement dans sa nouvelle vie, en l'acceptant pleinement et sans restriction. Au reste, il trouvait auprès d'une épouse aimante et aimée la consolation de tous ses chagrins, et de toutes les blessures d'amour-propre qu'il subissait au cours de ses tournées.

Etant ainsi parvenu à surmonter ses peines et ses souvenirs douloureux, il fit de si rapides progrès dans son nouveau métier qu'il étonna Balqiti lui-même. Il s'exerçait jour et nuit dans le désert : les jours et les semaines passaient sans que sa résolution faiblît ou qu'il ressentît de l'ennui. Il apprit à connaître tous les quartiers et toutes les impasses. Il se familiarisa avec les serpents. Il se produisit devant des milliers d'enfants. Il connut les joies du succès et du gain, et celles, mille fois plus vives, d'une paternité prochaine.

Le soir, après son travail, il s'étendait sur le dos et contemplait les étoiles. Il passait les soirées à fumer le narguilé avec Balqiti et à lui raconter les histoires qu'il avait entendu jadis réciter au son du *rebab* dans le café de Hamdan.

De temps en temps, il se demandait où était le vieux Gabalawi. Et un jour où Chafiqa exprimait son inquiétude que les souvenirs du passé ne viennent empoisonner sa vie présente, il lui lança :

— L'enfant que tu portes dans ton ventre est de la même lignée que ces gens-là. Le clan de Hamdan est son clan, l'*efendi* est un margoulin et Zoqlot une crapule : comment peut-on vivre heureux avec des gens pareils ?

Un beau jour qu'il montrait ses tours dans le quartier de Zeinhom, au milieu d'une foule d'enfants, il aperçut soudain Daabis, qui s'était frayé un chemin jusqu'au premier rang et le contemplait d'un air ébahi. Troublé, Gabal détourna les yeux ; mais son émotion était si vive qu'il ne put continuer son numéro et dut s'arrêter, malgré les protestations de son public. Il ramassa son sac, et s'éloigna rapidement ; mais Daabis ne fut pas long à le rattraper.

— Hé, Gabal ! Je ne rêve pas, c'est bien toi, Gabal !

— Oui, c'est bien moi ! répondit celui-ci en s'arrêtant et en se retournant. Qu'est-ce qui t'amène par ici, Daabis ?

— Ça alors ! s'étonna l'autre, toujours sous le coup de la surprise. Gabal qui est devenu charmeur de serpents ! Où as-tu appris ce métier-là ?

— Tu sais, il y a des choses encore plus bizarres de par le monde.

L'un suivant l'autre, les deux hommes parvinrent aux pentes du Muqattam et s'assirent à l'ombre d'un monticule. L'endroit était désert à l'exception d'un troupeau de moutons en train de paître, et d'un berger qui avait ôté sa djellaba et, assis tout nu, était en train de l'épouiller.

— Pourquoi t'es-tu enfui, Gabal ? insista Daabis en dévisageant son compagnon. Tu me croyais vraiment capable de te trahir ? Je te jure devant Dieu que je ne trahirai jamais aucun Hamdanite, même cette canaille de Kaabelha ! Et d'ailleurs, quel intérêt aurais-je à te trahir ? Pour les beaux yeux de l'*efendi* ou de Zoqlot ?

Que le Maître des cieux les envoie tous rôtir en enfer ! Ah ! on peut dire qu'ils ont demandé après toi, ces deux-là ! Même qu'à chaque fois, j'en avais des sueurs froides.

— Au fait, l'interrompit Gabal, comment se fait-il que tu sois dehors ? Tu n'as pas peur des conséquences ?

— Pour ça, il y a belle lurette que le blocus est levé ! répondit l'autre en agitant la main d'un air dédaigneux. Aujourd'hui, tout le monde se moque bien de Qidra et de celui qui l'a tué. A ce qu'il paraît, c'est Houda *hanem* qui nous a sauvés, autrement nous étions morts de faim. Mais nous sommes condamnés à l'indignité perpétuelle : nous n'avons plus ni café ni honneur. Nous sommes obligés d'aller travailler loin du quartier et le soir nous sommes consignés entre nos quatre murs. Et chaque fois que l'un de nous tombe sur un *futuwwa*, il est bon pour une claque ou un crachat dans la figure. De nos jours, même la boue du quartier, ils la respectent plus que nous, mon vieux Gabal… Toi, au moins, tu as de la chance d'avoir émigré.

— Laisse ma chance tranquille, lança Gabal impatienté. Dis-moi plutôt, il n'y a pas eu de malheur ?

Daabis ramassa un caillou et le lança au loin.

— Dix des nôtres sont morts pendant le blocus, avoua-t-il enfin.

— Seigneur !

— C'était pour venger Qidra, ce chien fils de chienne ! Enfin, ce n'était pas des gens de notre immeuble…

— Et alors ? lui jeta Gabal avec colère. Est-ce que ce n'était pas des Hamdanites ?

Daabis, honteux, baissa la tête et murmura une excuse inaudible.

— Et les autres, les vernis, ils en sont quittes pour quelques gifles et quelques crachats ! poursuivit Gabal avec amertume.

Il se sentait responsable de la mort de ces malheureux, et le chagrin lui serrait le cœur. Il ressentait un remords cuisant pour chacun des instants de paix qu'il avait connus depuis son départ. Aussi fut-il profondément choqué quand Daabis lui dit :

— Tu es probablement le seul homme heureux aujourd'hui parmi les Hamdanites !

— Pas un jour je n'ai cessé de me faire du souci pour vous ! protesta-t-il.

— D'accord, mais tu es loin de tous ces malheurs et ces embêtements.

— Je n'ai pas fui mon passé.

— Ne te gâche pas la vie pour rien : de toute façon, il n'y a plus d'espoir.

— Il n'y a plus d'espoir ! répéta Gabal d'un ton accablé.

Daabis lui jeta un regard intrigué, mais se garda de lui adresser la parole, par respect pour la douleur qui marquait son visage. Il baissa les yeux vers le sol, se perdant dans la contemplation d'un scarabée qui courait lourdement vers un tas de pierres, sous lequel il finit par disparaître. Le berger secouait sa djellaba avant d'en revêtir son corps tanné par le soleil.

— En réalité, je n'ai jamais été heureux qu'en apparence, déclara soudain Gabal.

Daabis ne trouva rien à répondre qu'une formule de politesse un peu creuse :

— Si quelqu'un méritait d'être heureux, c'était bien toi.

— Je me suis marié, j'ai trouvé un nouveau travail, comme tu vois, et pourtant il y avait toujours cette petite voix insistante qui troublait mon sommeil…

— Que Dieu te bénisse ! Et où habites-tu ?

— Comment vivre heureux, quand il y a de telles ordures au monde ?

— C'est bien vrai, mais comment s'en débarrasser ?

La voix du berger s'éleva soudain dans le silence ; il s'avança vers son troupeau, son bâton sous le bras, en chantant quelque chose d'indistinct.

— Comment puis-je te retrouver ? demanda Daabis.

— A Souk el-Muqattam : tu te feras indiquer la maison de Baldiqi, le charmeur de serpents. Mais garde-moi le secret pour le moment.

Daabis se leva, serra la main de son compagnon et s'en fut, pendant que l'autre le suivait d'un regard plein de tristesse.

37

On approchait de minuit. Le quartier Gabalawi était presque entièrement plongé dans l'obscurité : seuls quelques rais de lumière filtraient sous les portes des cafés, à demi fermées contre le froid. Pas une seule étoile ne brillait dans le ciel d'hiver. Les enfants étaient claquemurés dans les chambres, et même les chiens et les chats errants s'étaient réfugiés dans les cours. Du silence profond qui recouvrait le quartier s'élevaient les accents monotones du *rebab*, accompagnant la voix du conteur rabâchant de vieilles histoires. Quant au secteur des Hamdanites, il était plongé dans une obscurité et un silence absolus.

Deux formes indistinctes apparurent du côté du désert, longèrent les murs de la Grande Maison, passèrent devant la demeure de l'*efendi*, prirent la direction du secteur hamdanite, s'arrêtèrent devant l'immeuble central et frappèrent à la porte un coup qui résonna comme un battement de tambour dans le silence nocturne. Hamdan lui-même vint ouvrir, l'air inquiet ; il éleva la lampe qu'il tenait à la main pour mieux distinguer le visage de ce visiteur nocturne et s'écria d'un ton ébahi :

— Gabal !

Il s'effaça pour laisser le passage. Gabal entra, lourdement chargé d'un gros balluchon et de son panier à serpents ; sa femme le suivait, un autre balluchon à la main. Les deux hommes se donnèrent l'accolade. Hamdan jeta un coup d'œil rapide à la jeune femme et vit qu'elle était enceinte.

— C'est ta dame ? dit-il. Vous êtes les bienvenus tous les deux. Suivez-moi tranquillement, il n'y a pas le feu !

Ils franchirent un long passage couvert qui les mena dans la grande cour centrale, puis ils gravirent l'escalier étroit qui menait à l'appartement de Hamdan. Pendant que Chafiqa se retirait dans la pièce réservée aux femmes, Hamdan conduisit son visiteur dans une vaste chambre pourvue d'un balcon qui donnait sur la cour intérieure. La nouvelle du retour de Gabal ne tarda pas à se répandre dans l'immeuble, et un grand nombre d'hommes du clan vinrent lui souhaiter la bienvenue, notamment Daabis, Atris, Dolma, Ali-Loupiotes, Ridwan le conteur et Abdoun. Tous lui serrèrent chaleureusement la main, avant de s'asseoir sur les coussins, fixant le nouveau venu avec intérêt et curiosité.

Bombardé de questions, Gabal leur rapporta l'essentiel de sa nouvelle vie ; quand il eut terminé, les autres échangèrent des regards tristes, sans rien dire. Ils semblaient brisés, sans ressort, affaiblis au physique comme au moral. Ils lui rapportèrent toutes les humiliations qu'ils avaient dû subir. Daabis les interrompit, disant qu'il avait déjà tout raconté à Gabal lors de leur rencontre, un mois auparavant : aussi s'étonnait-il de le voir revenu.

— Tu viens peut-être nous appeler à émigrer en masse vers ton nouveau quartier ? demanda-t-il d'un ton un peu ironique.

— Non, trancha Gabal. Notre place est ici, et nulle part ailleurs.

A ce moment, la vieille Tamarhanna pénétra dans la pièce, apportant le thé. Elle en profita pour saluer chaleureusement Gabal, lui dire le plus grand bien de son épouse, et lui prophétisant la naissance d'un garçon.

— Remarque, ce n'est pas qu'il y ait une grande différence entre les hommes et les femmes, chez nous, poursuivit-elle malicieusement.

Hamdan lui lança une bordée d'injures pendant qu'elle s'esquivait, mais le cœur n'y était pas ; les regards abattus de l'assistance contenaient l'aveu muet qu'elle avait raison. Le nuage de tristesse qui pesait sur l'assemblée s'appesantit encore ; les verres de thé restaient intacts.

— Pourquoi es-tu revenu, Gabal ? demanda soudain Ridwan le conteur. Tu n'es pourtant pas habitué à l'humiliation.

— Et, je vous l'avais bien dit ! intervint Hamdan avec une nuance de triomphe dans la voix : mieux vaut supporter courageusement l'adversité parmi les siens que de traîner misérablement chez des étrangers qui finiront par vous prendre en grippe !

— Non, ce n'est pas ce que tu crois, coupa Gabal.

L'autre hocha la tête d'un air dubitatif. Un silence gêné s'installa à nouveau.

— Eh bien, les gars, si on le laissait se reposer ? finit par proposer Daabis.

— Je ne suis pas venu pour me reposer, mais pour vous parler de choses importantes, déclara Gabal en leur faisant signe de ne pas bouger. Oui, de choses beaucoup plus importantes que vous ne le croyez.

Tous lui jetèrent un regard étonné ; Ridwan grommela une formule destinée à conjurer le malheur.

— J'aurais pu passer toute ma vie dans ma nouvelle famille sans penser une seule fois à revenir ici, poursuivit Gabal. Mais, il y a quelques jours de cela, j'ai soudain eu envie de partir me promener, seul, malgré le froid et la nuit ; sans que je m'en rende compte, mes pas m'ont porté jusqu'au terrain vague qui surplombe notre quartier. Je ne m'en étais pas approché depuis ma fuite. Il faisait noir comme dans un four : même les étoiles se cachaient derrière les nuages. Soudain, je me suis trouvé devant une silhouette gigantesque. Tout d'abord, j'ai cru que c'était un *futuwwa*, mais je me suis vite aperçu qu'il n'en était rien : ni dans notre quartier ni nulle part ailleurs, on n'a jamais vu un homme aussi grand et imposant. Frappé de terreur, j'ai fait mine de reculer, quand soudain il m'a interpellé d'une voix étrange : "Reste où tu es, Gabal !" Je suis resté cloué sur place, tremblant de peur. "Qui… qui es-tu ?" ai-je balbutié.

Arrivé à ce point, Gabal s'interrompit ; les autres, captivés, tendaient le cou vers lui.

— C'était quelqu'un du quartier ? hasarda Dolma.

— Mais non ! rétorqua Atris. Il a bien dit qu'il ne ressemblait à personne du quartier ni de nulle part ailleurs !

— Voici ce qu'il m'a dit, poursuivit Gabal : "N'aie pas peur, je suis ton ancêtre, Gabalawi."

Des cris d'étonnement fusèrent de tous les coins de la pièce ; les hommes échangèrent des regards troublés.

— Là, tu te paies notre tête, hein ? demanda Hamdan.

— Pas du tout ! Je vous ai dit toute la vérité et rien que la vérité.

— Et tu n'avais pas bu un coup de trop, par hasard ? risqua Ali-Loupiotes.

— La boisson ne m'a jamais encore fait perdre la tête ! rétorqua Gabal dont le visage commençait à s'empourprer de colère. Je vous dis que je l'ai entendu de mes propres oreilles : "N'aie pas peur, je suis ton ancêtre Gabalawi."

— Pourtant, ça fait des années qu'il ne sort plus de chez lui et qu'on ne l'a pas revu, intervint Hamdan, volontairement conciliant.

— Qu'en savons-nous ? Peut-être sort-il de chez lui toutes les nuits sans que personne s'en rende compte !

— Tout de même, personne ne l'a jamais rencontré, à part toi.

— Oui, mais moi je l'ai rencontré !

— Ne te fâche pas, Gabal : je ne mets pas ta parole en doute, mais tout le monde peut se tromper. Dis-moi un peu : si le Patriarche est capable de sortir de chez lui, alors comment se fait-il qu'il ait confié l'administration du *waqf* à d'autres ? Et pourquoi laisse-t-il spolier ses descendants de leurs droits ?

— C'est son secret, répondit Gabal d'un air buté.

— Tout de même, il est plus facile de croire ce que tout le monde dit : que c'est à cause de son grand âge et de sa faiblesse qu'il s'est retiré dans sa maison.

— Au lieu de discuter, vous feriez mieux de nous laisser entendre la suite de l'histoire, s'il y en a une ! interrompit Daabis.

— Je lui ai dit alors : "Jamais je n'aurais cru que je te rencontrerais en cette vie." J'essayais d'apercevoir son visage, au-dessus de moi, dans l'obscurité. "Tant qu'il fera nuit, tu ne pourras pas me voir, m'a-t-il déclaré. – Mais toi, tu me vois bien ? – C'est que je me suis habitué à voir dans les ténèbres, depuis le temps où je parcourais le désert, avant que le quartier ne fût construit. – En tout cas, loué soit le Seigneur des cieux qui t'a maintenu en si bonne santé. – Toi, Gabal, tu es un homme sur qui on peut compter : tu n'as pas hésité à abandonner une vie heureuse et insouciante par solidarité pour ton clan. Or, ton clan est mon clan, et c'est à lui que revient le *waqf* que j'ai instauré. A lui de reprendre ses droits, de faire respecter son honneur et de conquérir une vie plus belle." Ces paroles m'ont soudain rempli d'enthousiasme et de confiance. "Comment y parviendrons-nous ? lui ai-je demandé. – C'est par la force que vous renverserez l'oppresseur, que vous recouvrerez votre droit, et que vous vivrez sans crainte. – Nous serons forts ! me suis-je écrié du fond du cœur. – Alors, m'a-t-il dit, le succès vous accompagnera."

La voix de Gabal s'éteignit dans le silence. Comme sous le coup d'un enchantement, les hommes restèrent un moment immobiles et pensifs ; puis ils tournèrent leurs regards vers Hamdan, attendant qu'il prenne la parole.

— Voilà une histoire qu'il nous faudra longuement méditer, déclara ce dernier.

— Ça ne ressemble pas à une hallucination d'après boire ! s'exclama Daabis. Je suis sûr que tout cela est vrai.

— Tu as raison, approuva Dolma : si c'est une hallucination, alors nos droits aussi en sont une !

Mais Hamdan gardait une certaine réserve.

— Tu ne lui as pas demandé ce qui l'empêchait de rétablir la justice lui-même ? et pourquoi il a confié l'administration du *waqf* à des gens incapables de respecter le droit des autres ? demanda-t-il.

— Non, je ne le lui ai pas demandé ! fit Gabal, agacé. Je ne pouvais pas. Si tu avais été à ma place, toi non plus tu n'aurais pas eu l'idée de lui demander des comptes ou de douter de lui…

— En tout cas, ces paroles sont bien dignes du vieux Gabalawi, acquiesça l'autre. Mais il serait mieux avisé de les mettre lui-même en pratique.

— Eh bien, vous n'avez qu'à rester assis sur vos fesses à attendre bien gentiment de crever dans la misère ! éclata Daabis.

Ridwan le conteur toussota avant de déclarer d'un air méfiant :

— Ce sont de belles paroles, seulement il faudrait penser où tout ça va nous entraîner…

— Oui, acquiesça Hamdan. Nous avons essayé une fois de faire valoir une partie de nos droits : vous savez comment ça a fini.

— Et de quoi on a peur ? s'exclama soudain le jeune Abdoun. De toute façon, rien ne peut être pire que notre vie d'à présent !

— Ce n'est pas pour moi que j'ai peur, mais pour vous, rétorqua Hamdan d'un ton embarrassé.

— Eh bien j'irai seul voir l'intendant ! déclara Gabal, méprisant.

— On sera avec toi ! reprit Daabis en se rapprochant de lui. N'oubliez pas que Gabalawi lui a promis le succès.

— J'irai seul, et le jour où je l'aurai décidé, trancha Gabal. Tout ce que je vous demande, c'est d'être tous unis derrière moi, et d'être prêts à répondre à la violence par la violence.

— Avec toi jusqu'à la mort ! s'écria Abdoun, sautant sur ses pieds.

L'enthousiasme du jeune homme se communiqua à Daabis, Atris, Dolma et Ali-Loupiotes. Quant à Ridwan le conteur, il demanda, non sans quelque arrière-pensée, si l'épouse de Gabal était au courant des causes de son retour. Ce dernier leur déclara qu'il avait rapporté toute l'affaire à Balqiti, et que celui-ci lui avait conseillé de bien peser les conséquences ; c'est alors qu'il avait pris sa décision de retourner dans son quartier, et que sa femme avait choisi de le suivre jusqu'au bout.

— Bon ! Eh bien, quand vas-tu chez l'intendant ? demanda Hamdan, d'un ton qui indiquait clairement qu'il s'était rangé à l'avis des autres.

— Quand mon plan sera mûr.

— En attendant, vous allez vous installer chez moi. Je vous trouverai un coin, déclara l'autre en se levant. Demain, il se passera de grandes choses, que l'on contera peut-être un jour au son du *rebab*, en même temps que l'histoire d'Adham. Allons, venez ici et prêtons serment de nous entraider, à la vie à la mort.

A ce moment, ils entendirent Hammouda, le *futuwwa*, qui rentrait à l'aube et qui chantait d'une voix avinée. Mais ils n'y portèrent attention qu'un bref instant : ils tendirent tous la main et prêtèrent serment avec enthousiasme et espoir.

38

Le quartier ne tarda pas à apprendre le retour de Gabal : on le voyait passer, son panier à la main, on voyait sa femme qui se rendait à la Gamaliyya pour faire son marché. On s'intéressait beaucoup à son nouveau métier : c'était la première fois que le quartier comptait un magicien parmi ses habitants. Cependant, il ne se produisait que dans les quartiers avoisinants, jamais dans le sien, et évitait d'utiliser les serpents dans ses tours ; aussi personne ne se doutait-il qu'il maîtrisait cet art.

Il était passé plus d'une fois devant la maison de l'intendant, l'air indifférent comme s'il n'y était jamais entré de sa vie, mais cachant au plus profond de son cœur le désir poignant de revoir sa mère. Hammouda, Laythi, Barakat, Abou Sari' et les autres *futuwwas* s'étaient bien aperçus de sa présence, mais ils s'étaient abstenus de le bousculer et de le maltraiter comme ils le faisaient aux autres Hamdanites : ils se bornaient à le montrer du doigt et à se moquer de son grand sac.

Un jour, il se trouva nez à nez avec Zoqlot ; celui-ci le toisa de ses yeux méchants et se mit en travers de son chemin.

— Où étais-tu passé ? lui lança-t-il.

— J'ai erré par le vaste monde, répondit Gabal d'un ton conciliant.

— N'oublie pas que je suis ton *futuwwa* : j'ai le droit de te poser les questions qu'il me plaît, et toi, tu dois me répondre.

— Eh bien, je t'ai répondu de mon mieux.

— Et qu'est-ce qui t'a fait revenir ?

— Ce qui ramène habituellement un homme à son quartier natal, reprit-il du même ton paisible.

— Eh bien ! Moi, à ta place, je serais resté où j'étais, grogna l'autre d'un ton menaçant.

Soudain, il se rua sur lui ; mais Gabal, comprimant sa colère, fit un pas de côté. A ce moment, il entendit une voix qui l'appelait, du côté de la maison de l'intendant ; tout étonné, il se retourna, et vit le portier qui lui faisait signe. Gabal s'approcha et serra chaleureusement la main du vieil homme ; celui-ci lui demanda de ses nouvelles et lui dit que la *hanem* désirait le voir.

Depuis qu'il était rentré, Gabal s'attendait à cette invitation et l'espérait ardemment : il lui était impossible de se rendre dans la maison de son propre chef, étant donné les circonstances dans lesquelles il en était sorti ; sans compter qu'une telle initiative eût suscité les soupçons de l'intendant et des *futuwwas*. Malgré tout, il n'était pas encore entré que le bruit s'en était répandu dans tout le quartier.

En se dirigeant vers le *selamlik*, il jeta un coup d'œil au jardin, aux grands mûriers et aux sycomores, aux jasmins et aux rosiers. Mais les parfums familiers avaient disparu sous la poigne de l'hiver. Tout baignait dans une lumière douce et égale, comme celle du crépuscule, qui semblait filtrée par les nuages blancs qui recouvraient le ciel.

Se raidissant contre la nostalgie des souvenirs, Gabal monta les marches. Il entra dans la grande salle, où il trouva la *hanem* et son époux qui l'attendaient, assis au fond de la pièce. Il échangea un regard avec sa mère, qui se leva pour l'accueillir ; il lui baisa les mains, et elle l'embrassa tendrement sur le front. Une vague de tendresse et de bonheur s'éleva en lui.

Puis il se tourna vers l'intendant : toujours assis, engoncé dans sa cape, il les observait de ses yeux froids. Gabal lui tendit la main ; l'autre se leva à demi pour la serrer, et se rassit aussitôt. Houda couvait Gabal d'un regard douloureusement étonné : il lui faisait peine à voir, avec son corps émacié enveloppé dans une tunique grossière, serrée à la taille par une large ceinture de cuir, ses pieds chaussés de sandales en loques, ses cheveux ébouriffés couverts d'une calotte crasseuse. "Ainsi donc, voilà la vie que tu as choisie ! semblaient dire ses yeux. Ah ! tu as bien trompé les espérances que j'avais mises en toi !"

Elle lui fit signe de s'asseoir. Gabal prit place sur un siège près d'elle, pendant qu'elle se laissait retomber sur le sien, comme quelqu'un qui abandonne une partie perdue d'avance. Se rendant compte des sentiments qui l'agitaient, il se mit à l'entretenir de sa vie à Souk el-Muqattam, de son nouveau métier, de son mariage. Il parlait d'une voix ferme, égale, s'appliquant à montrer qu'il était content de son existence, en dépit de sa simplicité, et qu'il s'en satisfaisait parfaitement.

— Tu peux vivre comme bon te semble, déclara Houda, agacée. Mais ce que je ne comprends pas, c'est que la première maison à laquelle tu aies frappé lorsque tu es revenu dans ton quartier n'ait pas été celle-ci !

Il faillit lui dire que tel était précisément le but de son retour ; mais il décida qu'il valait mieux attendre un moment plus favorable, et se donner le temps de surmonter l'émotion qui l'étreignait.

— J'espérais toujours entrer dans cette maison, mais je n'ai pas trouvé le courage de vous imposer ma présence, après ce qui s'est passé…

— Alors pourquoi es-tu revenu, si tu vis bien au-dehors ? demanda soudain l'*efendi* d'un ton glacial, ignorant le regard de reproche que lui jetait la *hanem*.

— Peut-être avais-je envie de te rendre visite, répondit Gabal en souriant.

— Il a pourtant fallu que nous t'invitions pour que tu daignes venir nous voir ! protesta Houda d'un ton de doux reproche.

— Mère, je t'assure que je ne me suis jamais rappelé les circonstances qui m'ont obligé à sortir d'ici sans les maudire du fond du cœur, répondit Gabal en baissant la tête.

L'*efendi* lui jeta un regard soupçonneux et s'apprêta à lui demander ce qu'il entendait par là ; mais Houda reprit soudain :

— Tu sais sûrement que nous avons pardonné aux Hamdanites, à cause de toi.

Gabal se rendit compte que le moment était venu de donner à cette paisible réunion de famille le tour qu'il voulait lui donner depuis le début : la bagarre allait commencer.

— La vérité, mère, c'est qu'ils vivent dans une misère pire que la mort, et que plusieurs d'entre eux ont été assassinés.

— C'était des criminels ! lança l'*efendi*, la main crispée sur son chapelet. Ils n'ont eu que ce qu'ils méritaient !

— Ne pouvons-nous pas oublier le passé ? glissa Houda en faisant un geste suppliant.

— Nous ne pouvions pas laisser verser impunément le sang de Qidra ! trancha l'*efendi*.

— Les vrais criminels, ce sont les *futuwwas*, déclara fermement Gabal.

Perdant patience, l'autre se leva d'un bond et apostropha sa femme :

— Tu vois ? Par complaisance pour toi, j'ai accepté de l'inviter chez nous : voilà le résultat !

— J'avais l'intention de venir dans tous les cas, notre maître, reprit Gabal d'une voix ferme. C'est peut-être précisément le sentiment de mes obligations envers vous qui m'a forcé à attendre votre invitation.

— Eh bien, qu'est-ce que tu veux ? demanda l'autre d'un ton méfiant et un peu inquiet.

Gabal le regarda bien en face, sans faiblir. Il se rendait parfaitement compte qu'il était sur le point d'ouvrir la porte à une tempête furieuse ; mais la rencontre qu'il avait faite dans le désert lui donnait un courage inébranlable.

— Je suis venu demander que les Hamdanites soient rétablis dans leurs droits sur le *waqf*, et que la sécurité leur soit désormais garantie.

— Tu oses encore venir nous raconter ces sornettes ! éclata l'autre. Tu as oublié tous les malheurs qui vous sont arrivés depuis que le vieillard gâteux qui vous sert de chef a eu le culot de venir ici avec ses revendications saugrenues ? Ma parole, tu as perdu la raison ! Allez, ouste, je n'ai pas de temps à perdre avec les fous !

— Et moi qui voulais t'inviter à t'installer ici avec ta femme ! s'exclama Houda d'une voix pleine de larmes.

— Je ne fais que répéter ici le souhait d'un homme dont nul ne saurait repousser la moindre demande : notre ancêtre à tous, Gabalawi ! déclara Gabal d'une voix ferme.

Totalement pris au dépourvu, l'*efendi* toisa Gabal d'un air stupéfait, pendant que Houda se levait soudain et, l'air inquiet, posait la main sur l'épaule du jeune homme.

— Gabal, tu ne te sens pas bien ?

— Mais si, mère, je suis en parfaite santé.

— En parfaite santé ! Il dit qu'il est en parfaite santé ! explosa l'*efendi*. Il est bel et bien devenu fou, oui !

— Ecoute-moi jusqu'au bout : tu jugeras par toi-même, poursuivit Gabal du même ton paisible.

Il leur fit le même récit qu'il avait déjà rapporté à ceux de Hamdan ; pendant tout le temps qu'il parla, l'*efendi* l'observa de son air méfiant.

— Le fondateur du *waqf* n'est pas sorti de chez lui depuis qu'il s'est retiré du monde ! fit-il observer quand l'autre eut fini.

— Et pourtant je l'ai rencontré dans le désert, rétorqua Gabal.

— Alors pourquoi ne vient-il pas lui-même me faire part de ses projets ?

— C'est là son secret ; nul ne le sait hormis lui-même.

— Tu étais vraiment fait pour être un prestidigitateur ! s'esclaffa l'intendant. Seulement, moi, il faut autre chose que des tours de passe-passe pour me convaincre. Tout ce qui t'intéresse, c'est de te mettre le *waqf* dans la poche !

— Dieu est témoin que je n'ai rien dit que la stricte vérité, poursuivit Gabal sans se départir de son calme. Prends Gabalawi lui-même pour juge, si tu en es capable… ou bien référons-nous aux Dix Conditions…

— Voleur ! Escroc ! explosa l'autre, l'écume aux lèvres, tremblant de colère. Tu n'échapperas pas à la punition que tu mérites, quand bien même tu te réfugierais au sommet du Muqattam !

— Quel malheur ! gémit Houda. Jamais je n'aurais cru que tu nous causerais tant de tourments, Gabal.

— Quoi ! Tant d'histoires pour la seule raison que je revendique les droits légitimes des miens !

— Tais-toi, escroc ! ivrogne ! hurla l'*efendi*. Qu'est-ce qui m'a fichu ce quartier de fumeurs de haschisch et d'enfants de putains ! Hors de chez moi ! Et si jamais tu reviens me resservir tes boniments, tu te seras condamné à mort, toi et ta bande : je vous ferai égorger comme des moutons !

— Prends garde toi-même à la colère de Gabalawi ! rétorqua Gabal, perdant soudain patience.

L'*efendi* bondit et, de toutes ses forces, abattit son poing sur la large poitrine du jeune homme, qui encaissa le coup sans broncher.

— C'est par respect pour toi que je l'épargne, lança-t-il à la *hanem* avant de s'en aller.

39

Les Hamdanites s'attendaient aux pires catastrophes. Seule la vieille Tamarhanna s'opposait à l'avis général : tant que Gabal resterait à la tête du clan, la *hanem* s'opposerait à ce qu'il fût éliminé, proclamait-elle. Gabal lui-même ne partageait pas cet optimisme : dès lors qu'il s'agissait du *waqf*, plus rien ni personne ne compterait aux yeux de l'*efendi*, s'agît-il de son plus proche parent. Il rappela à ses compagnons le conseil du Patriarche : "Soyez forts et endurants dans l'adversité." Daabis répétait partout que, puisque c'était à cause d'eux que Gabal avait rejeté volontairement le luxe et l'abondance, le moins qu'ils puissent faire était de le soutenir jusqu'au bout ; en outre, ajoutait-il, même si l'épreuve de force échouait, le résultat ne pouvait être pire que leur situation actuelle.

Et, de fait, le clan, malgré sa peur et son angoisse, trouva dans le désespoir le courage et la résolution nécessaires : “Perdu pour perdu, autant y aller”, se répétaient-ils. Seul Ridwan le conteur continuait à soupirer tristement : “Si l'Ancêtre le voulait, il lui suffirait de dire un mot pour nous faire rendre nos droits et nous sauver d'une mort certaine !” Ces paroles défaitistes soulevèrent la colère de Gabal : s'avançant vers lui, il l'empoigna par les épaules et le secoua si violemment qu'il faillit le faire tomber de son siège : “C'est donc ainsi que sont les conteurs, Ridwan ? lui lança-t-il, tout juste capables de chanter la gloire des héros de l'ancien temps ! Mais, quand il faut payer de sa personne, vous êtes les premiers à vous carapater dans tous les trous et à semer la panique ! Ah ! que Dieu maudisse les lâches !” Puis il reprit, se tournant vers l'assemblée : “Le Patriarche vous a honorés plus que tous les autres habitants du quartier : s'il ne vous considérait pas comme ses plus proches descendants, il ne serait pas venu à moi pour me parler, pour nous éclairer la voie et nous promettre son aide ! Eh bien moi, je jure devant Dieu que je me battrai seul s'il le faut !”

Mais il apparut bientôt qu'il ne serait pas seul : tout le clan, hommes et femmes, se rangea derrière lui, et, comme insouciant du danger, s'apprêta à l'épreuve décisive. Gabal se trouva porté à la tête du clan, par un mouvement spontané, sans l'avoir voulu, et sans rencontrer la moindre opposition de la part de Hamdan : celui-ci était plutôt soulagé d'abandonner une position qui l'exposait aux attaques les plus violentes.

Passant outre aux conseils de Hamdan, qui l'enjoignait de rester en sécurité dans l'immeuble, Gabal continuait à faire chaque jour sa tournée habituelle. Bien qu'il s'attendît sans cesse à une attaque, les *futuwwas* le laissèrent en paix, ce qui ne manqua pas de l'étonner ; l'unique explication qui lui vint à l'esprit était que l'*efendi* avait dû s'abstenir d'ébruiter leur dispute, dans l'espoir que lui-même renoncerait à ses revendications, et que l'incident serait ainsi définitivement clos. Il voyait, derrière cette ligne de conduite, les yeux tristes de la *hanem*, et la constance de son amour maternel ; sa tendresse l'inquiéta davantage pour la réussite de son projet que la méchanceté de son époux. Il réfléchit longtemps, cherchant le moyen de précipiter les choses.

Des événements étranges commencèrent à se produire dans le quartier. Un beau jour, des hurlements et des appels au secours fusèrent de l'intérieur d'une maison : c'était une femme qui, alors qu'elle se trouvait dans sa chambre à coucher, avait vu une vipère glisser entre ses pieds. Elle sortit de chez elle en courant et ameuta les voisins ; quelques hommes se portèrent volontaires pour détruire l'animal. Armés de gourdins, ils pénétrèrent dans la maison, et, après avoir fouillé partout, finirent par trouver le serpent qui périt sous une grêle de coups. Ils jetèrent sa dépouille dans la rue, pour la plus grande joie des enfants qui la ramassèrent et se mirent à jouer avec en poussant des cris d'enthousiasme.

Cet incident, sans doute, n'était pas à proprement parler inhabituel dans ce quartier ; toutefois, une heure ne s'était pas écoulée que de nouveaux hurlements s'élevaient d'une maison située à l'entrée de la ruelle, du côté donnant sur la Gamaliyya. Une troisième alerte se produisit à la tombée de la nuit, dans l'immeuble de Hamdan : on avait vu un nouveau serpent, mais celui-ci avait réussi à disparaître avant qu'on pût le rattraper et toutes les recherches faites pour le retrouver restèrent vaines.

C'est alors que Gabal lui-même se porta volontaire pour le faire sortir de sa cachette, grâce à l'expérience qu'il avait acquise chez Balqiti. Les Hamdanites devaient longtemps se souvenir de la façon dont il s'était avancé, nu, jusqu'au milieu de la cour, et des paroles mystérieuses qu'il avait prononcées, forçant l'animal à venir docilement jusqu'à lui.

Toutefois, tous ces événements auraient été oubliés dès le lendemain s'ils ne s'étaient reproduits, et cette fois-ci dans les maisons de plusieurs notables. Le bruit se répandit bientôt que Hammouda le *futuwwa* avait été mordu par un serpent dans l'entrée de l'immeuble où il habitait. Toute honte bue, il avait été obligé d'appeler au secours jusqu'à ce que ses compagnons viennent à son aide.

C'est à ce moment-là que la rumeur s'empara de ces événements : on ne parlait plus que des serpents, ce qui ne les empêchait d'ailleurs nullement de poursuivre leur invasion mystérieuse. On en aperçut un dans le cercle de haschisch de Barakat le *futuwwa* : il glissa la tête entre deux chevrons, et resta ainsi immobile pendant une demi-minute, avant de disparaître. L'assistance, épouvantée, se leva d'un bond et s'enfuit dans toutes les directions.

Les histoires de serpents en arrivèrent à éclipser les récits des conteurs dans les cafés. Bientôt, ils en vinrent à transgresser toutes les limites de la bienséance : l'un d'eux, particulièrement énorme, poussa l'impudence jusqu'à paraître au beau milieu de la demeure du seigneur intendant en personne. Et les nombreux domestiques eurent beau se répandre dans tous les coins et fouiller partout, ils ne purent en retrouver la trace. La peur s'empara de l'intendant et de la *hanem*, qui envisagea sérieusement de vider les lieux, jusqu'à la fin de l'invasion.

Or, pendant que tout était ainsi sens dessus dessous, des cris et des appels s'élevèrent soudain de la maison de Zoqlot le *futuwwa*. Le portier, envoyé aux nouvelles, revint annoncer à son maître qu'un serpent avait mordu l'un des fils de Zoqlot, avant de disparaître.

Du coup, la panique s'installa. Des cris et des appels au secours s'élevèrent de douze maisons à la fois, et la *hanem* exprima sa décision de quitter immédiatement les lieux. C'est alors qu'oncle Hassanein, le vieux portier, déclara que Gabal, en sa qualité de magicien, savait chasser les serpents ; d'ailleurs, pas plus tard que l'autre jour, il en avait fait sortir un de l'immeuble de Hamdan.

Le visage de l'*efendi* prit une teinte jaune, et il ne pipa mot ; quant à la *hanem*, elle ordonna au portier d'aller immédiatement chercher Gabal. Le vieil homme se tourna vers son maître, attendant confirmation de cet ordre. L'autre grommela tout d'abord quelques paroles indistinctes, mais son épouse lui mit le marché en main : ou bien faire appel à Gabal, ou bien abandonner la maison. Il lui fallut donc s'exécuter, la rage au cœur.

Entre-temps, une foule s'était rassemblée devant la demeure de l'*efendi* et celle, toute proche, de Zoqlot. Quelques notables se rendirent en délégation auprès de l'intendant : en tête marchaient les *futuwwas*, Zoqlot lui-même, Hammouda, Barakat, Laythi et Abou Sari'. Naturellement, ils venaient se plaindre de l'invasion de serpents.

— Il doit y avoir quelque chose dans la montagne qui les a chassés jusqu'ici, déclara Abou Sari'.

— Eh, toute notre vie, on a vécu à côté de la montagne et il ne nous est jamais rien arrivé de pareil ! s'écria Zoqlot qui semblait en vouloir à tout le monde et à lui-même.

Le malheur de son fils l'avait profondément affecté. Hammouda, lui, boitait encore de la morsure qu'il avait reçue à la cuisse. A ce moment, tout le monde se mit à parler en même temps, dans une atmosphère de panique grandissante : les maisons n'étaient plus habitables, et tous leurs occupants étaient descendus dans la rue, disaient-ils.

C'est alors que Gabal arriva, son panier à la main. Après avoir salué l'assemblée, il s'avança au-devant de l'intendant et de la *hanem* devant qui il se tint, avec une froide politesse.

— Gabal, on nous a dit que tu es capable de chasser les serpents ? demanda la *hanem*, pendant que son époux baissait obstinément les yeux.

— Cela fait partie des choses que j'ai apprises.

— Je t'ai justement appelé pour que tu en débarrasses notre maison, poursuivit-elle.

— Notre maître l'intendant m'en donne-t-il la permission ? demanda le jeune homme en lançant un regard vers ce dernier.

— Oui, grommela-t-il en s'efforçant de ravaler sa rage et son humiliation.

— Et nos maisons à nous, et celles des autres ? intervint Laythi en faisant un pas en avant.

— Je mets bien volontiers mes faibles talents au service de tous.

Un murmure reconnaissant s'éleva de la foule ; mais Gabal reprit bientôt :

— Je n'ai sans doute pas besoin de vous rappeler que, de la façon dont les choses se passent dans ce quartier, tout a un prix... Eh oui, de quoi vous étonnez-vous ? poursuivit-il à l'adresse des *futuwwas*. Vous protégez le quartier en échange des "cadeaux" qu'on vous fait ; notre maître l'intendant administre le *waqf* et, en échange, a la haute main sur les revenus...

— Alors, tu veux combien ? finit par demander Zoqlot après qu'un ange eut passé.

— Je ne vous demanderai pas d'argent, simplement votre parole que vous cesserez désormais d'humilier les Hamdanites et que vous les rétablirez dans leurs droits sur le *waqf*.

Un silence s'établit. L'atmosphère semblait vibrer de haine refoulée ; le cœur de la *hanem* s'était arrêté de battre, pendant que son époux, les yeux fixés au sol, ne pipait mot.

— Ne croyez pas que je cherche à vous défier, reprit Gabal. Ce que je vous demande là, c'est simplement d'obéir aux exigences du droit et de la justice envers vos frères opprimés. La peur qui vous a chassés aujourd'hui de vos maisons n'est qu'une petite goutte, comparée à la coupe d'amertume qu'ils boivent chaque jour de leur vie misérable.

Des lueurs de colère, vite étouffées, jaillissaient çà et là dans les yeux des *futuwwas*, comme des éclairs dans un ciel d'orage.

— Je peux vous trouver un derviche des Rifa'iyya, seulement ça veut dire qu'il faudra passer deux ou trois jours hors de chez nous, le temps qu'il arrive de son village, suggéra Abou Sari'.

— Et comment veux-tu que tout le quartier passe deux ou trois jours à la belle étoile ? protesta la *hanem*.

Pendant ce temps, l'*efendi* réfléchissait de toutes ses forces, tentant de vaincre les sentiments de colère et de haine qui s'agitaient dans sa poitrine. Finalement, il leva soudain les yeux, et, s'adressant à Gabal :

— Très bien, déclara-t-il, je te donne ma parole d'honneur, comme tu le demandes. Tu peux commencer ton travail.

Les *futuwwas* étaient furieux, mais la situation ne leur permettait pas de manifester leurs sentiments ; un désir de mort grandissait dans leur cœur. Quant à Gabal, il ordonna à tout le monde de se retirer au fond du jardin et de le laisser seul. Quand ce fut fait, il se dépouilla de tous ses vêtements et resta nu, comme il l'était le jour où la *hanem* l'avait sorti de la flaque de boue où il pataugeait. Puis il parcourut la maison, passant de pièce en pièce, tantôt sifflant à voix basse, tantôt murmurant des incantations mystérieuses. A ce spectacle, Zoqlot s'approcha de l'intendant et lui glissa à l'oreille :

— Ma main à couper que c'est lui qui a attiré les serpents !

— Eh bien, laisse-le les en faire sortir, murmura l'autre en lui faisant signe de se taire.

Un serpent caché dans une lucarne obéit à l'appel de Gabal ; un autre sortit du bureau du *waqf*. Les deux animaux s'enroulèrent autour de ses avant-bras, il alla dans le *selamlik*, où il les déposa dans son panier. Cela fait, il se rhabilla et attendit que les autres le rejoignissent.

— Eh bien, leur dit-il, allons dans vos maisons, que je les nettoie.

Puis, se tournant vers la *hanem*, il lui glissa :

— Si les miens n'étaient pas si malheureux, je n'aurais rien demandé en échange de ce service.

Il s'approcha ensuite de l'*efendi* et, le saluant de la main, lui dit :

— La parole d'un homme d'honneur le lie à jamais.

Puis il sortit, suivi d'une foule silencieuse.

40

C'est ainsi que Gabal, sous les yeux de tous les habitants, nettoya le quartier des serpents qui l'infestaient. Chaque fois qu'il soumettait l'un d'eux à sa volonté, des cris de joie et des acclamations s'élevaient, si bien que, de la Grande Maison jusqu'à la Gamaliyya, on ne parlait plus que de cela. Lorsque, son travail fini, il rentra dans sa maison, les enfants et les jeunes gens s'attroupèrent autour de lui, battant des mains et chantant.

Les chants et les battements de mains se poursuivirent même après qu'il eut disparu. Mais la réaction des *futuwwas* ne se fit pas longtemps attendre : Hammouda, Laythi, Abou Sari' et Barakat s'avancèrent vers l'attroupement et le dispersèrent à grands renforts d'injures, de malédictions, de gifles et de coups de pied, si bien que chacun courut se réfugier chez soi, laissant la rue aux chiens, aux chats et aux mouches.

Chacun se demandait ce qu'il y avait derrière cette intervention : était-ce une façon de remercier Gabal que de s'attaquer à ceux qui lui manifestaient leur gratitude ? L'*efendi* respecterait-il sa promesse, ou bien l'action des *futuwwas* ne faisait-elle qu'annoncer une opération encore plus sanglante ?

C'était précisément les mêmes questions qui tracassaient Gabal. Il fit venir les hommes du clan dans la maison qu'il habitait afin de discuter de la situation. Au même moment, Zoqlot était en conciliabule avec l'*efendi* et son épouse.

— On n'en laissera pas un seul s'échapper, disait-il avec une résolution haineuse, qui rendait son visage encore plus hideux que de coutume.

— Et la parole d'honneur que leur a donnée l'intendant ? protesta la *hanem*.

— C'est la force qui gouverne le monde, pas l'honneur !

— Mais que vont dire les gens ?

— Eh, ce qu'ils voudront ! Que veux-tu qu'ils disent de plus que ce qu'ils racontent déjà sur nous, tous les soirs, dans les cercles de haschisch ? Oui, ils nous débinent à longueur de journée, ils se moquent de nous, mais quand on descend dans la rue, ils s'écrasent bien gentiment ! Et pas parce qu'ils admirent notre sens de l'honneur, mais parce qu'ils ont peur de nos gourdins !

— Le coup des serpents, c'est Gabal qui l'a manigancé pour nous imposer ses conditions, c'est évident ! coupa l'*efendi* en jetant un regard furieux à la *hanem*. Une parole donnée à un escroc et un arnaqueur, ça ne vaut rien !

— Souviens-toi d'une chose, *hanem*, reprit Zoqlot : si Gabal réussit à rétablir les droits du clan de Hamdan sur le *waqf*, tous les habitants du quartier vont se mettre à réclamer le leur. Du coup, le *waqf* est perdu et nous avec !

L'*efendi* serra son chapelet entre ses doigts à en faire craquer les grains et dit à Zoqlot :

— Que pas un seul n'en réchappe !

Les *futuwwas* furent convoqués dans la maison de Zoqlot, bientôt rejoints par leurs hommes de main. Le bruit se répandit dans le quartier que quelque chose de grave se préparait contre les Hamdanites : les femmes se mirent aux fenêtres et les hommes descendirent dans la rue.

Gabal avait arrêté son plan. Les hommes du clan s'étaient rassemblés dans la cour du bâtiment central, armés de gourdins et de couffins remplis de briques et de tuiles, pendant que les femmes s'étaient réparties dans les chambres et sur les terrasses. Chacun avait une tâche précise à accomplir ; toute erreur, tout changement de dernière minute ne signifiait rien de moins pour tout le monde que l'annihilation définitive. C'est pourquoi, en prenant leur place autour de Gabal, ils avaient les nerfs tendus à craquer et l'angoisse aux tripes. Gabal, voyant leur état, s'efforçait de les encourager en leur rappelant que le Patriarche les soutenait, et qu'il avait promis la victoire à ceux qui sauraient se montrer forts. Dans l'ensemble, il s'aperçut qu'ils faisaient bon accueil à ses paroles, soit par foi véritable, soit par désespoir. Le conteur Ridwan se pencha à l'oreille de maître Hamdan et lui glissa :

— J'ai peur que ça ne marche pas ; on ferait mieux de boucler le portail et de les bombarder depuis les fenêtres et la terrasse.

— C'est ça, pour qu'ils nous bloquent à l'intérieur jusqu'à ce qu'on ait crevé de faim ! rétorqua l'autre en haussant les épaules d'un air agacé.

Il s'approcha ensuite de Gabal.

— Ce ne serait pas mieux de laisser carrément le portail ouvert ? interrogea-t-il.

— Laisse-le comme il est ; autrement, ils risqueraient de se douter de quelque chose.

Un vent froid soufflait avec violence, poussant les nuages devant lui. Tous se demandaient s'il allait pleuvoir. La rumeur de la foule, au-dehors du bâtiment, s'élevait peu à peu, jusqu'à étouffer les miaulements des chats et les aboiements des chiens. Soudain, la voix de la vieille Tamarhanna tomba du haut des toits, où elle était en sentinelle :

— Attention, ils arrivent, les salauds !

De fait, Zoqlot était sorti de sa maison, entouré des *futuwwas* et suivi de leurs hommes de main, tous armés de gourdins. Sans se presser, ils s'avancèrent jusqu'à la Grande Maison, puis obliquèrent vers le secteur des Hamdanites, où la foule les accueillit à grands renforts de vivats et d'acclamations. Tous les badauds n'étaient pas là pour les mêmes motifs : quelques-uns, les moins nombreux, aimaient simplement la bagarre et prenaient plaisir à voir couler le sang ; d'autres haïssaient les Hamdanites parce qu'ils se considéraient supérieurs aux autres ; mais la plupart d'entre eux, tout en haïssant les *futuwwas* et leur tyrannie, dissimulaient soigneusement leurs sentiments et se forçaient à les applaudir, par peur ou par opportunisme.

Sans leur prêter la moindre attention, Zoqlot tourna à gauche et s'arrêta devant le bâtiment des Hamdanites.

— S'il y a un homme là-dedans, qu'il sorte me voir ! cria-t-il.

— Et tu nous donnes ta deuxième parole d'honneur qu'il ne lui arrivera rien ? répondit Tamarhanna, cachée derrière un volet.

Cette allusion piqua au vif le *futuwwa*, qui reprit :

— Vous n'avez personne d'autre que cette vieille putain pour porter votre réponse ?

— Que le bon Dieu pardonne à ta mère, Zoqlot ! rétorqua-t-elle du tac au tac.

Sur un ordre de leur chef, les *futuwwas* se ruèrent vers le portail, pendant que d'autres lançaient des pierres sur les volets, de façon à empêcher les défenseurs de les ouvrir pour tenter de repousser l'attaque. Les assaillants s'agglutinèrent devant le portail, poussant de toutes leurs forces, à grands coups d'épaule. Sous leurs efforts répétés, les battants ne tardèrent pas à se disloquer. Ils reculèrent alors pour prendre de l'élan, puis se ruèrent tous ensemble sur la porte, qui s'ouvrit d'un coup. A l'autre bout du long corridor, dans la cour intérieure, se tenaient Gabal et les hommes du clan, le gourdin à la main. A cette vue, Zoqlot, éclatant de rire, leva le bras dans un geste obscène, puis se rua en avant, suivi par ses hommes.

Ils ne franchirent pas la moitié du corridor. Soudain, le sol s'ouvrit sous leurs pieds et les précipita au fond d'une fosse profonde. Au même moment, sur les deux côtés du passage, s'ouvrirent les fenêtres d'où se déversèrent des trombes d'eau, sorties de toutes les cruches, marmites, bassines et outres que contenait la maison, tandis que les hommes du clan, s'avançant jusqu'au bord de la fosse, y faisaient pleuvoir une grêle de pierres.

C'était la première fois que le quartier entendait les *futuwwas* appeler au secours, qu'il voyait le sang gicler de la tête de Zoqlot, et les gourdins s'abattre sur le crâne de Hammouda, de Barakat, de Laythi et d'Abou Sari', pendant qu'ils pataugeaient dans l'eau sale.

Voyant leurs chefs en position critique, les hommes de main cherchèrent leur salut dans la fuite, laissant les *futuwwas* se débattre sous un déluge d'eau, de pierres, et de coups de gourdins. On les entendit alors appeler au secours, eux qui, toute leur vie, n'avaient ouvert la bouche que pour proférer des insultes et des obscénités. Ridwan le conteur, le plus déchaîné de tous, criait à pleine voix : "Allez-y, les gars ! N'en laissez pas réchapper un seul !" L'eau boueuse se teintait de sang.

Hammouda fut le premier à mourir ; Laythi et Abou Sari' poussaient des cris épouvantables. Quant à Zoqlot, les mains crispées au rebord de la fosse, il essayait désespérément de sortir, luttant contre la fatigue et le désespoir. Les yeux luisants de haine, il beuglait comme un taureau. Les gourdins s'abattirent sur lui à la volée ; il tomba soudain en arrière dans l'eau, comme une masse, les mains encore fermées sur deux poignées de terre.

Un grand silence tomba. Rien ne bougeait plus dans la fosse, aucun cri ne s'en élevait. De la boue mêlée de sang flottait à la surface de l'eau. Les hommes du clan restaient immobiles, reprenant leur souffle. A l'autre bout du corridor s'agglutinait la foule des spectateurs : ils contemplaient la scène d'un air incrédule. "Voilà la punition des tyrans !" leur lança fièrement Ridwan.

La nouvelle se répandit dans le quartier comme une traînée de poudre. Les spectateurs allèrent raconter partout que Gabal avait liquidé les *futuwwas*, tout comme il avait liquidé les serpents. Un tonnerre d'acclamations s'éleva de partout ; poussé par l'enthousiasme, malgré le vent mordant, chacun sortit de chez soi pour le proclamer *futuwwa* du quartier Gabalawi. On réclama les cadavres pour les exposer en public. On battait des mains, on dansait.

Quant à Gabal, il n'hésita pas un instant : son plan était tout prêt dans sa tête. "Maintenant, tous à la maison de l'intendant !" cria-t-il à ses hommes.

41

Dans les minutes qui précédèrent la sortie de Gabal et de ses compagnons, un vent de folie s'empara du quartier. Les femmes sortirent de chez elles, se mêlant aux hommes, et la foule envahit les logis des *futuwwas*, molestant leurs familles à coups de poing et de pied, si bien qu'elles durent s'enfuir sans demander leur reste, chacun se tâtant le crâne et les joues, poussant des soupirs à fendre l'âme et versant des larmes amères. Quant aux maisons, elles furent pillées en un tournemain : meubles, provisions, vêtements, tout y passa. Après quoi, on brisa tout ce qui pouvait se briser, charpente, boiseries, fenêtres, si bien qu'il n'en resta plus que ruines et dévastation.

Puis la foule en colère se dirigea vers la maison de l'*efendi*, s'attroupa devant le portail fermé à double tour et se mit à siffler et à huer l'intendant, le défiant de sortir de chez lui. Quelques-uns se rendirent jusqu'à la Grande Maison, appelant Gabalawi, leur ancêtre, à sortir de sa retraite et à rétablir l'ordre et la justice dans le quartier. D'autres encore commencèrent à frapper à la porte et à y donner quelques coups d'épaule timides, comme s'ils craignaient au fond d'eux-mêmes, de la voir s'ouvrir.

C'est à ce moment critique qu'apparut Gabal à la tête de son clan, hommes et femmes. Ils marchaient d'un pas ferme, avec la détermination que leur insufflait leur récent triomphe. La foule s'ouvrit devant eux et un tonnerre de vivats et d'acclamations s'éleva de toutes les poitrines.

Au bout de quelques instants, Gabal leur fit signe de se taire. Les voix s'éteignirent progressivement, et le silence finit par régner, si bien qu'on n'entendit plus, à nouveau, que le sifflement du vent. Gabal promena son regard sur les visages levés vers lui et proclama :

— Mes amis, je vous salue et je vous remercie !

Un nouveau concert d'acclamations retentit, jusqu'à ce que Gabal lève la main, réclamant à nouveau le silence.

— Pour nous permettre d'achever notre œuvre, je vous demande maintenant de vous disperser dans le calme, poursuivit-il.

— Nous voulons la justice, notre maître ! répondirent plusieurs voix.

— Retirez-vous dans le calme, et je vous promets que la volonté du Fondateur sera faite.

A nouveau, on acclama le Fondateur et son descendant, Gabal. Celui-ci restait immobile, attendant que la foule se disperse. Les gens auraient bien voulu rester là, mais, sous son œil impérieux, ils n'osèrent pas insister et se retirèrent l'un après l'autre, si bien que la place fut rapidement évacuée. Alors Gabal frappa à la porte et cria :

— Ouvre, oncle Hassanein !

— Mais les gens... les gens... balbutia ce dernier de derrière le vantail.

— Il n'y a plus que nous, ici.

La porte s'ouvrit et Gabal entra, suivi de ses compagnons. Ils empruntèrent le passage couvert jusqu'au *selamlik* et aperçurent la *hanem* qui se tenait devant la porte de la grande salle, dans une posture de résignation. A cet instant, l'*efendi* apparut dans l'embrasure de la porte, la tête basse et pâle comme un linge. Un murmure parcourut l'assemblée à cette vue.

— Nous voici dans un bien triste état, Gabal, soupira Houda *hanem.*

— Si le plan de cette crapule avait réussi, nous serions tous morts, répondit Gabal en montrant l'intendant d'un geste plein de mépris.

La *hanem* se borna à soupirer tristement, sans rien ajouter. Gabal se tourna vers l'intendant et reprit, en le toisant d'un air sévère :

— Te voici maintenant vaincu, sans force et sans appui. Tu n'as plus de *futuwwas* pour te protéger, tu es trop lâche pour te défendre, et trop vil pour que personne songe à te faire grâce. Si je t'abandonnais à la merci des gens du quartier, ils te mettraient en pièces et te fouleraient aux pieds !

L'*efendi* se mit à trembler de tous ses membres ; il semblait se voûter et se ratatiner à vue d'œil. Mais la *hanem* fit un pas vers Gabal et supplia :

— Je n'aime pas à t'entendre parler ainsi, toi que j'ai toujours connu si doux et gentil. Tu vois bien que nous sommes dans un moment difficile : toi qui es si brave et généreux, tu devrais nous traiter avec compassion !

— Sans l'affection que j'ai pour toi, les choses se seraient encore plus mal passées pour vous.

— Je n'en doute pas, Gabal. Je sais que tu n'as pas le cœur dur.

— Et dire qu'il aurait été si facile de rétablir la justice sans qu'il soit besoin de verser une seule goutte de sang !

L'*efendi* fit un geste vague, trahissant un peu plus son désarroi, et sembla se recroqueviller encore davantage.

— Ce qui est passé est passé, reprit la *hanem.* Maintenant, nous sommes prêts à accepter tout ce que tu demanderas.

Décidé coûte que coûte à sortir de son mutisme, l'*efendi* déclara d'une voix sourde :

— Nous avons ici une occasion de réparer les erreurs du passé.

Tous se tournèrent vers lui, intrigués de voir le tyran déchu, le despote dépouillé de sa toute-puissance. Dans leurs yeux se lisaient un certain soulagement, de l'incrédulité, et surtout une immense curiosité. S'enhardissant de sa victoire sur le silence, il poursuivit :

— Tu peux aujourd'hui prendre la place de Zoqlot : tu t'en es montré digne.

— Je n'ai jamais eu le moindre désir d'être *futuwwa*, rétorqua Gabal d'un air méprisant. Si tu cherches quelqu'un pour te protéger, adresse-toi à quelqu'un d'autre que moi. Tout ce que je réclame, ce sont les droits des Hamdanites.

— Ils vous seront rendus sans discussion. Et, si tu le veux, tu peux prendre la direction du *waqf*.

— Ce serait comme autrefois, Gabal, glissa Houda *hanem* d'un ton plein d'espoir.

— Et pourquoi on ne prendrait pas tout le *waqf* pour nous ? interrompit soudain Daabis.

Un murmure s'éleva parmi les Hamdanites, pendant que l'intendant et son épouse pâlissaient à vue d'œil.

— Le Fondateur m'a ordonné de rétablir vos droits, pas d'usurper ceux des autres ! coupa sèchement Gabal.

— Et qui te dit que les autres vont les récupérer, leurs droits ? insista Daabis.

— Ce n'est pas mon affaire ! Apparemment, l'injustice ne te dérange que lorsque tu en souffres !

— Gabal, tu es vraiment un homme d'honneur, intervint la *hanem* d'une voix vibrante d'émotion. Je voudrais tant que tu reviennes vivre ici !

— Je resterai parmi les Hamdanites, dans leurs demeures, répondit Gabal d'un ton ferme.

— Mais un tel logement ne convient pas à ton rang !

— Lorsque les biens du *waqf* nous reviendront, nous reconstruirons notre secteur, et il deviendra aussi beau que la Grande Maison elle-même. Telle est la volonté de Gabalawi, notre ancêtre.

— Après ce qui s'est passé aujourd'hui, nous ne sommes plus en sécurité, risqua l'intendant, en levant un regard hésitant vers Gabal.

— Ce qui se passera entre toi et eux ne me concerne pas, répondit celui-ci d'un ton méprisant.

— Si tu es régulier avec nous, on fera en sorte que personne ne te dise un mot de travers ! interrompit soudain Daabis.

— Eh bien, vous serez publiquement rétablis dans vos droits ! promit l'*efendi* qui reprenait courage.

— Ce soir, dit Houda *hanem*, tu dîneras avec moi, c'est ta mère qui te le demande.

Gabal comprit que c'était une offre de paix et d'amitié entre lui et la maison de l'intendant ; il ne put repousser sa demande et dit :

— Qu'il en soit fait selon ton désir, mère.

42

Les jours suivants furent marqués par les réjouissances des Hamdanites, ou plutôt des Gabalites, comme on les appelait désormais. Leur café rouvrit ses portes toutes grandes. Ridwan le conteur passait ses journées accroupi sur l'estrade à taquiner les cordes de son *rebab*. La *bouza* coulait à flots et le plafond avait disparu derrière un nuage de fumée de haschisch. Tamarhanna avait tant dansé que son tour de taille avait perdu plusieurs centimètres. Personne ne s'inquiétait plus de savoir qui avait tué Qidra, et on dépeignait la rencontre de Gabal avec le Patriarche en l'embellissant de toutes les ressources de l'imagination. Pour Gabal et Chafiqa, dont la grossesse arrivait alors à son terme, ces jours étaient les plus heureux de leur vie.

— Ce serait bien si nous invitions Balqiti à venir vivre avec nous, proposa-t-il.

— Oh oui ! Ainsi il pourra être là pour bénir la naissance de son petit-fils.

— Tu es la source de tout mon bonheur, Chafiqa… Et puis, Sayyida pourra trouver un bon mari parmi les Hamdanites.

— Tu veux dire les Gabalites ! C'est ainsi qu'on les appelle, maintenant. N'es-tu pas le plus fort et le plus noble des hommes que ce quartier ait connu ?

— Non, Adham valait mieux que moi. Il voulait que tous puissent vivre heureux, sans avoir besoin de travailler. Un jour, notre grand rêve se réalisera.

A ce moment-là, Daabis parut ; passablement ivre, il avançait en dansant, entouré d'un groupe de compagnons. Du plus loin qu'il aperçut Gabal, il se mit à agiter son gourdin en signe de bienvenue et cria :

— Puisque tu ne veux pas être notre *futuwwa*, c'est moi qui le serai à ta place !

— Il n'y aura plus de *futuwwas* chez les Hamdanites, répondit Gabal d'une voix forte, afin que chacun entende. Ou plutôt, il faut que tous deviennent *futuwwas* contre ceux qui leur voudront du mal !

Daabis s'éloigna dans la direction du café, suivi des autres qui titubaient à qui mieux mieux.

— Le Patriarche vous chérit au-delà de tous ses descendants, reprit Gabal. Vous êtes les princes de ce quartier, sans discussion possible. C'est pourquoi il faut que l'amitié, la justice et la concorde règnent entre vous ; qu'aucun crime ne soit jamais commis dans votre secteur.

Pendant que les maisons du clan retentissaient du battement du tambour et des chants d'allégresse, pendant que des feux de joie illuminaient tout le secteur, le reste du quartier était plongé dans son obscurité habituelle. Les enfants des autres clans s'étaient attroupés à l'entrée du secteur et observaient les réjouissances de loin.

Soudain, une délégation d'hommes du quartier apparut. Le visage grave, ils se dirigèrent vers le café, où on les accueillit courtoisement et où on leur offrit des sièges et du thé. Gabal eut l'impression qu'ils ne venaient pas simplement lui apporter leurs félicitations ; cette impression se confirma lorsque le plus âgé d'entre eux, un certain Zenati, lui dit :

— Gabal, nous sommes tous fils du même quartier, tous descendants de l'Ancêtre. Aujourd'hui, tu es le chef et l'homme fort. Ne vaudrait-il pas mieux que la justice règne partout, et non pas seulement chez les Hamdanites ?

Gabal ne répondit pas ; quant à ses compagnons, ce discours les laissait manifestement de marbre. Sans se laisser décourager, le vieil homme reprit :

— Tu as les moyens de rétablir la justice dans tout le quartier.

Ni Gabal ni aucun de ses compagnons ne s'était jamais soucié des autres habitants ; en fait, ils s'étaient toujours sentis supérieurs à eux, même au temps de leurs pires malheurs.

— L'Ancêtre ne m'a chargé que des affaires de mon clan, répondit Gabal avec douceur.

— Mais c'est notre Ancêtre à tous, Gabal !

— Là-dessus, il y a matière à discussion, intervint Hamdan.

Observant le déplaisir manifeste que leur causait cette remarque, il se hâta d'insister :

— Quant à notre filiation à nous, l'Ancêtre lui-même l'a confirmée lors de sa rencontre avec Gabal dans le désert.

Zenati fut à deux doigts de répondre : "Là aussi, il y a matière à discussion !" Mais il était trop abattu pour cela, et il se borna à demander à Gabal :

— Ainsi, notre pauvreté et notre humiliation te laissent indifférent ?

— Non, certes, protesta Gabal sans enthousiasme, mais cela ne nous concerne pas.

— Comment peux-tu dire que cela ne vous concerne pas ?

Bien qu'agacé par le ton et l'insistance de Zenati, Gabal ne se mit pas en colère. En fait, une partie de lui-même était prête à sympathiser avec son interlocuteur, alors que l'autre renâclait à l'idée d'affronter de nouvelles difficultés pour des étrangers. Et quels étrangers, en plus ? La réponse lui vint par la bouche de Daabis, quand celui-ci lança à Zenati :

— Alors vous avez oublié comment vous nous traitiez, au temps de la persécution ?

— Qui pouvait donner son avis et dire ce qu'il avait dans le cœur, au temps des *futuwwas* ? Pardonnaient-ils à ceux qui traitaient bien les gens qui ne leur plaisaient pas ?

— La vérité, rétorqua Daabis d'un air dédaigneux, c'est que vous nous avez toujours enviés, à cause de notre rang dans le quartier. De ce point de vue-là, vous avez commencé bien avant les *futuwwas* !

— Que Dieu te pardonne, Daabis, répondit l'autre en baissant tristement la tête.

— Remerciez plutôt notre chef qui a interdit qu'on se venge sur vous ! lui jeta Daabis, impitoyable.

En proie à des sentiments contradictoires, Gabal se réfugia dans le silence. Il n'avait nulle envie de les secourir, mais en même temps il répugnait à les éconduire purement et simplement. Entre l'hostilité ouverte de Daabis, le regard indifférent des autres, et le silence décourageant de Gabal, ils se levèrent et s'en furent, tristes et déçus. Lorsqu'ils eurent disparu, Daabis agita le poing gauche d'un air dégoûté et cria :

— Allez vous faire foutre, bande de cochons !

Mais Gabal le réprimanda vertement :

— Un homme d'honneur ne se réjouit pas du malheur d'autrui !

43

Ce fut un jour mémorable que celui où Gabal toucha la part des intérêts du *waqf* qui revenait à son clan. Il prit place dans la cour du bâtiment central – que l'on appelait désormais le Bâtiment de la Victoire – et fit venir les Hamdanites. Après avoir recensé le nombre de bouches à nourrir dans chaque famille, il répartit les fonds dans une totale égalité, sans se distinguer lui-même du sort commun. Peut-être Hamdan n'était-il pas totalement satisfait de cette équité ; en tout cas, il choisit une voie indirecte pour exprimer son mécontentement :

— Ce n'est pas juste, Gabal, tu t'es volé !

— Pourquoi ? J'ai pris deux parts, celle de Chafiqa et la mienne !

— Mais tu es notre chef !

— Ce n'est pas parce qu'on est chef qu'on doit voler les autres ! rétorqua Gabal de façon à être entendu de tous.

Daabis, qui semblait attendre l'issue de la discussion avec une certaine anxiété, intervint :

— Gabal n'est pas Hamdan, et Hamdan n'est pas Daabis, et Daabis n'est pas Kaabelha !

— Nous sommes une seule famille ! Voudrais-tu nous diviser en esclaves et en maîtres ? s'exclama Gabal d'une voix pleine de colère.

— Ecoute, poursuivit obstinément Daabis, parmi nous il y a des patrons de café, des marchands ambulants, des mendiants : est-ce que tu vas tous les mettre dans le même sac ? Moi, je suis le premier à avoir forcé le blocus, en risquant de me faire tuer par Qidra, le premier à t'avoir rencontré pendant ton exil, le premier à m'être rangé derrière toi quand tout le monde hésitait encore !

— Celui qui chante sa propre louange est un menteur ! tonna Gabal. Par Dieu, les gens comme toi méritent tous les malheurs qui leur arrivent !

Daabis aurait bien voulu poursuivre la discussion, mais la colère qui brillait dans les yeux de Gabal l'en dissuada, et il quitta l'assemblée sans mot dire. Le soir même, il se rendit au cercle de haschisch d'Atris le Chassieux et s'assit avec les autres, remâchant ses soucis. Pour se distraire, il proposa à Kaabelha une partie de cartes : en une demi-heure, il perdit toute sa part des revenus du *waqf* ! Atris, qui changeait l'eau du narguilé, se prit à rire et déclara :

— Eh bien, on peut dire que tu n'as pas de chance, mon pauvre Daabis ! Il était écrit que tu resterais pauvre, malgré la volonté du Fondateur !

— Celui qui me plumera n'est pas encore né ! grogna l'autre, soudain dégrisé par la perte de son argent.

— N'empêche que tu as tout perdu, mon vieux, poursuivit Atris après avoir soufflé dans le tuyau pour vérifier le niveau de l'eau.

Pendant ce temps, Kaabelha lissait soigneusement les billets de banque. Mais, alors qu'il levait la main pour les glisser dans l'ouverture de sa tunique, Daabis le saisit par le poignet et, de l'autre main, lui fit signe de rendre l'argent.

— Ce n'est plus à toi ! Tu n'as rien à me réclamer, protesta l'autre.

— Aboule, ordure !

— Pas de bagarres chez moi ! intervint Atris, qui les observait à distance.

— Je ne vais quand même pas me laisser voler par ce fils de pute ! beugla Daabis.

— Enlève ta main, Daabis ! Je ne les ai pas volés !

— Ah ouais ? Tu voudrais nous faire croire que tu les as honnêtement gagnés, peut-être ?

— Personne ne t'a forcé à jouer !

Pour toute réponse, Daabis lui allongea une gifle et cria :

— Mon fric ! Ou je te casse la tête !

Kaabelha dégagea soudain son bras. Fou de rage, Daabis lui enfonça son index dans l'œil droit. Kaabelha poussa un hurlement et sauta sur ses pieds, plaquant ses deux mains sur son œil blessé et laissant tomber les billets de banque sur les genoux de Daabis ; il chancela un peu puis s'écroula à terre, gémissant de douleur. L'assistance s'assembla autour de lui, pendant que Daabis ramassait les billets et les remettait dans l'ouverture de sa tunique. Soudain, Atris s'approcha de lui et lui dit d'un air horrifié :

— Tu lui as crevé l'œil !

Daabis resta un instant immobile, comme frappé de stupeur, puis il se leva soudain et s'en fut.

Les dents serrées, les yeux brillants de colère, Gabal se tenait au milieu de la Cour de la Victoire, entouré d'un groupe d'hommes du clan. Kaabelha était assis à croupetons devant lui, un bandeau bien serré sur l'œil, pendant que Daabis, debout, affrontait seul et silencieux la colère de Gabal. Hamdan, désireux d'arranger les choses, glissa doucement :

— Daabis rendra l'argent à Kaabelha.

— Qu'il lui rende d'abord son œil ! tonna Gabal.

— Ah ! si seulement c'était possible ! soupira Ridwan le conteur, pendant que Kaabelha laissait échapper un gémissement.

— En revanche il est possible de prendre œil pour œil ! poursuivit Gabal, inexorable.

Daabis lui jeta un regard terrifié. Il remit l'argent à Hamdan en disant :

— C'est la colère qui m'avait rendu fou ! Je ne voulais pas lui faire de mal !

— Œil pour œil ! Et c'est à l'agresseur que revient la faute ! proclama Gabal d'une voix terrible.

Les autres échangeaient des regards inquiets : jamais ils n'avaient vu Gabal aussi en colère, même le jour où il avait quitté la maison de l'intendant, ou celui où il avait tué Qidra. En vérité, il était terrible dans la fureur, et, dans ces cas-là, nul ne pouvait le faire dévier de son but. Hamdan ouvrit la bouche, mais Gabal le devança :

— Le Fondateur ne vous a pas distingués pour que vous vous massacriez les uns les autres. Ou bien vous vivrez dans l'ordre, ou bien ce sera le chaos et tous disparaîtront. C'est pourquoi j'ai décidé que tu aurais un œil crevé, Daabis.

— Personne ne me touchera, quand bien même je devrais me battre seul contre tous ! s'écria celui-ci, complètement terrorisé.

Gabal se jeta sur lui comme un taureau et lui envoya son poing dans la figure ; l'autre s'écroula à terre comme une masse. Gabal le redressa, encore inconscient, et, le tenant embrassé par-derrière, le tourna vers Kaabelha.

— Allez, prends ton dû ! lui lança-t-il d'un ton impérieux.

L'autre se leva, hésitant. Le malheureux Daabis poussa un cri terrifié. Mais Gabal, foudroyant Kaabelha du regard, ordonna :

— Allez ! Vas-y ou bien je t'enterre tout vif !

Kaabelha s'approcha de Daabis et, au vu de toute l'assistance, lui enfonça son index dans l'orbite. Des hurlements s'élevèrent de la maison de Daabis et plusieurs de ses amis, tels Atris et Ali-Loupiotes, se mirent à pleurer.

— Vous n'êtes que des lâches et des bons à rien ! leur lança Gabal. Tant que vous étiez les victimes, vous détestiez les *futuwwas* et leurs méthodes, mais maintenant que vous vous sentez forts, vous êtes prêts à tyranniser les autres et à attaquer vos voisins, tout comme ils le faisaient eux-mêmes. Contre les démons qui se cachent dans vos cœurs, il n'y a qu'un remède : les coups, sans pitié et sans répit ! Pour vous, il n'y a que deux solutions : l'ordre ou la mort !

Et, laissant Daabis entre les bras de ses compagnons, il s'en fut.

Cet événement eut un immense retentissement. Auparavant, Gabal était un chef aimé de son clan, qui voyait en lui un *futuwwa* qui refusait la dignité et les insignes habituels de cette fonction. Après, il devint un objet de crainte respectueuse. Plus d'un habitant du quartier murmurait contre sa dureté et sa méchanceté, mais il se trouvait toujours quelqu'un pour contredire ces propos et mettre en valeur l'autre aspect de sa sévérité : sa tolérance envers ceux qui lui avaient causé du tort, son désir sincère de faire régner la justice, la concorde et la fraternité parmi les Hamdanites. Cette dernière opinion trouvait chaque jour de quoi se conforter dans les paroles et les actions de Gabal, si bien que ceux qui s'étaient éloignés de lui finirent par revenir à de meilleurs sentiments, et que ceux qui le craignaient reprirent confiance en lui. Tous acceptèrent la discipline qu'il imposait, et plus personne ne chercha à l'enfreindre.

Son époque vit le règne de la droiture et de l'honnêteté, et il resta un symbole de justice et d'ordre ; il quitta le monde sans avoir dévié d'un pouce de la ligne de conduite qu'il s'était fixée.

Voici donc l'histoire de Gabal.

Il fut le premier, dans notre quartier, à se rebeller contre l'injustice, et le premier à rencontrer le Fondateur depuis qu'il s'était retiré du monde. Il obtint un pouvoir tel que nul n'aurait pu rivaliser avec lui, et pourtant, il s'abstint toujours de se poser en *futuwwa* : le proxénétisme, le racket et le trafic de stupéfiants le dégoûtaient profondément. Il resta dans son clan comme un symbole de justice, de force et d'ordre. Sans doute, il ne se préoccupait pas des autres habitants de notre quartier, et peut-être, au fond de son cœur, les méprisait-il, comme tous les Hamdanites. Mais au moins ne s'attaqua-t-il jamais à aucun d'entre eux. Ainsi devint-il aux yeux de tous un exemple digne d'être suivi.

Et, si le fléau de notre quartier n'était pas l'oubli, un si bon exemple n'aurait pas été perdu.

Mais, justement, le fléau de notre quartier, c'est l'oubli.

RIFAA

44

L'aube était sur le point de se lever. Toutes les créatures vivantes du quartier s'étaient réfugiées dans le sommeil, même les *futuwwas*, les chiens et les chats. L'obscurité s'était installée dans tous les coins, comme pour ne plus jamais s'en aller. Sous le couvert du silence, la porte du Bâtiment de la Victoire, dans le quartier des Gabalites, s'ouvrit prudemment. Deux ombres se glissèrent dehors et se dirigèrent vers la Grande Maison, dont elles longèrent le haut mur extérieur, vers le désert. Ces deux promeneurs nocturnes s'efforçaient manifestement de marcher sans bruit et se retournaient de temps en temps pour s'assurer que personne ne les suivait. Ils s'enfoncèrent dans le désert, à la lumière des étoiles ; bientôt, ils aperçurent le rocher de Hind, bloc de ténèbres plus épaisses que la nuit qui l'entourait.

Il s'agissait d'un homme d'âge déjà mûr et d'une jeune femme, manifestement enceinte ; chacun d'eux était chargé d'un énorme ballot. Arrivée au rocher, la femme poussa un gros soupir.

— Oncle Chafi'i, je suis fatiguée ! déclara-t-elle.

— Eh bien, repose-toi, fit l'homme en s'arrêtant. Puisse Dieu punir ceux qui te causent cette fatigue ! poursuivit-il avec colère.

La femme posa son ballot et s'assit dessus, écartant les jambes pour alléger son ventre distendu, pendant que l'homme jetait un regard autour de lui avant de s'asseoir à son tour. La fraîche brise d'avant l'aurore les enveloppait de son souffle ; mais la femme, sans se laisser distraire, poursuivit sa pensée :

— Où crois-tu que je mettrai mon enfant au monde ? demanda-t-elle.

— N'importe quel endroit vaudra mieux que ce quartier maudit, Abda ! répondit l'homme du même ton.

Il leva les yeux vers la montagne qui occupait tout l'horizon, du nord au sud, et poursuivit :

— Nous irons à Souk el-Muqattam, comme l'a fait Gabal pendant la persécution. J'ouvrirai une échoppe de menuisier et je travaillerai comme je travaillais dans notre quartier. J'ai deux mains qui valent de l'or, et quelques économies pour nous installer.

— Oui, mais nous vivrons parmi des étrangers, comme des êtres qui n'ont personne au monde… nous qui sommes des Gabalites, les seigneurs du quartier, répondit la femme en resserrant son foulard sur sa tête et ses épaules.

— Les seigneurs du quartier ! ricana amèrement l'homme en crachant par terre. Nous ne sommes que les plus vils des esclaves, Abda ! Les beaux jours de Gabal sont passés depuis longtemps ! Maintenant, c'est le temps de Zonfol, que Dieu l'envoie pourrir en enfer ! Notre *futuwwa*, notre pire ennemi, qui dévore nos gains et massacre ceux qui se plaignent !

Abda n'avait rien à répondre à ces paroles : il lui semblait avoir passé tous ses jours dans l'amertume et toutes ses nuits dans le chagrin. Mais, maintenant qu'elle se sentait à l'abri du malheur, elle ressentait de la nostalgie pour les souvenirs heureux qu'elle gardait du quartier.

— S'il n'y avait pas toutes ces méchantes gens, où trouverions-nous un quartier et des voisins comme les nôtres ? soupira-t-elle. Où entendrions-nous les histoires d'Adham, de Gabal et du rocher de Hind ? Que Dieu maudisse les méchants !

— Et les gourdins qui cognent au moindre prétexte, et les crapules bouffies d'importance qui se pavanent parmi nous comme le Destin lui-même, poursuivit l'homme avec amertume.

Il se remémora le jour où le sinistre Zonfol l'avait empoigné par le col et l'avait secoué à lui ébranler les côtes avant de l'envoyer rouler à terre, sous les yeux de tout le monde : et tout cela pour l'unique raison qu'il avait parlé du *waqf*.

— Et cette crapule de Zonfol qui a enlevé le bébé de Sayyidhom, le marchand de têtes de moutons ! reprit-il en frappant le sol de son pied. On n'en a plus jamais entendu parler. Il n'a même pas eu pitié d'un enfant qui venait de naître. Et toi qui te demandes où tu vas accoucher ! Au moins naîtra-t-il parmi des gens qui ne massacrent pas les enfants !

— Ah, soupira Abda, si seulement tu t'étais contenté de vivre comme les autres !

— Eh, qu'avais-je donc fait de mal ? Rien ! J'ai seulement demandé où était Gabal, où était le bon temps de Gabal, quand la force était au service du droit ! J'ai demandé ce qui avait fait retomber les Gabalites dans la misère et l'humiliation ! C'est alors qu'il a démoli mon échoppe, et qu'il m'aurait tué si les voisins ne s'étaient pas interposés. Si on était restés chez nous jusqu'à ta délivrance, il aurait fait disparaître l'enfant comme il a fait disparaître celui de Sayyidhom !

— Ah ! si seulement tu avais pris ton mal en patience, maître Chafi'i ! dit-elle en hochant tristement la tête. Tu sais bien ce qu'on dit : que Gabalawi va sûrement sortir de sa maison, un jour, et qu'il sauvera ses descendants de l'injustice et de la misère.

— Pour sûr, que je l'ai entendu ! s'exclama Chafi'i d'une voix ironique. Je n'ai même entendu que ça depuis mon enfance. Mais la vérité, c'est que l'Ancêtre s'est retiré dans sa maison, que l'intendant du *waqf* se met tout notre argent dans les poches, sauf le pourcentage qu'il verse aux *futuwwas* en échange de leur protection, et que Zonfol prend ce qui reste pour se remplir la panse ! C'est comme si Gabal n'était jamais apparu dans ce quartier, et comme s'il n'avait jamais crevé l'œil de son compagnon Daabis en échange de l'œil du malheureux Kaabelha !

La femme resta silencieuse, le regard perdu dans les ténèbres. Lorsque le jour se lèverait, elle serait parmi des inconnus ; des inconnus qui deviendraient ses nouveaux voisins, dont les mains accueilleraient son enfant. Il grandirait ainsi sur une terre étrangère, tel un rameau coupé de son arbre. Elle n'avait pas été malheureuse parmi les Gabalites ; elle allait porter à manger à son mari, dans son échoppe ; le soir, elle s'asseyait à la fenêtre pour écouter le *rebab* d'oncle Gawwad, le conteur aveugle. Elle aimait beaucoup la musique du *rebab* et l'histoire de Gabal : la nuit où il avait rencontré Gabalawi dans les ténèbres et où il lui avait dit de ne pas avoir peur, l'assurant de son affection et de son aide jusqu'à la victoire ; alors il était revenu dans son quartier et tout avait changé. Comme il est doux de revenir dans son quartier après une longue absence !

Chafi'i observait le ciel, les étoiles qui ne dorment jamais, les premières lueurs au-dessus de la montagne, comme des nuages blancs à l'horizon d'un ciel maussade.

— Il faut partir maintenant, si nous voulons arriver avant l'aube, déclara-t-il.

— Mais j'ai encore besoin de repos.

— Que Dieu maudisse ceux qui sont la cause de ta fatigue !

Que la vie serait belle si Zonfol n'existait pas ! Une vie prospère, dans un air pur, sous un ciel clouté d'étoiles, dans la bonne entente et l'amitié… Mais il y a l'intendant du *waqf*, Ihab, et les *futuwwas*, Bayyoumi, Gabir, Handousa, Khalid, Battikha et Zonfol. Chaque immeuble aurait pu devenir aussi beau que la Grande Maison, les pleurs auraient pu se changer en chansons, mais les malheureux en sont toujours à soupirer après un bonheur impossible, comme Adham l'avait fait avant eux. Et qui sont-ils, ces malheureux ? Les nuques meurtries sous les coups, les culs endoloris par les coups de pied, les yeux remplis de mouches et les cheveux infestés de poux !

— Pourquoi Gabalawi nous a-t-il oubliés ?

— Dieu seul le sait, murmura la femme.

— Hé, Gabalawi ! cria l'homme d'une voix pleine de chagrin et de colère.

Mais seul l'écho lui répondit.

— Allons, à la grâce de Dieu ! fit-il en se levant.

Abda se leva à son tour, mit sa main dans la sienne et tous deux se mirent en route vers le sud, vers Souk el-Muqattam.

45

— Voici notre quartier ! Et nous voici de retour ! Loué soit Dieu, le Seigneur des mondes !

La joie se lisait sur les yeux et les lèvres d'Abda alors qu'elle prononçait ces mots. Oncle Chafi'i lui aussi souriait en s'épongeant le front du pan de sa cape.

— Oui, ça fait plaisir de rentrer chez soi ! déclara-t-il.

Rifaa écoutait ses parents ; son beau visage candide reflétait un étonnement mêlé de tristesse.

— Comment pourrions-nous oublier Souk el-Muqattam et tous nos voisins ? fit-il d'un air de reproche.

Sa mère sourit, tout en rajustant le coin de son voile sur ses cheveux qui commençaient à grisonner. On voyait que le jeune homme regrettait son quartier natal, tout comme Abda avait gardé la nostalgie du sien, et que son caractère délicat et affectueux ne pouvait oublier les anciennes amitiés.

— Les souvenirs heureux, on les garde pour toujours, déclara Abda. Mais ici, c'est notre vrai domaine : c'est là que vivent les tiens, les seigneurs du quartier. Tu les aimeras et ils t'aimeront, tu verras. Il n'y a rien de plus beau que le secteur de Gabal, maintenant que Zonfol est mort.

— Je ne crois pas que Khonfous vaille mieux que Zonfol ! grommela oncle Chafi'i d'un ton méfiant.

— En tout cas, il n'a aucune raison de t'en vouloir.

— L'inimitié des *futuwwas* naît plus facilement que la boue après la pluie.

— Il ne faut pas te faire ces idées-là, mon homme. Nous sommes revenus pour vivre en paix : tu vas rouvrir ton échoppe et nous gagnerons de quoi vivre. Et puis, n'oublie pas qu'à Souk el-Muqattam aussi tu étais sous l'autorité d'un *futuwwa* : partout où tu iras, tu trouveras un *futuwwa* et des gens pour le craindre.

Ils poursuivirent leur route vers l'entrée du quartier. Oncle Chafi'i marchait en tête, chargé d'un sac, suivi d'Abda et de Rifaa, qui portaient chacun un énorme ballot. Le jeune homme, avec sa taille haute et mince et son visage ouvert, à l'expression pleine de douceur et de délicatesse, apparaissait particulièrement sympathique. Il observait avec attention tout ce qui l'entourait, et qu'il voyait pour la première fois. Son regard fut attiré par la Grande Maison qui se dressait solitaire, au haut bout du quartier, parmi les cimes des arbres qui se balançaient derrière le mur extérieur. Il la contempla longuement, puis demanda :

— C'est la maison du Patriarche ?

— Oui, répondit Abda. Tu te souviens de ce que je t'en ai dit ? C'est là que vit l'Ancêtre, le maître de tout le quartier et de ce qui s'y trouve. Tout ce qu'il y a de bon vient de lui et de sa générosité. Et s'il ne s'était pas retiré dans sa demeure, le quartier serait rempli de lumière.

— Oui, continua oncle Chafi'i d'un ton amer, c'est en son nom que le quartier est mis en coupe réglée par Ihab, l'intendant du *waqf*, et que les *futuwwas* nous en font voir de toutes les couleurs.

Longeant le mur sud de la Grande Maison, ils pénétrèrent dans la ruelle. Rifaa ne pouvait détacher les yeux de la demeure aux fenêtres closes. Puis ils aperçurent la maison de l'intendant, et le portier assis sur son banc, devant la porte ouverte. En face se dressait celle du *futuwwa* en chef, Bayyoumi, devant laquelle stationnait une charrette remplie de paniers de riz et de fruits, qu'une théorie de domestiques transportaient à l'intérieur. Le quartier était, comme d'habitude, envahi par des bandes d'enfants aux pieds nus, qui jouaient bruyamment. Devant les portes des maisons, assises par terre ou sur des nattes, les femmes triaient des fèves ou hachaient la *mouloukhiyya*, échangeant des potins et des plaisanteries, des injures et des obscénités, parmi les rires et les cris. La famille d'oncle Chafi'i obliqua vers le secteur de Gabal ; au milieu du chemin, ils rencontrèrent un vieillard aveugle, qui marchait lentement en frappant le sol de son bâton. Oncle Chafi'i posa son sac à terre et s'avança vers le nouveau venu d'un air rayonnant.

— Oncle Gawwad le conteur ! s'écria-t-il. Que le salut soit sur vous !

— Et que sur vous soit le salut ! Ta voix ne m'est pas inconnue…

— Tu as donc oublié ton vieux compagnon, Chafi'i le charpentier ?

— Oncle Chafi'i, par le Seigneur des cieux ! s'écria oncle Gawwad, dont le visage s'illumina.

Il ouvrit ses bras et les deux hommes se donnèrent l'accolade, avec tant d'exubérance que plusieurs passants s'arrêtèrent pour les regarder et que deux petits voyous se mirent à singer leurs embrassades.

— Cela fait au moins vingt ans que vous êtes partis ! s'exclama Gawwad en serrant le bras de son compagnon. Quel bail ! Et comment va ta femme ?

— Très bien, oncle Gawwad, puisse Dieu te maintenir en bonne santé, répondit Abda. Et voici notre fils, Rifaa. Rifaa, viens baiser la main de ton oncle le conteur !

Le jeune homme s'approcha de bon cœur et se pencha sur la main de Gawwad. Celui-ci le frappa affectueusement sur l'épaule et lui palpa la tête et le visage.

— Etrange, étrange ! déclara-t-il enfin. Tu es tout le portrait de l'Ancêtre !

Le visage d'Abda s'illumina de joie ; mais oncle Chafi'i déclara en riant :

— Si tu voyais comme il est fluet, tu ne dirais pas ça !

— C'est assez comme ça : on ne reverra jamais un autre Gabalawi. Et qu'est-ce qu'il fait, ce jeune homme ?

— Je lui ai enseigné mon métier. Mais tu sais ce que c'est, ces fils uniques trop gâtés : il passe plus de temps à flâner dans le désert et sur la montagne qu'à travailler dans l'échoppe !

— Que veux-tu, repartit Gawwad en riant, il n'y a que le mariage pour assagir un homme ! Mais dis-moi, où étais-tu tout ce temps, maître Chafi'i ?

— A Souk el-Muqattam.

— Comme Gabal, alors ! s'exclama l'autre en éclatant de rire. Seulement Gabal, lui, il en est revenu charmeur de serpents, alors que toi, te voilà charpentier comme avant ! En tout cas ton ennemi est mort. Remarque, ceux qui sont restés ne valent pas plus cher.

— Eh oui, se hâta d'intervenir Abda, ils sont tous pareils… Mais nous, tout ce que nous voulons, c'est vivre en paix.

Entre-temps, les hommes du quartier, qui avaient reconnu Chafi'i, s'étaient précipités vers lui, dans un grand concert d'embrassades et d'exclamations.

Quant à Rifaa, il observait ce qui l'entourait avec un intérêt accru ; ainsi entouré des siens, il sentait se dissiper le sentiment d'abandon qui pesait sur lui depuis qu'il avait quitté Souk el-Muqattam. En regardant ainsi autour de lui, il aperçut, derrière l'une des fenêtres du bâtiment voisin, une jeune fille qui le dévisageait avec intérêt ; lorsque leurs regards se croisèrent, elle se hâta de détourner le sien vers l'horizon. S'étant aperçu de ce manège, l'un des compagnons de Chafi'i lui glissa à voix basse :

— C'est Aïcha, la fille de Khonfous ; tu la regardes une fois de trop et c'est le carnage !

— Ce n'est pas son genre ! protesta Abda pendant que le jeune homme devenait tout rouge. Seulement, c'est la première fois qu'il visite le quartier…

C'est alors que, de cette maison, sortit un homme épais et musclé comme un taureau, vêtu d'une ample djellaba dans laquelle il se pavanait d'un air avantageux. Son visage couturé de cicatrices et de marques de petite vérole était barré d'une épaisse moustache. Un chuchotement parcourut l'assistance : "Khonfous ! c'est Khonfous !" Gawwad prit oncle Chafi'i par le bras et le guida vers la maison.

— Que le salut de Dieu soit sur Khonfous, le *futuwwa* des Gabalites ! s'écria-t-il. Je te présente notre frère, maître Chafi'i le charpentier : il vient de revenir dans notre quartier après vingt ans d'absence.

Khonfous dévisagea Chafi'i, feignant un instant d'ignorer la main qu'il lui tendait, avant d'avancer la sienne d'un air revêche.

— Salut, laissa-t-il tomber d'un air glacial.

Voyant que Rifaa semblait mécontent, sa mère lui glissa à l'oreille d'aller le saluer. Le jeune homme s'approcha à contre-cœur et tendit la main.

— Mon fils Rifaa, déclara oncle Chafi'i.

Khonfous lui lança un coup d'œil réprobateur et dégoûté, que l'assistance interpréta comme une marque de mépris pour son aspect frêle et délicat, assez inhabituel dans le quartier. Il lui serra la main avec une totale indifférence, puis, se tournant vers Chafi'i, prit la parole :

— J'espère que tu n'as pas oublié comment les choses se passent, ici ?

— Nous sommes toujours à ton service, patron, répondit l'autre, s'efforçant de dissimuler son dégoût.

— Et pourquoi as-tu quitté ton quartier ? poursuivit Khonfous avec un regard soupçonneux.

Chafi'i resta silencieux, cherchant une réponse qui conviendrait à la situation.

— Tu fuyais Zonfol, c'est ça ?

— En tout cas, ce n'était pas pour quelque chose de bien grave, se hâta d'intervenir Gawwad le conteur.

— Si jamais je me mets en colère contre toi, pas la peine de t'enfuir : je te retrouverai toujours !

— Tu verras, patron, nous sommes les gens les plus paisibles du monde ! déclara Abda.

Chafi'i et les siens, entourés par les hommes du clan, traversèrent le corridor du Bâtiment de la Victoire, afin de s'installer dans un logement vide que leur avait indiqué oncle Gawwad. A une fenêtre qui donnait sur le passage apparut une jeune fille à la beauté un peu canaille ; elle se coiffait devant la vitre qui lui servait de miroir. A la vue des nouveaux arrivants, elle lança d'un air provocant :

— Et qui est-ce qui nous arrive là comme un nouveau marié le jour de ses noces ?

— Un nouveau voisin pour toi, Yasmina ! répondit quelqu'un parmi les rires. Il va habiter dans le passage, juste en face de toi.

— Puisse Dieu nous envoyer toujours plus d'hommes ! s'écria-t-elle en pouffant.

Ses yeux passèrent rapidement sur Abda, mais s'arrêtèrent sur Rifaa avec intérêt et admiration. Quant au jeune homme, il l'admirait plus encore qu'il n'avait admiré Aïcha, la fille de Khonfous. Il suivit ses parents jusqu'au logement, situé face à celui de Yasmina, de l'autre côté du passage. Elle chantait une chanson d'amour.

46

Oncle Chafi'i ouvrit son atelier à proximité de l'entrée du Bâtiment de la Victoire. Au lever du jour, tandis qu'Abda sortait faire son marché, il alla s'asseoir à la porte de son échoppe en compagnie de son fils, attendant le client. Il avait devant lui de quoi vivre pendant un mois ; aussi ne se faisait-il guère de souci pour le lendemain. Contemplant le passage voûté qui donnait sur la cour intérieure, il déclara :

— Voici le passage béni dans lequel Gabal a noyé nos ennemis !

Rifaa l'observait, un sourire songeur aux lèvres.

— Et l'endroit où nous sommes est celui où Adham a construit sa cabane, et où Gabalawi l'a béni et lui a pardonné.

Le sourire du jeune homme s'accentua, et ses yeux semblèrent se perdre dans une rêverie profonde. Que de souvenirs se rattachaient à cet endroit ! Gabalawi et Adham avaient foulé ce sol de leurs pieds, ils avaient respiré cet air. Là se trouvaient les fenêtres par lesquelles l'eau s'était déversée sur les *futuwwas* prisonniers de la fosse. Oui, de la fenêtre de Yasmina aussi ; aujourd'hui, il n'en sortait plus que des œillades qui le troublaient et l'inquiétaient. Le temps dégrade les choses les plus augustes. Gabal, lui, se tenait dans la cour, parmi une poignée d'hommes sans défense ; et pourtant il avait vaincu.

— Gabal a vaincu, père, mais à quoi a servi sa victoire ?

— Nous avons promis de ne plus y penser ! soupira oncle Chafi'i. Tu as vu Khonfous ?

— Hé, l'oncle ! Hé, le charpentier ! cria soudain une voix aiguë.

Le père et le fils échangèrent un regard désapprobateur. Chafi'i leva la tête et aperçut Yasmina, qui se tenait à sa fenêtre dans une pose provocante, laissant pendre ses deux longues tresses dans le vide.

— Oui !

— Envoie-moi ton apprenti ! J'ai une table à faire réparer.

L'homme revint à sa place.

— Vas-y, à la grâce de Dieu ! dit-il au jeune homme.

Rifaa trouva la porte ouverte. Il toussa pour annoncer sa présence, et, Yasmina lui ayant dit d'entrer, il pénétra dans la pièce. La jeune fille était vêtue d'une djellaba marron rehaussée de broderies blanches autour du cou et sur la courbe des seins ; pour le reste, elle allait nu-pieds et ses jambes étaient largement découvertes. Elle resta un instant silencieuse, comme pour apprécier l'effet qu'elle produisait sur son visiteur. Mais, voyant que la candeur naïve de son regard ne s'était pas troublée, elle lui montra du doigt une petite table basse qui tenait sur trois pieds, dans un coin.

— Le pied qui manque est sous le canapé, déclara-t-elle. Répare-le, s'il te plaît, et passe une couche de peinture sur le tout.

— A ton service, notre dame, acquiesça le jeune homme de sa voix douce.

— Ça fera combien ?

— Je demanderai à mon père.

— Mais toi, tu ne connais pas le prix ? s'exclama-t-elle.

— C'est lui qui s'occupe de ça.

— Et qui va faire le travail ? insista-t-elle.

— Moi, mais sous sa direction et avec son aide.

— Battikha est le plus jeune des *futuwwas* ; il n'a même pas ton âge, pourtant il peut tenir tête à toute une procession de noces ! Et toi, tu n'es même pas capable de réparer un pied de table sans demander conseil à papa ! s'exclama-t-elle en riant.

— L'important, c'est que le travail soit exécuté au mieux, conclut Rifaa, d'un ton qui coupait court à la conversation.

Ayant ramassé le pied manquant, il chargea la table sur son épaule, se dirigea vers la porte, salua et sortit rejoindre son père.

— Pour parler franchement, déclara celui-ci en contemplant l'objet d'un air dégoûté, j'aurais préféré que notre premier gain nous vienne de quelqu'un d'un peu plus convenable !

— Mais elle est tout à fait convenable, père ! objecta naïvement Rifaa. Simplement, elle vit seule, à ce qu'il paraît.

— Il n'y a pas plus dangereux qu'une femme qui vit seule !

— Peut-être a-t-elle besoin de quelqu'un pour la conseiller…

— Peut-être, coupa Chafi'i d'un ton ironique, mais notre métier c'est de travailler le bois, pas de donner des conseils ! Allez, va faire chauffer la colle !

Ce soir-là, oncle Chafi'i et Rifaa se rendirent au café de Gabal. Gawwad le conteur, accroupi sur son estrade, sirotait un café. Chaldam, le propriétaire, était assis près de la porte, pendant que Khonfous se pavanait à la place d'honneur, entouré de sa cour habituelle. Chafi'i et son fils se dirigèrent tout d'abord vers le *futuwwa* afin de lui présenter leurs respects, puis s'assirent à côté de Chaldam. Oncle Chafi'i commanda tout de suite un narguilé pour lui, et une décoction de cannelle aux noisettes pour son fils. Une douce torpeur semblait régner dans le café ; un nuage de fumée était suspendu au plafond, et dans l'air immobile se mêlaient les odeurs du tabac aromatisé au miel, de la menthe, et des clous de girofle. Les visages aux paupières lourdes apparaissaient blêmes et épuisés, derrière les épaisses moustaches qui les barraient. Les toux et les raclements de gorge se mêlaient aux rires et aux plaisanteries grasses. A l'extérieur s'élevaient les cris des enfants qui chahutaient en chantant.

Un chat, à l'affût à l'entrée de la salle, bondit soudain vers le bas de l'estrade ; il y eut un bruit de poursuite, puis l'animal sortit en courant, une souris dans la gueule. Rifaa reposa sa tasse, écœuré : son regard tomba soudain sur Khonfous, qui crachait par terre.

— Eh bien, vieille tête à malices, quand vas-tu commencer ? lança-t-il au conteur.

Celui-ci sourit en hochant la tête, s'empara de son *rebab* et joua quelques accords en guise de prélude. Il commença par saluer l'intendant, Ihab, puis le *futuwwa* du quartier, Bayyoumi, et enfin Khonfous, successeur de Gabal, puis il entama son récit : "Adham était dans le bureau du *waqf* et recevait les nouveaux locataires. Alors qu'il était penché sur son registre, le dernier de la file s'avança vers lui et dit, déclinant son nom : «Idris Gabalawi.» Alors, Adham leva brusquement la tête et vit son frère qui se tenait devant lui…"

Le conteur poursuivit son récit, devant un auditoire suspendu à ses lèvres. Rifaa était passionné : ainsi, tels étaient le conteur et les récits pour lesquels leur quartier était si célèbre ! Combien de fois sa mère ne lui avait-elle pas dit : "Notre quartier, c'est le quartier des conteurs." Et comme elles étaient belles, ces histoires ! Il y avait là de quoi lui faire oublier ses jeux à Souk el-Muqattam et, dans le désert avoisinant, de quoi apaiser son cœur où brûlait une fièvre mystérieuse. Aussi mystérieuse que cette grande maison toujours close, où les cimes des mûriers, des figuiers et des palmiers semblaient seules indiquer la présence de la vie. En vérité, quelle preuve avait-on de l'existence de Gabalawi, hormis les arbres et les contes ? Quelle preuve avait-il, lui-même, d'être le descendant de Gabalawi, hormis la ressemblance qu'avait décelée Gawwad en lui palpant le visage ?

La nuit approchait. Oncle Chafi'i fumait un troisième narguilé. Les appels des marchands ambulants et les cris des enfants s'étaient tus ; on n'entendait plus que les accords du *rebab* et, au loin, le battement d'une *derbouka* qui se mêlait aux cris d'une femme rossée par son mari. Quant à Adham, son frère Idris l'avait emporté vers son destin, vers le désert, pendant qu'Oumayma le suivait en pleurant. "Tout comme ma mère quand elle est partie du quartier ; j'étais dans son ventre, mais j'ai senti son chagrin. Ah ! que Dieu maudisse les *futuwwas*, et les chats quand les souris expirent sous leurs dents ! Et les regards ironiques, les rires méchants et ceux qui accueillent leur frère revenu d'exil en lui annonçant qu'ils le retrouveront toujours si jamais ils ont un compte à régler avec lui ! Et tous ceux qui terrorisent les autres et répandent l'hypocrisie autour d'eux ! Quant à Adham il ne lui restait plus rien que le désert ; maintenant, le conteur imite Idris chantant ses chansons d'ivrogne…"

Soudain, il se pencha à l'oreille de son père et murmura :

— J'aimerais visiter les autres cafés du quartier !

— Pourquoi donc ? demanda Chafi'i étonné. Notre café est le plus beau !

— Et que racontent les conteurs, là-bas ?

— Le même genre d'histoires, seulement ils les racontent différemment.

— Il n'y a pas plus menteur que les gens de ce quartier ! glissa Chaldam qui avait entendu cet échange. Et les conteurs sont les plus menteurs de tous ! Dans le café d'à côté, on te dira que Gabal s'est déclaré fils du quartier, alors que tout le monde sait qu'il se considérait uniquement comme fils des Hamdanites, à l'exclusion des autres !

— Que veux-tu, commenta oncle Chafi'i, ils racontent n'importe quoi pour plaire à leur public.

— Pour plaire aux *futuwwas*, surtout, chuchota l'autre.

Le père et le fils sortirent du café vers le milieu de la nuit. L'obscurité était si épaisse qu'elle semblait s'être matérialisée. Des voix s'élevaient, semblant sortir de nulle part. Une cigarette brasillait, tenue par une main invisible, comme une étoile tombée à ras de terre.

— Alors, l'histoire t'a plu ? demanda le père.

— Oui ! Comme elles sont belles, nos histoires !

— Oncle Gawwad t'a pris en affection. Que t'a-t-il dit pendant l'entracte ?

— Il m'a invité à venir le voir chez lui.

— Eh bien, tu n'es pas long à te faire des amis ! Par contre, pour ce qui est d'apprendre le métier, c'est autre chose…

— Père, j'ai toute la vie pour devenir menuisier. Pour le moment, ce dont j'ai envie, c'est de visiter tous les autres cafés.

Marchant à tâtons, ils pénétrèrent dans le passage. Des voix avinées sortaient de la maison de Yasmina ; quelqu'un se mit à chanter une chanson canaille.

— Apparemment je m'étais trompé, glissa Rifaa à l'oreille de son père. Elle ne vit pas seule…

— Eh bien, on peut dire que tu n'as pas appris grand-chose, en traînant dans le désert ! soupira Chafi'i.

Alors qu'ils escaladaient l'escalier en prenant bien garde à ne pas faire de bruit, Rifaa chuchota à son père.

— Père, j'irai rendre visite à oncle Gawwad.

47

Rifaa frappa à la porte de Gawwad le conteur, dans le troisième bâtiment du secteur de Gabal. Des cris et des injures s'élevaient de la cour, où se trouvait un groupe de femmes occupées à faire la lessive et à cuire le repas. Le jeune homme jeta un coup d'œil depuis la galerie circulaire qui donnait sur la cour intérieure : apparemment, l'altercation mettait aux prises deux robustes commères, dont l'une, retranchée derrière son baquet à lessive et entourée de ses enfants, agitait ses bras pleins de savon, pendant que l'autre, campée à la sortie du passage, les manches retroussées sur ses avant-bras, lui renvoyait obscénité pour obscénité tout en tortillant de la croupe d'un air méprisant. Naturellement, les autres femmes avaient pris parti pour l'une ou pour l'autre, et les murs se renvoyaient l'écho des épithètes malsonnantes et des invectives ordurières qu'elles échangeaient avec une belle ardeur. Dégoûté par ce spectacle, Rifaa se tourna à nouveau vers la porte du conteur. Même les femmes, même les chats, pour ne pas parler des *futuwwas* : des griffes dans chaque main, du poison dans chaque bouche ! L'air pur, on ne pouvait le trouver que dans les solitudes du Muqattam, ou dans la Grande Maison, où le Fondateur goûtait à une paix solitaire.

La porte s'ouvrit, laissant paraître un visage aveugle. Rifaa salua le conteur, qui sourit et s'effaça en disant : "Sois le bienvenu, neveu !" En entrant, le jeune homme perçut une odeur d'encens, qui lui parut plus suave que l'haleine d'un ange. Suivant son hôte, il pénétra dans une pièce carrée de petites dimensions. Des matelas longeaient les quatre côtés, et le sol était recouvert d'une natte de roseaux. La lumière de la fin de l'après-midi pénétrait, adoucie par les volets fermés. Au plafond était suspendue une lampe à pétrole dont l'abat-jour était décoré d'images d'oiseaux.

Le vieux conteur s'assit sur un matelas, pendant que Rifaa prenait place à son côté.

— Justement, nous préparions le café, déclara Gawwad.

Il appela, et sa femme pénétra dans la pièce, portant un plateau de cuivre.

— Viens ici, Oumm Bikhatirha ! Je te présente Rifaa, le fils d'oncle Chafi'i.

La femme s'assit à côté de son mari.

— Sois le bienvenu, mon fils ! déclara-t-elle en versant le café dans les tasses.

C'était une femme d'environ soixante ans, d'apparence robuste, à l'œil vif et perçant ; elle avait un tatouage au menton.

— Lui, au moins, il écoute bien et il est passionné par les histoires ! poursuivit Gawwad. C'est un public comme ça qu'il faut à un conteur ! Les autres, au bout de dix minutes, ils sont à moitié endormis, ou abrutis par le haschisch.

— Eh, c'est simplement parce que tes histoires sont nouvelles pour lui, alors que les autres les connaissent déjà !

— Là, c'est un de tes mauvais esprits qui parle ! s'écria le vieil homme avec une feinte colère. Oui, poursuivit-il à l'adresse de Rifaa, la patronne est une *koudia* [1].

Le jeune homme jeta un regard plein d'intérêt à Oumm Bikhatirha qui lui tendait sa tasse. Quand il habitait Souk el-Muqattam, il avait bien souvent été fasciné par le battement du tambourin à exorcismes ; son cœur dansait dans sa poitrine en l'écoutant, et il restait immobile, dans la rue, le nez levé vers les fenêtres, pour apercevoir les fumées d'encens qui s'élevaient dans l'air, et les bêtes qui s'agitaient à l'unisson.

— Là-bas, on ne t'a jamais parlé de ce qui se passe dans notre quartier ? lui demanda soudain le conteur.

— Mon père m'en a parlé souvent, et ma mère aussi, mais mon cœur était fixé là-bas et je n'ai pas fait très attention à ces histoires de *waqf*. Ce qui m'a surtout étonné, c'est toutes les victimes que cela a causé. Je

1. Femme qui pratique le *zâr*, rite d'exorcisme visant à débarrasser le patient du "mauvais esprit" qui le possède, au moyen de rythmes et de parfums appropriés. D'origine africaine, le *zâr* est encore pratiqué dans les milieux populaires d'Egypte.

suis du même avis que ma mère : mieux vaut l'amour et la paix.

— Mais comment veux-tu que l'amour et la paix puissent vivre dans la misère et sous les gourdins des *futuwwas* ? objecta Gawwad en hochant tristement la tête.

Rifaa ne répondit pas : non pas parce qu'il n'avait rien à répondre, mais parce qu'il venait d'apercevoir pour la première fois une image curieuse, sur le mur du côté droit de la pièce. Peinte à l'huile à même le crépi, comme celles que l'on trouve habituellement dans les cafés, elle représentait un homme à l'aspect redoutable, entouré par les bâtiments du quartier qui, par comparaison, ne semblaient pas plus grands que des maisons de poupées.

— Qu'est-ce que c'est que cette image ? demanda-t-il.

— C'est Gabalawi, répondit Oumm Bikhatirha.

— Est-ce que quelqu'un l'a vu ?

— Non, sans doute ! Personne de notre génération, en tout cas. Même Gabal n'a pas pu apercevoir ses traits dans l'obscurité. Mais l'artiste l'a représenté tel qu'on le décrit dans les histoires.

— Ah ! soupira Rifaa, pourquoi a-t-il fermé ses portes à ses descendants ?

— On dit qu'il est très vieux : qui sait dans quel état il est, après toutes ces années ? En tout cas, s'il ouvrait ses portes, tu peux être sûr que plus un seul habitant du quartier ne voudrait rester dans son taudis !

— Et toi, tu ne pourrais pas…

— Ne t'occupe pas de ça ! le coupa Oumm Bikhatirha. On commence par parler du Fondateur, et puis on se met à parler du *waqf* et c'est là que les ennuis commencent… et Dieu sait s'il y en a !

— Et pourtant, comment ne pas s'intéresser à un ancêtre aussi extraordinaire ? insista le jeune homme en hochant la tête.

— Tu n'as qu'à faire comme lui : est-ce qu'il s'intéresse à nous ?

— Il a bien rencontré Gabal, et il lui a parlé.

— Oui, et quand Gabal est mort, Zonfol a pris sa place, et Khonfous après lui : nous voilà bien avancés !

— Ce dont le quartier aurait besoin, déclara Gawwad en riant à l'adresse de sa femme, c'est que tu le débarrasses de ses démons, comme tu chasses les mauvais esprits des possédés !

— Ma tante, les vrais démons ce sont ces gens-là ! acquiesça Rifaa. Si tu avais vu la façon dont Khonfous a accueilli mon père !

— Oui, eh bien, moi je ne me mêle pas de ça ! Mes mauvais esprits à moi, ils m'obéissaient, comme les serpents obéissaient à Gabal. Et j'ai ce qu'il faut pour les appâter : de l'encens du Soudan, des amulettes d'Abyssinie, et des incantations souveraines.

— Et d'où te vient ce pouvoir sur les esprits ? poursuivit le jeune homme, que cette conversation semblait vivement intéresser.

— C'est mon métier, comme le travail du bois est le métier de ton père ; il me vient de Dieu, qui donne à chacun son talent.

Rifaa huma les dernières gouttes de sa tasse ; il s'apprêtait à reprendre la parole quand la voix de son père parvint soudain du dehors.

— Rifaa ! Où es-tu, espèce de fainéant !

Le jeune homme se leva, ouvrit la porte et se pencha.

— Laisse-moi encore une demi-heure, père ! supplia-t-il.

Chafi'i leva les bras au ciel dans un feint désespoir et s'en retourna vers son atelier. Au moment où Rifaa allait refermer, il vit Aïcha qui se tenait à sa fenêtre, comme la première fois où il l'avait aperçue. Elle l'observait avec intérêt, et il lui sembla même qu'elle lui souriait ou qu'elle essayait de lui dire quelque chose avec ses yeux. Il hésita un instant, mais finit par fermer la fenêtre et retourna s'asseoir à sa place.

— Ton père voudrait que tu sois menuisier, mais toi, que souhaites-tu ? demanda Gawwad en riant.

— Je ne peux pas faire autrement que de reprendre le travail de mon père, déclara le jeune homme après avoir réfléchi quelques instants. Mais ce que j'aime, ce sont les histoires, et aussi toutes ces choses mystérieuses qui touchent aux esprits. Parle-m'en encore, ma tante !

La vieille femme eut un sourire et manifesta qu'elle était prête à dévoiler un peu de sa science.

— Chaque être humain a un esprit qui le gouverne, commença-t-elle. Mais tous les esprits ne sont pas mauvais, et tous ne méritent pas d'être chassés.

— Et comment peut-on distinguer les bons des méchants ?

— A leurs œuvres. Toi, par exemple, tu es un gentil garçon, et l'esprit qui te domine ne mérite que des compliments ! On ne pourrait pas en dire autant de ceux de Bayyoumi, ou de Khonfous, ou de Battikha !

— Et l'esprit de Yasmina ? demanda innocemment le jeune homme. Est-ce qu'il faudrait le chasser, lui aussi ?

— Votre voisine ? Oh ! elle plaît si bien aux hommes telle qu'elle est !

— J'ai vraiment envie de savoir tout cela ! insista Rifaa. Je t'en prie, ne me refuse pas !

— Qui donc pourrait refuser quelque chose à un aussi gentil garçon ? glissa Gawwad en souriant.

— Ecoute, tu peux venir avec moi chaque fois que l'occasion le permettra. Mais à une condition : que ton père soit d'accord. De toute façon, on se demandera ce qu'un garçon comme toi peut avoir à faire avec les démons. Mais enfin, tu sauras que la seule chose qui rende les gens malheureux, c'est leurs mauvais esprits.

Pendant qu'il écoutait ces mots, Rifaa avait les yeux fixés sur l'image de Gabalawi.

48

Le travail du bois était son métier et son avenir ; apparemment, il n'y avait pas moyen d'y échapper. S'il ne s'en contentait pas, que pouvait-il espérer ? Cela valait mieux que de passer sa journée à pousser une charrette à bras, ou de porter des paniers et des couffins. Quant aux autres métiers, celui de souteneur ou de *futuwwa*, pouah, quelle horreur ! L'activité d'Oumm Bikhatirha éveillait son imagination plus que tout ce qu'il avait connu jusqu'alors, hormis toutefois l'image du Fondateur peinte sur le mur de la chambre de Gawwad. Un jour, il tenta de convaincre son père de faire peindre la même sur le mur de leur maison ou de leur atelier. "Ce serait de l'argent gâché, lui avait répondu Chafi'i. Tout ça, c'est de l'imagination, ça ne sert à rien !" Tout ce que Rifaa trouva à répondre, c'est qu'il avait envie de l'avoir toujours sous les yeux. A ces mots, son père avait éclaté de rire. "Est-ce que tu ne ferais pas mieux de regarder ton travail ? Je ne vivrai pas éternellement, tu sais ! Un jour, tu devras t'occuper seul de la subsistance de ta mère, de ta femme et de tes enfants : autant t'y préparer tout de suite."

Mais rien n'occupait ses pensées autant que les paroles et les actions d'Oumm Bikhatirha. Ce qu'elle lui disait des mauvais esprits lui paraissait d'une importance inestimable, et il y réfléchissait sans cesse, y compris pendant les moments de bonheur qu'il passait à visiter les cafés du quartier, l'un après l'autre. Même les récits des conteurs ne faisaient pas sur lui une impression aussi profonde que ses entretiens avec Oumm Bikhatirha. "Chaque homme a un esprit qui le gouverne, répétait-elle toujours. Tel est le maître, tel est le serviteur." Il avait passé bien des nuits à la regarder à l'œuvre, à suivre les rythmes du *zâr*, à observer comment on dompte les mauvais esprits. Certains malades arrivaient à la maison dans un état de prostration et d'hébétude complètes, d'autres au contraire dans un état de frénésie tel qu'il fallait les ligoter pour les empêcher de nuire. On brûlait alors l'encens adéquat, car à chaque type d'état correspond un type d'encens, et on battait le tambourin selon un rythme particulier, car chaque esprit a un rythme unique, auquel il obéit. C'est alors que se produisait la guérison, miraculeusement.

Ainsi donc, chaque mauvais esprit peut être exorcisé. Mais de quel exorcisme user contre les mauvais esprits qui gouvernent l'intendant du *waqf* et ses *futuwwas* ? Ceux-là affectent de se moquer du *zâr*, et pourtant on dirait qu'il n'a été inventé que pour eux ! On ne peut se débarrasser d'eux qu'en les tuant, alors que les mauvais esprits se soumettent aux parfums les plus suaves et aux chants les plus doux : comment se fait-il qu'un mauvais esprit ne puisse être maîtrisé que par quelque chose de beau et de bon ? Quelle chose fascinante, en vérité, que les secrets du *zâr* et des mauvais esprits !

Un jour, il révéla à Oumm Bikhatirha que son plus cher désir était d'approfondir les secrets de cet art.

“Tiens-tu à gagner beaucoup d’argent ?” lui demanda-t-elle. Il répondit que ce qui l’intéressait était de purifier le quartier, pas de gagner de l’argent. La femme se mit à rire. “C’est bien la première fois qu’un homme veut faire ce métier, déclara-t-elle. D’où te vient cette envie ?” Il répondit que ce qu’il admirait dans ce métier, c’est qu’il consistait à chasser le mal par le beau et le bien.

Lorsqu’elle accepta de lui apprendre ses secrets, il ne se sentit plus de joie ; pour manifester son bonheur, il prit l’habitude de monter chaque matin sur la terrasse, un peu avant l’aube, pour contempler le lever du jour. Mais ce n’était pas tant les étoiles, le silence, ou le cri des coqs qui le fascinaient, que la Grande Maison elle-même, endormie parmi les arbres. “Où es-tu, notre Ancêtre ? se demandait-il. Pourquoi n’apparais-tu pas, ne serait-ce qu’un instant ? Pourquoi ne sors-tu pas de chez toi, ne serait-ce qu’une seule fois ? Pourquoi ne dis-tu rien, ne serait-ce qu’un seul mot ? Ne sais-tu pas qu’un seul mot de toi suffirait à transformer le quartier du tout au tout ? Ou bien es-tu satisfait de ce qui s’y passe ? Comme ils sont beaux, les arbres qui entourent ta maison ! Je les aime parce que tu les aimes, et je les regarde dans l’espoir de retrouver tes propres regards imprimés sur eux.”

Chaque fois qu’il essayait de dévoiler ses pensées à son père, celui-ci le rabrouait : “Au travail fainéant ! A ton âge, les jeunes gens sont déjà occupés à gagner leur vie, quand ils ne font pas trembler le quartier avec leurs gourdins !” Un jour, alors que la famille était rassemblée après le déjeuner, Abda dit soudain à son mari :

— Dis-lui, patron !

Rifaa, comprenant que c'était de lui qu'il s'agissait, jeta un regard interrogateur à son père, qui se borna à renvoyer la balle à sa femme.

— Dis-lui d'abord toi-même ce que tu as à dire.

— Une bonne nouvelle, Rifaa ! déclara-t-elle en couvant son fils d'un regard admiratif. Imagine-toi que j'ai reçu la visite de *sitt*[1] Zakiyya, la femme de notre *futuwwa*, Khonfous. Naturellement, je lui ai rendu la politesse : elle m'a très gentiment accueillie et m'a présenté sa fille, Aïcha, une charmante jeune fille, vraiment très jolie. Et puis, elle est revenue me rendre visite avec Aïcha.

Tout en portant sa tasse de café à ses lèvres, oncle Chafi'i observa son fils à la dérobée, pour voir comment il réagissait à ce récit ; puis il hocha la tête d'un air dubitatif, comprenant que les choses n'iraient pas toutes seules.

— C'est la première fois qu'elle faisait un tel honneur à quelqu'un du secteur ! poursuivit Abda. Imagine-toi : la femme et la fille de Khonfous sont venues !

Rifaa l'observait d'un air perplexe, tandis qu'elle continuait d'un ton enthousiaste :

— Et si tu savais comme ils ont une belle maison ! Des sièges moelleux, des tapis splendides... il y a même des rideaux aux fenêtres et devant les portes !

— Et tout ça grâce à l'argent qu'ils extorquent aux Gabalites ! coupa Rifaa d'un ton agacé.

— Nous avions décidé de ne pas parler de ça ! rappela oncle Chafi'i, dissimulant un sourire.

— Oui, approuva Abda, souvenons-nous seulement que Khonfous est le plus riche et le plus puissant des Gabalites, et que l'amitié de sa famille est une aubaine inespérée.

1. En arabe : "dame". Titre donné aux femmes de la petite bourgeoisie.

— Eh bien, je t'en fais mes compliments ! répondit Rifaa du même ton agacé.

— Tu sais, poursuivit Abda après avoir échangé un regard significatif avec son mari, si Aïcha est venue, ça veut dire quelque chose.

— Ah oui, et quoi donc ? articula Rifaa, la gorge serrée.

— Il faudrait peut-être qu'on lui raconte comment nous nous sommes mariés ! lança oncle Chafi'i en levant les bras au ciel dans un désespoir comique.

— Ah non, alors ! Ça, jamais ! s'écria Rifaa consterné.

— Eh bien, qu'est-ce que ça veut dire ? Tu as l'air fin, à jouer les pucelles effarouchées !

— Ecoute, reprit Abda, d'un ton plein d'espoir, tu auras la possibilité de nous faire entrer à la direction du *waqf* des Gabalites. Si tu fais le premier mouvement, ils t'accueilleront sûrement à bras ouverts : si la femme de Khonfous n'était pas sûre de son fait, elle ne serait pas allée si loin. Pense à l'avenir qui t'attend : tout le quartier te jalousera, du premier au dernier.

— Qui sait ? Peut-être un jour te verrons-nous intendant du *waqf* des Gabalites, ou bien verras-tu l'un de tes fils y arriver ? renchérit oncle Chafi'i avec un gros rire.

— C'est toi qui viens me dire ça, père ! Aurais-tu oublié pourquoi tu as abandonné le quartier il y a vingt ans ?

— Aujourd'hui nous vivons comme tout le monde, répondit-il, un peu embarrassé. En tout cas, on ne peut pas laisser passer une occasion qui vient comme ça, sans qu'on lui ait rien demandé !

— Comment veux-tu que je devienne le gendre d'un démon, quand tout ce qui m'intéresse, c'est justement de chasser les mauvais esprits ! murmura Rifaa, comme se parlant à lui-même.

— Je n'avais jamais espéré faire de toi autre chose qu'un menuisier. Aujourd'hui, voilà que tu as la chance de devenir un des notables du quartier. Mais tout ce dont tu as envie, c'est de faire la *koudia* ! Quelle honte ! On t'a jeté le mauvais œil, ma parole ! Allez, dis que tu l'épouseras et finissons-en.

— Je ne l'épouserai pas, père !

— En tout cas, poursuivit Chafi'i, moi, dès demain, j'irai voir Khonfous pour lui demander son alliance.

— Ne fais pas cela !

— Mais dis-nous donc ce que tu as, à la fin !

— Ne sois pas trop dur pour lui, intervint Abda. Tu sais bien comment il est…

— Oh ! je ne le sais que trop ! Tout le quartier se moque de lui, avec ses airs de demoiselle !

— Laisse-lui un peu de temps pour réfléchir.

— Tous les garçons de son âge sont déjà mariés et ont des enfants ! Et eux, au moins, on les prend au sérieux ! Tiens, le voilà tout pâle ! poursuivit-il en fusillant le jeune homme du regard. Pourquoi ? Tu es un homme comme les autres, non ?

Rifaa poussa un profond soupir ; il avait la poitrine oppressée, comme s'il allait éclater en sanglots. "La colère détruit l'amour paternel, se disait-il, et la famille peut parfois devenir une prison… Tu n'as rien à faire ici, parmi ces gens…"

— Ne me tourmente pas, père, supplia-t-il d'une voix enrouée par les larmes.

— C'est toi qui me tourmentes ! Depuis le jour de ta naissance, tu n'as pas cessé de me tourmenter !

Rifaa baissa la tête, dissimulant son visage à ses parents. Oncle Chafi'i baissa la voix, se forçant au calme, et reprit :

— Tu as peur du mariage ? C'est ça ? Tu n'as pas envie de te marier ? Dis-moi franchement ce que tu as dans le cœur. Ou bien alors va voir Oumm Bikhatirha : peut-être sait-elle sur toi des choses que tu ignores toi-même.

— Non ! cria le jeune homme.

Et, se levant brusquement, il sortit de la pièce.

49

Lorsque oncle Chafi'i descendit ouvrir son atelier, il ne trouva pas Rifaa ; il s'abstint cependant de l'appeler, se disant qu'il était plus sage de feindre l'insouciance. La journée passa lentement, la lumière du soleil quitta progressivement le quartier, la sciure s'entassa aux pieds de Chafi'i, mais Rifaa n'était toujours pas apparu. Le soir vint. Mécontent et inquiet, le brave homme ferma son atelier, et se rendit comme tous les soirs au café de Chaldam, où il s'assit à sa place habituelle. Gawwad le conteur arriva quelque temps après ; étonné de le voir seul, Chafi'i l'interrogea :

— Mais où est passé Rifaa ?

— Je ne l'ai pas vu depuis hier, répondit l'autre, se dirigeant vers son estrade.

— Il est sorti après le déjeuner et il n'est pas rentré !

Gawwad haussa ses sourcils blancs et demanda, tout en s'asseyant et en attirant son *rebab* :

— Vous vous êtes disputés ?

Sans répondre, Chafi'i se leva brusquement et quitta la pièce. Etonné de le voir si inquiet, Chaldam commenta d'un ton ironique :

— Tu parles d'un enfant gâté ! Ma parole, on n'avait pas vu ça dans le quartier depuis le temps où Idris a bâti sa cabane dans le désert ! Moi, quand j'étais gosse, je pouvais disparaître des journées entières sans que personne ne s'inquiète. Et quand je rentrais, tout ce que mon pauvre père trouvait à me dire, c'était : "Ah ! te voilà, petit saligaud ? Tu pouvais pas rester où tu étais ?"

— Probable qu'il savait que tu n'étais pas de lui ! lança Khonfous depuis sa place.

Cette fine repartie souleva une vague d'hilarité, et on célébra hautement l'esprit du *futuwwa*.

Pendant ce temps, oncle Chafi'i était retourné chez lui, pour voir si Rifaa n'était pas rentré pendant son absence. Ses questions remplirent Abda d'anxiété : elle croyait le jeune homme en compagnie de son père. Son inquiétude s'accrut lorsqu'elle apprit qu'il n'était pas non plus allé voir Gawwad.

Alors qu'elle s'interrogeait ainsi, la voix de Yasmina leur arriva soudain : elle interpellait un marchand de figues. Abda et Chafi'i échangèrent un regard troublé. L'homme secoua la tête d'un air fatigué et laissa échapper un petit rire sans joie.

— Une fille comme ça est capable de tout ! insista Abda.

Poussé par le désespoir, Chafi'i s'en fut donc frapper, seul, à la porte de Yasmina. En le reconnaissant, elle rejeta la tête en arrière d'un air à la fois stupéfait et triomphant.

— Toi ici ! Eh bien ! Comme quoi il faut se méfier de l'eau qui dort ! lança-t-elle d'un ton ironique.

Troublé malgré lui par le corps de la jeune fille, bien visible sous la tunique transparente, il baissa les yeux et articula d'une voix brisée :

— Rifaa est chez toi ?

— Rifaa ? s'exclama-t-elle stupéfaite. Voilà autre chose ! Tu peux fouiller, si tu veux, ajouta-t-elle, voyant l'inquiétude qui se lisait sur les traits de Chafi'i.

Comme celui-ci se retournait pour partir, elle lui lança encore en riant :

— Alors, ça y est ? C'est devenu un homme, à présent ?

Alors qu'il s'éloignait, il l'entendit qui parlait à quelqu'un qui se trouvait dans la pièce :

— A cette heure, voilà qu'on protège les garçons pire que si c'était des filles !

Oncle Chafi'i trouva Abda qui l'attendait dans le passage.

— Allons tous les deux à Souk el-Muqattam, déclara-t-elle.

— Que le bon Dieu le patafiole ! gronda l'autre. Tu parles d'une partie de plaisir, après que je me suis esquinté à travailler toute la journée !

Ils louèrent une calèche et se rendirent à leur ancien domicile ; mais ils eurent beau interroger tous leurs amis et connaissances, ils ne trouvèrent pas la moindre trace de Rifaa. Sans doute, il avait l'habitude de passer des heures dans le désert ou sur la montagne, en fin d'après-midi et jusqu'au soir : mais comment croire qu'il aurait pu s'attarder jusqu'au milieu de la nuit ? Ils rentrèrent chez eux, sans ramener autre chose que de nouvelles inquiétudes.

Plusieurs jours passèrent sans qu'il réapparaisse. Les langues allaient bon train sur cette affaire, et on en faisait des gorges chaudes au café de Chaldam, dans la maison de Yasmina et dans tout le secteur des Gabalites : on considérait l'inquiétude des parents comme la chose la plus comique du monde ; Oumm Bikhatirha et oncle Gawwad étaient pratiquement les seuls à partager leur peine. "Mais où a-t-il pu passer, à la fin ? se demandait Gawwad. Si encore c'était son genre de courir la gueuse, on ne s'inquiéterait pas tant !" Un jour que Battikha était ivre, il se mit à crier : "Avis à la population ! Il a été perdu un jeune homme ! Bonne récompense à qui le ramènera !" comme on le fait pour les enfants disparus. Tout le quartier en rit, et les enfants reprirent le cri, qu'ils répétèrent inlassablement.

Abda tomba malade de chagrin. Chafi'i, le cœur gros et les yeux rougis par le manque de sommeil, avait perdu le goût du travail. Quant à Zakiyya, la femme de Khonfous, elle cessa de rendre visite à Abda, et l'ignorait lorsqu'elle la croisait dans la rue.

Or, un jour que Chafi'i était occupé à scier une pièce de bois, il entendit soudain la voix de Yasmina, qui revenait de promenade :

— Oncle Chafi'i ! Viens voir !

Il leva la tête et vit qu'elle montrait du doigt le bout de la rue principale qui donnait sur le désert. Sortant de son atelier, la scie encore à la main, il regarda dans la direction qu'elle lui indiquait et aperçut Rifaa qui venait vers lui, l'air penaud. Abandonnant sa scie en pleine rue. Chafi'i se précipita vers le jeune homme et l'empoigna par les épaules.

— Rifaa ! Où étais-tu passé ! Tu ne sais pas quel chagrin tu nous as causé ! Ta pauvre mère a failli mourir d'inquiétude ! Comme tu es maigre ! Tu étais malade ?

— Non, non, répondit le jeune homme, embarrassé. Laisse-moi voir ma mère.

— Mais où étais-tu donc ? intervint Yasmina qui s'était approchée.

Sans lui jeter un regard, il se laissa conduire par son père jusqu'à la maison, sous les regards curieux d'une troupe d'enfants. Bientôt, Oumm Bikhatirha et oncle Gawwad se joignirent au cortège. En voyant arriver son fils, Abda sauta à bas du lit et se jeta dans ses bras.

— Que Dieu te pardonne ! prononça-t-elle d'une voix faible. Comment as-tu pu traiter ta mère de cette façon ?

Il lui saisit la main et la fit asseoir sur le lit, avant de prendre place à son côté.

— Pardonne-moi, dit-il.

Son père s'efforçait de cacher sous un visage sévère l'immense soulagement qu'il ressentait.

— Nous ne voulions pas autre chose que ton bonheur ! fit-il d'une voix pleine de reproches.

— Tu croyais vraiment que nous allions t'obliger à ce mariage ? renchérit Abda, les yeux pleins de larmes.

— Je suis si fatigué…

— Où étais-tu ? demandèrent plusieurs voix.

— J'étais dégoûté de la vie. Je suis allé dans le désert. J'avais envie d'être seul, de ne plus voir personne… Je ne sortais que pour acheter à manger.

— Mais ça n'a pas de bon sens ! s'écria Chafi'i en se frappant le front.

— Laissez-le tranquille, intervint Oumm Bikhatirha d'un ton compatissant. Je connais bien ce qu'il ressent.

Ce n'est pas le genre de garçon à qui il faut imposer quelque chose dont il ne veut pas.

— Tout notre espoir, c'était de te voir heureux, fit Abda qui n'avait pas lâché la main de son fils. Enfin, ce qui est écrit est écrit... Comme tu as maigri, mon pauvre garçon !

— Quand a-t-on vu une chose pareille dans le quartier ! pesta oncle Chafi'i, toujours furieux.

— Pour moi, tout ça n'a rien d'étonnant, oncle Chafi'i ! reprit Oumm Bikhatirha. C'est un jeune homme qui n'est pas comme les autres.

— Nous voici devenus la risée de tout le monde !

— Il n'y a pas deux garçons comme lui dans le quartier ! s'écria Oumm Bikhatirha, vraiment en colère.

— Oui, et c'est justement ça qui me chagrine !

— Trêve de sornettes, l'ami ! Tu ne sais pas ce que tu dis et tu ne comprends rien du tout !

50

Le lendemain matin, l'atelier avait repris une apparence active et prospère. Oncle Chafi'i et Rifaa fabriquaient une table, l'un sciant, l'autre clouant ; à leurs pieds, le pot de colle était à demi-enterré dans la sciure et les copeaux. Plusieurs battants de volets et vantaux de portes étaient appuyés contre le mur, ainsi qu'une pile de coffres en bois brut, bien rabotés, à qui il ne manquait qu'une couche de peinture. L'air, tout embaumé de l'odeur du bois, résonnait du bruit de la scie, de la râpe et du marteau, ainsi que du glouglou des narguilés que fumaient quatre clients, assis à l'entrée de l'atelier et fort occupés à bavarder.

— Si tu te tires bien de ce canapé, déclara Higazi, l'un d'eux, ma prochaine commande, si Dieu le veut, ce sera pour le trousseau de ma fille… Comme je dis toujours, reprit-il en s'adressant à ses compagnons, si Gabal revenait sur terre, il deviendrait fou furieux en voyant où nous sommes tombés !

Tous hochèrent la tête en tirant sur leurs narguilés.

— Hé, oncle Chafi'i, lança soudain Barhoum le fossoyeur avec un sourire ironique, pourquoi tu ne veux pas me fabriquer un cercueil ? Mon argent ne t'intéresse pas ?

— Dieu nous protège ! protesta l'autre en riant. Rien de tel qu'un cercueil dans un atelier pour faire fuir le client !

— Tu as raison, approuva gravement Farhat. Ces choses-là, ça porte malheur rien que d'en parler.

— Oui, eh bien vous devriez avoir honte de craindre la mort comme vous le faites ! reprit Higazi qui tenait à son idée. C'est à cause de ça que vous vous laissez marcher dessus par Khonfous et Bayyoumi, et que Ihab se met votre argent plein les poches.

— Et toi ? Tu n'en as pas peur, de la mort ?

— La honte est pour tous ! concéda l'autre en crachant de dégoût. Gabal, lui, était fort, et c'est par la force et la violence qu'il nous a récupéré nos droits… avant qu'on les reperde par lâcheté !

— Gabal voulait récupérer nos droits par des moyens pacifiques ! intervint soudain Rifaa, après avoir sorti une poignée de clous de sa bouche. Il n'a eu recours à la violence que pour se défendre.

— Dis voir un peu, fils, lança Higazi d'un ton ironique, tes clous, là, tu peux les enfoncer autrement qu'en tapant dessus ?

— Mais l'homme n'est pas un morceau de bois, maître Higazi !

Sur un regard d'avertissement venu de son père, le jeune homme se pencha à nouveau sur son travail, pendant que Higazi reprenait, brodant à nouveau sur son thème favori :

— La vérité, c'est que Gabal était un *futuwwa*, et un des plus costauds que le quartier ait jamais connus. D'ailleurs, il a plus d'une fois encouragé son clan à faire comme lui.

— Oui, renchérit Farhat, il voulait qu'ils deviennent les *futuwwas* de tout le quartier, pas seulement des Gabalites.

— Et aujourd'hui, ils ne valent guère plus que des souris ou des lapins !

— Quelle couleur préfères-tu, oncle Higazi ? intervint Chafi'i en s'essuyant le nez du dos de la main.

— Mets-moi quelque chose qui ne se salisse pas trop vite, ça fera plus propre… Et le jour où Daabis a crevé l'œil de Kaabelha, Gabal lui a crevé le sien : comme quoi sans violence, pas moyen d'établir la justice.

— Et à quoi ça sert la violence ? A n'importe quelle heure du jour et de la nuit, on voit des bagarres et des meurtres, même les femmes se griffent jusqu'au sang : dans tout ça, où est la justice ?

— Apparemment le jeune monsieur méprise notre quartier ! lança Hannoura qui n'avait encore rien dit. Il est vraiment trop délicat ! Et c'est bien de ta faute, maître Chafi'i !

— Moi ?

— Eh oui, un vrai enfant gâté !

— Au lieu de t'occuper de ça, tu ferais mieux de te trouver une femme ! lança Higazi à l'adresse de Rifaa.

Tous éclatèrent de rire, tandis qu'oncle Chafi'i baissait la tête et que le visage de Rifaa s'empourprait.

— La force, oui, la force, reprit Higazi. Sans elle, la justice ne règnera jamais.

Mais Rifaa, passant outre au regard d'avertissement que lui lançait son père, s'obstina :

— La vérité, déclara-t-il, c'est que notre quartier a besoin de compassion.

— Mais tu veux me ruiner, ma parole ? s'exclama Barhoum le fossoyeur.

Une hilarité générale, entrecoupée de quintes de toux, accueillit ce bon mot.

— Dans le temps, reprit Higazi, qui avait les yeux tout rouges, Gabal est allé voir l'*efendi* pour lui demander justice et compassion : il lui a envoyé Zoqlot et ses hommes. Ce qui a sauvé Gabal et son clan, c'est les gourdins, pas la compassion !

— Hé, doucement ! lança oncle Chafi'i. Les murs ont des oreilles ! S'ils vous entendent, votre compte est bon !

— Il a raison ! approuva Hannoura. Vous n'êtes qu'une bande de bons à rien et de fumeurs de haschisch ! Si Khonfous passait à l'instant, vous vous précipiteriez pour lui lécher les bottes ! Allons, mon garçon, reprit-il à l'adresse de Rifaa, les paroles d'un fumeur de haschisch, ça ne compte pas… Au fait, tu n'as jamais essayé, toi ?

— Non, ça ne le tente pas, répondit oncle Chafi'i. Après deux bouffées, il étouffe, ou s'endort.

— Il est vraiment bien délicat ! commenta Farhat. Beaucoup de gens le prennent pour une *koudia* ou pour un conteur : quand il n'est pas fourré chez Oumm Bikhatirha, il passe son temps à écouter les histoires de l'ancien temps.

— Eh oui, approuva Higazi en riant : apparemment que le haschisch, ça ne lui dit pas plus que le mariage !

Barhoum héla le garçon de café voisin, qui vint récupérer les narguilés ; les quatre hommes se levèrent, prirent congé et s'en furent chacun de son côté. Oncle Chafi'i, laissant retomber la scie, lança un regard de reproche à son fils.

— Tu n'as pas à te mêler à la conversation de ces gens-là !

Un groupe d'enfants arriva alors et se mit à jouer devant l'atelier. Rifaa fit le tour de la table, s'approcha de son père, et, le prenant par le bras, l'entraîna au fond de l'atelier, loin des oreilles indiscrètes. Il semblait ému, troublé : pourtant son visage avait une expression résolue, et dans ses yeux brillaient une lumière étrange.

— Dorénavant, je ne puis plus me taire ! déclara-t-il soudain.

Le cœur du vieil homme se serra. Quel fardeau que ce fils chéri ! Il gaspille un temps précieux chez Oumm Bikhatirha, il reste des heures entières à bayer aux corneilles, tout seul, sur le rocher de Hind, et quand, par extraordinaire, il passe une heure à l'atelier, il trouve le moyen de créer toutes sortes d'ennuis en discutant avec les clients !

— Je n'ai pas le droit de cacher mon secret, reprit le jeune homme avec une étrange douceur.

— Eh bien, qu'y a-t-il ?

— Hier soir, je suis sorti de chez le conteur vers le milieu de la nuit. Comme je n'avais pas envie de rentrer, je suis allé dans le désert et j'ai marché dans la nuit, jusqu'à ce que je sois fatigué. Je me suis assis contre le mur de la Grande Maison, du côté du désert. C'est alors que j'ai entendu une drôle de voix, comme celle de quelqu'un qui parlait tout seul dans l'obscurité. A ce moment-là, j'ai eu une illumination : j'ai compris que c'était la voix de Gabalawi !

— La voix de Gabalawi ! s'exclama oncle Chafi'i, les yeux arrondis par la surprise. Mais qu'est-ce qui a pu te mettre cette idée dans la tête ?

— Ce ne sont pas des idées, père, et je vais t'en donner la preuve. Dès que j'ai entendu cette voix, je me suis levé et j'ai essayé d'apercevoir celui qui me parlait ; mais je n'ai vu que les ténèbres…

— Dieu soit loué !

— Attends, père ! J'ai entendu la voix qui disait : “Gabal a accompli sa mission mais, depuis, les choses sont pires.”

— Et pourtant des dizaines de gens se sont assis au même endroit que toi sans rien entendre du tout…

— Oui, père, mais moi j'ai entendu.

— C'est peut-être quelqu'un qui parlait en dormant.

— Non, la voix venait de la maison.

— Comment le sais-tu ?

— J'ai crié : “Grand-père, Gabal est mort et d'autres sont venus après lui ! Viens à notre secours !”

— Mon Dieu, pourvu que personne ne t'ait entendu !

— L'Ancêtre, lui, m'a entendu : j'ai entendu sa voix qui disait : “N'as-tu pas honte, toi qui es un jeune homme, d'exiger que ton vieux grand-père se remette à travailler ? Le fils bien-aimé, c'est celui qui travaille…” Je lui ai alors demandé : “Que puis-je, faible comme je suis, contre tous ces *futuwwas* ? – Le faible, c'est le sot qui ne connaît pas le secret de sa force, m'a-t-il répondu. Et je n'aime pas les sots !”

— Et tu crois vraiment que c'est Gabalawi qui te parlait ainsi ? demanda oncle Chafi'i avec inquiétude.

— J'en mettrais ma main au feu !

— Encore des illusions qui vont nous coûter cher ! soupira le vieil homme.

— Crois-moi, père, tout ceci est vrai, sans l'ombre d'un doute !

— Laisse-moi croire que non !

— Maintenant, je sais ce qui est attendu de moi, reprit le jeune homme, le visage rayonnant.

— Parce qu'en plus, on attend quelque chose de toi ?

— Oui ! Je suis faible, mais je ne suis pas sot, et le fils bien-aimé est celui qui travaille !

— Ce travail-là ne me dit rien qui vaille ! Tu finiras mal, et tu nous entraîneras dans ta chute !

— Non ! Ils ne tuent que ceux qui en veulent au *waqf* !

— Parce que toi, tu ne t'en soucies pas !

— Adham aspirait à une vie de paix et de bonheur. Et Gabal aussi : il a revendiqué ses droits sur le *waqf*, comme un moyen pour arriver à ce but. Alors nous avons cru que nous ne pourrions l'obtenir, à notre tour, si les revenus du *waqf* étaient divisés équitablement, afin que tous vivent heureux sans se tuer au travail. Mais si nous pouvons arriver au même résultat sans passer par là, quel besoin avons-nous du *waqf* ? Or, nous le pouvons !

— C'est le Patriarche qui t'a dit ça ?

— Il a dit qu'il n'aime pas la sottise, que le sot est celui qui ignore le secret de sa force. Je serai bien le dernier à appeler les gens à se battre pour le *waqf* : le *waqf* n'est rien, père, ce qui compte c'est la vie paisible et heureuse. Et rien ne nous empêche d'être heureux, hormis les mauvais esprits qui se cachent au fond de nous. Ce n'est pas par caprice que j'ai si longtemps étudié le métier d'exorciste : c'est sûrement la volonté du Seigneur qui m'a poussé dans cette voie.

Ces paroles soulagèrent un peu Chafi'i ; mais l'inquiétude le laissait brisé. Il s'inclina sur sa scie, étendant les jambes et appuyant le dos contre un cadre de fenêtre qui attendait d'être réparé.

— Et comment se fait-il que nous soyons si malheureux, alors qu'Oumm Bikhatirha exerce parmi nous depuis avant ta naissance, demanda-t-il avec une certaine ironie.

— Parce qu'elle reste chez elle à attendre qu'on lui amène les malades riches, et qu'elle ne va pas d'elle-même soigner les pauvres !

— Et pourtant nous avons du travail en abondance, reprit Chafi'i en embrassant l'atelier d'un regard circulaire. Dieu sait quels ennuis tout ça va encore nous apporter !

— Il n'en viendra que de bonnes choses, père : guérir les malades ne fait de mal qu'aux mauvais esprits.

Un rayon de soleil couchant, reflété dans la glace d'une armoire posée près de la porte, illumina alors l'atelier.

51

Cette nuit-là, l'inquiétude s'installa dans la maison d'oncle Chafi'i. On avait simplement dit à Abda que Rifaa, après avoir entendu la voix du Patriarche, avait décidé de rendre visite aux malheureux pour chasser leurs mauvais esprits. Pourtant, une sourde anxiété la rongeait, et elle s'interrogeait sur les conséquences. Rifaa était sorti. A l'autre bout du quartier, loin du secteur des Gabalites, on célébrait une noce : on entendait les tambourins, les flûtes et les youyous des femmes.

— Rifaa ne ment pas ! déclara Abda, résolue à affronter la situation.

— Non, mais son imagination lui joue peut-être des tours, objecta Chafi'i d'un ton agacé. Ce sont des choses qui arrivent à tout le monde.

— Et toi, que penses-tu de cette conversation qu'il aurait eue avec Gabalawi ?

— Que veux-tu que j'en sache ?

— Du moment que l'Ancêtre est vivant, ça n'a rien d'impossible.

— En tout cas, malheur à nous si ça vient à s'ébruiter !

— Eh bien, n'en parlons à personne, et rendons grâce à Dieu : il ne s'intéresse qu'aux âmes et ne s'occupe pas du *waqf*. Tant qu'il ne fait de mal à personne, personne ne lui en fera.

— Ah oui ? Et combien de gens ont souffert dans notre quartier sans avoir fait de mal à personne ?

Soudain, un grand tumulte se fit dans l'entrée du bâtiment, couvrant les rumeurs de la noce. Mettant le nez à la fenêtre, Chafi'i et Abda virent le passage rempli d'hommes. A la lueur de la lampe que tenait l'un d'entre eux, ils reconnurent les visages de Higazi, de Barhoum, de Farhat, de Hannoura et de quelques autres. Tous parlaient ou criaient en même temps dans un fracas indescriptible. Une voix jaillit au-dessus des autres : "C'est l'honneur des Gabalites qui est en jeu ! Nous ne laisserons personne le salir !"

— Ça y est, glissa Abda terrorisée à l'oreille de son mari, le secret de notre fils s'est ébruité !

— Je me doutais bien que ça finirait comme ça, gémit Chafi'i en faisant un pas en arrière.

Sans se soucier du danger, il se précipita au-dehors, suivi de sa femme. Fendant la foule, il appela à haute voix :

— Rifaa ! Où es-tu, Rifaa ?

— Qu'est-ce qu'il y a ? Ton fils s'est encore perdu ? lui lança Higazi en criant très fort pour couvrir le tumulte.

— Viens plutôt qu'on te raconte ce qui s'est passé ! intervint Barhoum. Les Gabalites sont déshonorés pour toujours !

— Pensez à Dieu qui vous regarde ! supplia Abda. L'indulgence aussi est une vertu…

Ces mots furent accueillis par des exclamations de colère : "Cette femme est folle !" disaient les uns. "Elle ne sait pas ce que c'est que l'honneur !" s'écriaient les autres. A demi fou d'inquiétude, Chafi'i se tourna vers Higazi.

— Où est le garçon ? lui demanda-t-il d'une voix suppliante.

Higazi se fraya un chemin jusqu'à la porte et se mit à crier :

— Rifaa ! Viens ici, mon garçon, ton père te demande !

Oncle Chafi'i, qui ne comprenait toujours rien à la situation, vit soudain apparaître le jeune homme dans le cercle de lumière ; il se précipita vers lui et l'entraîna vers le lieu où se trouvait Abda. Quelques instants plus tard, Chaldam apparut, tenant une lanterne à la main ; derrière lui s'avançait Khonfous, l'air encore plus hargneux que de coutume.

— Eh bien, que se passe-t-il ? lança-t-il d'un ton rogue.

— Yasmina nous a déshonorés ! répondirent plusieurs voix en même temps.

— Où sont les témoins ? Parlez !

Un certain Zaytouna, cocher de calèche de son état, s'avança au devant du *futuwwa* et prit la parole :

— Il y a quelques instants, je l'ai vue qui sortait de chez Bayyoumi par la porte de derrière. Je l'ai suivie jusqu'ici et je lui ai demandé ce qu'elle faisait là-bas ; c'est alors que je me suis aperçu qu'elle était soûle, elle puait l'alcool à dix pas. Mais elle m'a glissé des mains et elle s'est enfermée chez elle. Alors, je vous le demande : qu'est-ce qu'une femme ivre pouvait bien faire chez Bayyoumi, si ce n'est pas ce que je pense ?

Pendant que Chafi'i et Abda, dans leur coin, sentaient un grand poids s'ôter de leur poitrine, Khonfous, lui, commençait à s'inquiéter sérieusement : il se rendait parfaitement compte que, dans cette affaire, il jouait son prestige de *futuwwa*. Si, en effet, il s'abstenait de sévir contre Yasmina, il se déshonorait aux yeux des Gabalites ; d'autre part, s'il la laissait aux mains de cette bande d'excités, et s'ils lui faisaient un mauvais parti, cela revenait à défier ouvertement Bayyoumi, le *futuwwa* en chef. Et, pendant qu'il hésitait, d'autres Gabalites arrivaient en masse des immeubles voisins, se répandant dans la cour et poussant des cris de colère.

— Chassez-la du secteur !

— Oui, mais il faut la fouetter avant !

— Il n'y a qu'à la tuer une fois pour toutes !

Yasmina poussa un hurlement de terreur derrière ses volets clos. Tous les regards étaient tournés vers Khonfous. C'est à ce moment que, dans le silence soudain, s'éleva la voix de Rifaa qui parlait à son père :

— Est-ce qu'ils ne feraient pas mieux de s'en prendre à Bayyoumi ? Après tout, le vrai coupable, c'est lui !

— C'est elle qui est allée chez lui, non ? rétorqua Zaytouna.

— Si tu n'as pas d'honneur, tu ferais mieux de te taire ! lança un autre.

Mais, passant outre au regard furieux que lui lançait son père, le jeune homme insista :

— A tout prendre, Bayyoumi n'a rien fait d'autre que ce que vous faites tous !

— C'est une Gabalite ! Elle n'est pas pour les autres ! hurla Zaytouna d'une voix hystérique.

— Petit crétin ! Ça n'a pas plus d'honneur que de cervelle !

D'une bourrade, oncle Chafi'i imposa le silence à son fils, pendant que Barhoum s'époumonait :

— Silence ! Laissez parler le patron !

Mais Khonfous gardait le silence, à demi étranglé par une rage impuissante. Pendant ce temps, Yasmina ne cessait de hurler, appelant au secours ; des regards luisants de colère fixaient la porte de la fille ; l'assaut était imminent.

C'en était trop pour Rifaa ; soudain, il échappa à son père et se fraya un chemin jusqu'à la porte.

— Ayez pitié de sa faiblesse et de sa peur ! lança-t-il à la foule.

— Espèce de gonzesse ! répliqua Zaytouna.

— Dieu te pardonne, Zaytouna ! poursuivit-il, ignorant les appels de son père. Ecoutez tous ! Pardonnez-lui et faites de moi ce que vous voulez !

— Ne vous occupez pas de cet imbécile ! reprit Zaytouna. A toi de parler, patron ! poursuivit-il à l'adresse de Khonfous.

— Et si je l'épousais ? proposa soudain Rifaa. Est-ce que vous la tiendriez quitte ?

— On s'en fiche ! répondit Zaytouna, parmi les cris de colère et de dérision de la foule. Tout ce qui compte, c'est qu'elle soit punie !

— Si je l'épouse, ce sera à moi de la punir !

— Non, c'est l'affaire de tous !

Mais, pour Khonfous, la proposition du jeune homme offrait un moyen de se tirer d'affaire. Un moyen pas bien reluisant, il s'en rendait compte, mais il n'avait guère le choix. Prenant un air encore plus renfrogné que de coutume dans l'espoir de dissimuler la faiblesse de sa position, il déclara :

— Ce garçon s'est engagé devant nous à épouser Yasmina : il n'y a qu'à le laisser faire à son idée.

— Lâcheté ! cria Zaytouna, perdant toute retenue sous l'effet de la fureur. Nous sommes déshonorés !

Le poing de Khonfous le frappa en plein sur l'arête du nez ; il trébucha en arrière, gémissant de douleur, perdant du sang en abondance. Tout le monde comprit la leçon : se sentant en position de faiblesse, le *futuwwa* était bien décidé à employer tous les moyens pour intimider les éventuels contestataires. Il jeta un coup d'œil circulaire : la peur se lisait sur tous les visages qu'éclairait la lueur de la lampe. Personne n'eut un mouvement de pitié pour le malheureux qui venait de se faire fracasser le nez.

— Voilà ce que c'est, d'avoir la langue trop bien pendue ! lui lança méchamment Farhat.

Pendant ce temps, les autres s'empressaient autour de Khonfous :

— Sans toi, déclara Barhoum, on n'aurait jamais trouvé la solution !

— Tu as raison de ne pas te laisser embêter ! renchérit Hannoura.

Petit à petit, la foule se dispersa ; bientôt, il ne resta plus, en dehors de Khonfous et Chaldam, que Chafi'i, sa femme et son fils. Le vieil homme s'approcha de Khonfous pour le saluer ; mais celui-ci, donnant enfin libre cours à sa fureur, écarta la paume tendue d'un violent revers de main. Poussant un gémissement de douleur, Chafi'i fit un pas en arrière ; pendant que sa femme et son fils s'empressaient autour de lui, l'autre sortit du passage, maudissant le clan de Gabal, hommes et femmes, et jusqu'à Gabal lui-même.

Sous l'emprise de la douleur, oncle Chafi'i, oubliant le guêpier où son fils s'était mis, s'en fut tremper sa main endolorie dans l'eau chaude.

— Tu crois que c'est Zakiyya qui a monté son mari contre nous ? lui demanda Abda tout en le massant doucement.

— Ce lâche ne s'est même pas souvenu que c'est notre crétin de fils qui l'a sauvé du gourdin de Bayyoumi !

52

La déception de Chafi'i et d'Abda fut à la mesure des espoirs qu'ils avaient mis dans leur fils. Ce mariage causerait sa perte ; avant même qu'il fût conclu, tout le quartier en faisait des gorges chaudes. A force de pleurer en cachette, Abda finit par tomber malade ; quant à Chafi'i, il promenait une tête d'enterrement. Pourtant, devant leur fils, ils gardaient le silence, et s'abstenaient de manifester la moindre désapprobation.

Au demeurant, le comportement de Yasmina depuis les événements de cette nuit-là leur facilitait un peu les choses : le soir même, elle était accourue chez eux et s'était jetée à leurs pieds en pleurant et en leur manifestant sa gratitude et son repentir pour sa vie passée. De toute façon, du moment que le jeune homme s'était engagé publiquement, il n'y avait plus moyen d'éviter ce mariage ; aussi oncle Chafi'i et Abda s'efforçaient-ils de l'accepter avec résignation.

Ils étaient tiraillés entre deux souhaits contraires. D'un côté, ils désiraient pour leur fils un beau mariage, selon la coutume, avec une procession dans tout le quartier ; mais, de l'autre, ils estimaient plus sage de se contenter d'une cérémonie intime à la maison, de façon à ne pas exposer la noce aux moqueries des Gabalites, qui ne manquaient jamais une occasion de se gausser de cette union.

— Et dire que je me faisais une fête de voir la procession de noces de Rifaa, notre fils unique, faire le tour du quartier ! soupira tristement Abda.

— De toute façon, pas un seul des Gabalites n'accepterait d'y participer ! rétorqua son mari.

— Il vaudrait mieux retourner à Souk el-Muqattam que de rester dans cet endroit où tout le monde nous en veut !

— Nous ne partirons pas d'ici, mère ! déclara Rifaa en étendant paresseusement les jambes dans la flaque de soleil, sous la fenêtre ouverte.

— On n'aurait jamais dû revenir ! s'écria oncle Chafi'i. D'ailleurs, tu étais triste le jour où nous sommes arrivés.

— Oui, mais les choses ont bien changé. Et puis, si nous nous en allons, qui délivrera les Gabalites de leurs mauvais esprits ?

— Au diable les Gabalites ! explosa le vieil homme. Que leurs mauvais esprits leur empoisonnent l'existence jusqu'à la fin des temps ! Et quand je pense que tu vas nous amener cette…

— Je ne vous amènerai personne, l'interrompit Rifaa : c'est moi qui irai m'installer chez elle.

— Ton père ne voulait pas dire ça ! s'écria Abda.

— Mais moi, je pense sérieusement ce que j'ai dit. D'ailleurs, ce n'est pas loin : nous pourrions nous serrer la main chaque matin par la fenêtre.

Malgré ses appréhensions, oncle Chafi'i décida de célébrer publiquement le mariage, mais de façon très modeste. Il suspendit des décorations dans le passage et devant les portes des deux appartements, fit venir un chanteur et un cuisinier, et invita tous ses amis et connaissances. Mais il en vint très peu : oncle Gawwad, Oumm Bikhatirha, oncle Higazi et sa famille, et quelques traîne-misère attirés par la perspective d'un repas gratuit.

C'était la première fois qu'un garçon du quartier se mariait sans procession nuptiale. La famille traversa simplement le passage pour se rendre dans la maison de la jeune épousée. Dégoûté par un aussi maigre public, l'artiste chantait sans enthousiasme. Pendant le repas, Gawwad le conteur prit la parole, louant la générosité et le courage du jeune homme :

— C'est un garçon intelligent, sage et vertueux, déclara-t-il. Malheureusement, dans notre quartier, il n'y en a que pour les maquereaux et les brutes !

A ce moment-là, une bande de gamins se rassembla devant la porte et se mit à chanter :

Rifaa face de rat
Tu auras des cornes !
Rifaa face de rat
Des corn's tu auras !

L'aubade s'acheva sur un concert d'acclamations ironiques et de cris d'animaux. Rifaa fixa le sol, pendant que le visage de Chafi'i blêmissait.

— Des chiens fils de chiens ! cracha oncle Higazi furieux.

— Il y a beaucoup de méchanceté dans notre quartier, mais les bonnes actions ne s'oublient jamais, le corrigea Gawwad. Combien avons-nous eu de *futuwwas* ? Et pourtant, nous ne nous souvenons plus que d'Adham et de Gabal.

Il encouragea l'artiste à chanter, afin de couvrir le charivari. La réception se poursuivit, languissante, jusqu'à ce que tout le monde se fût retiré, laissant les jeunes mariés en compagnie l'un de l'autre.

Yasmina était délicieuse dans sa robe de mariée. Rifaa prit place à son côté ; il était vêtu d'une djellaba en soie, coiffé d'un turban brodé et chaussé de babouches jaunes flambant neuves. Ils étaient assis tous deux sur le canapé, en face du lit à courtepointe rose. Dans le miroir de l'armoire, se reflétaient la cuvette et le broc à eau, sous le lit.

Yasmina s'attendait manifestement à ce qu'il prenne l'initiative, ou, à tout le moins, qu'il en manifeste l'intention. Mais il restait impassible, regardant alternativement la lampe pendue au plafond et la natte bariolée étendue au sol. Elle voulut rompre le silence, qui se faisait de plus en plus pesant.

— Je n'oublierai jamais ce que tu as fait pour moi, déclara-t-elle. Je te dois la vie.

— Nous devons tous la vie à quelqu'un, répondit Rifaa, du ton de celui qui veut clore une conversation.

“Comme il est bon !” se dit-elle. L’autre nuit, il avait refusé qu’elle lui baise les mains, et maintenant il ne voulait pas qu’elle lui rappelle son bienfait. Mais à quoi pouvait-il penser, à cette heure ? Serait-ce qu’il regrettait le mariage que sa bonté l’avait poussé à conclure ?

— Je ne suis pas aussi mauvaise que les gens le croient, reprit-elle : ils m’aimaient et me méprisaient pour la même raison.

— Je sais. Il y a bien des choses à redresser dans notre quartier.

— Ils se vantent toujours de descendre d’Adham, mais ils se conduisent comme les derniers des derniers, poursuivit Yasmina avec amertume.

— Dès lors qu’il est facile de chasser les mauvais esprits, le bonheur n’est pas loin, déclara-t-il d’un ton convaincu.

Mais le ridicule de la situation frappa soudain la jeune femme, qui n’avait pas compris ce que Rifaa avait voulu dire.

— Voilà une drôle de conversation pour une nuit de noces ! pouffa-t-elle.

Quittant son air humble et reconnaissant, elle rejeta fièrement la tête en arrière, ôta son châle et lança à Rifaa un regard provocant.

— Tu seras la première à connaître ce bonheur, fit celui-ci d’un ton plein d’espoir.

— Vraiment ? J’ai du vin, si tu veux.

— Non merci, j’ai déjà bu un peu pendant le dîner, ça me suffit.

— Tu veux du haschisch ? poursuivit-elle après un silence. J’en ai et du meilleur !

— J’ai essayé une fois, mais je ne le supporte pas.

— Ton père, lui, c'est un vrai ! Je l'ai vu une fois sortir de chez Chaldam, il était tellement parti qu'il ne distinguait plus le jour de la nuit !

Rifaa sourit sans rien répondre. Humiliée, furieuse, elle se leva soudain et marcha jusqu'à la porte, puis, faisant demi-tour, vint se mettre sous la lampe, laissant entrevoir son corps superbe sous l'étoffe à demi-transparente de sa robe. Mais, voyant que son regard restait calme et paisible, elle perdit tout espoir.

— Pourquoi m'as-tu sauvée ? demanda-t-elle enfin.

— Je ne supporte pas de voir quelqu'un souffrir.

— Et c'est à cause de ça que tu m'as épousée ? lança-t-elle, laissant libre cours à sa colère. Seulement à cause de ça ?

— Ne te mets pas en colère. Ces jours-là sont finis.

Yasmina se mordit les lèvres avec quelque chose qui ressemblait à du repentir. Puis :

— Et moi qui croyais que tu m'aimais ! chuchota-t-elle.

— Mais je t'aime, Yasmina !

— Vraiment ?

— Vraiment. Il n'y a personne dans ce quartier que je n'aime pas.

— Ça va, j'ai compris ! Tu vas me garder quelques mois, et tu me répudieras.

— Ne retombe pas dans tes mauvaises pensées d'autrefois.

— Mais alors qu'est-ce que tu me veux, à la fin ?

— Je veux que tu connaisses le vrai bonheur.

— Le bonheur ? Je l'ai connu plusieurs fois, avant même de t'avoir vu !

— Il n'y a pas de bonheur dans la honte.

— Comme si l'honneur suffisait à nous rendre heureux ! dit-elle en riant malgré elle.

— Personne ici ne sait ce qu'est le vrai bonheur.

D'un pas traînant, elle alla s'asseoir sur le bord du lit.

— Tu es comme tout le monde dans ce quartier, reprit-il d'une voix douce, en s'approchant d'elle. Tu ne penses qu'au *waqf* perdu.

— Que le bon Dieu me donne de débrouiller quelque chose dans tes devinettes !

— Elles se résoudront toutes seules quand tu seras débarrassée de ton mauvais esprit.

— Mais je me plais bien comme je suis ! protesta-t-elle.

— C'est exactement ce que disent Khonfous et les autres.

— Tu vas parler comme ça jusqu'à demain ? l'interrompit-elle en soupirant.

— Allez, dors, et fais de beaux rêves.

Elle s'étendit sur le lit, laissant une place à son côté.

— Mets-toi à ton aise, je dormirai sur le canapé, dit Rifaa, répondant à la question informulée qu'il avait lue dans ses yeux.

Une brève crise de fou rire secoua la jeune femme.

— Et dire que demain ta mère viendra probablement nous rendre visite, et qu'elle te dira de ne pas te surmener ! ironisa-t-elle.

Malgré son attente, aucune gêne n'apparut sur le visage de Rifaa, qui continua de l'observer de son regard tranquille et limpide.

— J'aimerais tant te débarrasser de ton mauvais esprit, se borna-t-il à dire.

— Laisse les femmes faire le travail des femmes, rétorqua-t-elle d'un ton sec.

Agitée par la colère et l'inquiétude, elle se tourna vers le mur. Rifaa se dirigea vers la lampe, descendit la mèche et souffla la flamme.

53

Les jours qui suivirent son mariage, Rifaa manifesta une activité débordante. Il cessa, ou à peu près, de se rendre à l'atelier et, sans l'affection et la sollicitude de son père, il aurait été totalement dépourvu de moyens de subsistance. Il passait son temps à essayer de convaincre tous les Gabalites qu'il rencontrait de se laisser débarrasser de leurs mauvais esprits, ce qui leur permettrait de réaliser un bonheur dont ils n'avaient pas idée. Les Gabalites, eux, chuchotaient que le fils de Chafi'i commençait vraiment à dérailler, et qu'il devenait doucement fou ; d'aucuns expliquaient cela par son existence excentrique, d'autres par son mariage avec une fille comme Yasmina. En tout cas, son comportement bizarre défrayait les conversations qui se tenaient dans les cafés, dans les maisons, autour des charrettes des marchands des quatre-saisons ou dans les cercles de haschisch. Une qui fut bien étonnée, c'est Oumm Bikhatirha, le jour où Rifaa, se penchant à son oreille, lui glissa, avec sa douceur coutumière.

— Tu ne voudrais pas que je te purifie ?

— Non, mais dis donc ! Est-ce que c'est une façon de me parler, à moi qui t'aime comme mon fils ? Et d'abord comme le sais-tu, que je suis possédée par un mauvais esprit ?

— Mais je ne propose mes services qu'à ceux que j'aime et que je respecte ! assura-t-il sans se départir de son sérieux. Tu as une bonne influence et tu soulages les gens, mais tu es dominée par l'appât du gain : tu te fais payer pour guérir les malades. Si tu te débarrassais de ton mauvais esprit, tu les soignerais pour rien.

A ces mots, la vieille femme ne put s'empêcher de rire.

— Tu veux me ruiner, ma parole ! protesta-t-elle. Que Dieu te pardonne, Rifaa !

L'anecdote fit le tour du quartier, provoquant l'hilarité générale, même celle d'oncle Chafi'i, qui n'avait pourtant pas le cœur à rire.

— Toi aussi, père, tu as besoin de mes services, déclara alors Rifaa. Si j'étais un bon fils, je commencerais par toi.

Mais le vieil homme hocha la tête d'un air morose et se mit à taper sur ses clous à coups redoublés en murmurant :

— Que le Seigneur me donne de la patience !

Le jeune homme redoubla d'efforts pour le persuader, mais en vain.

— Ça ne te suffit pas de faire de nous la risée du quartier ? explosa Chafi'i.

Rifaa se retira tristement dans un coin de l'atelier. Au bout de quelques minutes, son père reprit la parole :

— C'est vrai que tu as proposé la même chose à ta femme ?

— Oui, mais elle est comme vous tous : le bonheur vrai ne l'intéresse pas, répondit-il avec un soupir.

Quelque temps après, il se rendit au cercle de haschisch de Chaldam, dans le terrain vague qui s'étendait derrière le café. Il y avait là, outre le maître de céans, Higazi, Barhoum, Farhat, Hannoura et Zaytouna, qui se pressaient autour du brasero. En le voyant arriver, ils levèrent la tête et le regardèrent d'un air étonné.

— Salut au fils d'oncle Chafi'i ! lança Chaldam. Alors, c'est le mariage qui t'a converti au haschisch ?

Rifaa déposa un paquet de *knafeh* [1] sur la table basse et dit en s'asseyant :

— J'ai amené ça pour saluer la compagnie.

— Merci de l'honneur ! répondit Chaldam en faisant passer la pipe.

— Et maintenant, il va nous proposer une petite cérémonie d'exorcisme pour chasser nos mauvais esprits ! ricana Barhoum.

— Pour commencer, tu ferais bien de débarrasser ta femme d'un mauvais esprit qui s'appelle Bayyoumi ! lui lança Zaytouna de sa voix nasillarde, en lui lançant un regard haineux.

Pris de court par la brutalité de cette sortie, les hommes se turent ; l'embarras se lisait sur tous les visages.

— C'est vrai, à la fin ! C'est à cause de lui que j'ai perdu mon nez, insista Zaytouna, en montrant son appendice fracassé.

Voyant que Rifaa ne semblait pas le moins du monde en colère, Farhat, consterné, entreprit de lui faire la morale :

— Ecoute, Rifaa, ton père est un brave homme et un bon artisan ; mais toi, avec tes excentricités, tu lui causes bien des soucis, tu fais de lui la risée du quartier. A peine était-il remis de ton mariage que tu t'es enfui de l'atelier, soi-disant pour chasser les démons ! Que le bon Dieu te guérisse de la tête, mon gars !

— Mais je ne suis pas malade ! Je veux seulement votre bonheur !

Zaytouna inhala une grosse bouffée, tout en le regardant d'un œil hostile.

— Et qui t'a dit qu'on n'était pas heureux ? demanda-t-il tout en chassant la fumée de ses poumons.

1. Sorte de pâtisserie.

— Mais ce n'est pas cette vie que l'Ancêtre voulait pour nous !

— Eh, fiche-lui donc la paix, à l'Ancêtre ! interrompit Farhat en riant. Si ça se trouve, il nous a oubliés depuis belle lurette !

Zaytouna lui jeta un regard chargé de haine et d'envie, mais Higazi lui donna un coup de pied en guise d'avertissement.

— Tu seras bien gentil de respecter la compagnie et de ne pas faire d'esclandre ! glissa-t-il.

Puis, pour détendre l'atmosphère, il se mit à hocher de la tête tout en faisant un signe convenu aux autres, qui entonnèrent aussitôt une complainte de bateliers.

En proie à un profond découragement, Rifaa quitta l'assemblée et rentra chez lui ; Yasmina l'accueillit avec un sourire paisible. Au début, elle lui reprochait régulièrement son comportement extravagant, qui le marginalisait, et elle également. Puis, voyant que cela ne servait à rien, elle s'était tue, et s'efforçait de supporter courageusement cette existence aux conséquences incertaines, traitant son mari avec douceur et tendresse.

On frappa à la porte : c'était Khonfous, le *futuwwa* des Gabalites. Il entra sans demander la permission et empoigna violemment Rifaa par l'épaule, alors que celui-ci se levait pour l'accueillir.

— Qu'est-ce que tu as dit sur le *waqf* au cercle de Chaldam ? lui demanda-t-il sans préambule.

— J'ai dit que le Patriarche voulait notre bonheur, répondit le jeune homme, sans se départir de son calme.

— Et qu'en sais-tu ? grogna l'autre en le secouant comme un prunier.

— Ça fait partie des choses qu'il a dites à Gabal.

— Justement, il lui a parlé du *waqf* !

— Le *waqf* ne m'intéresse pas du tout, protesta Rifaa, qui avait de plus en plus de mal à supporter la douleur. Le bonheur que je ne suis encore parvenu à donner à personne n'a rien à voir avec le *waqf*, ni avec l'alcool ou le haschisch. C'est ce que j'ai toujours dit partout dans le quartier des Gabalites, tout le monde m'a entendu.

— Ton père était un révolté, mais il a fini par se soumettre, reprit l'autre en le secouant à nouveau. Attention à ne pas suivre ses traces, ou je t'écrase comme un pou !

D'une poussée, il projeta Rifaa sur le canapé, puis s'en alla. Yasmina se précipita vers son mari pour le réconforter et masser son épaule endolorie. Il semblait à moitié évanoui et murmurait, comme s'il se parlait à lui-même :

— C'est bien la voix de l'Ancêtre que j'ai entendue…

Elle lui jeta un regard inquiet et apitoyé à la fois : avait-il perdu la raison pour de bon ? Elle se garda de mentionner l'incident par la suite, mais son inquiétude ne fit que croître.

Un jour, Rifaa, sortant du bâtiment où il habitait, fut abordé par une femme étrangère au clan de Gabal.

— Bonjour, maître Rifaa ! le salua-t-elle.

— Que veux-tu ? répondit-il, tout étonné de se voir interpeller sur un ton si respectueux.

— Mon fils est possédé ; je voudrais que tu le délivres.

Comme tous les Gabalites, Rifaa méprisait profondément les autres habitants du quartier, et il hésitait à s'abaisser à rendre service à cette femme, ce qui l'aurait rendu encore plus ridicule aux yeux de son clan.

— N'y a-t-il pas de *koudia* dans ton secteur ? demanda-t-il.

— Si, mais je suis pauvre…

Rifaa fut touché par la détresse de cette femme, et par le fait qu'elle se fût adressée à lui qui ne rencontrait, dans son propre clan, que mépris et dérision.

— A ta convenance, déclara-t-il d'une voix ferme.

54

Yasmina, à la fenêtre, regardait la rue principale du quartier, s'amusant de ce spectacle nouveau. Au pied du bâtiment, un groupe d'enfants jouait à grands cris ; à côté, une marchande de noix de palme interpellait les passants ; un peu plus loin, Battikha avait empoigné un homme par le collet et s'appliquait à lui casser méthodiquement la figure, sourd à ses supplications.

— Notre nouvelle maison te plaît ? lui demanda Rifaa, assis sur le canapé, fort occupé à se tailler les ongles des pieds.

— Ici, au moins, on donne sur la rue, acquiesça-t-elle. Là-bas, on ne voyait que ce passage obscur.

— Tout de même, il aurait mieux valu que le passage reste à nous : c'est un lieu béni, où Gabal a remporté une victoire décisive sur ses ennemis. Mais nous ne pouvions plus rester parmi des gens qui se moquent de nous sans arrêt. Ici, au moins, ils ne sont pas riches, mais ils ont bon cœur. Et les vrais seigneurs, ce sont les hommes de bonne volonté, pas les Gabalites.

— En tout cas, moi, je ne puis plus les souffrir depuis qu'ils ont décidé de nous chasser.

— Alors, pourquoi prends-tu toujours grand soin de dire aux voisins que tu es une Gabalite ? demanda Rifaa en souriant.

— Pour qu'ils sachent que je vaux mieux qu'eux ! répliqua-t-elle en riant de toutes ses belles dents.

Rifaa reposa les ciseaux et étendit ses jambes sur la natte.

— Tu seras plus belle et meilleure quand tu auras vaincu la vanité, reprit-il. Les Gabalites ne valent pas mieux que les autres habitants du quartier ; c'est seulement la bonté du cœur qui fait la vraie supériorité. Moi aussi, j'ai fait la même erreur que toi, lorsque je ne voulais m'occuper que des Gabalites. Mais ceux qui méritent le bonheur, ce sont ceux qui se consacrent à le construire sans rien demander pour eux-mêmes. Regarde comme les braves gens acceptent mes services, et comment ils se guérissent de leurs mauvais esprits.

— Mais tout le monde ici travaille pour un salaire, sauf toi ! protesta-t-elle.

— Sans moi, les pauvres ne trouveraient personne pour les soigner ; ce n'est pas qu'ils n'apprécient pas la guérison à sa juste valeur, mais ils n'ont pas de quoi payer. Ce sont les premiers amis que j'aie jamais eus.

Le visage fermé, Yasmina semblait vouloir mettre un terme à la discussion ; Rifaa reprit :

— Ah ! si seulement tu te laissais soigner comme les autres ! Alors je te libérerais de tout ce qui trouble la pureté de la vie.

— Tu me trouves tellement désagréable ? demanda-t-elle d'un ton aigre.

— Tu sais, il y a des gens qui sont amoureux de leurs mauvais esprits, sans même le savoir.

— Tu sais bien que je n'aime pas parler de ça !

— Ah ! tu es bien une Gabalite ! s'exclama Rifaa en souriant. Tous ont refusé de se soumettre à mon traitement, même mon propre père !

A ce moment, on frappa à la porte : un nouveau client venait demander secours. Rifaa remit de l'ordre dans sa tenue pour le recevoir.

Rifaa vivait les jours les plus heureux de son existence. Ses nouveaux voisins l'appelaient “Maître Rifaa”, et ils le faisaient avec une affection sincère. Ils savaient qu'il chassait les mauvais esprits et qu'il rendait la santé et le bonheur simplement pour l'amour de Dieu, sans rien demander en échange ; un tel comportement était quelque chose de totalement neuf et inhabituel. Aussi les pauvres l'aimaient-ils comme ils n'avaient jamais aimé personne avant lui. Naturellement, le *futuwwa* du secteur, Battikha, ne pouvait pas le sentir, à cause de sa bonté et de sa générosité d'une part, mais aussi parce qu'il était trop pauvre pour lui payer le prix de la protection ; cependant, il n'avait encore trouvé aucun prétexte pour s'en prendre à lui. Quant à ceux qu'il avait guéris, chacun avait son histoire, qu'il ne manquait pas de rappeler à tout propos. Oumm Daoud, lors de ses crises, mordait son bébé ; aujourd'hui, on la donnait en exemple de pondération et d'équilibre. Sinnara, qui passait son temps à se disputer et à injurier tout le monde, était devenu doux comme un agneau. Tolba le tire-laine s'était repenti et travaillait désormais comme apprenti chez un rétameur. Oways s'était marié, après… vous m'entendez.

Parmi ses anciens patients, Rifaa avait choisi quatre amis, nommés Zaki, Husayn, Ali et Karim ; ils étaient ensemble comme des frères. Aucun d'entre eux n'avait connu l'amitié auparavant : Zaki était un vagabond et un chômeur professionnel, Husayn un opiomane invétéré, Ali un apprenti *futuwwa* et Karim un petit souteneur. Grâce à Rifaa, ils étaient devenus des hommes droits et bons.

Ils se réunissaient habituellement auprès du rocher de Hind, où le désert était propre et l'air pur, pour échanger leurs idées, dans une atmosphère pleine de franchise et de bonne amitié, unis par l'affection et le dévouement qu'ils éprouvaient pour leur maître et guérisseur. Ensemble, ils rêvaient d'un bonheur ineffable, qui recouvrirait tout le quartier comme une aile immaculée. Un jour qu'ils étaient assis dans leur coin favori et goûtaient à la paix du crépuscule en contemplant la lumière pourpre du soleil couchant, Rifaa leur demanda soudain :

— Pourquoi sommes-nous si heureux ?

— A cause de toi ! C'est toi le secret de notre bonheur ! répondit Husayn avec enthousiasme.

— Non, répondit l'autre avec un sourire, c'est parce que nous nous sommes libérés des mauvais esprits : nous sommes purifiés de l'envie, de l'âpreté au gain, de la haine, et de tous les maux dont souffrent les habitants de notre quartier.

— Oui, approuva Ali d'un air sérieux. Nous sommes heureux, tout pauvres et faibles que nous soyons, sans avoir besoin de l'argent du *waqf*, ni du pouvoir des *futuwwas*.

— Et pourtant, voyez comme les gens se fatiguent et se tourmentent pour le *waqf* perdu et pour la force brutale et aveugle. Maudissez-les tous deux avec moi !

Ils maudirent solennellement l'un et l'autre, chacun s'efforçant de trouver des formules d'exécration plus riches et raffinées que ses compagnons. Ali prit une brique et la lança de toutes ses forces vers la montagne.

— Depuis que les conteurs se sont mis à rapporter que Gabalawi avait encouragé Gabal à reconstruire le secteur des Hamdanites et à y dresser des bâtiments, beaux et imposants comme la Grande Maison, les gens ont commencé à convoiter la force et le prestige de l'Ancêtre lui-même, en oubliant sa grandeur. C'est pourquoi Gabal n'a pas pu changer les âmes, même s'il a pu faire valoir ses droits sur le *waqf* ; lorsqu'il est mort, les forts se sont transformés en oppresseurs, les faibles sont revenus à la haine et à la rancune, et tout le monde est retombé dans le malheur et la méchanceté. Quant à moi, le bonheur que je propose n'a rien à voir avec le *waqf*, ni avec la force, ni avec le prestige.

— Demain, quand les puissants atteindront le bonheur des faibles, ils se rendront compte que leur force, leur prestige et l'argent qu'ils ont volé ne sont rien du tout ! approuva Karim.

Les cinq compagnons échangèrent encore d'autres paroles de louange et d'amitié ; le vent emporta une chanson vers le désert. Une étoile solitaire brillait au firmament.

— Mais je ne suffirai pas à soigner tous les habitants du quartier, reprit Rifaa. Il est temps que vous vous y mettiez, vous aussi, et que vous appreniez les secrets du *zâr* pour être capable de débarrasser les malades de leurs mauvais esprits.

Les quatre visages qui l'entouraient s'éclairèrent de bonheur.

— C'est notre plus cher désir, s'exclama Zaki.

— Vous serez les clés du bonheur dans notre quartier, fit Rifaa avec un sourire.

Lorsqu'ils revinrent, ils trouvèrent leur secteur éclairé par les illuminations d'une noce, qui se déroulait dans l'un des bâtiments. Plusieurs voisins, apercevant Rifaa, accoururent pour lui serrer la main. Ce spectacle mit Battikha en fureur ; il se leva de sa place, au café, l'injure et les malédictions à la bouche, et, bousculant tout le monde sur son passage, s'avança vers lui.

— Dis donc, mon petit gars, tu te prends pour qui ? lui lança-t-il d'un ton rogue.

— Pour l'ami des pauvres, patron, répondit l'autre avec sa douceur habituelle.

— Alors marche comme les autres, pas comme un jeune marié dans une procession de noces ! N'oublie pas ce que tu es : un bon à rien qu'on a chassé de son secteur, le benêt qui a épousé Yasmina, l'imbécile qui fait la *koudia* !

Il cracha avec mépris ; l'attroupement se dispersa et un silence embarrassé s'établit. Mais les clameurs et les cris de la noce recouvraient tout.

55

L'oreille aux aguets, Bayyoumi, le *futuwwa* en chef, se tenait dans son jardin de derrière, près de la porte qui donnait sur le désert. La nuit descendait. Au bout de quelques instants, on gratta doucement à la porte ; il ouvrit et la silhouette d'une femme se glissa dans le jardin. Enveloppée d'une mante noire et coiffée d'un voile sombre, elle semblait se fondre dans la nuit. Prenant sa visiteuse par la main, le *futuwwa* la conduisit le long des sentiers, évitant soigneusement de s'approcher de la maison ; arrivé à un pavillon qui se dressait au milieu du jardin, il poussa la porte et entra, suivi de la femme.

L'endroit présentait toute l'apparence d'une garçonnière. Des divans couraient le long des murs ; au milieu trônait un grand plateau de cuivre chargé de tout un nécessaire à haschisch.

Lorsque la femme se fut débarrassée de sa mante et de son voile, Bayyoumi l'attira à lui et la serra, avec une violence qui la pénétra jusqu'à la moelle des os. Demandant grâce du regard, elle se dégagea sans se presser. Avec un sourire silencieux, Bayyoumi prit place sur un matelas et plongea les doigts dans les cendres du brasero, à la recherche d'un charbon ardent. La femme s'assit à son côté et lui mordilla l'oreille.

— J'avais presque oublié cette odeur ! déclara-t-elle en montrant le brasero du doigt.

Il lui couvrit le visage et le cou de baisers, puis laissa tomber une barrette sur ses genoux.

— De celui-là, tu n'en trouveras que chez l'intendant du *waqf* et chez ton serviteur ! déclara-t-il.

Un tumulte s'éleva soudain du quartier : une bagarre venait d'éclater. Les injures se mêlaient au bruit sourd des gourdins entrechoqués. Un tintement de verre brisé. Des pas qui fuyaient. Des cris de femme. Puis l'aboiement d'un chien. Yasmina jeta un coup d'œil inquiet à son compagnon, mais celui-ci continuait à émietter le haschisch comme si de rien n'était.

— Tu ne peux pas savoir le mal que j'ai eu à arriver jusqu'ici ! se plaignit-elle. Pour ne pas me faire voir, je suis obligée d'aller jusqu'à la Gamaliyya, puis de la Gamaliyya à la Darrasa, puis de traverser le désert, jusqu'à ta porte de derrière.

Tout en continuant son travail, il se pencha vers elle et renifla son aisselle parfumée avec délectation.

— Moi, ça ne me ferait rien d'aller te voir chez toi ! déclara-t-il.

— C'est sûr qu'aucune de ces femmelettes n'oserait te dire un mot ! Même Battikha déroulerait le tapis rouge… et puis, quand tu serais parti, c'est sur moi qu'ils se vengeraient ! Et toi, de ton côté, poursuivit-elle d'un air mutin, en jouant avec sa grosse moustache, tu es obligé de te cacher quand tu viens dans ce pavillon : autrement, gare à Bobonne !

Pour toute réponse, il laissa tomber la barrette et l'étreignit avec violence, si fort qu'elle gémit doucement.

— Seigneur, protège-nous de l'amour des *futuwwas* ! chuchota-t-elle.

Il la lâcha, et déclara en gonflant la poitrine comme un dindon :

— Des *futuwwas*, il n'y en a qu'un seul ! Les autres, ce sont mes larbins !

— C'est un terrible *futuwwa* pour tout le monde, mais pas pour moi ! poursuivit-elle en jouant avec la toison épaisse qui sortait du col de sa djellaba.

Il lui pinça doucement un sein.

— Toi, tu es la couronne sur la tête du *futuwwa* !

Tendant la main derrière le plateau, il ramena une cruche.

— Un coup de gnôle ? proposa-t-il. C'est du supérieur !

— Non, dit-elle à regret. Elle sent trop fort, ça donnerait des soupçons à mon cher époux.

Il but à longs traits, puis se mit à presser la pâte.

— Tu parles d'un mari ! ricana-t-il. Je l'ai vu plusieurs fois : il marche sans regarder à droite ni à gauche, on dirait un fou. C'est la première fois qu'on voit un homme faire la *koudia*, dans ce quartier de dingues !

— Je lui dois la vie, expliqua-t-elle tout en le suivant d'un regard gourmand alors qu'il allumait sa pipe et tirait les premières bouffées. Alors je suis bien obligée de le supporter. Et puis, il ne nous gêne pas beaucoup, on peut lui faire croire n'importe quoi…

Il lui offrit la pipe ; elle s'en saisit avidement et tira plusieurs bouffées rapides. Puis elle se mit à savourer la fumée, les yeux mi-clos, les sens engourdis. Bayyoumi reprit la pipe et fuma à son tour, par petites bouffées courtes, tout en disant :

— Quitte-le… il doit être… comme un enfant… avec toi…

— Mon cher mari ne s'intéresse qu'à une chose ici-bas : débarrasser les gens de leurs mauvais esprits !

— Et toi, tu ne le débarrasses de rien ? demanda-t-il avec un rire salace.

— Ah ben ouiche ! Il n'y a qu'à regarder sa tête pour comprendre !

— Même pas une fois par mois ?

— Même pas une fois par an ! Monsieur n'a pas le temps de s'occuper de sa femme, il a trop à faire avec les mauvais esprits des autres.

— Eh, qu'il aille au diable avec ses mauvais esprits ! Mais qu'est-ce qu'il peut bien gagner, lui, dans tout ça ?

— Que veux-tu que je te dise ? Rien du tout, apparemment. Si son père ne nous aidait pas, nous mourrions de faim. Il est persuadé qu'il est chargé de faire le bonheur des malheureux…

— Ah oui ? Et qui l'en a chargé ?

— Il dit que c'est la volonté du Fondateur.

Une lueur d'intérêt s'alluma dans les petits yeux de Bayyoumi.

— Il a vraiment dit que c'est le Fondateur qui veut ça ? demanda-t-il en reposant la pipe.

— Oui.

— Et comment il sait ce que le Fondateur veut et ce qu'il ne veut pas ?

L'insistance de Bayyoumi produisit sur la femme une impression désagréable ; elle craignait qu'elle ne finisse par gâcher la soirée, et qu'elle n'ait des conséquences funestes.

— C'est comme ça qu'il interprète les paroles de l'Ancêtre, telles que les transmettent les conteurs, répondit-elle d'un ton évasif.

— Saloperie de quartier ! grogna Bayyoumi, en pétrissant une seconde boulette. Et le secteur des Gabalites est encore le pire : c'est là qu'est apparu l'autre grand charlatan, et c'est de là que partent toutes les histoires à dormir debout qui circulent sur le *waqf* ! Comme si le Fondateur était leur ancêtre à eux seuls ! Autrefois, ce charlatan de Gabal a réussi à faire main basse sur le *waqf* avec ses mensonges, et maintenant cet autre benêt se met à interpréter des paroles qui n'ont pas à l'être. Un de ces jours, il finira par prétendre que c'est Gabalawi en personne qui les lui a dites !

— Mais tout ce qui l'intéresse, c'est de débarrasser les gens de leurs mauvais esprits ! protesta-t-elle, un peu inquiète.

— Si ça se trouve, il y a aussi un mauvais esprit dans le *waqf* ! ricana le *futuwwa*. Bande de crétins ! cria-t-il soudain à pleine voix ! Le fondateur est mort, ou c'est tout comme !

Mécontente de cette sortie et craignant de perdre une occasion longtemps attendue, Yasmina ôta lentement sa robe ; les traits de Bayyoumi se détendirent soudain et il la regarda d'un œil allumé.

56

L'intendant disparaissait presque dans sa grande cape. Une expression soucieuse se lisait sur son visage rond et blafard, prématurément vieilli par la débauche et les excès. En face de lui, Bayyoumi s'efforçait de ne pas manifester la joie secrète que lui causait l'inquiétude de son maître : plus la situation était grave, plus le rôle qu'il aurait à jouer serait essentiel, et plus il aurait barre sur l'intendant et sur le *waqf*.

— C'est bien à contrecœur que je viens t'ennuyer avec cette affaire, déclara-t-il, mais puisqu'il s'agit du *waqf*, il ne m'était pas possible d'agir de mon propre chef sans m'en référer à toi. D'autre part, il y a un Gabalite en cause ; or, nous sommes convenus que nous ne nous en prendrions jamais à l'un d'eux sans ta permission.

— Il dit vraiment qu'il a été en communication avec le Fondateur ? demanda Ihab, l'intendant, de son air renfrogné.

— Ça m'a été confirmé de plusieurs côtés. Ses malades en sont persuadés, même s'ils se donnent le plus grand mal pour dissimuler la chose.

— Il est certainement fou, comme Gabal était un charlatan. Mais ce quartier pourri n'aime que les fous et les charlatans. Ils sont incroyables, ces Gabalites ! Ils ont déjà accaparé indûment le *waqf*, que leur faut-il de plus ? Et pourquoi est-ce toujours à eux que le Fondateur s'adresse ? Pourquoi pas à moi, qui suis son descendant le plus direct ? C'est quand même curieux : voilà un homme qui reste claquemuré dans sa chambre, la porte de sa maison ne s'ouvre que pour laisser entrer les fournisseurs, personne ne le voit hormis sa petite servante, mais apparemment les Gabalites le rencontrent ou entendent sa voix pratiquement à volonté !

— Ils ne seront pas tranquilles avant d'avoir mis la main sur le *waqf* tout entier ! grommela Bayyoumi.

Le visage d'Ihab pâlit de colère et il se leva d'un bond, comme pour donner un ordre définitif ; mais soudain il se ravisa.

— Est-ce qu'il a vraiment dit quelque chose de précis sur le *waqf*, ou bien limite-t-il son activité à chasser les mauvais esprits ? demanda-t-il.

— Oui, comme Gabal se bornait à chasser les serpents ! ricana l'autre. Comme si le Fondateur avait quelque chose à voir avec les esprits !

— En tout cas, je ne tiens pas du tout à tomber sous le coup de la malédiction qui a frappé l'*efendi* !

Ce soir-là, Bayyoumi invita Gabir, Handousa, Khalid et Battikha à une partie de haschisch, et leur intima l'ordre de trouver un traitement approprié pour guérir de sa folie le jeune Rifaa, le fils de Chafi'i le charpentier.

— Et c'est pour ça que tu nous as fait venir, patron ? s'indigna Battikha.

Bayyoumi opina du bonnet ; l'autre frappa une main contre l'autre d'un air incrédule et s'exclama :

— Eh bien, voilà du neuf ! Tous les *futuwwas* du quartier unis contre une espèce de machin qui n'est ni un homme ni une femme !

— Ah oui ? grogna Bayyoumi en le regardant d'un air mauvais. Eh bien en attendant, il fait son petit trafic sous ton nez, et toi tu ne t'es aperçu de rien ! Et naturellement, tu n'es pas au courant de ses prétentions d'être en relation avec le Fondateur ?

— Ah ! le fils de garce ! s'exclama Battikha stupéfait. Mais qu'est-ce qu'il a à voir avec les mauvais esprits, l'Ancêtre ? Peut-être bien que c'était une *koudia*, après tout ?

— Tu te bourres le pif, Battikha ! lança Bayyoumi avec une violence qui coupa net le rire des autres. Pour un *futuwwa*, l'alcool et le haschisch, c'est très bien, mais la schnouf, ça non !

— Patron, rappelle-toi le cortège de noces d'Antar ! J'étais seul contre vingt gourdins, j'avais la tête et la nuque en sang et pourtant je n'ai pas baissé les bras !

— Laissons-le arranger cette affaire à sa guise, suggéra Handousa. Sans ça, son prestige en prendrait un coup. Espérons qu'il n'aura pas besoin d'user de violence contre ce crétin ; attaquer des gens pareils, c'est toujours déshonorant pour un *futuwwa*.

Pendant ce temps, le quartier dormait paisiblement sans se douter de ce qui se tramait dans la maison de Bayyoumi. Le lendemain matin, Rifaa, en sortant de son immeuble, rencontra Battikha ; il le salua poliment, mais l'autre lui lança un regard de haine et s'écria :

— Tes carottes sont cuites, fils de pute ! Rentre chez toi et vite ! Et si tu sors, je te casse la tête !

— Mais qu'ai-je fait pour provoquer la colère de notre *futuwwa* ? protesta l'autre, totalement pris au dépourvu.

— C'est à Battikha que tu parles, pas au Fondateur. Allez, rentre chez toi et pas de discussion !

Comme Rifaa ouvrait la bouche pour répondre, le *futuwwa* lui asséna une gifle qui le projeta contre le mur. Une femme, apercevant la bagarre, hurla à pleine voix, ameutant tout le quartier ; d'autres femmes l'imitèrent, appelant au secours de Rifaa. En un clin d'œil, un attroupement se forma, parmi lequel figuraient Zaki, Ali, Husayn et Karim. Oncle Chafi'i ne tarda pas à arriver à son tour, de même que Gawwad le conteur, tapotant le sol de son bâton. L'endroit fut bientôt rempli d'une foule de sympathisants de Rifaa. Pris au dépourvu par cette situation, totalement neuve pour lui, Battikha assena une nouvelle gifle à sa victime. Celle-ci la reçut sans chercher à se défendre, mais la foule, en proie à une vive émotion, se mit à pousser des cris de protestation. Les uns suppliaient le *futuwwa* d'épargner Rifaa, les autres énuméraient ses qualités et ses bonnes actions, d'autres encore exigeaient de connaître les causes de cette agression.

— Vous avez oublié qui je suis ? hurla Battikha, excédé.

— Tu es notre *futuwwa* et la couronne de notre tête, répondit l'un de ceux qui se trouvaient au premier rang. Nous venons simplement te demander de pardonner à cet homme de bien.

— Tu es notre *futuwwa*, ça d'accord ! Seulement qu'a fait Rifaa ? appuya un homme qui se trouvait au milieu de l'attroupement, et que cette position enhardissait.

— Rifaa est innocent ! Malheur à qui lèvera la main sur lui ! proclama une voix venue des derniers rangs, et dont le propriétaire était sûr d'échapper à la vue du *futuwwa*.

— Bande de gonzesses ! Vous allez voir ! hurla celui-ci en levant son gourdin.

Les femmes hurlèrent de plus belle, comme pour un enterrement. Des cris de colère, des menaces sanglantes sortaient de toutes les bouches. Une grêle de briques s'abattit devant les pieds de Battikha, l'empêchant d'avancer. Jamais, même dans ses pires cauchemars, celui-ci n'avait imaginé qu'il pût se trouver dans une telle situation. Il serait mort plutôt que d'appeler un autre *futuwwa* au secours ; mais attaquer la foule de front, c'était s'exposer à une mort certaine sous un déluge de briques. Quant à se retirer du champ de bataille, c'était dire adieu à son honneur de *futuwwa*. Les yeux pleins d'étincelles, il regardait les briques tomber à ses pieds, il écoutait les cris de haine et de défi : c'était la première fois qu'une chose pareille arrivait à un *futuwwa*.

Soudain, Rifaa se jeta en avant, s'interposant entre Battikha et la foule, agitant les bras pour obtenir le silence.

— Il n'y a rien à reprocher à notre *futuwwa* ! proclama-t-il. Tous les torts sont de mon côté.

Des regards incrédules apparurent dans les yeux de l'assistance ; pourtant, personne ne dit mot.

— Allons, poursuivit Rifaa, dispersez-vous avant de vous exposer à sa colère !

Certains comprirent qu'il cherchait à fournir une porte de sortie honorable à Battikha et se retirèrent sans discuter ; d'autres, qui n'avaient rien compris du tout, les imitèrent à tout hasard ; les derniers, enfin, prirent la fuite de crainte de se trouver seuls en face du *futuwwa*. Bientôt le secteur fut désert…

57

Cet événement accrut encore la tension qui régnait dans le quartier. L'intendant craignait une chose plus que toutes les autres : que les habitants se rendent compte que leur union représentait une force capable de tenir tête aux *futuwwas*. C'est pourquoi il jugeait nécessaire d'en finir avec Rifaa et avec tous ceux qui se risqueraient à prendre son parti. Mais il fallait d'abord obtenir l'accord de Khonfous, le *futuwwa* des Gabalites, faute de quoi cela déclencherait une bagarre générale.

— Rifaa n'est pas aussi faible que tu le crois ! avait dit l'intendant à Bayyoumi. Il a derrière lui des partisans capables de le sauver au nez et à la barbe d'un *futuwwa* : imagine ce qui se passerait si tout le quartier prenait fait et cause pour lui, au lieu d'un seul secteur ? C'est pour le coup qu'il laisserait tomber les mauvais esprits et réclamerait ouvertement le *waqf* !

Bayyoumi, lui, s'était mis dans une colère noire et avait traité Battikha de tous les noms.

— Bougre d'abruti ! hurlait-il en le secouant par les épaules. On t'a laissé agir seul, et voilà le résultat !

— Je vous jure que je vous en débarrasserai, même si je dois le tuer ! avait répondu ce dernier en grinçant les dents de fureur.

— Ce que tu as de mieux à faire, c'est de disparaître d'ici pour toujours !

Bref, Bayyoumi envoya chercher Khonfous pour négocier la chose avec lui. Cependant, oncle Chafi'i veillait ; de plus en plus inquiet, il avait essayé, sans résultat, de persuader son fils de revenir à l'atelier et de renoncer à une attitude qui ne lui valait que des ennuis. Lorsqu'il avait appris que Bayyoumi avait convoqué Khonfous, il s'arrangea pour intercepter ce dernier.

— Maître Khonfous, tu es notre *futuwwa* et notre défenseur, lui dit-il. Ils t'ont appelé pour que tu retires ta protection à Rifaa : je te supplie de ne pas l'abandonner. Promets-leur ce qu'il voudront, dis-leur que je suis prêt à quitter le quartier et à l'emmener avec moi, de force s'il le faut, mais ne l'abandonne pas !

— Je sais très bien quels sont mes devoirs et ce qu'imposent les intérêts des Gabalites, répondit prudemment Khonfous.

La vérité, c'est qu'il s'attendait aux pires ennuis depuis la mésaventure qui était arrivée à Battikha. Il se disait que c'était à lui de se méfier, bien plus qu'à l'intendant ou à Bayyoumi.

Il se rendit donc chez ce dernier, qu'il retrouva dans le pavillon du jardin. Le *futuwwa* en chef lui expliqua franchement qu'il l'avait fait venir en sa qualité de *futuwwa* des Gabalites afin de trouver avec lui une solution au problème de Rifaa.

— Ne le sous-estime pas, lui dit-il. Les événements ont prouvé qu'il est dangereux.

Sans en disconvenir, Khonfous tint pourtant à mettre les choses au point :

— En tout cas, déclara-t-il, j'espère qu'il ne sera pas attaqué devant moi !

— Nous sommes tous des hommes, mon vieux ! protesta Bayyoumi. Un *futuwwa* ne s'attaque à personne sous son propre toit. Non, ce garçon va venir maintenant, pour que je l'interroge en ta présence.

Quelque temps plus tard, Rifaa se présentait devant eux. De son air candide, il salua les deux hommes et, sur un geste de Bayyoumi, s'assit sur un matelas. Le *futuwwa* observait d'un air soupçonneux son beau visage paisible, se demandant comment un tel enfant pouvait être la cause de toutes ces rumeurs inquiétantes.

— Pourquoi as-tu quitté ton secteur et ta famille ? lui lança-t-il enfin d'un ton brutal.

— Aucun d'entre eux ne répondait à mon appel.

— Et que voulais-tu d'eux ?

— Seulement les débarrasser des mauvais esprits qui gâtent leur bonheur.

— Est-ce que tu es responsable du bonheur des autres ?

— Oui, dès lors que j'ai les moyens de le leur donner.

— On t'a entendu parler en termes méprisant de la force et du pouvoir.

— C'était pour leur montrer que le bonheur n'est pas dans ce qu'ils s'imaginent, mais dans ce que je fais.

— Est-ce que cela n'implique pas du mépris pour ceux qui détiennent la force et le pouvoir ?

— Pas du tout, patron ! protesta Rifaa sans s'émouvoir le moins du monde. Je voulais seulement souligner que le bonheur ne dépend pas de cela.

— On t'a également entendu affirmer que telle est la volonté du Fondateur, poursuivit Bayyoumi en lui lançant un regard aigu.

Pour la première fois, le regard du jeune homme se voila d'anxiété.

— Ce sont eux qui le disent, répondit-il.

— Et toi, que dis-tu ?

— Je dis les choses comme je les comprends.

— Oui, et tout le malheur vient des cerveaux fêlés, ricana Khonfous.

— Mais les gens disent que tu prétends tenir tout ça de la bouche de Gabalawi en personne, objecta Bayyoumi en plissant méchamment les yeux.

L'inquiétude apparut dans le regard de Rifaa, et il hésita à nouveau.

— C'est ainsi que je comprends les propos qu'il a tenus à Adham et à Gabal, déclara-t-il enfin.

— Les paroles de l'Ancêtre à Gabal n'ont pas à être interprétées ! intervint Khonfous d'une voix dure.

L'agacement de Bayyoumi redoubla : “Tous des menteurs ! se dit-il. Et Gabal était le premier. Bande de voleurs !”

— Peu importe, au fond, reprit-il. Personne n'a le droit de parler au nom de Gabalawi, hormis son héritier, l'intendant. D'ailleurs, si Gabalawi avait quelque chose à dire, c'est à lui qu'il le dirait, à lui qui a la charge d'administrer son *waqf* et de faire appliquer ses Dix Conditions. Espèce d'imbécile ! Comment peux-tu mépriser le pouvoir, le prestige et la richesse au nom de Gabalawi, alors qu'il est l'homme le plus puissant, le plus glorieux et le plus riche qu'on ait jamais vu dans ce quartier ?

La douleur se peignit sur les traits limpides du jeune homme, qui protesta :

— Mais je parle aux gens du quartier, pas à Gabalawi ! Je parle à ceux qui sont en proie aux mauvais esprits, ce sont eux qui sont tourmentés par leurs désirs.

— Tu n'es qu'un impuissant et un minable, et c'est pour ça que tu maudis la force et la réputation ! Pour t'élever au-dessus de tes supérieurs en épatant les crétins du quartier ! Et quand tu les auras à ta botte, tu t'en serviras pour voler le pouvoir et le prestige !

— Mais tout ce que je veux, c'est le bonheur des gens du quartier, balbutia Rifaa, totalement stupéfait par cette sortie.

— Sacré fils de garce ! Tu essaies de faire croire aux gens qu'ils sont tous malades, et qu'il n'y a que toi de bien portant dans le quartier !

— Pourquoi méprisez-vous ainsi le bonheur, quand il est à portée de main ?

— Fils de pute ! Je crache sur le bonheur s'il doit me venir de toi !

— Pourquoi les gens me détestent-ils, moi qui ne déteste personne ? soupira Rifaa.

— Garde tes simagrées pour les gogos ! coupa Bayyoumi. Ou plutôt arrête-les définitivement : c'est un ordre ! Et remercie Dieu d'être sous mon toit : autrement tu ne t'en serais pas tiré à si bon compte.

Le cœur lourd, Rifaa se leva, salua et sortit.

— Laisse-le-moi ! fit Khonfous quand le jeune homme se fut éloigné.

— Fais attention, ce crétin a beaucoup de partisans, l'avertit Bayyoumi. Evitons de provoquer un massacre.

58

En sortant de chez Bayyoumi, Rifaa rentra chez lui. Le ciel d'automne était voilé de nuages et une brise fraîche se levait. Les gens se pressaient autour des paniers pleins de citrons, comme pour célébrer la saison des conserves ; les plaisanteries et les rires fusaient, pendant qu'un peu plus loin une bande de garçons se bombardaient de mottes de terre. Rifaa reçut plusieurs saluts et une poignée de boue ; il s'éloigna, époussetant ses épaules et son turban.

Rentré chez lui, il trouva Zaki, Ali, Husayn et Karim qui l'attendaient ; il leur donna l'accolade et leur rapporta sa discussion avec Bayyoumi et Khonfous. Les quatre hommes, auxquels s'était jointe Yasmina, l'écoutèrent avec attention et inquiétude ; lorsqu'il eut fini de parler, tous les visages étaient sombres et pensifs. Yasmina se demandait où tout cela allait aboutir : n'y avait-il aucun moyen de sauver ce brave garçon de la mort sans mettre en danger son bonheur à elle ?

Sous leurs regards interrogateurs, Rifaa s'appuya le dos au mur avec une expression d'accablement.

— Un ordre de Bayyoumi, on ne peut pas traiter ça à la légère, déclara la jeune femme.

— Oui, mais Rifaa a des amis ! protesta Ali, la tête chaude de la bande. On a déjà mis Battikha en fuite : depuis il a disparu du quartier.

— Battikha et Bayyoumi, ce n'est pas la même chose ! reprit-elle en baissant les yeux. Si vous défiez Bayyoumi, votre compte est bon !

— Ecoutons d'abord ce que le patron dira, intervint Husayn en se tournant vers Rifaa.

— La violence, c'est exclu, déclara ce dernier. Quand on travaille au bonheur des autres, on ne peut pas se permettre de verser le sang.

Le visage de Yasmina s'éclaira. L'idée de devenir veuve l'inquiétait beaucoup : plus étroitement surveillée, elle n'aurait plus trouvé autant d'occasions de retrouver son farouche amant.

— Le mieux, ce serait de tout laisser tomber et de sauver ta vie, conseilla-t-elle.

— Non, intervint Zaki, on ne laissera pas le travail : il suffit d'abandonner le quartier.

Le cœur de Yasmina cessa de battre à l'idée de s'éloigner du quartier où vivait son homme.

— On ne va pas vivre comme des étrangers perdus, loin de chez nous ! protesta-t-elle.

Tous les regards se tournèrent vers Rifaa.

— Ça ne me dit rien de partir d'ici, déclara-t-il enfin, redressant lentement la tête.

A ce moment, des coups répétés retentirent à la porte. Yasmina alla ouvrir : on entendit les voix d'oncle Chafi'i et d'Abda, qui s'enquéraient de leur fils. Celui-ci courut les embrasser et les fit entrer. L'homme et la femme s'assirent, encore tout essoufflés ; leur expression annonçait de mauvaises nouvelles.

— Fils, Khonfous te retire ta protection ! déclara tout de go oncle Chafi'i. Des amis nous ont avertis que ta maison est cernée par les hommes de main des *futuwwas*...

— Ah ! pourquoi sommes-nous revenus dans ce quartier de malheur, où la vie d'un homme ne coûte rien ? sanglota Abda en s'essuyant les yeux.

— N'aie pas peur, ma petite dame ! la rassura Ali. Tous les gens du secteur sont de notre côté.

— Mais qu'avons-nous fait pour mériter tant de haine ? soupira Rifaa.

— Eh, tu appartiens au secteur que tout le monde déteste, celui des Gabalites ! déclara oncle Chafi'i d'un ton morne. Je m'attendais à quelque chose comme ça depuis que tu as commencé à parler du Fondateur...

— Tout de même, c'est extraordinaire ! s'étonna Rifaa. Autrefois, ils ont fait la guerre à Gabal parce qu'il réclamait le *waqf*, et maintenant ils me la font à moi parce que je ne m'y intéresse pas !

— Toutes ces belles paroles ne changeront rien à l'affaire ! coupa l'autre avec un geste agacé de la main. Ce qui compte c'est que, si tu sors d'ici, tu es un homme mort, et que, si tu restes chez toi, tu n'es pas davantage en sécurité.

La crainte commença à se glisser dans le cœur de Karim, mais il réussit à la dissimuler par un violent effort de volonté.

— Ecoute, fit-il à l'adresse de Rifaa, ils te surveillent au-dehors. D'autre part, si tu restes ici, rien ne les empêchera d'entrer : tu les connais aussi bien que moi. La seule solution, c'est de filer par les toits et de nous réfugier chez moi : une fois là, nous réfléchirons tranquillement à ce qu'il convient de faire.

— Non ! coupa oncle Chafi'i. Une fois là, vous filez du quartier sous le couvert de la nuit !

— Et je te laisse tout ce que j'ai construit tomber en ruine… ajouta Rifaa avec amertume.

— Fais ce qu'il te dit ! implora Abda. Aie pitié de ta mère…

— Et puis, si ça te chante, tu pourras continuer ton travail ailleurs… loin d'ici.

— En tout cas, il faut arrêter un plan, intervint Karim en se levant. Maître Chafi'i et sa dame vont rester encore un peu ici, et puis ils s'en iront et retourneront chez eux, comme s'ils avaient fait une visite ordinaire. Pendant ce temps, *sitt* Yasmina va partir vers la Gamaliyya, comme si elle allait en courses. Quand elle reviendra, elle entrera chez moi sans se faire remarquer : ce sera plus facile pour elle que de cavaler sur les terrasses.

Chafi'i approuva hautement le plan de Karim.

— Bon, maintenant, il n'y a plus une minute à perdre : je monte sur la terrasse voir si la voie est libre.

Il quitta la pièce ; Chafi'i se leva et prit la main de son fils, pendant qu'Abda envoyait sa belle-fille rassembler quelques vêtements. Celle-ci obéit à contrecœur ; elle sentait la révolte bouillonner en elle comme une tempête. Abda embrassa son fils et le bénit en pleurant. Rifaa lui aussi était plein de tristesse et d'incertitude : pourquoi le haïssaient-ils tant, lui qui avait aimé les gens de ce quartier de tout son cœur, lui qui s'était donné tant de mal pour leur apporter le bonheur ? Et Gabalawi, comment allait-il accueillir cet échec ?

Soudain, Karim réapparut dans la pièce.

— Tout va bien ! déclara-t-il. Suivez-moi en vitesse !

— Nous viendrons te rejoindre dans quelque temps, promit Abda.

— Va, mon fils, et que la protection de Dieu t'accompagne, ajouta oncle Chafi'i, luttant contre les larmes.

Après avoir embrassé ses parents, Rifaa se tourna vers Yasmina.

— Surtout, enveloppe-toi bien, que personne ne te reconnaisse, recommanda-t-il.

Il se pencha à son oreille et ajouta tout bas :

— Je ne supporterais pas qu'il t'arrive quelque chose.

59

Toute vêtue de noir, Yasmina sortit de l'immeuble. Les paroles d'Abda résonnaient encore à ses oreilles : “Adieu, ma fille, lui avait-elle dit en la quittant. Que le Seigneur te protège et te garde. Je te confie Rifaa ; je prierai pour vous jour et nuit.”

La nuit commençait à tomber ; on allumait les lampes des cafés, et les enfants jouaient autour des flaques de lumière qui tombaient des quinquets posés sur les charrettes des marchands ambulants, pendant que les chats et les chiens se livraient à leurs batailles coutumières autour des tas d'ordures.

Yasmina se dirigea vers la Gamaliyya ; dans son cœur, l'amour ne laissait pas de place à la pitié. Ce n'était pas l'hésitation qui l'animait, mais la crainte ; il lui semblait que tous les yeux l'épiaient. Elle ne commença à se sentir en confiance qu'en s'éloignant de la Darrasa vers le désert ; mais c'est seulement dans le pavillon, entre les bras de Bayyoumi, qu'elle se sentit complètement en sécurité.

— Tu as peur, lui demanda-t-il après l'avoir observée attentivement.

— Oui, répondit-elle d'une voix essoufflée.

— Non ! Tu n'es pas une poule mouillée. Allez, dis-moi ce que c'est !

— Ils se sont enfuis dans la maison de Karim, par les toits, chuchota-t-elle. Ils quitteront le quartier à l'aube.

— A l'aube, hein ? ricana-t-il. Ah ! les fils de pute.

— Ils l'ont persuadé de fuir… Au fond, pourquoi ne pas le laisser faire ?

— Dans le temps, ils ont laissé partir Gabal… et il est revenu ! Non, cette vermine-là ne mérite pas de rester en vie.

— Il n'aime pas la vie, mais ce n'est pas une raison pour le tuer, protesta-t-elle un peu mollement.

Bayyoumi eut une moue dégoûtée.

— Il y a assez de cinglés comme ça dans le quartier ! grogna-t-il.

— Il m'a sauvé la vie… murmura-t-elle, comme se parlant à elle-même.

— Et toi, tu l'envoies à la mort ! conclut-il avec un rire épais. C'est le cas de le dire : "Un partout, et c'est celui qui a commencé qui a eu tort !"

— Si j'ai fait ce que j'ai fait, c'est parce que je t'aime plus que ma vie ! protesta-t-elle, le cœur serré par l'angoisse.

— Ne t'inquiète pas, ça va s'arranger pour nous, la rassura-t-il en lui tapotant la joue. Et puis, si tu as des ennuis, il y aura toujours une place pour toi dans cette maison.

— Si j'avais le choix entre ta maison et celle de l'intendant, c'est la tienne que je choisirais, déclara-t-elle d'un cœur un peu léger.

— Tu es une fille fidèle !

Le compliment la perça comme un couteau ; de nouveau, l'angoisse lui serra la gorge. "Est-ce qu'il ne serait pas en train de se moquer de moi ?" se demanda-t-elle. Mais il n'y avait plus de temps à perdre : Yasmina se leva, imitée par Bayyoumi, et, après un bref adieu, elle franchit à nouveau la porte de derrière et s'en fut vers la maison de Karim, où elle retrouva son mari et ses compagnons.

— Notre maison est surveillée, dit-elle à Rifaa. Heureusement, ta mère a eu la bonne idée de laisser la lampe allumée derrière la fenêtre : nous pourrons nous sauver sans trop de mal.

— Mais lui, il est triste, intervint Zaki. Et pourtant, n'y a-t-il pas des malades partout ? N'ont-ils pas besoin d'être soignés, eux aussi ?

— C'est là où la maladie frappe le plus fort que les soins sont le plus nécessaires, répondit celui-ci.

Yasmina lui jeta un regard plein de pitié ; elle songeait que ce serait vraiment une injustice de le mettre à mort. Elle aurait bien voulu trouver en lui un trait de caractère qui le rendît antipathique ; mais, bien au contraire, c'était le seul être au monde à l'avoir traitée avec humanité. Et c'était justement à cause de cela qu'il allait mourir. Et puis elle envoya toutes ces idées au diable et se dit que celui qui veut faire le bien doit d'abord en avoir les moyens.

Soudain elle s'aperçut que le regard de Rifaa était posé sur elle.

— Ta vie compte plus que ce quartier de malheur ! déclara-t-elle d'un ton câlin.

— Tu dis cela, mais je lis le chagrin dans ton regard, répondit Rifaa avec un sourire.

Un frisson la parcourut : "Malheur à moi s'il est aussi capable de lire dans les yeux que de chasser les mauvais esprits !" se dit-elle.

— Non, je ne suis pas triste ! protesta-t-elle. C'est seulement que je me fais du souci pour toi.

— Bon, je vais chercher le dîner ! déclara soudain Karim en se levant.

Il apporta la petite table et les invita à s'asseoir. Le repas se composait de pain, de fromage, de petit-lait, de concombres et de radis, arrosés d'une cruche de *bouza*.

— On a besoin de se réchauffer et de se donner du courage pour cette nuit ! déclara-t-il en remplissant les verres.

— L'alcool réveille les mauvais esprits, mais il redonne la vie à ceux qui en sont libérés, déclara Rifaa en souriant, après qu'ils eurent bu.

Il jeta un regard à Yasmina, assise à côté de lui : celle-ci comprit ce qu'il voulait lui dire.

— Demain, si Dieu nous prête vie, tu me libéreras moi aussi, promit-elle.

Le visage de Rifaa s'illumina de bonheur ; ses compagnons le félicitèrent, puis ils rompirent le pain et mangèrent en bonne amitié, comme insoucieux de la mort qui les entourait de toutes parts. Soudain, Rifaa prit la parole :

— Le Fondateur voulait que ses descendants soient comme lui ; mais eux préfèrent se comporter comme les mauvais esprits. Ce sont des sots, et notre Ancêtre n'aime pas les sots : c'est lui-même qui me l'a dit.

— Tout de même, objecta Karim en hochant tristement la tête, s'il avait gardé sa force d'autrefois, ça ne se passerait pas comme ça…

— Si, si, si ! s'exclama brutalement Ali. Tu nous fais une belle jambe avec tes "si" ! C'est à nous de faire le travail, un point c'est tout !

— Et nous n'avons pas failli à notre tâche, intervint Rifaa d'une voix ferme. Nous avons lutté contre les mauvais esprits. Et chaque fois que l'un d'entre eux abandonnait du terrain, l'amour s'installait à sa place. C'était notre seul but !

— N'empêche, soupira Zaki, s'ils nous avaient laissé faire, nous aurions rempli le quartier de santé, d'amour et de bonheur…

— Eh bien moi, je n'arrive pas à comprendre que nous pensions à fuir le quartier, alors que nous y comptons tant de partisans !

— C'est que ton mauvais esprit n'est pas complètement parti, répondit Rifaa avec un sourire. N'oublie pas que notre rôle est de guérir, pas de tuer. En vérité, il vaut mieux pour l'homme être tué que de tuer son prochain.

Rifaa se tourna inopinément vers Yasmina.

— Qu'as-tu, lui demanda-t-il. Tu ne manges rien, tu as l'air d'être ailleurs…

Le cœur étreint par une inquiétude soudaine, elle parvint à balbutier :

— Ce qui m'étonne, c'est que vous soyez là à parler bien tranquillement, comme des invités à une noce…

— Toi aussi, tu connaîtra la joie quand tu te seras débarrassée de ton mauvais esprit.

Puis, se retournant vers ses compagnons, il reprit :

— Je sais que certains d'entre vous répugnent à se montrer pacifiques et conciliants, de crainte du ridicule. Et c'est bien normal : nous sommes d'un quartier où les gens ne respectent que la force et le courage. Mais la force et le courage véritables ne consistent pas à intimider les autres. Lutter contre les mauvais esprits est dix fois plus dur que de s'attaquer aux faibles ou de se bagarrer avec les *futuwwas* !

— Et dire qu'après tout le mal qu'on s'est donné pour eux, voilà où on en est ! soupira Ali.

— Le combat n'est pas fini, rétorqua Rifaa plein de confiance. Nous ne sommes pas battus, comme vous avez l'air de le croire : simplement, nous nous déplaçons sur un autre terrain. Et celui-ci nous demandera encore plus de courage et de force !

Les quatre compagnons terminèrent leur repas en silence, méditant les paroles de leur maître ; ils s'étonnaient de le trouver si paisible et serein, et aussi fort qu'il était beau et modeste. Venue du café voisin, la voix d'un conteur leur parvenait à travers le silence…

"Un jour, Adham s'assit un instant dans le quartier des Chauves-Souris et s'endormit, épuisé par la chaleur de midi. Un bruit l'éveilla en sursaut : il aperçut une bande de petits voyous qui pillaient sa charrette. L'un d'entre eux, le voyant se lever d'un air menaçant, avertit ses camarades d'un coup de sifflet et donna une vigoureuse poussée à la charrette, dans l'espoir que le propriétaire, soucieux de récupérer son bien, s'abstiendrait de se lancer à leur poursuite. Les concombres roulèrent à terre, pendant que la bande s'égaillait comme une nuée de sauterelles.

Adham ressentit une telle colère qu'oubliant sa bonne éducation il laissa échapper de sa bouche un torrent d'obscénités et de paroles ordurières ; puis il se mit en devoir de ramasser ses concombres. En voyant qu'ils étaient tombés dans une flaque de boue, il sentit redoubler sa rage impuissante. «Pourquoi ta colère est-elle comme un brasier qui brûle sans merci ? s'écria-t-il. Pourquoi préfères-tu ton orgueil à ta propre chair et à ton propre sang ? Comment peux-tu vivre dans l'opulence et le loisir, quand tu sais que nous sommes foulés aux pieds comme des insectes ? En vérité, le pardon, la douceur et l'indulgence n'ont pas de place dans ta maison !» Alors qu'il reprenait les poignées de sa charrette, s'apprêtant à la pousser loin de ce quartier maudit, une voix moqueuse l'interpella soudain : «Eh, l'oncle ! Combien tu les vends, les concombres ?» C'était Idris qui se tenait devant lui, un sourire narquois aux lèvres..."

Soudain, une autre voix s'éleva, couvrant celle du conteur : "A l'aide, bonnes gens ! un enfant s'est perdu !"

60

Le temps passa ; les cinq compagnons ne s'étaient pas couchés. Quant à Yasmina, elle était sur les charbons ardents. Husayn voulut sortir en reconnaissance, mais Karim l'en dissuada, soulignant qu'il risquait d'être remarqué, et d'exciter les soupçons. Zaki se demandait s'ils avaient attaqué la maison de Rifaa ; ce dernier fit remarquer que l'on n'entendait rien d'autre que l'aboiement des chiens, les accords du *rebab* et les cris des enfants : le quartier semblait vive sa vie ordinaire, sans rien qui annonçât une expédition punitive en préparation.

Yasmina craignait sans cesse que son agitation ne se trahît dans ses regards. Elle ne souhaitait qu'une chose ; que cela finisse, de n'importe quelle façon, mais vite. Elle aurait voulu être ivre, complètement, pour oublier tout ce qui l'entourait. Sans doute, elle n'était pas la première femme dans la vie de Bayyoumi ; elle se doutait qu'elle ne serait pas non plus la dernière. Sans doute, les tas d'ordures étaient-ils pleins de chiens errants, mais qu'importe ! Que cela finisse, une fois pour toutes, à n'importe quel prix !

Avec le passage du temps, les bruits s'éteignirent un à un, avalés par le silence. Bientôt, les cris des enfants et les appels des marchands ambulants se turent ; on n'entendit plus que les miaulements du *rebab*. Une vague de haine envahit subitement Yasmina, contre ces cinq hommes qui l'entouraient, et dont la seule présence était une torture.

— Je prépare le brasero ? proposa Karim.

— Non ! répondit Rifaa d'un ton sans réplique. Nous aurons besoin de tous nos esprits.

— Je pensais que ça nous aiderait à passer le temps…

— Tu t'inquiètes trop.

— Mais non ! protesta l'autre, piqué au vif. D'ailleurs, il n'y a aucune raison : apparemment, personne ne se doute de rien, puisqu'ils n'ont pas attaqué ta maison.

Les chants se turent un à un, et les conteurs rentrèrent chez eux ; on n'entendit plus que le bruit des portes qu'on fermait pour la nuit, les conversations des hommes qui s'en retournaient chez eux, entrecoupées d'éclats de rire et de quintes de toux. Puis, ce fut l'attente silencieuse, l'oreille aux aguets, jusqu'au premier chant du coq. Zaki s'en fut à la fenêtre, jeta un œil dans la rue.

— Pas un chat dehors ! annonça-t-il en se tournant vers les autres. Le coin est aussi vide que le jour où Idris en a pris possession.

— Bon, eh bien, c'est le moment de filer, déclara Ali.

Une terreur nouvelle étreignit Yasmina : que deviendrait-elle si Bayyoumi arrivait en retard, ou s'il avait changé d'avis ? Les hommes se levèrent et prirent leurs balluchons.

— Adieu, quartier de misère ! déclama Husayn.

Il prit la tête ; Rifaa le suivit, une main sur l'épaule de Yasmina, comme s'il craignait de la perdre. Puis venaient Karim, Ali et Zaki. Marchant en file indienne, ils sortirent de l'appartement et gravirent l'escalier, se guidant d'une main sur la balustrade, dans l'obscurité la plus totale. Sur la terrasse, les ténèbres leur apparurent moins opaques, bien qu'aucune étoile ne brillât : les nuages qui se pourchassaient dans le ciel laissaient filtrer un peu de la lumière de la lune.

— Les bâtiments se touchent presque, souffla Zaki ; au besoin on aidera un peu la petite dame…

L'un après l'autre, ils s'avancèrent. Soudain, Zaki, qui fermait la marche, entendit un frôlement derrière lui : se retournant, il aperçut quatre silhouettes, du côté de la porte qui donnait sur la terrasse.

— Qui est là ? chuchota-t-il, terrifié, pendant que ses compagnons se figeaient sur place.

— Halte-là, fils de pute ! cria la voix de Bayyoumi.

Sortant de l'ombre, Gaber, Khaled et Handousa vinrent prendre position autour de lui. Poussant un cri de soulagement, Yasmina échappa à son mari et se précipita vers la porte de la terrasse, sans qu'aucun des *futuwwas* ne s'interpose.

— La femme nous a trahis ! s'exclama Ali.

En une seconde, ils furent encerclés ; Bayyoumi vint et les examina sous le nez, l'un après l'autre. Ayant enfin aperçu Rifaa, il l'empoigna brutalement par l'épaule.

— Alors, mon gros, on s'en allait boire un coup avec ses copains les mauvais esprits ? ricana-t-il.

— Vous ne voulez plus de nous ici, alors on a décidé de partir... répondit Rifaa d'un ton accablé.

— Et toi, reprit l'autre en se tournant vers Karim, ça t'a servi à quoi de les planquer dans ta maison ?

— Je n'étais pas au courant ! protesta le malheureux en claquant des dents. Je ne savais pas qu'il y avait quelque chose entre vous !

D'un revers de main, le *futuwwa* l'envoya rouler à terre ; mais il se releva d'un bond et se mit à fuir vers la terrasse du bâtiment voisin, imité par Husayn et Zaki. Handousa se précipita sur Ali et lui donna un coup de pied dans le ventre ; l'autre s'écroula sur le sol en gémissant. Gaber et Khaled firent mine de se lancer à la poursuite des fuyards, mais Bayyoumi les arrêta.

— Laissez-les filer, ça ne risque rien ! S'il y en a un qui moufte, son compte est bon.

— Ils n'ont rien fait ! protesta Rifaa, la tête penchée sous la poigne du *futuwwa*.

— Pourquoi, ils n'ont pas entendu Gabalawi, eux ? ricana Bayyoumi en le giflant. Allez, marche devant et ferme-la !

Résigné, Rifaa descendit lentement l'escalier obscur, suivi par des pas lourds. La fuite de ses compagnons et la trahison de Yasmina ne lui inspiraient aucune amertume ; à vrai dire, il n'y pensait même pas. Son cœur était envahi par une tristesse mortelle, comme une obscurité totale, pesante et infinie, qui engloutissait jusqu'à la peur, jusqu'à la forme visible du monde.

Ils arrivèrent jusqu'à la rue principale, traversant ce secteur qui, grâce à lui, ne contenait plus un seul malade. Précédé de Handousa, le cortège se dirigea vers le secteur de Gabal, et passa devant le porche fermé du Bâtiment de la Victoire. Rifaa accorda une pensée à ses parents : il lui sembla même entendre les gémissements d'Abda dans le silence de la nuit. Mais bientôt revinrent l'obscurité, la tristesse et le désarroi. Les maisons se profilaient vaguement dans l'ombre, pareilles à des fantômes de géants. Comme la nuit était épaisse ! Comme le sommeil était profond ! Les pas de ses bourreaux et le grincement de leurs sandales lui semblaient le rire de démons tapis dans la nuit.

Handousa les conduisit dans le désert, en face du mur de la Grande Maison ; Rifaa leva les yeux vers elle, mais il la vit aussi obscure que le ciel. Soudain, une forme se détacha du mur.

— Maître Khonfous ? interrogea Handousa.

— Oui, c'est moi, répondit l'homme.

Sans prononcer un mot de plus, le nouveau venu se joignit au cortège. Les yeux de Rifaa restaient fixés vers la maison : l'Ancêtre savait-il ce qui lui était arrivé ? Un seul mot de lui suffirait à le sauver des griffes de ses bourreaux, et à le mettre définitivement à l'abri de leur malice. Il a le pouvoir de leur faire entendre sa voix, comme à Rifaa, en ce lieu même. Et Gabal, ne l'a-t-il pas sauvé d'une situation tout aussi périlleuse ? N'a-t-il pas ensuite remporté la victoire ?

Mais il dépassa le mur sans entendre autre chose que les pas de ses tourmenteurs et leur souffle lourd. Ils s'enfoncèrent dans le désert, ralentissant l'allure à cause du sable qui entravait leur marche. L'endroit parut étranger et hostile à Rifaa ; il se rappela que Yasmina l'avait trahi et que ses compagnons l'avaient abandonné. Il voulut se retourner vers la Grande Maison, mais Bayyoumi le poussa brutalement par derrière. Il tomba face contre terre. Bayyoumi leva son gourdin.

— Maître Khonfous ? appela-t-il.

— Avec toi jusqu'au bout, patron ! répondit celui-ci en levant son arme à son tour.

— Pourquoi voulez-vous me tuer ? demanda Rifaa avec désespoir.

Le gourdin de Bayyoumi s'abattit violemment sur son crâne ; il poussa un hurlement et, d'une voix qui jaillissait du fond de ses entrailles, appela : "Gabalawi !"

Puis le gourdin de Khonfous s'abattit sur sa nuque ; une grêle de coups suivit…

Le silence s'établit enfin, à peine rompu par les râles d'un agonisant.

Dans l'obscurité, des mains creusaient le sol.

61

Les tueurs s'éloignèrent, bientôt avalés par la nuit. Non loin du lieu du crime, quatre formes apparurent, se remettant sur leurs pieds. On entendait des soupirs et des sanglots étouffés.

— Bande de lâches ! cria une voix. Vous m'avez retenu et bâillonné pendant qu'il se faisait massacrer !

— Si nous t'avions laissé faire, nous serions tous morts sans profit !

— Bande de lâches ! répéta Ali. Dégonflés !

— Ne perdons pas de temps à discuter, intervint Karim, la voix pleine de sanglots. Il faut qu'on ait fini avant le jour.

— Oui, l'aube n'est pas loin, approuva Husayn en levant les yeux.

— Ça s'est passé comme dans un rêve ! s'étonna tristement Zaki. Et pourtant, en un instant, nous avons perdu l'être au monde qui nous était le plus cher !

— Bande de dégonflés ! grogna encore Ali entre ses dents, tout en s'approchant du lieu du crime.

Les autres le suivirent ; les quatre hommes s'agenouillèrent en demi-cercle et se mirent à tâter le sol. Soudain Karim sursauta, comme s'il avait été piqué par un scorpion, et s'écria :

— Ici ! Voici son sang !

— Oui, la terre a été remuée, approuva Zaki : c'est bien sa tombe.

Les autres se rassemblèrent autour de lui ; de leurs mains, ils ôtèrent le sable. Il leur semblait qu'aucun malheur au monde ne pouvait se comparer au leur : non seulement ils avaient perdu l'être qui leur était le plus cher, mais encore il leur avait fallu assister impuissants à son supplice.

— Peut-être allons-nous le trouver vivant ? dit soudain Zaki, dans un élan d'espoir aussi subit qu'absurde.

— C'est bien un rêve de dégonflé, tiens ! grogna Ali d'un ton agacé, sans s'arrêter de creuser.

Leurs narines étaient pleines de l'odeur de la terre et du sang. Un chacal glapit du côté de la montagne.

— Doucement ! cria soudain Ali. Voici son corps !

Leurs cœur s'arrêtèrent de battre ; leurs mains se firent plus légères. Ils palpèrent timidement les pans de sa tunique, puis ils éclatèrent en sanglots. Après l'avoir entièrement dégagé, ils le soulevèrent doucement.

Le cri des coqs s'élevait dans les quartiers et les ruelles avoisinantes. Le temps pressait. Toutefois, Ali insista pour qu'ils comblent le trou. Quand ce fut fait, Husayn ôta sa djellaba et en enveloppa le corps, après quoi ils l'emportèrent vers Bab el-Nasr. Déjà il faisait moins noir : on pouvait distinguer les contours de la montagne et la forme des nuages. La rosée tombait sur les visages, se mêlant aux larmes.

Husayn les guida vers son caveau de famille. Ils l'ouvrirent en silence. Le jour se levait petit à petit ; ils voyaient plus clairement le cadavre enseveli, leurs propres mains tachées de sang, leurs yeux rougis par les larmes. Ils soulevèrent le corps et le descendirent au tombeau ; puis ils se groupèrent autour de lui, dans une attitude humble et soumise, luttant contre les larmes.

— Ta vie a passé comme un rêve trop bref, murmura Karim d'une voix étranglée, mais elle a rempli nos cœurs d'amour et de pureté. Comment aurions-nous imaginé que tu la quitterais aussi vite, assassiné de surcroît par l'un des fils de notre quartier ? Ce quartier rebelle que tu as tant aimé et que tu voulais tant guérir. Ce quartier qui n'a su que tuer l'amour, la compassion et la guérison qui s'étaient incarnés en toi, attirant sur lui une malédiction qui durera jusqu'à la fin des temps !

— Pourquoi les meilleurs partent-ils ? soupira Zaki. Pourquoi les criminels sont-ils les seuls à survivre ?

— Seul ton amour fixé dans nos cours nous empêche de haïr l'humanité tout entière ! renchérit Husayn.

— Nous n'aurons pas de repos avant d'avoir racheté notre lâcheté ! déclara enfin Ali.

Lorsqu'ils reprirent la route du désert, une lumière d'un rouge sombre colorait l'horizon.

62

Aucun des quatre compagnons ne réapparut dans le quartier Gabalawi ; leur entourage supposa qu'ils avaient secrètement émigré à la suite de Rifaa, pour se mettre à l'abri des exactions des *futuwwas*. En réalité, ils vivaient aux franges du désert, dans un état de tension psychique extraordinaire, luttant de toutes leurs forces contre le poids de la douleur et du remords. Pour eux, la perte de Rifaa, son absence étaient une torture à côté de laquelle la pire des morts semblait peu de chose. Le seul espoir qui leur restait en ce monde était de porter un défi à sa mort en faisant vivre son message, et de punir ses assassins, comme Ali en avait fait le serment. Sans doute leur était-il impossible de se montrer dans le quartier, mais ils pouvaient toujours espérer rencontrer tel ou tel de ses habitants à l'extérieur.

C'est ainsi qu'un matin, le Bâtiment de la Victoire se réveilla au son des hurlements d'Abda ; les voisins se précipitèrent aussitôt aux nouvelles.

— On a tué mon fils Rifaa ! cria-t-elle d'une voix enrouée.

Stupéfaits, les voisins se tournèrent vers oncle Chafi'i qui s'essuyait les yeux.

— Les *futuwwas* l'ont assassiné dans le désert, confirma-t-il.

— Mon fils qui n'avait jamais fait de mal à personne ! reprit Abda.

— Et Khonfous, notre *futuwwa*, il était au courant ? demanda quelqu'un.

— Il était avec les tueurs ! gronda Chafi'i.

— Yasmina l'a trahi ! ajouta Abda. C'est elle qui l'a livré à Bayyoumi.

— C'est donc pour ça qu'elle s'est installée chez lui, quand il a mis sa femme à la porte ! fit une voix.

La nouvelle se répandit dans le quartier des Gabalites ; quelques instants plus tard, Khonfous se précipita dans la maison de Chafi'i.

— Dis donc, vieil imbécile, qu'est-ce que c'est que ces histoires que tu racontes sur moi ? Tu es devenu fou, ou quoi ? cria-t-il.

— Parfaitement, tu as participé au crime, toi, son *futuwwa* et son protecteur ! répondit l'autre en le regardant dans les yeux.

— Tu as complètement perdu la boule, mon pauvre ! Tu ne sais plus ce que tu dis. Je préfère m'en aller, autrement je vais faire un malheur !

Il quitta le bâtiment, tremblant et écumant de rage. La nouvelle se répandit dans le secteur où Rifaa s'était installé après avoir quitté celui des Gabalites ; consternés, les habitants se mirent à pousser des cris de colère et de chagrin. Aussitôt, les *futuwwas* descendirent dans la rue principale, bloquant le passage, le gourdin à la main et une lueur féroce dans les yeux.

Soudain, un bruit nouveau se répandit : le sable, à l'ouest du rocher de Hind, était tout maculé de sang. Ce ne pouvait être que le sang de Rifaa. Oncle Chafi'i et quelques-uns de ses amis s'en furent chercher le corps ; mais ils eurent beau fouiller et retourner la terre, ils ne le trouvèrent pas. Cette disparition ne fit qu'aggraver l'agitation des esprits ; plus d'un s'attendait à des événements extraordinaires. Les habitants du secteur de Rifaa se demandaient ce qu'il avait fait pour mériter la mort ; ceux du secteur de Gabal faisaient remarquer que, depuis cet assassinat, Yasmina avait élu domicile chez Bayyoumi.

Cette nuit-là, les *futuwwas* se rendirent à l'endroit où ils avaient commis leur crime et, à la lueur d'une lanterne, fouillèrent le sol, mais sans aucun résultat : le corps avait bel et bien disparu.

— Ce ne serait pas Chafi'i qui l'aurait emporté ? se demanda Bayyoumi.

— Sûrement pas ! répondit Khonfous. Il n'a rien trouvé non plus, sinon mes mouchards me l'auraient dit.

— Alors c'est ses compagnons qui ont fait le coup ! On a eu tort de les laisser filer : maintenant, ils vont nous faire la guerre à la sournoise !

Alors qu'ils revenaient, Khonfous glissa à l'oreille de son chef :

— Excuse-moi, patron, mais si tu gardes Yasmina chez toi, ça va faire des ennuis.

— Reconnais plutôt que tu n'as plus d'autorité sur ton secteur ! grogna l'autre.

Ils se séparèrent en mauvais termes. La tension s'accrut dans le secteur des Gabalites et celui de Rifaa ; les *futuwwas* faisaient régner la terreur dans tout le quartier, si bien que les habitants ne sortaient plus de chez eux qu'en cas de nécessité absolue.

Une nuit, alors que Bayyoumi se trouvait au café de Chaldam, les parents de sa femme se glissèrent dans sa maison pour donner une correction à Yasmina ; alertée par le bruit, elle eut tout juste le temps de s'enfuir, vêtue d'une simple djellaba. Elle courut vers le désert, poursuivie par les attaquants ; elle continua à filer dans la nuit comme une folle longtemps après que la poursuite se fut terminée.

Enfin, à bout de souffle, elle dut s'arrêter ; haletante, elle ferma les yeux et rejeta la tête en arrière jusqu'à ce qu'elle eût reprit haleine. Bien qu'elle eût échappé à ses poursuivants, l'idée de rentrer au quartier en pleine nuit la terrorisait. Soudain, elle aperçut une lueur qui brillait au loin : c'était sans doute une cabane. Elle se dirigea vers elle, espérant trouver là un refuge jusqu'au lever du jour.

Après avoir longtemps marché, elle finit par arriver à son but : c'était bien une cabane, comme elle l'avait pensé. S'approchant de la porte, elle lança un appel : l'instant d'après, elle se trouvait devant les quatre compagnons de son mari, Ali, Zaki, Husayn et Karim…

63

Yasmina se figea sur place, les épiant l'un après l'autre ; il lui semblait voir un mur dressé en travers de son chemin, dans un cauchemar. Les quatre hommes l'observaient avec un dégoût qui, dans le regard d'Ali, se mêlait à une lueur cruelle.

— Je suis innocente ! balbutia-t-elle sans se rendre compte de ce qu'elle disait. Par le Seigneur des cieux, je suis innocente ! Après tout, je n'ai fait que prendre la fuite, comme vous !

Leurs visages se durcirent.

— Et qu'est-ce que tu en sais, qu'on s'est sauvés ? jeta Ali d'une voix dure.

— Si vous ne l'aviez pas fait, vous étiez tous morts ! Mais moi, je suis innocente : je n'ai rien fait d'autre que de me sauver !

— Oui, grinça-t-il, tu t'es sauvée chez ton jules, Bayyoumi !

— Pas du tout ! Laissez-moi partir ! Je suis innocente !

— Oui, on va te laisser partir… pour aller dans le trou !

Elle fit mine de s'enfuir, mais Ali se jeta sur elle et la saisit par les épaules.

— Lâche-moi ! supplia-t-elle. Lâche-moi en souvenir de lui ! Tu sais bien qu'il n'aimait pas le meurtre ni les tueurs !

Mais Ali la tenait déjà la gorge. Karim essaya timidement de s'interposer :

— Attends un peu : réfléchissons d'abord.

— Vos gueules, les dégonflés ! hurla l'autre.

Il serra le cou en y mettant tout ce qu'il avait accumulé de haine, de colère, de douleur et de sentiment de culpabilité. La femme essaya de se libérer, elle empoigna les bras de son tourmenteur, elle se débattit, mais en vain : ses yeux s'exorbitèrent, le sang lui sortit des narines, une violente convulsion l'agita tout entière et elle plongea dans l'éternité. Ali lâcha le corps, qui tomba à ses pieds.

Le lendemain, on retrouva le cadavre de Yasmina devant la porte de Bayyoumi ; la nouvelle se répandit comme la poussière du vent de sable, et tout le quartier se porta devant la maison du *futuwwa*. Le tumulte était à son comble, les commentaires allaient bon train, et chacun prenait bien soin de dissimuler ses sentiments véritables. Soudain, la porte s'ouvrit et Bayyoumi se rua à l'extérieur, comme un taureau furieux, frappant de son gourdin tout ce qui se trouvait sur son passage. La foule terrorisée se dispersa dans toutes les directions, cherchant refuge dans les maisons et les cafés. Le *futuwwa* se retrouva seul au milieu de la rue, proférant un torrent d'injures et de malédictions, se répandant en menaces et faisant pleuvoir une grêle de coups sur les murs et le sol.

Ce même jour, oncle Chafi'i et sa femme quittèrent le quartier ; il ne restait plus rien, semble-t-il, pour rappeler l'existence de Rifaa.

Mais il y avait toujours des choses dont on se souvenait : l'appartement d'oncle Chafi'i dans le Bâtiment de la Victoire, son atelier, le domicile de Rifaa, que l'on surnommait dans son secteur la "Maison de Guérison" ; mais aussi l'endroit où il avait été assassiné, à l'ouest du rocher de Hind. En outre ses quatre compagnons fidèles avaient gardé des contacts avec leurs amis du quartier, et leur enseignaient les moyens secrets par lesquels il savait libérer les âmes des mauvais esprits et guérir les malades. Ils étaient persuadés que tant qu'ils agiraient ainsi, leur maître resterait en quelque sorte vivant parmi eux. Quant à Ali, il ne pensait qu'à punir les assassins ; Husayn lui faisait des remontrances à ce sujet :

— Tu n'as rien de commun avec Rifaa ! lui dit-il un jour.

— Je l'ai mieux connu que vous ! riposta-t-il. Il a passé sa courte existence dans un combat sans pitié contre les mauvais esprits.

— Oui, mais toi, tu veux revenir aux méthodes des *futuwwas*, et lui les détestait plus que tout.

— Mais c'était un *futuwwa*, le plus grand *futuwwa* de tous ! C'est seulement sa douceur qui vous a trompés.

Chacun des deux groupes se mit à l'œuvre avec une foi sincère. La véritable histoire de Rifaa,que la plupart des gens ignorait, se répandit dans le quartier ; d'autres bruits plus étranges coururent également : on disait que le corps de Rifaa, abandonné dans le désert, avait été recueilli par Gabalawi, qui l'avait lui-même transporté dans la Grande Maison et l'avait enterré dans le jardin aux oiseaux.

Aucun événement notable ne se produisit dans le quartier durant cette période, hormis la disparition suspecte du *futuwwa* Handousa. Or, un beau matin, on retrouva son cadavre horriblement mutilé devant la maison d'Ihab, l'intendant du *waqf* : ce fut un beau tumulte chez lui et chez Bayyoumi.

Le quartier vécut alors des jours de terreur sans précédent. Tous ceux qui avaient un lien, réel ou imaginaire, avec Rifaa ou avec l'un de ses hommes, furent systématiquement persécutés : coups de pied et de gourdins, insultes, gifles, tout y passait, si bien que certains se claquemuraient chez eux, et que d'autres quittèrent le quartier ; d'autres encore, parmi les plus insouciants du danger, furent même liquidés à la sauvette, dans le désert.

De partout s'élevaient les cris et les gémissements ; le quartier était plongé dans l'obscurité et la souffrance ; l'odeur du sang se répandait en tous lieux. Mais, curieusement, cela n'empêchait pas les partisans de Rifaa d'agir : Khonfous fut tué à son tour, alors qu'il sortait de la maison de Bayyoumi un peu avant l'aube.

La répression fut terrible, et prit des proportions touchant à la démence. Mais, une nuit, le quartier fut réveillé par un incendie qui, en quelques minutes, consuma entièrement la maison du *futuwwa* Gaber et anéantit toute sa famille.

— Les cinglés de la bande à Rifaa se multiplient comme de la vermine, s'écria Bayyoumi. Cette fois-ci, il faut tous les liquider, même chez eux !

Le bruit se répandit que les maisons allaient être attaquées cette nuit-là. Fous de terreur, les habitants se répandirent dans les rues, s'armant de tout ce qui leur tombait sous la main, bâtons, tabourets, couvercles de marmites, couteaux, socques de bois, fragments de briques. Décidé à étouffer la rébellion dans l'œuf, Bayyoumi se rua hors de chez lui, le gourdin levé, entouré de ses hommes de main.

C'est alors qu'apparut Ali ; accompagné d'un petit groupe de gaillards solides, il prit la direction de l'émeute. Voyant Bayyoumi arriver, il ordonna de le bombarder à coups de briques. Une grêle de projectiles s'abattit sur le *futuwwa* et sur ses hommes. Le sang coula. Rugissant comme un fauve, Bayyoumi se jeta en avant. Une pierre l'atteignit au front. Il s'arrêta net, malgré sa rage, malgré sa force, malgré son honneur de *futuwwa*, chancela et s'écroula à terre, le visage couvert d'un masque de sang.

A cette vue, les hommes de main s'enfuirent à toutes jambes, tandis qu'une foule en furie envahissait la maison de Bayyoumi, détruisant et fracassant tout ; les *futuwwas* survivants et leurs hommes de main n'échappèrent pas davantage à la fureur du quartier : ils furent lynchés et leurs maisons pillées.

L'émeute menaçait de tourner au chaos, et la situation devenait incontrôlable. C'est alors que l'intendant fit appeler Ali. Aussitôt, les partisans de ce dernier décrétèrent une trêve, attendant les résultats de la conférence. Le calme se rétablit peu à peu.

La confrontation marqua le début d'une ère nouvelle dans la vie du quartier. Les Rifaïtes furent reconnus comme constituant un groupe autonome, à l'instar des Gabalites, et se virent accorder les mêmes droits et les mêmes privilèges. Ali, désigné comme leur représentant, fit fonction de *futuwwa* : il recevrait la part qui leur revenait sur les revenus du *waqf* et les distribuerait entre eux selon un principe de stricte égalité.

Le nouveau secteur des Rifaïtes vit bientôt revenir tous ceux qui avaient émigré au temps de la persécution ; oncle Chafi'i et Abda furent parmi les premiers, ainsi que Zaki, Husayn et Karim. C'est ainsi que Rifaa fut l'objet après sa mort d'un respect, d'une vénération et d'un amour d'ont il n'avait jamais rêvé de son vivant. L'histoire de sa vie devint une légende merveilleuse que tous allaient répétant et que les conteurs récitaient au son du *rebab*, surtout l'épisode où Gabalawi avait emporté son corps pour l'enterrer dans le jardin de la Grande Maison. C'était un point sur lequel tous les Rifaïtes étaient formels, sans aucune exception ; de même, ils accordaient tous aux parents de leur héros une sainteté et un charisme exceptionnels.

Mais sur tout le reste, ils étaient en désaccord : Karim, Husayn et Zaki affirmaient que la mission de Rifaa se limitait exclusivement à guérir les malades et à mépriser le prestige social et le pouvoir. Eux et leurs disciples s'appliquaient donc à suivre son exemple, certains allant même jusqu'à refuser de prendre femme pour l'imiter en tout. Quant à Ali, il conserva tous ses droits sur le *waqf*, se maria et s'appliqua à rénover le secteur des

Rifaïtes. Selon lui, s'il fallait mépriser le *waqf*, ce n'était pas à cause du bien lui-même, mais pour se débarrasser des maux que provoque l'appétit des richesses. En revanche, dès lors que les revenus étaient distribués avec équité, et consacrés à construire de nouveaux bâtiments et à venir en aide aux plus malheureux, alors le *waqf* devenait la meilleure des choses.

Tout le monde reprit espoir dans des jours meilleurs, et recommença à sourire à la vie, se disant qu'aujourd'hui vaut mieux qu'hier, et que demain vaudra mieux encore.

Pourquoi faut-il que notre quartier soit ainsi affligé par l'amnésie ?

QASIM

64

Pratiquement rien n'avait changé dans le quartier : ni la poussière, ni les mouches, ni les visages hâves et tirés, ni les haillons, ni les injures, ni l'hypocrisie. La Grande Maison restait hermétiquement close derrière ses murs, plongée dans le silence et les souvenirs. A sa droite, se dressait la demeure de l'intendant et à sa gauche celle du *futuwwa*. Ensuite s'étendait le secteur de Gabal, puis celui de Rifaa, qui occupait la portion centrale. Quant au reste du quartier, c'est-à-dire la partie qui donnait sur la Gamaliyya, elle était habitée par une plèbe obscure et indifférenciée, aux origines douteuses : on les nommait les Gerboises[1]. C'était le secteur le plus misérable et le plus sordide du quartier.

A cette époque, l'intendant était un certain Rif'at, qui ne valait ni plus ni moins que ses prédécesseurs. Quant au *futuwwa* en chef, il se nommait Lahita. C'était un homme de petite taille, qui ne payait pas de mine, mais

1. Petit rongeur du désert, la gerboise s'est parfaitement acclimatée au milieu urbain du Caire. "Gerboise" a ici une connotation péjorative plus marquée qu'en français.

qui n'avait pas son pareil dans la bagarre, où sa rapidité et sa hargne faisaient merveille. Il était arrivé là où il était à la suite d'une série de batailles qui avaient ensanglanté tous les secteurs du quartier.

Le *futuwwa* des Gabalites était Galta ; les habitants de ce secteur étaient toujours aussi vaniteux, se flattant d'être les descendants les plus directs du Fondateur, et tirant orgueil des faveurs que celui-ci avait accordées à leur grand homme, Gabal : n'était-il pas le premier et le seul habitant du quartier à avoir parlé avec Gabalawi ? Haggag était le *futuwwa* des Rifaïtes, ce qui ne l'empêchait pas de suivre la voie de Khonfous, de Galta et des autres tyranneaux du même genre, plutôt que l'exemple d'Ali. Il empochait impudemment les revenus du *waqf*, rossait d'importance tous ceux qui protestaient, et exhortait les autres à suivre l'exemple de Rifaa, qui avait toujours méprisé les honneurs et la richesse. Même les Gerboises avaient leur *futuwwa*, un certain Sawaris ; mais, naturellement, il n'avait pas droit aux revenus du *waqf*.

Naturellement aussi, les porteurs de gourdins et les conteurs publics proclamaient que cet état de choses était juste et conforme aux Dix Conditions, aux Dix Conditions que l'intendant et le *futuwwa* s'ingéniaient à appliquer et à faire respecter, au point d'en perdre le sommeil…

Dans le secteur des Gerboises, oncle Zakariya, le marchand de patates rôties, était connu pour sa bonté ; il se distinguait aussi par un vague lien de parenté avec Sawaris, le *futuwwa* du secteur. Chaque jour, il faisait sa tournée, poussant sa charrette à bras au milieu de laquelle trônait le four d'où s'élevait une fumée épaisse à l'odeur appétissante. Elle attirait aussi bien les enfants des secteurs de Gabal et de Rifaa que ceux de la Gamaliyya, d'Otouf, de la Darrasa, de Kafr Zaghari ou de Beit el-Qadi.

Bien qu'il fût marié depuis de nombreuses années, oncle Zakariya n'avait pas eu d'enfant ; pour tromper sa solitude, il avait recueilli un petit orphelin, Qasim, le fils de son frère. L'entretien de l'enfant n'était pas pour lui une charge bien grande : dans notre quartier, et tout particulièrement dans le secteur des Gerboises, la vie des êtres humains ne vaut guère plus que celle des chiens, des chats et des mouches, qui trouvent leur subsistance dans les tas d'ordures. Au reste, Zakariya avait une grande affection pour Qasim, en souvenir de son père ; aussi, lorsque sa femme devint enceinte, peu après l'entrée de l'orphelin dans la famille, il déclara que celui-ci avait porté bonheur et redoubla de tendresse pour lui. Lorsqu'il lui naquit un garçon, qu'il prénomma Hasan, ce sentiment ne se démentit pas.

Qasim passa ses premières années dans une solitude quasi complète : dans la journée, son oncle était absent, et sa tante occupée par les soins du ménage et du bébé. Bientôt, cependant, son univers s'élargit, lorsqu'il fut en âge de jouer dans la cour de l'immeuble, puis dans la rue. Il se lia ainsi avec les garçons de son âge. En leur compagnie, il apprit à connaître le désert comme sa poche ; ils jouaient autour du rocher de Hind, escaladaient la montagne, et contemplaient de loin la Grande Maison, tout fiers de leur Ancêtre. Cependant, lorsque certains de ses compagnons prenaient partie pour Gabal et les autres pour Rifaa, il ne savait que dire ; et quand, des arguments, on passait aux injures, aux empoignades et aux coups, il ne savait quel parti soutenir.

Mais la maison de l'intendant frappait tout autant son imagination ; que de fois il l'avait contemplée d'un œil plein d'admiration ! Que de fois aussi il avait guigné les arbres fruitiers, une lueur de convoitise dans le regard. Un jour, trouvant le portier endormi, il s'était faufilé dans le verger. Ravi de bonheur, il avait suivi les sentiers, ramassant quelques guaves tombées à terre et les dévorant avec délectation. Soudain, il se trouva devant la pièce d'eau : fasciné par le long jet qui s'élevait au centre du bassin, il se dépouilla de sa tunique et descendit dans la vasque, pataugeant avec délices, éclaboussant des pieds et des mains, totalement oublieux de ce qui l'entourait. Mais son bonheur fut brutalement interrompu par un cri plein de colère :

— Dis donc, Othman, fils de garce, qu'est-ce que t'as dans les yeux ? Viens donc voir ici !

Se retournant, Qasim aperçut dans le *selamlik* un homme enveloppé dans une cape rouge, qui tendait vers lui un doigt vibrant de colère. Il se précipita vers le bord et se hissa hors de l'eau : voyant le portier qui arrivait au grand trot, il se précipita vers le berceau de jasmin qui longeait le mur, sans même prendre le temps de ramasser sa tunique, fonça jusqu'à la porte, se retrouva dans la rue et se mit à courir de toutes ses forces, toujours nu comme un ver. Mis en joie par ce spectacle, les enfants du quartier se lancèrent à sa poursuite en poussant des acclamations ironiques, auxquelles se mêlaient les aboiements des chiens.

Le portier Othman sortit à son tour ; il ne mit pas longtemps à le rattraper, en pleine rue. Il l'empoigna par le bras et s'arrêta, suant et soufflant, tandis que Qasim ameutait le quartier en poussant des cris d'orfraie. Sa tante sortit de la maison, son enfant sur les bras, pendant que maître Sawaris en personne apparaissait à la porte du café. Tout étonnée de le voir en pareil équipage, la femme le prit par la main tout en interpellant le portier :

— Calme-toi, oncle Othman ! Tu as effrayé le petit. Qu'est-ce qu'il a fait ? Et où est sa tunique ?

— Notre monsieur l'intendant l'a surpris en train de prendre son bain dans la pièce d'eau ! déclara l'homme d'un ton important. Une bonne raclée, voilà ce qu'il lui faut, à ce petit sauvage ! Il est rentré pendant que je dormais ! Pourquoi que vous les noyez pas, vos sales lardons, hein ?

— Pardonne-lui pour cette fois, oncle Othman ! implora la femme. Tu as bien raison, il a mal agi, mais vois-tu ce n'est qu'un pauvre orphelin…

Elle le dégagea de la main du portier, tout en continuant :

— Je vais lui donner une bonne correction… Seulement rends-lui sa tunique : il n'en a pas d'autre…

L'autre agita les bras d'un air dégoûté et s'en fut en bougonnant :

— Et dire que je me suis fait disputer à cause de cette vermine ! Bandes de sauvages, va ! Quartier de fils de putes !

La femme revint vers l'immeuble, portant Hasan à califourchon sur sa hanche et remorquant fermement Qasim, qui pleurait à grand bruit.

65

Oncle Zakariya regardait Qasim avec satisfaction.

— Tu n'es plus un enfant, à présent : tu n'as pas loin de dix ans, c'est le moment de commencer à travailler.

Un éclair de joie brilla dans les yeux du garçon.

— Combien de fois je t'ai demandé de m'emmener avec toi !

— Oui, seulement c'était pour jouer, pas pour travailler ! Maintenant, tu es un grand garçon, et tu peux m'aider.

Qasim se précipita vers la charrette à bras et tenta de l'ébranler ; mais oncle Zakariya se hâta de l'éloigner.

— Ne va pas renverser la marchandise ! intervint sa tante. C'est pour le coup qu'on n'aurait plus qu'à mourir de faim !

Zakariya saisit les poignées de la charrette tout en lui faisant ses recommandations :

— Marche devant et crie : "Les bonnes patates du chef ! Les bonnes patates au four !" Et observe bien tout ce que je ferai. Si un client nous hèle de sa fenêtre, tu lui porteras la marchandise. Bref, ouvre l'œil, et le bon !

— Tu sais, je suis bien assez fort pour la pousser ! suggéra Qasim en jetant un regard désespéré à la charrette.

— Fais comme je te dis et ne sois pas entêté, ordonna l'autre en se mettant en route. Prends exemple sur ton père : c'était le plus doux des hommes.

La charrette s'ébranla dans la direction de la Gamaliyya. Qasim se mit à crier de sa voix aiguë : "Les bonnes patates du chef ! Les bonnes patates au four !" Il se pavanait comme un paon, tout fier de visiter des quartiers inconnus et de travailler comme un homme. Lorsque la charrette atteignit le quartier des Chauves-Souris, il jeta un regard curieux à la ronde.

— C'est ici qu'Idris s'est mis en travers du chemin d'Adham, fit-il observer.

Oncle Zakariya hocha la tête d'un air indifférent, pendant que le garçon reprenait en riant :

— Et il poussait une charrette comme toi, mon oncle !

Ils poursuivirent leur tournée, d'El-Husayn à Beit el-Qadi et de Beit el-Qadi à la Darrasa, pendant que Qasim observait avec la même curiosité les passants, les boutiques et les mosquées. Ils arrivèrent à une petite place ; lorsque son oncle lui apprit qu'il s'agissait de Souk el-Muqattam, une lueur d'intérêt s'alluma dans ses yeux.

— C'est donc ça, Souk el-Muqattam ? demanda-t-il. Là où s'est réfugié Gabal et où est né Rifaa ?

— Oui, acquiesça distraitement Zakariya. Mais on n'a rien à voir, ni avec eux ni avec leurs clans.

— Pourtant, ce sont tous des fils de notre quartier, insista le garçon : pourquoi ne serions-nous pas comme eux ?

— Ce qu'il y a de sûr, c'est qu'on est tous aussi pouilleux les uns que les autres, conclut l'oncle en riant.

Il dirigea sa charrette vers la partie la plus reculée du souk. A la limite du désert se dressait une baraque en planches, une sorte d'échoppe où l'on vendait des chapelets, de l'encens et des talismans. Un vieillard à barbe blanche se tenait devant la porte, assis sur une peau de mouton ; Zakariya s'arrêta devant lui et lui serra chaleureusement la main.

— J'ai déjà eu mon content de patates aujourd'hui ! protesta le vieil homme.

— Eh bien, je vais quand même m'asseoir un peu auprès de toi. J'aime encore mieux ça que gagner des mille et des cents. Viens ici, Qasim ! poursuivit Zakariya, voyant que le vieil homme observait son neveu d'un air intrigué. Viens baiser la main de maître Yahya !

L'enfant s'approcha, saisit la main ridée et l'effleura poliment de ses lèvres. Yahya lui passa la main dans les cheveux tout en examinant son gentil visage.

— Qui est ce garçon, Zakariya ? interrogea-t-il.

— Le fils de mon défunt frère, répondit l'autre en allongeant ses jambes au soleil.

Le vieil homme fit signe à Qasim de s'asseoir à côté de lui, sur la peau de mouton.

— Tu te souviens de ton père, mon garçon ? lui demanda-t-il.

— Non, mon oncle.

— Nous étions très amis, lui et moi. C'était le meilleur des hommes.

Qasim leva les yeux vers l'échoppe, fasciné par tous ces objets mystérieux aux couleurs chatoyantes. Yahya se saisit d'une amulette qu'il suspendit au cou du garçon.

— Garde-la précieusement, lui recommanda-t-il, et elle te protégera du malheur.

— Maître Yahya est de notre quartier, intervint Zakariya à l'adresse de son neveu. Du secteur de Rifaa.

— Et pourquoi en es-tu parti, mon oncle ? s'enquit Qasim.

— Il a eu des histoires avec le *futuwwa* de son secteur, il y a des années de ça, expliqua Zakariya. Dans ces cas-là, il vaut mieux émigrer.

— Alors tu as fait comme oncle Chafi'i, le père de Rifaa ! s'exclama le garçon, ravi.

Yahya rit un long moment, montrant ses gencives édentées.

— Tu sais donc tout ça, mon garçon ? Ah ! pour ce qui est de connaître les vieilles histoires, les enfants de notre quartier ne craignent personne... mais quand il s'agit d'en tirer une leçon, c'est une autre paire de manches !

Le garçon du café voisin arriva, portant un plateau chargé de verres de thé, qu'il déposa devant Yahya. Celui-ci sortit un petit paquet de l'ouverture de sa tunique et se mit à le déballer.

— C'est du bon ! commenta-t-il. Effet garanti jusqu'au lendemain matin !

— Eh bien, essayons ! proposa avidement oncle Zakariya.

— Je ne t'ai encore jamais entendu dire non ! commenta le vieil homme en riant.

— Une faveur pareille, ça ne se refuse pas.

Ils se partagèrent le morceau et se mirent à mastiquer la pâte, pendant que Qasim les regardait avec tant de ferveur que son oncle éclata de rire.

— Et toi, mon garçon, que veux-tu faire plus tard ? interrogea Yahya en sirotant son thé. Tu rêves de devenir *futuwwa*, comme tous les gars du quartier ?

— Oh oui ! acquiesça Qasim.

— Excuse-le, maître Yahya, intervint Zakariya en riant. Tu sais comment vont les choses par chez nous : il n'y a que les *futuwwas* qui ne risquent pas de se faire casser la figure.

— Que Dieu te fasse miséricorde, Rifaa ! soupira le vieillard. Comment ce quartier de sauvages a-t-il pu donner naissance à un être comme toi ?

— Et d'ailleurs tu sais comment il a fini... commenta Zakariya.

— Rifaa n'est pas mort le jour où ils l'ont assassiné. Il est mort le jour où son successeur s'est proclamé *futuwwa* !

— Où est-il enterré, mon oncle ? demanda Qasim avec intérêt. Les gens de son clan prétendent que l'Ancêtre l'a enseveli dans son jardin, mais les Gabalites affirment que son corps a disparu dans le désert !

— Ce sont des canailles et des menteurs ! tonna Yahya. Ils nous ont toujours enviés !

Puis, sur un ton un peu plus calme, il reprit :

— Mais dis-moi un peu, Qasim : tu l'aimes, toi, Rifaa ?

— Oui, bien sûr, mon oncle, je l'aime beaucoup, acquiesça le garçon, après avoir jeté un regard prudent vers Zakariya.

— Et que préfères-tu : être comme lui, ou devenir *futuwwa* ?

L'enfant leva son visage, où la perplexité se mêlait au sourire. Il remua les lèvres, mais sans émettre aucune parole.

— Eh, qu'il se contente donc de vendre des patates, comme moi ! lança Zakariya avec un gros rire.

Soudain, un grand tumulte se fit dans le souk : un âne venait de s'abattre, entraînant avec lui la calèche qu'il tirait. Les passagères s'efforçaient de mettre pied à terre, pendant que le conducteur rossait sa bête.

— On a encore un long trajet, conclut Zakariya en se levant. Que le salut soit sur toi, maître Yahya !

— Amène le garçon chaque fois que tu viendras, déclara le vieillard.

Il serra la main de Qasim et lui caressa la tête.
— Tu es un bon petit, lui dit-il.

66

Dans cette partie du désert, il n'y avait d'autre endroit que le rocher de Hind pour se mettre à l'abri de la brûlure furieuse du soleil. C'est donc là que Qasim était assis, sans autre compagnie que celle de son troupeau, vêtu d'une djellaba bleue bien propre… du moins pour une djellaba de berger, la tête protégée contre le soleil par un turban d'étoffe grossière, chaussé de vieilles babouches tout usées et décousues au bout. De temps en temps, il sortait de sa rêverie solitaire pour surveiller ses brebis et ses chèvres, son bâton posé sur le sol à côté de lui. Non loin de là, le Muqattam élevait sa masse écrasante et vaguement hostile, défiant la colère du soleil ; partout ailleurs, le désert étendait à perte de vue son silence pesant et sa chaleur torride.

Lorsqu'il était fatigué de ses pensées, de ses rêveries, de ses vagues inquiétudes d'adolescent, il tournait les yeux vers ses bêtes, observant leurs jeux, leurs batailles et leurs caresses, leurs périodes d'activité et de repos. Les agneaux, surtout, l'attendrissaient ; il aimait leurs yeux noirs dans lesquels il lui semblait lire tant de choses. Il leur parlait souvent, d'ailleurs, attirant leur attention sur la douceur de leur sort comparée à la misère des gens du quartier, écrasés sous la botte des *futuwwas*. Il n'avait cure du mépris que son métier inspirait : cela valait mieux que d'être maquereau, traîne-savates ou mendiant, comme tant d'autres. Et puis, il aimait le désert et l'air pur, il se plaisait en compagnie du Muqattam, du rocher de Hind et de la coupole du ciel, dont il s'amusait à suivre les changements.

Toutefois, son travail le ramenait sans cesse auprès de maître Yahya.

— Alors, de marchand de patates, te voici devenu berger ? lui avait lancé ce dernier la première fois qu'il l'avait vu.

— Et pourquoi pas ? C'est un travail que m'envient des centaines de miséreux, dans notre quartier.

— Ton oncle Zakariya ne t'a donc pas gardé comme apprenti ?

— C'est que son fils Hasan, mon cousin, est devenu grand : le travail lui revient. En tout cas, il vaut mieux être berger que mendiant !

Il ne se passait pas de jour sans qu'il allât voir le vieil homme, pour qui il avait une grande affection. Sa conversation surtout lui plaisait : il connaissait sur le bout du doigt toute l'histoire du quartier, ancienne et récente, et il en parlait aussi bien que les conteurs, et mieux encore, car il n'hésitait pas à dire tout haut ce que les autres passaient prudemment sous silence.

— C'est quand même curieux, lui disait Qasim : je garde les moutons de tout le quartier, certains appartiennent aux Gabalites, d'autres aux Rifaïtes, d'autres encore aux familles riches de notre secteur : eh bien, ils paissent ensemble comme des frères, alors que leurs maîtres passent leur temps à se haïr et à se disputer.

D'autres fois, il lui disait aussi :

— Hammam était berger, comme moi. Et vois ceux qui méprisent les bergers : des mendiants, des traîne-savates, des miséreux ! Et en même temps ils respectent les *futuwwas*, qui ne sont que des voleurs et des assassins. Quelle sottise !

Un jour, il lui dit encore, en plaisantant :

— C'est vrai, je suis pauvre, mais je ne suis pas mécontent de mon sort : je n'ai jamais causé de tort à personne, et même mes moutons, je les traite gentiment. Au fond, je ressemble assez à Rifaa, tu ne trouves pas ?

Le vieux Yahya fut réellement scandalisé.

— Toi, ressembler à Rifaa ! Rifaa a sacrifié sa vie pour libérer ses frères des mauvais esprits, pour leur permettre de connaître le bonheur ! Et en plus, tu passes ton temps à regarder les filles ! ajouta-t-il, en riant cette fois.

— Pourquoi, est-ce si mal ?

— C'est ton affaire. Mais ne va pas dire que tu ressembles à Rifaa, après ça !

— Mais Gabal n'était-il pas un des bienfaiteurs du quartier, tout comme Rifaa ? insista Qasim après un instant de réflexion. Et pourtant, il a aimé une femme et il s'est marié, et ça ne l'a pas empêché de récupérer les droits de son clan sur le *waqf*, et d'en distribuer les revenus avec équité.

— Oui, justement ! triompha le vieil homme. Son seul but, c'était le *waqf* !

— Et la bonne entente, et la justice, et l'ordre ! Ça aussi, c'était son but !

— Ainsi donc, tu préfères Gabal à Rifaa ? demanda Yahya, mécontent.

Les yeux noirs du jeune homme se remplirent de perplexité. Après une longue hésitation, il reprit la parole :

— C'étaient tous les deux des hommes de bien. Et Dieu sait qu'il y en a eu peu dans notre quartier : Adham, Hammam, Gabal et Rifaa, voilà tout ! Quant aux *futuwwas*, on en trouve autant qu'on veut !

— Et Adham est mort de chagrin, et Hammam et Rifaa se sont fait assassiner !

Oui, ils étaient vraiment les seuls justes du quartier : une belle vie, et une triste fin ! Cette idée revenait sans cesse dans les longues conversations qu'il avait avec lui-même, assis à l'ombre du gros rocher. Le désir de leur ressembler le hantait. Quant aux *futuwwas*, leurs actions ne lui inspiraient que dégoût et mépris. Attristé et vaguement inquiet par cette pensée, il s'amusa à se remémorer tous les événements et les personnages importants qu'avait vus ce rocher : les amours de Qadri et de Hind, l'assassinat de Hammam, la rencontre de Gabal avec Gabalawi, la conversation de Rifaa avec l'Ancêtre… Mais comme tout cela semblait loin ! Seuls restent les bons souvenirs, plus précieux que des dizaines de troupeaux de chèvres et de moutons ! Cet endroit avait aussi vu passer le grand Ancêtre, lorsqu'il arpentait les horizons, seul, prenant possession de tout ce qui l'entourait, terrorisant les bandits. "Comment se porte-t-il à présent, dans son isolement ?", se demandait Qasim.

A la tombée du jour, il se leva et s'étira en bâillant. Ramassant son bâton, il poussa un long sifflement modulé pour rappeler son troupeau, qui se rassembla et se mit à marcher en bon ordre vers la ville. Qasim commençait à avoir faim : de toute la journée, il n'avait mangé qu'une sardine et une galette de pain, mais un bon dîner l'attendait chez son oncle. Il pressa le pas ; bientôt, la Grande Maison surgit au loin, avec ses hauts murs et ses fenêtres toujours fermées devant lesquelles se balançaient les cimes des arbres. Quelle pouvait donc être l'apparence de ce jardin dont parlaient les conteurs, et après lequel Adham n'avait cessé de soupirer jusqu'à sa mort ? Le tohu-bohu habituel du quartier commençait à lui parvenir. Longeant le mur, il parvint au haut bout de la ruelle au moment où le soleil se couchait.

Il se fraya un chemin parmi les bandes d'enfants chahuteurs, les oreilles pleines des cris des marchands ambulants, des bavardages, des femmes, des quolibets et des injures des hommes, des hurlements des idiots et des grelots de la calèche particulière de l'intendant, l'odorat assailli de l'arôme pénétrant du tabac blond, de la puanteur des ordures, de l'odeur appétissante de l'ail frit. Il s'arrêta dans le secteur gabalite, puis dans le secteur rifaïte, pour rendre les moutons à leurs propriétaires : bientôt, il ne lui resta plus qu'une seule brebis, celle de *sitt* Qamar, la seule à posséder quelque chose dans le secteur des Gerboises. Elle résidait dans une maison de deux étages, construite autour d'une cour où poussaient un palmier et un guavier.

Lorsqu'il entra dans la cour, poussant devant lui Naameh – tel était le nom de la brebis –, il rencontra sur son chemin la servante de la maison, Sakina, avec ses cheveux crépus qui commençaient à grisonner. Elle répondit par un sourire à son salut et demanda de sa voix chaude et grave :

— Comment va Naameh ?

Il lui en donna les meilleures nouvelles, avant de la lui laisser. Au moment où il sortait, il croisa la maîtresse de la maison et de la brebis, qui entrait dans la cour. Son corps plantureux était enveloppé dans un châle, et, pardessus son voile, ses yeux noirs contemplaient le jeune homme avec affection.

— Bonsoir, fit-elle d'un ton aimable, pendant qu'il s'effaçait pour la laisser passer.

— Bonsoir, notre dame.

Elle s'arrêta un instant pour examiner Naameh avant de reprendre :

— Elle engraisse de jour en jour, grâce à toi.

— Plutôt grâce au Seigneur et à ta bienveillance, répondit le jeune homme, touché par les regards affectueux de la dame autant que par ses paroles aimables.

— Apporte-lui donc à dîner, ordonna celle-ci, se tournant vers la servante.

— Tu nous as déjà comblés de ta bonté, notre dame ! refusa Qasim en portant les deux mains à son front.

Il lui jeta un dernier regard en prenant congé, puis s'en fut, profondément ému, comme chaque fois qu'il la rencontrait, par la douceur et l'affection qu'elle lui manifestait. De tels sentiments lui étaient inconnus, à lui qui n'avait jamais connu l'amour d'une mère ; ils lui paraissaient bien étranges, dans ce quartier où seules comptaient la force et la brutalité. Mais il n'était pas moins sensible à la beauté discrète de Qamar, qui exerçait sur lui une douce séduction. C'était bien autre chose que les quelques aventures qu'il avait connues dans le désert : une faim dévorante et aveugle qui, à peine rassasiée, se transformait en tristesse et en dégoût.

Le bâton en travers des épaules, il rejoignit la maison de son oncle d'un pas vif. Il trouva la famille qui l'attendait, rassemblée sur le balcon qui donnait sur la cour ; il s'assit avec eux autour de la table basse sur laquelle était posé le repas, composé de *taameyya*, de poireaux et de melon. Hasan avait seize ans ; c'était un grand et solide gaillard, que son père, dans le secret de son cœur, rêvait de voir un jour devenir le *futuwwa* des Gerboises.

Le repas achevé, la femme ôta la table, pendant qu'oncle Zakariya sortait de l'immeuble. Les deux cousins restèrent quelque instants sur le balcon. Peu après, une voix héla depuis la cour :

— Ho, Qasim !

— On arrive, Sadiq ! répondit le jeune homme.

Les deux garçons se levèrent et descendirent rejoindre leur ami. Du même âge que Qasim, Sadiq était aussi grand que lui, mais semblait plus frêle ; il travaillait comme apprenti chez un rétameur, dont la boutique se trouvait au tout début du secteur des Gerboises, du côté de la Gamaliyya.

Les trois amis se rendirent au café de Dongol ; lorsqu'ils entrèrent, Taza, le conteur, leur jeta un long regard depuis l'estrade sur laquelle il était assis en tailleur. Quant à Sawaris, il avait pris place à proximité du siège de Dongol, à l'entrée du café. Les jeunes gens vinrent tout d'abord saluer le *futuwwa* avec l'humilité requise : le fait que Hasan et Qasim étaient plus ou moins parents avec lui ne les dispensait pas des marques de respect. Ils allèrent ensuite s'asseoir à la même table, et le garçon leur apporta leurs consommations habituelles.

Sawaris toisait dédaigneusement Qasim, pris entre sa pipe et son thé à la menthe. Soudain, il lui lança d'une voix grossière :

— Dis donc, mon gars, tu es bien élégant aujourd'hui ! Qu'est-ce que c'est que ces façons de se pomponner comme une fille ?

— Il n'y a pas de mal à être propre, maître Sawaris, s'excusa le jeune homme en rougissant.

— Ouais ! Seulement, chez un garçon de ton âge, ça fait mauvais genre, tu vois ?

Un silence gêné s'établit dans la salle. Les clients, les ustensiles, les murs eux-mêmes semblaient faire écho aux paroles de Sawaris. Sadiq, qui connaissait la délicatesse et la sensibilité de son ami, lui jeta un coup d'œil affectueusement inquiet. Quand à Hasan, il plongea son visage dans son bol, pour cacher sa colère aux yeux du *futuwwa*. Puis Taza s'empara de son *rebab*, plaqua quelques accords, prononça les invocations rituelles en faveur de Rif'at l'intendant, de Lahita le *futuwwa* en chef, et de Sawaris, le maître du secteur, puis commença à raconter :

"Soudain, Adham crut entendre des pas dans la cour. Des pas lents et lourds, qui remuaient en lui d'obscurs souvenirs, comme un parfum suave qui ne se laisse ni reconnaître ni définir. Il tourna les yeux vers l'entrée de la cabane et vit que quelqu'un ouvrait la porte ; une forme massive bloqua l'ouverture. Les yeux écarquillés par la stupeur. Adham regardait, partagé entre l'espoir et la désespérance. Enfin, il poussa un profond soupir. «Père ?» murmura-t-il d'un ton interrogatif. Il lui sembla alors entendre la voix qu'il connaissait si bien : «Bonsoir, Adham.» Les yeux pleins de larmes, il s'efforça vainement de se lever ; son cœur débordait d'une joie et d'un bonheur qu'il croyait avoir oubliés depuis plus de vingt ans."

67

— Attends un instant, Qasim, j'ai quelque chose pour toi.

Le jeune homme s'arrêta, non loin du palmier de la cour, où il venait d'attacher la brebis Naameh, attendant que Sakina ressorte de la maison. Son cœur battait plus fort que de coutume, et il se disait qu'une telle attention était l'indice d'un intérêt plus haut et plus noble que lui portait la maîtresse de cette maison. Il ressentit profondément le désir de la voir, d'entendre sa voix qui rafraîchissait son corps brûlé par le soleil du désert. Sakina revint, portant un petit paquet qu'elle lui remit en disant :

— C'est une *ftira* [1] : puisse-t-elle te faire grand bien.

— Remercie pour moi notre bonne dame, répondit Qasim en saisissant le présent de ses deux mains.

— Remercie plutôt le Seigneur, mon cher enfant, fit une voix douce sortie de derrière la fenêtre.

Les yeux baissés, il leva la main en signe de gratitude et s'en fut, le cœur en fête. Elle l'avait appelé "mon cher enfant" ! C'était bien la première fois qu'un berger s'entendait parler sur ce ton. Et par qui ? Par l'unique dame respectable de ce secteur pouilleux. "Ce quartier a beau être misérable, on pourrait quand même y trouver le bonheur, à condition de le vouloir", se disait-il.

Soudain, il fut brutalement arraché à son rêve doré par un cri :

— Mon argent ! Mon argent ! Au voleur !

Un homme coiffé d'un grand turban arrivait en courant depuis la Gamaliyya, se prenant les pieds dans sa vaste djellaba blanche. En un instant, le quartier fut en émoi : les enfants accoururent vers lui, les marchands ambulants et les oisifs assis devant les portes tendirent

1. Sorte de pain au lait.

le cou pour mieux voir, des têtes se mirent à toutes les fenêtres, des visages apparurent à tous les soupiraux, les cafés se vidèrent, et l'inconnu se trouva au centre d'un attroupement. Qasim, avisant près de lui un homme fort occupé à se gratter le dos au moyen d'un bout de bois passé dans l'encolure de sa tunique, lui demanda :

— Qui est-ce ?

— Un tapissier, répondit l'autre sans cesser de se gratter. Il travaillait chez l'intendant.

Sawaris, le *futuwwa* des Gerboises, flanqué de ses deux homologues, Haggag pour les Rifaïtes et Galta pour les Gabalites, s'approchèrent de l'homme et ordonnèrent à la foule de s'écarter, ce qu'elle fit sans discuter.

— Pour sûr qu'il a reçu le mauvais œil ! commenta une femme de sa fenêtre.

— C'est vrai, ça ! approuva une autre. Tout le monde le jalousait à cause de l'argent qu'il devait toucher : tout le mobilier de l'intendant à retapisser, ça fait une somme ! Que le bon Dieu nous protège du mauvais œil.

— Le pauvre ! renchérit une troisième, assise sur le seuil de sa maison en train d'épouiller un enfant. Quand je pense qu'il avait l'air tout content en sortant de chez l'intendant ! Il ne se doutait pas qu'il n'aurait bientôt plus que les yeux pour pleurer !

Pendant ce temps, l'homme continuait à se lamenter à pleine voix :

— On m'a volé tout ce que j'avais ! Huit jours de salaire, sans compter ce que j'avais avant : l'argent du ménage, les fonds de l'atelier, le pain de mes enfants ! Il y en a pour vingt livres et plus ! Que Dieu maudisse les voleurs et les fils de garce !

— Vos gueules ! cria Galta, le *futuwwa* des Gabalites. On se tait ! On se tait, bande de veaux ! C'est la réputation du quartier qui est en jeu : si on n'arrange pas l'affaire, la honte retombera sur les *futuwwas*.

— T'en fais pas, il n'y aura pas de honte ! intervint Haggag. Et d'abord, qu'est-ce qu'on en sait, si c'est ici qu'il a perdu son fric ?

— Que ma femme soit répudiée si j'ai été volé ailleurs qu'ici ! s'exclama l'homme d'une voix éraillée. Je l'ai touché à la porte de notre monsieur l'intendant ; arrivé au bout de la rue, j'ai mis la main dans ma poche, et il avait disparu !

Des clameurs diverses s'élevèrent, vite réprimées par Haggag :

— Vos gueules, bande de veaux ! Ecoute un peu, l'ami : où t'es-tu aperçu que ton argent avait disparu ?

— Devant l'atelier du rétameur, fit l'homme en montrant du doigt la dernière maison du quartier des Gerboises. Mais je ne veux pas te dire un mensonge : personne ne s'est approché de moi par là-bas.

— Conclusion, il a été volé avant d'entrer dans notre secteur, fit observer Sawaris.

— Moi, j'étais au café quand il est passé par chez nous : personne ne l'a approché non plus, ajouta Haggag, le *futuwwa* des Rifaïtes.

— Il n'y a pas de voleurs chez les Gabalites ! proclama Galta d'un ton rageur. D'ailleurs, on est les seigneurs du quartier.

— Respecte ceux à qui tu parles, maître Galta ! rétorqua Haggag. Qu'est-ce que tu viens nous raconter, avec tes seigneurs ?

— Ceux qui disent le contraire sont des arrogants !

— Ne m'échauffe pas les oreilles ! beugla Haggag d'une voix de tonnerre. Ici, on n'aime pas les mauvaises manières…

— Les mauvaises manières, c'est pas chez nous qu'il faut les chercher ! rétorqua Galta du même ton.

— Eh, dites, les gars ! intervint le tapissier d'un ton pleurnichard. C'est quand même chez vous que mon argent a disparu ! Soyez tous les seigneurs du quartier, tant que vous voudrez, mais ce n'est pas ça qui va me rendre mon bien ! Ah ! pauvre Fingari ! te voilà ruiné !

— Eh bien, il n'y a qu'à faire une fouille générale ! proposa Haggag d'un ton de défi. On vide les poches à tout le monde, les hommes, les femmes, on regarde dans tous les coins.

— Fouillez tant que vous voulez, s'il y a quelqu'un de déshonoré après, ce ne sera pas nous, concéda dédaigneusement Galta.

— L'homme est sorti de chez l'intendant : donc il est passé en premier par le secteur des Gabalites. On n'a qu'à commencer par là, suggéra Haggar.

— Pas tant que Galta sera en vie ! gronda ce dernier. Dis donc, Haggag, rappelle-toi à qui tu parles !

— Galta, j'ai davantage de cicatrices que de poils sur le corps !

— Et moi j'en ai tellement qu'il n'y a même plus de place pour les poils !

— Me pousse pas à bout, je fais un malheur !

— Continue comme ça, et tu vas voir !

— Hé ! ho ! et mon argent ? s'écria le malheureux Fingari. Ça ne vous fait rien, qu'on dise que je me suis fait voler dans votre quartier ?

— Dis donc, face de chouette, attention à ce que tu dis ! s'écria une femme. Tu veux nous fiche le quartier en l'air ou quoi ?

— Et d'abord, pourquoi que ce serait pas quelqu'un du secteur des Gerboises qui aurait fait le coup ? fit une voix. C'est tout voleurs et racaille par là, tout le monde sait ça !

— Nos voleurs ne travaillent jamais dans le quartier ! rétorqua Sawaris.

— Ah ouais ? Et qu'est-ce qui nous le prouve ?

— En voilà assez ! s'exclama Sawaris, les yeux injectés de sang. Maintenant, il faut fouiller partout et découvrir le voleur, ou c'est la fin du quartier.

— Commencez par le secteur des Gerboises ! crièrent plusieurs voix.

— On commencera par le commencement, c'est-à-dire par le secteur des Gabalites ! hurla Sawaris excédé. Ceux qui ne sont pas d'accord auront deux mots à dire à mon gourdin !

Il brandit son arme, pendant que ses hommes de main se regroupaient autour de lui. Galta en fit autant, tandis que Haggag se repliait sur son secteur et se mettait en défense. La nuit était sur le point de tomber. Tout le monde s'attendait à une bagarre sanglante, quand soudain Qasim se précipita au milieu de la rue, criant à pleine voix :

— Attendez ! Ce n'est pas comme ça que vous retrouverez l'argent perdu ! Et à la Gamaliyya, à la Darrasa, à Otouf, tout le monde dira qu'un homme s'est fait voler dans le quartier de Gabalawi, alors qu'il était sous la protection de l'intendant et des *futuwwas*.

— Qu'est-ce qu'il nous veut, le gardien de moutons ? demanda un Gabalite d'un ton méprisant.

— J'ai un moyen pour rendre l'argent à son propriétaire sans que cela provoque la bagarre : le coupable n'aura même pas à être démasqué.

Le tapissier se précipita vers lui en balbutiant des paroles de gratitude. Le silence se fit : tous les regards étaient tournés vers Qasim.

— Attendons que la nuit soit complètement tombée, continua ce dernier. On n'allumera pas une seule bougie dans le quartier, puis nous ferons ensemble toute la longueur de la rue, de façon à ce que les soupçons ne pèsent pas sur un seul secteur plutôt que sur un autre : celui qui a l'argent sur lui trouvera bien le moyen de s'en débarrasser discrètement dans l'obscurité. A ce moment-là, nous le trouverons, et nous serons tirés d'affaire.

Le tapissier serrait désespérément le bras de Qasim.

— Oui, c'est une bonne idée ! s'écria-t-il. Acceptez, je vous en supplie !

— Pas bête, le gars ! renchérit une voix dans la pénombre.

— Oui, comme ça le voleur pourra se tirer d'affaire, et le quartier aussi !

Une femme poussa un long youyou ; partagés entre l'espoir et la crainte, les hommes regardaient alternativement les trois *futuwwas*. Aucun d'eux ne voulait être le premier à accepter ouvertement, et les spectateurs se demandaient qui l'emporterait, de la raison ou des gourdins. Mais soudain un cri retentit :

— Ho !

Toutes les têtes se tournèrent dans sa direction : c'était Lahita, le *futuwwa* en chef du quartier, qui se tenait non loin de sa maison. Un silence respectueux s'établit.

— Acceptez ce plan, bande de crétins ! Quand je pense qu'il a fallu un gardien de moutons pour vous souffler la solution !

Un murmure de soulagement parcourut la foule. Les youyous éclatèrent. Le cœur de Qasim battit plus fort : il observait la maison de Qamar, persuadé que, derrière l'une de ses fenêtres, deux yeux noirs l'épiaient. Une joie inhabituelle s'empara de lui : il lui semblait avoir remporté une grande victoire.

Pendant ce temps, la foule attendait la tombée de la nuit, regardant tantôt le ciel et tantôt le désert, observant les ténèbres qui s'épaississaient peu à peu. Les contours des choses s'estompaient, les traits des visages devenaient impossibles à distinguer. Quant aux deux passages qui longeaient la Grande Maison et donnaient sur le désert, ils étaient déjà engloutis dans l'obscurité. Soudain, la foule, désormais composée de silhouettes indistinctes, se mit en route ; après s'être rassemblée devant la Grande Maison, elle parcourut toute la longueur du quartier au grand trot jusqu'à la Gamaliyya, puis se dispersa, chacun rentrant dans son secteur.

— Allumez ! cria Lahita d'une voix de commandement.

La première maison éclairée fut celle de Qamar dans le secteur des Gerboises ; puis ce fut le tour des quinquets des marchands ambulants, puis celui des lampes des cafés : le quartier revint à l'existence. Un groupe d'hommes se mit à examiner le sol à la lumière d'une lampe à pétrole.

— Voici la bourse ! s'écria soudain une voix.

Fingari accourut aussitôt, s'empara de son bien, compta l'argent, et se sauva vers la Gamaliyya sans demander son reste, soulevant un sillage de rires et d'acclamations. Qasim se trouva au centre de l'attention générale. On le félicitait, on le plaisantait amicalement, on se répandait en commentaires élogieux. Et ce soir-là, lorsque Qasim, Hasan et Sadiq entrèrent dans le café des

Gerboises, Sawaris les accueillit d'un sourire amical et lança :

— Un narguilé pour Qasim ! C'est moi qui offre !

68

Le visage rose, l'œil vif et le cœur en fête, Qasim entra dans la cour de Qamar pour y prendre la brebis. Après l'avertissement rituel[1], il défit la longe de la bête attachée au pied de l'escalier, et entendit soudain grincer la porte de l'appartement d'en haut.

— Bonjour ! fit la voix de la dame.

— Que le Seigneur en fasse un jour de bonheur pour toi, notre bonne dame !

— Hier, tu as rendu un signalé service à tout le quartier.

— C'est Dieu qui m'a guidé, répondit-il, pendant que son cœur dansait dans sa poitrine.

— Tu as prouvé que l'intelligence vaut mieux que les gros bras, poursuivit-elle d'un ton admiratif.

"Et ton affection vaut mieux que l'intelligence", ajouta-t-il en lui-même.

— Que le Seigneur te garde, se borna-t-il à répondre.

— On t'a vu mener les gens du quartier comme tu mènes les moutons, poursuivit-elle d'une voix gaie. Va en paix !

1. Destiné à donner aux femmes de la maison le temps de se voiler, ou de disparaître.

Il s'éloigna, poussant Naameh devant lui. A chaque bâtiment, son troupeau s'agrandissait d'une chèvre, d'une brebis ou d'un mouton. On le recevait partout avec des marques d'amitié : même les *futuwwas*, qui d'habitude l'ignoraient, répondaient à son salut. Précédé d'une longue file de moutons et de chèvres, il parcourut l'étroit passage qui longeait la Grande Maison, vers le désert. Le soleil, déjà haut sur la montagne, l'accueillit de sa morsure ; l'air du matin lui envoyait déjà des bouffées torrides. Sur le flanc du Muqattam, on apercevait quelques bergers. Un homme vêtu de haillons passa, soufflant dans une flûte de roseau. Là-haut, dans le ciel pur, tournoyaient les milans, éternellement à l'affût. Qasim gonfla ses poumons d'air pur et sec. Il lui semblait que la masse énorme de la montagne cachait des trésors d'espoirs et de promesses. Il contempla le désert à la ronde avec un plaisir inaccoutumé ; le cœur léger, il se mit à chanter.

Son regard errait depuis le rocher de Qadri et Hind jusqu'à l'endroit où Hammam et Rifaa avaient été assassinés, et où Gabalawi avait parlé à Gabal. L'univers entier lui paraissait résumé en ce lieu : le soleil, la montagne, le sable, la gloire, l'amour et la mort. Et un cœur dans lequel l'amour naissait, mais qui s'interrogeait sur le sens de tout cela, du passé comme du présent, sur ce quartier divisé en secteurs rivaux et humilié par les *futuwwas*, sur les récits que, dans chaque café, on racontait selon une version différente.

Un peu avant midi, il conduisit son troupeau vers Souk el-Muqattam et alla s'asseoir auprès de maître Yahya.

— Alors, raconte un peu ! lui dit le vieil homme. Qu'est-ce qui s'est passé, hier soir ? Tout le monde ne parle que de ça !

Qasim but une gorgée de thé pour masquer son embarras.

— C'est égal, tu aurais mieux fait de les laisser s'entretuer jusqu'au dernier, grogna le vieux.

— Tu ne parles pas sérieusement ! protesta Qasim sans lever les yeux.

— En tout cas, tiens tes admirateurs à l'écart : les *futuwwas* pourraient en prendre ombrage.

— Pourquoi voudrais-tu qu'ils se sentent menacés par un pauvre garçon comme moi ?

— Et qui aurait cru qu'il se trouverait quelqu'un pour trahir Rifaa ? soupira le vieil homme.

— Mais quel rapport entre le grand Rifaa et moi ? se récria Qasim.

Lorsqu'il se leva pour prendre congé, Yahya lui rappela :

— Surtout, garde précieusement le talisman que je t'ai donné.

Vers le milieu de l'après-midi, alors qu'il était assis à l'ombre, derrière le rocher de Hind, il entendit la voix de Sakina qui appelait la brebis Naameh. Se levant d'un bond, il fit le tour du rocher et vit la servante qui se tenait près de l'animal et lui caressait la tête. Il la salua aimablement, et elle répondit, de sa voix grave comme le bronze :

— J'ai une course à faire à la Darrasa ; je suis passée par ici, le chemin est plus court.

— Il est plus chaud aussi, fit observer le jeune homme.

— Oui, et c'est pour ça que je vais me mettre un moment à l'ombre, acquiesça-t-elle en riant.

Ils s'assirent côte à côte, non loin de l'endroit où Qasim avait laissé son bâton.

— Quand j'ai vu ce que tu as fait hier, je me suis dit que ta mère avait dû te bénir du fond du cœur avant de trépasser, lui dit-elle.

— Et toi, tu ne me bénis pas ?

— Pour un garçon comme toi, la plus grande bénédiction, c'est de trouver une bonne épouse, fit-elle en dissimulant un regard malicieux.

— Et qui donc épouserait un pauvre berger ? protesta-t-il en riant.

— La chance peut faire des miracles... Aujourd'hui, tu as gagné autant de prestige que les *futuwwas* sans avoir eu besoin de verser une goutte de sang.

— Tes paroles sont plus douces que le miel ! glissa-t-il d'un ton légèrement ironique.

— Ecoute, tu veux que je te donne un conseil ?

— Dis toujours.

— Tente ta chance auprès de la dame de notre secteur, déclara-t-elle avec la simplicité que mettent les femmes africaines à parler de ces choses.

Le jeune homme eut comme un éblouissement.

— De qui veux-tu parler ? balbutia-t-il.

— Ne fais pas l'innocent ! Il n'y a qu'une seule dame dans notre secteur.

— *Sitt* Qamar !

— Elle-même !

— Mais son défunt mari était un des notables du quartier, alors que je ne suis qu'un petit berger de rien du tout !

— Mais quand la chance sourit à quelqu'un, elle peut rendre attrayante même la pauvreté.

— Et elle ne se mettra pas en colère si je la demande ? interrogea-t-il, comme s'il se parlait à lui-même.

— Avec les femmes, on ne peut jamais savoir ce qui leur fait plaisir et ce qui les met en colère, déclara Sakina en se levant. Remets-t'en à Dieu, c'est le mieux que tu puisses faire ! Allez, que Dieu te garde, ajouta-t-elle en s'éloignant.

Qasim leva la tête vers le ciel et ferma les yeux.

69

Oncle Zakariya accueillit le discours de Qasim avec des yeux ronds ; sa femme n'était pas moins ébahie, et Hasan pareillement. La famille était réunie sur le balcon, devant l'appartement, après le dîner.

— Non, écoute, ne parle pas comme ça ! se récria l'oncle. Tu as toujours été un modèle de bon sens et de bonne éducation, malgré ta pauvreté, malgré notre pauvreté… mais enfin, qu'est-ce qui t'arrive ?

— J'ai des raisons d'espérer, répondit Qasim. C'est Sakina elle-même qui a abordé la question avec moi.

— Sa servante ? s'écria la tante, manifestement avide de détails.

Zakariya laissa échapper un petit rire, qui dissimulait mal sa perplexité.

— Tu l'auras peut-être mal comprise, avança-t-il.

— Je t'assure que non, mon oncle.

— Tout est clair, à présent ! s'écria la femme : si la servante a parlé, c'est que la maîtresse est d'accord !

— Et puis Qasim n'est pas le premier venu ! ajouta Hasan, qui ne manquait jamais une occasion de chanter les louanges de son cousin.

— “Les patates du chef ! Les bonnes patates au four !” grommela oncle Zakariya en hochant la tête. Tout cela est bel et bon, reprit-il soudain, mais tu n’as pas un millime !

— Oui, mais comme il s’occupe de sa brebis, elle est parfaitement au courant, fit remarquer la tante. Tu sais, Qasim, tu devrais faire le vœu de ne plus jamais égorger de brebis, par reconnaissance pour Naameh, ajouta-t-elle en riant.

— *Sitt* Qamar est la nièce d’oncle Oways, l’épicier, l’homme le plus riche du secteur, reprit Hasan, réfléchissant à haute voix. Ainsi, nous serions parents par alliance, sans compter que nous sommes déjà parents de Sawaris par le sang : c’est ça qui serait bien !

— Et puis *sitt* Qamar est parente d’Amina *hanem*, la dame de l’intendant, par son défunt mari, renchérit la tante.

— Ça, ce serait plutôt pour compliquer les choses, déclara Qasim, mal à l’aise.

— Tu n’as qu’à parler comme tu l’as fait l’autre jour, déclara oncle Zakariya avec un soudain enthousiasme, comme s’il avait fini de calculer les avantages qu’apporterait une telle alliance. Après tout, tu es un garçon hardi et sage. Nous irons ensemble voir *sitt* Qamar pour lui faire ta demande, et puis nous irons en parler à Oways : si on commence par lui, il nous enverra à l’hôpital des fous !

Tout se passa selon le plan arrêté par Zakariya. C’est pour cette raison que, quelques jours plus tard, oncle Oways se trouvait assis dans la salle de réception de sa nièce. Il attendait sa venue en jouant avec sa grosse moustache pour dissimuler son inquiétude. La maîtresse de céans arriva peu après, vêtue d'une robe qui la couvrait décemment jusqu'aux pieds et coiffée d'un foulard marron. Après avoir courtoisement salué son oncle, elle s'assit ; une résolution paisible brillait dans ses yeux.

— Ecoute, mon enfant, je ne te comprends pas, commença Oways. Hier encore, tu as refusé oncle Morsi, mon gérant, sous prétexte qu'il n'était pas assez bien pour toi, et maintenant tu vas épouser ce petit gardien de moutons !

— Il est vrai qu'il n'est pas riche, concéda Qamar en rougissant, mais tu ne trouveras personne dans ce quartier qui ne reconnaisse que lui et sa famille sont d'honnêtes gens.

— Oui, mais c'est comme quand nous reconnaissons qu'un domestique est propre et digne de confiance : ce n'est pas une raison pour l'épouser !

— Trouve-moi un seul homme dans ce quartier qui soit aussi doux et bien élevé que lui, répondit Qamar sans se départir de sa politesse. Trouve-moi un seul homme à qui on ne puisse reprocher la moindre indélicatesse ou la moindre brutalité !

Oways faillit exploser ; mais il se rappela à temps que la femme qui se trouvait devant lui n'était pas seulement sa nièce, mais aussi l'un de ses principaux bailleurs de fonds. Aussi reprit-il d'un ton radouci :

— Qamar, si tu veux, je puis te faire épouser n'importe lequel des *futuwwas* du quartier. Lahita lui-même ne demanderait pas mieux, si tu acceptais de le partager avec ses autres épouses.

— Je n'en veux pas, de tes *futuwwas* et de ce genre de brutes ! Mon père était un honnête homme, comme toi : il a tellement souffert à cause d'eux ! Qasim, lui, est doux et bien élevé ; il ne lui manque que l'argent, mais après tout, j'en ai pour deux.

Oways poussa un gros soupir, puis, après avoir longtemps observé sa nièce, reprit sur le même ton :

— Je suis chargé d'un message pour toi de la part d'Amina *hanem*, la dame de notre maître l'intendant. Elle te fait dire de bien réfléchir : tu risques de commettre une grosse bêtise, qui fera jaser dans tout le quartier.

— Je n'ai pas d'ordres à recevoir de la *hanem*, coupa Qamar d'un ton sec. D'ailleurs, je regrette qu'elle n'ait pas une idée plus juste sur ceux et celles qui, par leurs actions, font jaser le quartier…

— Mais, ma chère enfant, elle ne veut que ton bien !

— Mon cher oncle, je n'en crois rien ! Nous lui sommes totalement indifférents : depuis dix ans que mon mari est mort, c'est bien la première fois qu'elle daigne se souvenir de moi.

Manifestement embarrassé, l'homme se tut un instant, avant de reprendre, d'un ton qui dissimulait mal son exaspération :

— Elle dit aussi qu'il n'est pas raisonnable pour une femme d'épouser un homme au-dessous de son rang, surtout quand, pour une raison ou pour une autre, il a fréquemment l'occasion de venir chez elle.

— Que Dieu lui coupe la langue ! s'écria Qamar en se levant d'un bond, le visage pâle de colère. Je suis née dans ce quartier, j'y ai grandi, je m'y suis mariée et j'y suis devenue veuve. Tout le monde ici me connaît et personne n'a jamais rien eu à dire sur mon compte !

— Mais naturellement, ma chère enfant, mais naturellement ! Elle veut simplement te faire comprendre comment les gens pourraient réagir.

— Ne parlons plus de la *hanem*, mon oncle ! Elle me donne la migraine ! Je voulais simplement t'informer, en ta qualité de parent, que j'ai accepté la demande de Qasim, et que je l'épouserai avec ton consentement et en ta présence.

Oways se tut, plongé dans ses pensées. Il n'avait aucun moyen de s'opposer à la volonté de sa nièce, et il ne voulait pas exciter sa colère au point de l'amener à retirer les fonds qu'elle avait placés dans ses affaires. Il regardait obstinément entre ses pieds, soucieux et chagrin. Il ouvrit la bouche, mais n'émit qu'un murmure incompréhensible : Qamar le tenait sous son regard, ferme et patient.

70

Oncle Zakariya fit cadeau à son neveu de quelques livres, empruntées pour la plupart, pour le défrayer de ses préparatifs de mariage.

— Si je le pouvais, je te couvrirais d'or, mon pauvre Qasim, lui dit-il. Ton père était le plus généreux des hommes : je n'ai pas oublié ce qu'il a fait pour moi quand je me suis marié.

Qasim fit l'emplette d'une djellaba, de vêtements d'intérieur, d'un turban brodé, de babouches d'un jaune éclatant, d'une badine de jonc et d'une tabatière. Le lendemain de bon matin, il se rendit au hammam et prit un bain de vapeur avant de plonger dans la piscine d'eau froide ; après quoi il se confia au masseur, se lava entièrement et se fit parfumer ; enfin, il s'étendit dans un cabinet particulier, sirotant un verre de thé et rêvant de bonheur.

Qamar se chargeait d'organiser la fête ; elle arrangea la terrasse de sa maison pour y recevoir les femmes, retint un chanteur en vogue et engagea le meilleur cuisinier des environs. On dressa un grand pavillon dans la cour, pour les invités et l'artiste. Les parents et les amis de Qasim vinrent tous, ainsi que la plupart des hommes du secteur, Sawaris en tête. Les verres de *bouza* passaient de main en main, et vingt pipes tiraient en même temps, si bien qu'un nuage de fumée obscurcissait les lampes et que l'odeur du haschisch emplissait l'atmosphère. Les youyous, les acclamations et les rires se répandaient dans toute la maison. Zakariya proclamait partout, avec la vanité des ivrognes :

— On est une famille noble, nous ! On remonte à loin !

— Vous êtes parents de maître Sawaris : ça veut tout dire, répondit oncle Oways, qui avait du mal à cacher son mécontentement.

— Trois hourras pour maître Sawaris ! brailla Zakariya.

Les musiciens entamèrent aussitôt un air martial en l'honneur du *futuwwa* qui sourit d'un air avantageux et salua de la main. Longtemps irrité par l'insistance du bonhomme à souligner le vague lien de parenté qui les unissait, il avait maintenant changé d'avis ; en son for intérieur, il se promit même d'affranchir Qasim du prix de la protection.

— Et Qasim est un bon garçon ! poursuivit Zakariya. D'ailleurs tout le monde l'aime dans le quartier ! C'est vrai ou non ?

— Sans lui, le jour où le tapissier s'est fait voler, il y aurait eu plus d'une tête de cassée chez les Rifaïtes et les Gabalites : qui pourrait résister au gourdin de Sawaris, notre *futuwwa* ?

— Tu as raison, par le Seigneur des cieux et de la terre, approuva gravement Oways, pendant que les traits du *futuwwa* se détendaient.

Le chanteur entama un air nouveau, dont les paroles évoquaient l'union prochaine et les délices promis. Le trouble de Qasim s'accrut. Sadiq, comme toujours, comprit ce qui se passait en lui et lui tendit un verre, qu'il vida d'un trait, sans lâcher sa pipe à haschisch. Hasan, lui, était carrément ivre : tout dansait devant ses yeux. Voyant dans quel état il était, oncle Oways se pencha à l'oreille de Zakariya et lui glissa :

— Hasan boit trop pour un garçon de son âge.

Zakariya se leva, et lança à son fils sur un ton faussement sévère :

— Hasan, ne bois pas comme ça !

Et, pour bien montrer ce qu'il entendait par là, il vida son verre d'un trait, parmi les rires et les vivats. Oways bouillait d'une colère rentrée. "Si ma nièce n'était pas une idiote, ce que tu as bu ce soir t'aurait déjà coûté tout ce que tu possèdes", grommela-t-il à part lui.

Vers minuit, on appela Qasim pour la procession rituelle : les hommes se dirigèrent vers le café de Dongol, précédés de Sawaris, en sa qualité de maître des cérémonies et de protecteur du cortège. Hors de la maison, le quartier était rempli d'enfants, de mendiants et de chats, attirés par l'odeur du festin. Qasim prit place entre Hasan et Sadiq ; Dongol salua la compagnie et lança au garçon :

— C'est fête ce soir ! Tu porteras une pipe à tout le monde, c'est moi qui offre !

Ensuite, tous ceux qui en avaient les moyens offrirent chacun une tournée générale de haschisch. Sadiq sortit de l'échancrure de sa tunique une boulette grosse comme une bille, qu'il roula dans ses doigts à la lumière de la lampe.

— Il y a autre chose de bon avec, glissa-t-il à Qasim. Effet garanti, tu m'en donneras des nouvelles !

Qasim la mit dans sa bouche ; il souriait, les yeux déjà rougis par l'alcool.

— Mords dedans, et suce ensuite, lui conseilla son ami.

Bientôt, les chanteurs arrivèrent, précédés par les joueurs de tambourins et de hautbois. Sawaris se leva et proclama d'un ton impérieux :

— Que la procession commence !

Kaaboura prit la tête de la procession, vêtu d'une djellaba à même la peau ; il dansait nu-pieds, un bâton en équilibre sur le crâne. Derrière lui marchaient les chanteurs, suivis de Sawaris. Puis venait le marié, juché sur les épaules de ses deux amis et entouré d'un groupe de porteurs de flambeaux. Le chanteur entama l'épithalame rituel, d'une voix mélodieuse :

D'abord, ah ! par mon œil
Ensuite, oh ! par ma main
Et puis, ah ! par mon pied
D'abord l'amour m'a pris au piège, par mon œil !
Ensuite je l'ai salué, par ma main
Et puis je suis allé à lui, par mon pied.

Des voix avinées, que le haschisch rendait rauques, poussaient des acclamations, pendant que le cortège se frayait un chemin vers la Gamaliyya, puis Beit el-Qadi, El-Husayn, et enfin la Darrasa. La nuit passa sans que les fêtards s'en aperçoivent. Le cortège revint par la même route, dans l'allégresse générale : c'était la première fois dans le quartier qu'une noce finissait paisiblement, sans bagarre ni effusion de sang. En proie à l'euphorie la plus totale, Zakariya dansait en faisant tournoyer son bâton, fièrement cambré en arrière, bougeant tantôt la tête, tantôt la poitrine, sans cesser de remuer des hanches ; ses mouvements souples et précis évoquaient tantôt la posture du combat, tantôt celle de l'amour. Enfin, il conclut par une ultime pirouette, parmi les applaudissements et les cris.

C'est alors que Qasim se retira dans le harem ; il vit Qamar, assise au fond de la pièce, entre deux rangées d'invitées. Au milieu des youyous, il se dirigea vers elle et lui prit la main. Elle se leva et ils se mirent tous deux en marche, précédés jusqu'à la porte de la chambre nuptiale par une danseuse dont les mouvements lascifs semblaient leur donner une ultime leçon. Lorsqu'ils fermèrent la porte, ils se trouvèrent complètement séparés du monde extérieur, où régnait un silence total, interrompu de loin en loin par un léger chuchotement ou un trottinement de pas. D'un coup d'œil, Qasim embrassa toute la pièce : le lit couvert d'une courtepointe rose, le canapé confortable, le tapis aux motifs compliqués, toutes ces belles choses qu'il n'avait jamais encore imaginées. Puis son regard se reposa sur la femme assise sur le lit, qui était en train d'ôter sa parure de tête ; elle lui semblait délicieuse avec ses formes potelées, sa peau blanche et fine, la douceur de ses traits. Les murs blancs étincelaient de lumière, et tout ce qu'il regardait lui apparaissait à travers une brume où se mêlaient l'inquiétude, le désir, et le sentiment d'un bonheur sans limites. Il s'approcha d'elle, échauffé par l'amour et le vin ;

elle restait assise devant lui, les yeux baissés, attendant qu'il prenne l'initiative. Il saisit son visage entre ses mains, ouvrit la bouche comme pour dire quelque chose, puis, se ravisant, s'inclina vers elle et lui baisa le front et les joues.

Une odeur d'encens, venue de derrière la porte, effleura ses narines. Il entendit la voix de Sakina qui marmottait des incantations.

71

Des jours et des nuits passèrent dans l'affection réciproque et la bonne entente. Qasim goûtait un bonheur sans nuages ; et s'il sortait de temps à autre de chez lui, c'était uniquement pour ne pas prêter à jaser. Il trouvait, dans cette maison, tout ce dont il avait rêvé : la propreté d'un intérieur impeccablement tenu, dont l'air embaumait l'encens, les attentions d'une épouse tendre et aimante, toujours attirante et vêtue avec goût.

— Tu es vraiment doux comme un agneau, lui dit-elle un jour : tu ne réclames rien, tu ne donnes jamais d'ordres, tu ne te mets jamais en colère. Et pourtant, tout ce qui est dans la maison est à toi…

— Que veux-tu que je demande ? Tu ne me laisses rien à désirer.

— J'ai toujours su que tu étais le meilleur des hommes de ce quartier, répondit-elle en lui serrant le bras avec force. Mais parfois, tu te montres si discret qu'on te croirait un étranger dans ta propre maison. Cela me fait de la peine.

— Tu parles à un homme que la bonne fortune a transporté du sable brûlant du désert à un paradis terrestre.

— Oh ! ne t'imagine pas que tu seras longtemps oisif dans cette maison ! protesta-t-elle avec une sévérité que démentait son sourire. Bientôt, tu prendras la succession de mon oncle à la tête de ses affaires. Ça ne te paraîtra pas trop fatigant, j'espère ?

— Ce sera un jeu, comparé à mon ancien métier ! fit-il en riant.

Oways possédait des biens immobiliers, dispersés entre le secteur des Gerboises et la Gamaliyya. Le caractère agressif et chicanier des locataires exigeait beaucoup de doigté ; mais Qasim, avec son habileté et sa souplesse coutumières, s'en tira à merveille. D'ailleurs, le travail ne l'occupait que quelques jours par mois ; le reste du temps, il n'avait rien à faire, chose qui lui était inhabituelle. Mais sans doute sa plus grande victoire, pendant cette période de sa vie, consista-t-elle à gagner la confiance d'Oways, l'oncle de sa femme. Dès le début, il le traita avec déférence, se portant volontaire pour l'aider dans différentes transactions, si bien que l'autre le prit en estime et en affection. Un jour, il lui dit en toute franchise :

— Comme quoi il faut se méfier des préjugés ! Tu sais qu'au début je te prenais pour un vaurien, qui voulait profiter des sentiments de ma nièce pour s'emparer de son argent, et après faire la noce, ou épouser une autre femme ? Mais tu as prouvé que tu étais un homme respectable et digne de confiance : finalement, elle a bien choisi !

Un autre jour, au café de Dongol, Sadiq lui dit en riant :

— Offre-nous donc une pipe ! C'est bien le moins que puisse faire un richard comme toi !

— Pourquoi ne vas-tu jamais au cabaret avec nous ? demanda Hasan de son côté.

— Je n'ai pas d'argent, hormis ce que je gagne en gérant les biens de ma femme, ou en secondant oncle Oways, répondit-il d'un ton parfaitement sérieux.

— Une femme amoureuse est un jouet entre les mains d'un homme, proféra Sadiq, sentencieux.

— Sauf si l'homme l'aime vraiment ! coupa sèchement Qasim. Tu es comme tous les gens d'ici, Sadiq, pour toi l'amour n'est qu'un moyen de profiter des autres.

— Que veux-tu, c'est une idée de faible ! s'excusa le jeune homme avec un sourire un peu confus. Je ne suis pas aussi fort que Hasan ou que toi : je n'ai aucun espoir de finir *futuwwa*, et, par ici, ou bien tu cognes, ou bien tu te fais cogner dessus !

— Oui, quel curieux quartier, tout de même, remarqua Qasim d'un ton radouci. Tu as raison, Sadiq, tout ça est triste !

— Eh oui ! approuva Hasan. Ce n'est pas du tout ce que les gens du dehors s'imaginent. "Ah, le quartier Gabalawi ! Le quartier des vrais *futuwwas* !" Voilà ce qu'ils disent.

Une expression de tristesse se peignit sur les traits de Qasim. Il jeta un coup d'œil furtif à Sawaris, qui trônait à l'entrée du café, pour s'assurer qu'il ne pouvait les entendre, et reprit :

— On dirait qu'ils n'ont jamais entendu parler de notre misère.

— Que veux-tu, les gens admirent la force, même lorsqu'ils en sont les victimes.

— Mais ce qui compte vraiment, c'est la force quand elle est mise au service du bien, rétorqua Qasim. La force de Gabal ou de Rifaa, pas celle des maquereaux et des assassins !

Pendant ce temps, Taza, le conteur, poursuivait son récit :

"Alors Adham cria à Qadri : «Prends ton frère sur ton dos ! – Je ne peux pas ! gémit-il d'une voix blanche. – Si tu as pu le tuer tu peux bien le porter ! – Je ne peux pas, père ! – Ne m'appelle pas père. Un meurtrier comme toi n'a plus ni père, ni mère, ni frère. – Je ne peux pas ! – Allons ! fit Adham en resserrant son étreinte. C'est à l'assassin de porter sa victime.»"

Puis il s'empara de son *rebab* et se mit à psalmodier un poème.

— Au fond, glissa Sadiq à Qasim, tu vis aujourd'hui l'existence dont rêvait Adham.

— A chaque pas, je trouve un signe qui m'attriste et gâche mon bonheur. L'oisiveté et l'abondance dont rêvait Adham n'étaient que des moyens pour arriver à la félicité parfaite.

— Oui, mais un bonheur comme ça, ça n'existera jamais ! déclara Hasan après un instant de silence.

— Si, peut-être, mais il faudrait que tous aient le moyen de l'obtenir, le corrigea Qasim, le regard perdu dans un rêve.

Cette question le tracassait depuis longtemps : sans doute, il avait de l'argent et des loisirs, mais la misère des autres l'empêchait de goûter pleinement au bonheur ; et puis, il était humilié de devoir payer le prix de la protection à Sawaris. C'est pourquoi il tenait à occuper son temps, comme pour fuir les pensées qui l'agitaient. Adham, s'il avait obtenu ce qu'il désirait dans les mêmes conditions, n'aurait pas pu atteindre le bonheur et aurait certainement aspiré à travailler !

Vers cette époque, le comportement de Qamar se modifia sensiblement ; Sakina y décela les premiers symptômes d'une grossesse. Qamar n'osait y croire : il y avait si longtemps qu'elle rêvait d'être mère ! Quant à Qasim, il était fou de joie : il courut annoncer la nouvelle dans tous les endroits où il comptait des amis. La maison de son oncle fut bientôt au courant, ainsi que l'échoppe du rétameur, l'épicerie d'oncle Oways et la cabane de maître Yahya. Qamar se faisait toutes sortes de soucis sur son état. Un jour, elle déclara à Qasim, d'un ton significatif :

— Il faut que j'évite toute espèce de fatigue...

— Eh bien, Sakina s'occupera des travaux de la maison, répondit Qasim en souriant. Quant à moi, je m'armerai de patience...

Elle lui donna un baiser, et dit, avec un bonheur qui avait quelque chose d'enfantin :

— J'ai envie d'embrasser le sol pour remercier Dieu.

Qasim sortit dans le désert pour rendre visite à maître Yahya ; mais, arrivé au rocher de Hind, il s'arrêta et s'assit à l'ombre. Tout au loin, un berger gardait son troupeau ; le cœur de Qasim se gonfla d'amour et il eut envie de lui crier : "Non, être *futuwwa* ne suffit pas à rendre un homme heureux !" Mais n'était-ce pas aux *futuwwas* qu'il fallait dire cela, à Lahita ou à Sawaris ? Il se sentait plein de tendresse pour les gens de son quartier, avec leurs rêves de bonheur, fanés à peine éclos, et qui finissaient sur les tas d'ordures. Et lui, pourquoi ne se contentait-il pas du sort qui lui était offert, en fermant les yeux sur tout ce qui l'entourait ? Peut-être que Gabal, lui aussi, s'était posé ces questions, jadis, et Rifaa après lui. Ils auraient pu mener une existence paisible et prospère : quel est donc ce mystérieux besoin qui nous harcèle sans trêve ?

Il rêvait à tout cela en regardant le ciel au-dessus de la montagne ; un ciel sans nuage, à part quelques petits flocons çà et là. Baissant la tête, il aperçut quelque chose qui bougeait sur le sol : c'était un scorpion, qui filait vers l'abri d'une grosse pierre. Ramassant son bâton, Qasim l'écrasa d'un geste vif ; puis, après l'avoir contemplé un instant avec dégoût, il reprit sa route.

72

La maison de Qasim accueillit une vie nouvelle. Les pauvres du secteur participèrent à sa joie. L'enfant, une fille, fut prénommée Ihsan, comme la mère de Qasim, qu'il n'avait jamais connue. Cette naissance changea l'atmosphère de la maison, y faisant entrer des larmes, du désordre et des nuits sans sommeil, mais aussi des joies et des satisfactions neuves. Mais pourquoi le jeune père semblait-il parfois si lointain, comme rongé par un chagrin secret ? Profondément troublée, Qamar lui demanda un jour :

— Tu ne te sens pas bien ?

— Si, bien sûr !

— Pourtant, tu n'as pas l'air dans ton assiette.

— Ne t'inquiète pas pour ça.

— Es-tu mécontent de moi ? demanda-t-elle d'une voix hésitante.

— Je n'aime personne autant que toi, même notre petite chérie ! déclara-t-il d'une voix ferme.

— Alors, c'est peut-être le mauvais œil… murmura-t-elle.

— Peut-être, concéda-t-il en souriant.

Elle prononça les contre-invocations, fit brûler de l'encens, pria pour lui de tout son cœur.

Mais une nuit qu'elle avait été réveillée par les pleurs d'Ihsan, elle ne le trouva pas à son côté. Au début, elle ne s'inquiéta pas, pensant qu'il s'était peut-être attardé au café. Mais, quand la petite cessa de pleurer, elle se rendit compte que le quartier était plongé dans un silence profond : les cafés étaient fermés depuis longtemps. Un peu anxieuse, elle se mit à la fenêtre : d'épaisses ténèbres enveloppaient le quartier, où tout semblait dormir. Comme la petite recommençait à pleurer, elle revint auprès d'elle pour lui donner le sein ; elle n'arrivait pas à comprendre la cause de ce retard, le premier de leur vie commune. Lorsque Ihsan finit par s'endormir, elle retourna à la fenêtre : toujours le silence. Elle se rendit alors dans la salle et réveilla Sakina ; la servante se dressa sur son séant, encore tout engourdie de sommeil, mais la nouvelle la réveilla d'un coup.

Elle décida aussitôt de se rendre chez oncle Zakariya demander des nouvelles de son maître. Qamar n'en attendait pas grand-chose : son mari n'avait aucune raison de s'attarder là-bas jusqu'à une heure aussi indue. Cependant, elle n'empêcha pas sa servante d'y aller, soit qu'elle voulût s'accrocher au moindre espoir, soit que, dans sa perplexité, elle souhaitât avoir le soutien de son oncle par alliance. Sakina partie, elle recommença à se demander pourquoi il tardait tant : était-ce en relation avec son indisposition récente ? ou avec ses longues promenades dans le désert, où il passait volontiers ses après-midi et ses soirées ?

Oncle Zakariya et Hasan se réveillèrent de méchante humeur. Le jeune homme déclara qu'il n'avait pas vu son cousin de toute la soirée. A une question d'oncle Zakariya, Sakina répondit que Qasim était sorti de la maison au début de l'après-midi. Les deux hommes et la servante sortirent du bâtiment. Hasan s'en fut réveiller Sadiq, qui habitait à proximité ; celui-ci ne tarda pas à arriver.

— On est déjà au point du jour ! remarqua-t-il. Mais où a-t-il bien pu passer ?

— Il s'est peut-être endormi près du rocher, suggéra Hasan.

Oncle Zakariya renvoya Sakina avertir sa maîtresse qu'ils partaient à la recherche de Qasim. Les trois hommes prirent la direction du désert, s'emmitouflant dans leurs turbans pour se protéger de la fraîcheur de la nuit : on était en automne. Ils marchaient à la lueur du dernier quartier de lune qui apparaissait, entouré d'étoiles, dans une étroite déchirure entre les nuages. "Qasim ! Ho ! Qasim !" cria Hasan de sa voix de stentor ; seul l'écho du Muqattam lui répondit. Pressant le pas, ils arrivèrent au rocher de Hind ; mais ils eurent beau fouiller tout à l'entour, ils ne trouvèrent rien.

— Mais enfin, où est-il passé ? se demanda oncle Zakariya. Ça ne peut pas être une amourette, ni une histoire de vengeance ; ce n'est pas son genre…

— Et il n'aurait pas d'autre raison de disparaître, murmura Hasan, perplexe.

Sadiq, lui, pensait que le désert était infesté de bandits ; mais il ne dit mot de l'inquiétude qui le rongeait.

— Il ne serait pas chez maître Yahya, par hasard ? suggéra subitement Zakariya.

— Mais oui, maître Yahya ! s'écrièrent les deux jeunes gens, décidés à se raccrocher au moindre espoir.

— Mais qu'est-ce qu'il pourrait bien fabriquer là-bas à cette heure-ci ? reprit Zakariya, soudain abattu.

Ils se dirigèrent en silence vers l'orée du désert, ruminant de sombres pensées. Au loin, un coq chanta ; mais l'obscurité restait toujours aussi épaisse, à cause des nuages qui couvraient le ciel. “Où es-tu donc, Qasim ?” gémit Sadiq. Sans grand espoir, ils continuèrent à marcher jusqu'à la cabane de Yahya, qui semblait plongée dans le sommeil. Zakariya frappa à la porte de tout le poing ; au bout d'un moment, ils entendirent la voix du propriétaire :

— Qui va là ?

Le battant s'ouvrit, laissant apercevoir une silhouette appuyée sur un bâton.

— Excuse-nous de te déranger, fit oncle Zakariya. On est venu voir si tu avais des nouvelles de Qasim.

— Je vous attendais, dit paisiblement le vieil homme.

Les trois visiteurs poussèrent un soupir de soulagement ; mais bientôt, repris par l'inquiétude, Zakariya demanda :

— Tu as des nouvelles de lui ?

— Il est ici. Il dort.

— Et… tout va bien ?

— Tout ira bien si Dieu le veut. Enfin, pour le moment, il se porte bien ; ce sont des voisins qui, revenant d'Otouf, l'ont trouvé évanoui auprès du rocher de Hind. Ils l'ont transporté ici ; je lui ai aspergé le visage de parfum jusqu'à ce qu'il revienne à lui, mais il semblait tellement fatigué que je l'ai gardé pour la nuit. Il s'est endormi comme une masse.

— Tu aurais pu nous prévenir ! reprocha Zakariya.

— On me l'a apporté au milieu de la nuit : qui voulais-tu que j'envoie ? répondit le vieux de sa voix paisible.

— En tout cas, il doit être sérieusement malade ! intervint Sadiq d'une voix inquiète.

— Quand il s'éveillera, il n'y paraîtra plus, le tranquillisa Yahya.

— Il faudrait le réveiller pour voir ce qu'il a, proposa Hasan.

— Non, déclara fermement le vieil homme. On attendra qu'il se réveille tout seul.

73

Il était dans son lit, le dos appuyé à un oreiller, la couverture remontée jusqu'au cou, une expression anxieuse dans le regard. Qamar, assise à son chevet, tenait Ihsan serrée contre sa poitrine. La petite agitait les mains sans interruption, tout en émettant d'étranges petits bruits impossibles à déchiffrer. Un mince filet de fumée s'élevait du brûle-parfum posé au milieu de la pièce, s'enroulait sur lui-même avant de se dissiper, répandant le subtil mystère de son odeur. L'homme tendit le bras vers la table de nuit et saisit un bol de tisane de carvi, qu'il vida à petites gorgées. Tout en jouant avec l'enfant, la femme observait son mari à la dérobée, sans pouvoir cacher son inquiétude.

— Comment te sens-tu, à présent ? demanda-t-elle enfin.

D'un geste involontaire, il eut un coup d'œil vers la porte fermée, puis, se retournant vers elle :

— En tout cas, je ne suis pas malade, déclara-t-il.

— Je suis soulagée de l'entendre ; mais alors, pour l'amour du Ciel, dis-moi ce qui ne va pas !

— Je ne sais pas, fit-il après une brève hésitation. Ou plutôt non : je sais très bien… mais… pour dire la vérité, je crains que les beaux jours soient derrière nous.

Ihsan se mit soudain à pleurer ; Qamar se hâta de lui donner le sein, puis son regard inquiet se porta à nouveau sur son mari.

— Pourquoi ? demanda-t-elle.

— J'ai ici un secret énorme ! soupira-t-il en montrant sa poitrine. Un secret trop lourd à porter pour moi seul.

— Eh bien, dis-moi de quoi il s'agit, supplia Qamar, de plus en plus tourmentée.

Il se redressa un peu, et une expression sérieuse et résolue passa dans son regard.

— Ce que je vais te dire, tu seras la première à l'entendre. Il faut que tu me croies : je ne te dirai que la stricte vérité. Hier soir, il m'est arrivé quelque chose d'inouï, là-bas sous le rocher de Hind, alors que j'étais seul dans la nuit et le désert.

Il avala sa salive, pendant qu'elle l'encourageait d'un regard tendre.

— J'étais assis, contemplant la lune ; mais au bout d'un instant elle a disparu derrière un nuage et je me suis trouvé dans la nuit noire. Alors que j'allais me lever, j'ai entendu une voix, toute proche, qui m'interpellait : “Bonsoir, Qasim !” J'ai eu peur, car je n'avais rien senti venir ; en levant la tête, j'ai deviné une silhouette humaine qui se tenait à quelques pas de moi. Je n'arrivais pas à distinguer son visage, mais j'ai aperçu un turban blanc et une grande cape. En m'efforçant de cacher ma mauvaise humeur, j'ai répondu : "Bonsoir ! Qui es-tu ?" Alors, il m'a dit... Devine quoi ?

— Parle donc, tu me mets sur les charbons ardents !

— Il m'a déclaré : "Je suis Qindil." Comme ce nom m'était inconnu, j'ai commencé. "Excuse-moi, mais..." ; à ce moment-là, il m'a interrompu : "Je suis Qindil, le serviteur de Gabalawi."

— Qu'est-ce qu'il t'a dit ? s'écria Qamar en sursautant.

— Il m'a dit : "Je suis Qindil, le serviteur de Gabalawi."

Dans son trouble, Qamar avait laissé échapper son sein de la bouche d'Ihsan ; le petit visage se crispa, prêt à pleurer, mais la femme se hâta de lui redonner le téton.

— Qindil, le serviteur de Gabalawi ? répéta-t-elle, devenue toute pâle. Mais personne ne sait rien sur les serviteurs de l'Ancêtre. C'est notre maître l'intendant lui-même qui s'occupe de rassembler les choses dont il a besoin et qui les fait porter par ses domestiques jusqu'à la Grande Maison...

— Oui, c'est ce que tout le monde raconte dans le quartier. Mais lui, voilà ce qu'il m'a dit.

— Et tu l'as cru ?

— Je me suis levé d'un bond, autant par politesse que pour être en mesure de me défendre, le cas échéant ; naturellement, je lui ai demandé comment je pouvais savoir s'il disait la vérité ou non. Il m'a répondu d'un ton paisible : "Suis-moi si tu veux, et tu me verras entrer dans la Grande Maison." Cette réponse m'a un peu tranquillisé, et j'ai pensé : "Autant le croire, jusqu'à preuve du contraire." Je lui ai manifesté la joie que j'avais à le rencontrer, et je lui ai demandé des nouvelles de l'Ancêtre, comment il se porte, ce qu'il devient...

— Et vous vous êtes dit tout ça ? interrompit Qamar.

— Oui ; mais je t'en prie, écoute-moi bien ! Il m'a annoncé que l'Ancêtre était en bonne santé, sans donner de détails. Je lui ai demandé alors s'il était au courant de ce qui se passe dans le quartier. Il m'a répondu qu'il était au courant de tout, et que rien de ce qui s'y produit n'échappe jamais à celui qui habite la Grande Maison ; il a ajouté qu'il était chargé d'un message pour moi.

— Pour toi !

— C'est ce qu'il m'a dit, confirma Qasim, légèrement agacé. J'ai dû manifester mon étonnement, mais ça ne l'a pas frappé outre mesure ; il m'a dit : "Peut-être as-tu été choisi pour la sagesse dont tu as fait preuve le jour du vol, ou à cause de ton honnêteté. Quoi qu'il en soit, voici son message : tous les habitants du quartier sont également ses descendants et le *waqf* est leur patrimoine à tous, sans exception. Les *futuwwas* sont un fléau dont il faut se débarrasser, et le quartier tout entier doit devenir un prolongement de la Grande Maison." Je suis resté silencieux, comme si j'avais perdu l'usage de la parole. En levant les yeux, je me suis aperçu que les nuages s'étaient séparés, découvrant un petit croissant de lune. "Mais pourquoi me fait-il savoir tout cela ?" ai-je demandé enfin. C'est alors qu'il m'a répondu : "Parce que c'est à toi qu'il revient de le réaliser !"

— Toi ! s'écria Qamar.

— C'est ce qu'il a dit. J'allais lui réclamer des explications, mais il m'a salué et s'en est allé ; je l'ai suivi jusqu'à ce qu'il me semble le voir escalader le mur d'enceinte de la Grande Maison au moyen d'une énorme échelle, ou quelque chose comme cela. Alors, je me suis arrêté, ne sachant que faire, et je suis retourné auprès du rocher. J'avais l'intention d'aller voir maître Yahya, mais je me suis évanoui et je n'ai retrouvé mes sens que dans sa cabane.

Le silence envahit de nouveau la pièce ; Qamar le fixait toujours de ses yeux cernés par l'insomnie. Ihsan s'endormit paisiblement ; sa tête s'inclina sur l'avant-bras de sa mère, qui l'étendit doucement sur le lit, avant de lever à nouveau vers Qasim son regard inquiet et troublé. La voix rauque de Sawaris s'éleva de la rue, lançant une bordée d'injures à quelqu'un, qui se mit à crier, puis à geindre ; il avait dû recevoir un coup de bâton ou une gifle. La voix de Sawaris s'éloigna, grondant des menaces et des avertissements. La victime cria encore, d'une voix pleine de colère et de désespoir : "Gabalawi !"

"Que peut-elle donc penser de moi ?" s'interrogeait Qasim, gêné par les regards de sa femme. De son côté, Qamar songeait : "Il dit sûrement la vérité : il n'a jamais menti de sa vie, et d'ailleurs pourquoi aurait-il inventé une telle histoire ? Non, c'est un garçon honnête et désintéressé, ce n'est sûrement pas à l'argent du *waqf* qu'il en veut ; sans même parler du danger ! Les jours heureux seraient-ils finis pour de bon ?

— Et je suis la première à qui tu as confié ton secret ? questionna-t-elle enfin.

Il hocha la tête en signe d'acquiescement.

— Qasim, reprit-elle, nous ne faisons qu'un seul être : ma vie ne m'est pas aussi chère que la tienne. Ton secret est très dangereux, nous savons tous les deux où cela peut nous mener. Alors, je t'en prie, réfléchis bien et réponds-moi : étais-tu réveillé quand tu as vu tout cela, ou bien était-ce un rêve ?

— C'était absolument réel et pas du tout un rêve, trancha-t-il avec une certitude un peu agacée.

— Tu peux affirmer cela alors qu'on t'a trouvé évanoui ?

— Je me suis évanoui seulement après avoir rencontré Qindil.

— Tu as peut-être confondu ? suggéra-t-elle.

— Je n'ai rien confondu du tout ! Je l'ai rencontré, clair comme en plein jour.

— Mais comment peux-tu savoir qu'il s'agit vraiment d'un serviteur de l'Ancêtre et qu'il parlait en son nom ? reprit-elle après une brève hésitation. Pourquoi est-ce que ce ne serait pas un ivrogne quelconque qui t'aurait fait une blague ? Tu sais qu'il n'en manque pas dans notre quartier.

— Je l'ai vu escalader le mur de la Grande Maison ! répondit-il, entêté.

— Tu sais bien qu'il n'y a pas, dans tout le quartier, d'échelle capable d'arriver seulement à la moitié du mur, soupira-t-elle.

— Et pourtant je l'ai vu !

Elle se sentait comme une souris prise au piège, mais elle refusait de s'incliner.

— Si je dis tout ça, c'est parce que j'ai peur pour toi. Tu sais bien ce que je veux dire : j'ai peur pour toi, pour notre maison, pour notre fille, pour notre bonheur ! Et puis je me demande pourquoi c'est justement à toi qu'il s'est adressé ! Pourquoi ne s'en charge-t-il pas lui-même ? Après tout, c'est lui le fondateur du *waqf* et le seigneur de tout le quartier !

— Et pourquoi s'est-il adressé à Gabal et à Rifaa ? rétorqua-t-il.

Les yeux de Qamar s'élargirent ; les coins de sa bouche se crispèrent, comme ceux d'un enfant sur le point de pleurer. A bout d'arguments, elle baissa les yeux.

— La vérité, c'est que tu ne me crois pas, fit doucement Qasim. Tu sais, je ne t'en demande pas tant.

Elle fondit en larmes et se jeta en travers du lit, comme si elle cherchait à fuir les pensées qui la hantaient. Qasim se pencha vers elle, lui prit la main et l'attira doucement à lui.

— Pourquoi pleures-tu ? lui demanda-t-il.

— Parce que je te crois ! répondit-elle d'une voix entrecoupée de sanglots. Oui, je te crois ! Et j'ai peur que les jours heureux soient vraiment finis.

Puis, d'une voix étouffée, inquiète, elle reprit :

— Et maintenant, que vas-tu faire ?

74

Une atmosphère tendue régnait dans la pièce. Oncle Zakariya, les sourcils froncés, semblait perdu dans ses pensées, oncle Oways se tripotait les moustaches, Hasan paraissait plongé dans un monologue intérieur. Quant à Sadiq, il ne quittait pas Qasim des yeux, tandis que Qamar, réfugiée dans un angle du salon, priait silencieusement Dieu de les guider dans la bonne voie. Les tasses à café étaient vidées depuis longtemps, et deux grosses mouches bourdonnaient autour d'elles ; Qamar appela Sakina et lui ordonna de remporter le plateau.

Quand la servante eut fermé la porte, Oways souffla un grand coup et déclara :

— En voilà une histoire ! Il y a de quoi vous couper bras et jambes !

Un chien aboya au-dehors, comme s'il avait été frappé d'une brique ou d'un coup de bâton. Un marchand de dattes poussa son cri modulé. Une vieille femme geignit d'un ton dolent : "Seigneur, débarrasse-nous de cette vie !"

— Maître Oways, fit soudain Zakariya en se tournant vers ce dernier, toi qui es l'homme le plus important et le plus considéré ici, donne-nous franchement ton avis.

— Ce qu'il y a de sûr, c'est que Qasim n'est pas n'importe qui, déclara ce dernier. Mais ce qu'il nous a confié, je ne sais vraiment qu'en penser.

— Il a dit la vérité ! interrompit Sadiq, qui brûlait manifestement de prendre la parole. Je mets au défi quiconque de prouver qu'il a menti une seule fois dans sa vie. En tout cas, moi, je le crois et je suis prêt à m'en porter garant sur le tombeau de ma mère !

— Moi aussi ! s'écria Hasan. Il me trouvera toujours à son côté !

Qasim sourit pour la première fois depuis le début de l'entretien ; la présence solide de son cousin le réconfortait.

— Il ne s'agit pas d'un jeu ! rétorqua Zakariya en lançant un regard critique à son fils. Nous risquons notre vie, en ce moment !

— Très juste ! approuva Oways en hochant gravement la tête. On n'a encore jamais entendu une chose pareille.

— Mais si ! rétorqua Qasim. Rappelez-vous Gabal et Rifaa !

— Parce que tu te prends pour un Gabal ou un Rifaa ? s'exclama Oways, profondément choqué.

Qasim baissa tristement les yeux.

— Eh, mon oncle, qui sait comment ces choses-là arrivent ? lança Qamar depuis sa place.

— Ça lui ferait une belle jambe, de se prendre pour eux ! s'écria Zakariya, pendant qu'Oways recommençait à tripoter sa moustache. Rifaa est mort assassiné, et Gabal aurait fini de la même façon si son clan ne l'avait pas défendu au dernier moment. Et toi, Qasim, qui as-tu avec toi ? Tu as oublié qu'on nous appelle le secteur des Gerboises, le secteur des mendiants et des crève-la-faim !

— N'oubliez pas vous-mêmes que Gabalawi l'a choisi, lui, et personne d'autre, pas même les *futuwwas* : il ne l'abandonnera pas dans l'adversité !

— Oui, et on disait la même chose de Rifaa en son temps ! coupa Zakariya d'un ton sec. Ça ne l'a pas empêché de se faire massacrer à deux pas de la maison de Gabalawi !

— Pas si haut ! avertit Qamar.

Oways observait Qasim à la dérobée. "On voit de drôles de choses, tout de même ! songeait-il. Ce berger dont ma nièce a fait un seigneur, je mettrais ma main au feu que c'est un garçon honnête et sincère, mais est-ce que ça suffit pour en faire un Gabal ou un Rifaa ? Est-ce que la fortune lui serait finalement montée à la tête ? Et que se passerait-il si ses rêves se réalisaient ?" Il reprit à haute voix :

— Qasim n'a pas l'air bien impressionné par nos mises en garde. Mais que veut-il donc, à la fin des fins ? Il voudrait que notre secteur ait droit au *waqf*, lui aussi ?

C'est ça, Qasim ? Ton but, c'est de devenir *futuwwa* ou intendant du secteur ?

— Ce n'est pas du tout ce qu'il m'a dit ! protesta Qasim. Il m'a dit : "Tous les habitants du quartier sont mes descendants, et le *waqf* leur appartient à tous sur un pied de parfaite égalité. Et les *futuwwas* sont un fléau."

Une lueur d'enthousiasme flamboya dans le regard de Sadiq et de Hasan ; quant à Oways, il ne savait manifestement que dire.

— Tu sais ce que ça signifie, tout ça ? lança soudain Zakariya.

— Dis-lui, fit Oways, irrité.

— Eh bien, ça veut dire que tu vas défier le pouvoir de l'intendant et les gourdins de Lahita, Galta, Haggag et Sawaris !

— C'est exactement ça, approuva tranquillement Qasim, pendant que Qamar devenait toute pâle.

Oways partit d'un éclat de rire, qui fit naître une expression d'agacement sur le visage des trois jeunes gens.

— On va tous y rester ! poursuivit obstinément Zakariya. Ils nous écraseront comme des fourmis. Et d'ailleurs personne ne te croira. Même celui qui a vu le Fondateur face à face et qui lui a parlé, ils ne l'ont pas cru : alors celui à qui il a simplement envoyé l'un de ses serviteurs, tu penses !

— Et puis, laissons de côté ces vieilles histoires ! reprit Oways, changeant de ton. Après tout, aucun témoin n'a jamais assisté à la rencontre de Gabalawi avec Gabal, ni avec Rifaa. Ce ne sont que des traditions, vraies ou fausses, on n'en sait rien : simplement, elles sont dans l'intérêt de ceux qui les rapportent. Le secteur de Gabal et celui de Rifaa sont devenus des entités respectées : pourquoi n'en serait-il pas de même du nôtre ? Assurément, nous sommes tous descendants de cet homme qui se claquemure dans la Grande Maison. Simplement, il faut agir avec prudence et sagacité. Travaille dans l'intérêt de ton secteur, Qasim, et laisse de côté ces histoires d'égalité, de fléau ou de pas fléau ! Nous pourrions facilement rallier Sawaris : après tout, c'est ton parent. Et il serait possible de se mettre d'accord avec lui pour qu'il nous laisse une part des revenus.

— Mon oncle, nous ne parlons pas du tout de la même chose ! coupa Qasim d'un ton sec. Il ne s'agit pas de marchander une part des revenus : je suis décidé à réaliser la volonté de l'Ancêtre telle qu'il me l'a exprimée, un point c'est tout !

— Seigneur ! soupira Zakariya.

Le visage fermé, Qasim se remémorait ses anxiétés, ses méditations solitaires, ses longues conversations avec Yahya, son maître à penser ; il pensait à la façon dont ce serviteur inconnu l'avait soudain arraché à ses tourments, lui ouvrant de nouveaux horizons. Zakariya ne se souciait que de sa propre sécurité, et Oways ne pensait qu'aux bénéfices du *waqf* ; seuls des horizons nouveaux pouvaient donner du prix à l'existence.

— Mon oncle, déclara-t-il enfin, je me devais de vous consulter tous ; mais je ne vous demande pas de me suivre.

— Moi, je suis avec toi ! s'écria Sadiq, lui serrant la main.

— Et moi aussi ! renchérit Hasan, fermant le poing.

— Ne te laisse pas tourner la tête par ce que racontent ces marmots ! intervint Zakariya. Le jour où les gourdins entreront dans la danse, ils fileront se planquer dans les coins ! Tu vas risquer ta vie, et pour qui donc ? Les ânes et les cafards qui peuplent ce quartier ! Alors que tu as largement de quoi vivre à ton aise ! Allons, sois raisonnable, et profite plutôt de l'existence !

Troublé, Qasim se rendait compte que ces paroles faisaient écho aux inquiétudes qui le prenaient parfois : "Et ta fille ? Et ta femme ? Et ta maison ? Que vont-elles devenir ? Et toi-même ?"

Mais il avait fait le choix de Gabal et de Rifaa : il lui fallait répondre ce qu'ils avaient répondu.

— J'ai longtemps réfléchi, mon oncle, fit-il à voix haute. Finalement, j'ai choisi ma voie.

— Il n'est de force et de puissance qu'en Dieu ! soupira Zakariya, frappant une main contre l'autre en signe de désespoir.

— Tu sais ce qui va se passer ? l'avertit Oways. Les forts te tueront et les faibles se moqueront de toi !

Perplexe, Qamar regardait alternativement Oways et Zakariya. La déception que subissait son mari la peinait profondément, mais, en même temps, elle craignait les conséquences, s'il persistait dans sa décision.

— Mon oncle, dit-elle, tu es le principal notable, ici : tu peux l'aider de ton influence.

— Mais qu'espères-tu donc, Qamar ? s'écria celui-ci. Tu as de l'argent, tu as une fille, tu as un mari : qu'est-ce que ça te fait, que les revenus du *waqf* soient distribués à tous, ou que les *futuwwas* le gardent pour eux ? Ceux qui veulent devenir *futuwwas*, nous les considérons comme des fous : à plus forte raison ceux qui guignent la position de l'intendant !

— Mais je ne guigne rien de tout ça ! s'exclama Qasim en se levant. Tout ce que je veux, c'est réaliser la volonté de l'Ancêtre !

— Mais où est-il, ton ancêtre ? poursuivit Oways en se forçant à prendre un ton conciliant. Qu'il sorte donc de sa maison, même s'il doit se faire porter par ses serviteurs, et qu'il mette en vigueur les Dix Conditions comme bon lui semblera : qui donc oserait s'y opposer ?

— Et quand les *futuwwas* nous tomberont dessus, tu crois qu'il lèvera le petit doigt ? renchérit Zakariya. Il se moque bien de ce qui peut nous arriver !

— Je ne demande à personne de me croire ni de me suivre, déclara Qasim, au bord des larmes.

Zakariya se leva et lui posa affectueusement la main sur l'épaule.

— Ecoute, Qasim, ce qu'il y a, c'est qu'on t'a jeté le mauvais œil : je m'y connais. Il y a trop longtemps qu'on parle de ton bon sens et de ta chance : il fallait que ça arrive ! Demande secours à Dieu contre le démon, et n'oublie pas que tu es à présent l'un des notables du quartier : rien ne t'empêche de faire du commerce avec une partie de l'argent de ta femme, et de réaliser de beaux bénéfices. Ote-toi donc tout ça de la tête et profite de ce que Dieu t'a donné…

Pendant tout ce discours, Qasim, toujours chagriné, avait gardé la tête baissée. Quand son oncle eut fini de parler, il leva les yeux et déclara, avec une étrange fermeté :

— Je ne m'ôterai rien de la tête, quand bien même je posséderais le *waqf* tout entier !

75

Que vas-tu faire ? Jusqu'à quand vas-tu méditer, attendre ? Et d'ailleurs qu'attends-tu ? Si même tes proches ne te croient pas, qui le fera ? A quoi bon se ronger les sangs ? A quoi bon passer son temps tout seul au pied du rocher de Hind ? Les étoiles ne répondent pas, ni les ténèbres, ni la lune. On dirait que tu attends une seconde rencontre avec Qindil : mais que pourrait-il t'apporter de nouveau ? Tu erres dans le noir autour de l'endroit où l'on dit que Gabal a rencontré l'Ancêtre ; tu passes des heures derrière le haut mur d'enceinte, à l'endroit où l'on dit que Rifaa a entendu ses paroles. Mais toi, tu ne vois personne, tu n'entends rien, même le serviteur ne revient plus. Que vas-tu faire ? Cette question te poursuivra sans cesse, comme le soleil poursuit le berger dans le désert. Elle t'empêchera à jamais de goûter à la tranquillité et aux plaisirs de la vie. Gabal aussi était seul, et pourtant il a gagné, Rifaa a suivi sa voie : on l'a tué, mais il a gagné après sa mort. Et toi, que vas-tu faire ?

— Tu négliges trop ta jolie petite, lui reprocha un jour Qamar. Quand elle pleure, tu ne vas pas la consoler, et quand elle joue, tu ne joues pas avec elle.

Il sourit au petit visage, dont la vue apaisait un peu les pensées douloureuses qui l'agitaient.

— Comme elle est mignonne ! murmura-t-il.

— Même quand tu es assis auprès de nous, comme maintenant, je te sens loin : on dirait que nous ne faisons plus partie de ton univers !

Il s'approcha d'elle et lui embrassa la joue, puis couvrit de baisers le visage de l'enfant.

— Tu ne vois donc pas que j'ai absolument besoin de ton affection ? dit-il.

— Je t'ai donné mon cœur tout entier, avec toute l'affection, tout l'amour, toute la tendresse qu'il contient. Mais tu es trop dur avec toi-même.

Elle prit l'enfant dans ses bras et se mit à la bercer doucement, écoutant attentivement son gazouillis.

— Si le Seigneur me donne la victoire, je rendrai aux femmes la part qui leur revient sur les bénéfices du *waqf*, déclara-t-il soudain.

— Mais le *waqf* est pour les hommes, pas pour les femmes !

— Le message de l'Ancêtre était que le *waqf* appartient à tous. Les femmes forment la moitié du quartier : il est étonnant qu'elles soient aussi peu respectées. Mais elles le seront, quand les gens respecteront la justice et la compassion !

Un regard de tendresse et de pitié apparut dans les yeux de Qamar. "Il parle de victoire, se dit-elle : comment pourrions-nous espérer gagner ?" Elle aurait bien voulu lui conseiller les voies de la prudence et de la sécurité, mais elle n'en avait pas le courage. Que leur réservait l'avenir ? Aurait-elle le même sort glorieux que Chafiqa, l'épouse de Gabal, ou bien souffrirait-elle ce qu'avait souffert Abda, la mère de Rifaa ? Un frisson la saisit, et elle détourna les yeux pour qu'il n'y lût pas l'anxiété qui la tourmentait.

Lorsque Sadiq et Hasan passèrent le prendre pour l'emmener au café, il leur proposa de rendre plutôt visite à maître Yahya, à qui il souhaitait les présenter. Lorsqu'ils arrivèrent à la cabane du vieil homme, ils le trouvèrent en train de fumer le narguilé ; l'odeur chantante du haschisch embaumait l'atmosphère. Les présentations faites, les quatre hommes s'assirent à l'intérieur, éclairés par la pleine lune qui apparaissait derrière le soupirail. Yahya dévisageait ses trois compagnons d'un air intrigué : “Et c’est vraiment ces gars-là qui vont bouleverser le quartier ?” semblait-il se demander.

— Fais attention à ne pas ébruiter ton secret avant d’être prêt à agir, déclara-t-il, renouvelant une mise en garde maintes fois répétée.

La pipe passa de main en main. La lumière de la lune nimbait la tête du vieil homme et éclairait l’épaule de Sadiq, pendant que les charbons du brasero rougeoyaient dans l’obscurité.

— Et comment me préparer ? demanda Qasim.

— Qu’est-ce que l’élu de Gabalawi peut avoir à faire de l’avis d’un vieux bonhomme comme moi ? plaisanta l’autre.

Le silence s’établit, interrompu par le glouglou de la pipe.

— Tu as ton oncle et l’oncle de ta femme, reprit Yahya. Le premier, il n’y a rien à en tirer, ni en bien ni en mal. Mais le second, tu peux le mettre de ton côté, si tu lui promets quelque chose en échange.

— Quoi, par exemple ?

— Par exemple de le nommer intendant pour le secteur des Gerboises.

— Il n’y aura plus de privilèges ni de favoritisme ! intervint Qasim avec ferveur. Le *waqf* est le patrimoine commun, et tous y ont droit sur un pied d’égalité, comme l’a dit Gabalawi.

— Quel drôle de corps que notre Ancêtre ! déclara le vieux en riant. Avec Gabal, c’était la force, avec Rifaa la compassion, et maintenant, c’est encore autre chose !

— Le *waqf* est à lui, fit observer Qasim. Il a le droit de changer les Dix Conditions comme il l’entend.

— Oui, eh bien, tu as du pain sur la planche, mon garçon ! C’est une affaire qui concerne tout le quartier, pas seulement un secteur parmi d’autres.

— Telle est la volonté du Fondateur.

Yahya fut pris d'une interminable quinte de toux qui le laissa sans force. Hasan se porta volontaire pour s'occuper de la pipe à sa place. Le vieux allongea les jambes et poussa un profond soupir avant de reprendre :

— Alors, toi, vas-tu t'appuyer sur la force, comme Gabal, ou sur l'amour, comme Rifaa ?

— La force quand ce sera nécessaire, et l'amour dans tous les cas, répondit Qasim en passant la main sur son turban.

Yahya hocha la tête en souriant.

— Il n'y a rien à redire dans tout ça, à part ton intérêt pour le *waqf*, déclara-t-il. Tu auras des difficultés dont tu n'as pas idée.

— Mais comment veux-tu que les gens vivent s'ils n'ont pas le *waqf* ?

— Comme vivait Rifaa ! répondit fièrement le vieil homme.

— Il était entretenu par ses parents et par ses compagnons, fit observer Qasim, avec courtoisie et fermeté tout à la fois. Et il a laissé derrière lui des disciples qui n'ont pas réussi à suivre son exemple. La vérité, c'est que notre quartier a besoin de propreté et de dignité.

— Et tu crois que c'est par le *waqf* qu'il peut l'obtenir ?

— Parfaitement, maître Yahya ! Par le *waqf* et par la liquidation des *futuwwas*. Alors, nous trouverons tous la dignité que Gabal a apportée à son secteur, et l'amour que voulait Rifaa, et même le bonheur dont rêvait Adham !

— Et que va-t-il donc rester à tes successeurs ? fit le vieux d'un ton ironique.

— Si j'obtiens la victoire, déclara Qasim après avoir réfléchi un instant, le quartier n'aura plus besoin de personne après moi !

La pipe passa comme un ange dans un rêve ; l'eau murmurait dans le verre. Yahya s'étira placidement.

— Et si les revenus sont distribués également à tous, ça vous fera combien pour chacun ? interrogea-t-il.

— Si nous voulons le *waqf*, c'est pour l'utiliser à transformer le quartier, pour qu'il devienne comme un prolongement de la Grande Maison, affirma Sadiq.

— Et comment comptez-vous vous y prendre ?

Un nuage passager cacha la lune, et la pièce fut plongée dans les ténèbres ; une minute plus tard, la lumière revint. Yahya jeta un coup d'œil à la carrure imposante de Hasan.

— Tu crois que ton cousin est de taille à vaincre les *futuwwas* ? demanda-t-il.

— Je pense sérieusement à demander conseil à un avocat, déclara soudain Qasim.

— Un avocat ! s'écria le vieux, médusé. Et où veux-tu trouver un avocat qui tienne tête à l'intendant Rif'at et aux *futuwwas* ?

Ces pensées moroses avaient dissipé l'euphorie bienheureuse du haschisch ; et ce fut dans un état proche du désespoir que les trois amis revinrent chez eux.

Qasim revint à ses longues retraites solitaires et tourmentées. Il semblait si misérable que Qamar lui dit un jour :

— Ce n'est vraiment pas la peine de vouloir le bonheur des autres si ça doit te rendre aussi malheureux !

— Il faut que je me montre digne de la confiance de l'Ancêtre, répondit-il.

Que vas-tu faire ? Pourquoi tant hésiter au bord du gouffre ? Le gouffre du désespoir, où tout n'est que silence et inertie. Le tombeau des rêves ensevelis sous la cendre, des beaux souvenirs et des chansons. Le fœtus du lendemain dans le linceul du passé.

Pourtant, un jour, il fit venir Sadiq et Hasan et annonça :

— Maintenant, on peut commencer !

Les visages des deux jeunes gens s'illuminèrent.

— Dis un peu voir ! demanda Hasan.

— J'ai fini par prendre une décision : on va former un groupe sportif !

Complètement estomaqués, Hasan et Sadiq restèrent sans voix.

— Ça se passera dans la cour de ma maison, poursuivit Qasim avec un sourire. Après tout, il y a des amateurs dans tout le quartier.

— Mais quel rapport avec ce qu'on a à faire ? demanda Hasan.

— C'est vrai, ça, renchérit Sadiq. Prends un groupe d'haltérophiles, par exemple : qu'est-ce que ça a à voir avec le *waqf* ?

— Oui, mais les gars du quartier viendront, rétorqua Qasim, les yeux brillants. Comme ça, on pourra choisir les plus sûrs et les plus résolus.

Cette fois-ci, les deux garçons avaient compris.

— Tu parles d'une bande que ça va faire ! s'exclama Hasan.

— Oui, on aura aussi des Gabalites et des Rifaïtes.

Ils avaient le cœur en fête ; en marchant, Qasim semblait danser.

76

Qasim était assis à la fenêtre ; sous ses yeux, le quartier fêtait la fin du Ramadan, ce qui, chez nous, est toujours un spectacle digne d'intérêt.

Le sol avait été aspergé de frais. L'encolure et les oreilles des ânes s'ornaient de guirlandes de fleurs artificielles. Les vêtements des enfants et leurs ballons faisaient des taches de couleur qui dansaient dans l'espace. Les voitures des marchands ambulants arboraient de petits drapeaux. Les cris, les appels, les acclamations se mêlaient au son des hautbois. Les calèches oscillaient sous le poids des danseurs et des danseuses. Les boutiques étaient fermées, et les cafés, les tavernes et les cercles de haschisch étaient pleins à craquer. Tout le monde avait le sourire aux lèvres et des souhaits de bonheur plein la bouche.

Qasim, vêtu d'habits neufs, tenait Ihsan debout sur ses genoux ; elle en profitait pour lui pétrir la figure de ses petites mains et lui labourer les joues de ses ongles. Soudain une chanson s'éleva au-dehors :

D'abord l'amour m'a pris au piège,
par mon œil !

Son cœur s'attendrit au souvenir du jour heureux de ses noces. Il aimait les chansons et la musique, comme Adham, qui souhaitait tant consacrer sa vie à chanter dans le jardin. "D'abord l'amour m'a pris au piège, par mon œil !" Oui, c'était bien cela : il suffisait de lever les yeux, dans les ténèbres, vers Qindil, pour se voir dérober son cœur, sa raison, sa volonté. Témoin, la cour de sa maison s'était transformée en un lieu d'exercice pour les corps et les âmes. Qasim, comme les autres, apprenait à soulever les poids et pratiquait l'escrime du bâton. Sadiq arborait maintenant d'énormes biceps, en harmonie avec ses cuisses musclées par son travail dans l'atelier du rétameur. Hasan était devenu un véritable colosse. Quant aux autres, leur enthousiasme faisait plaisir à voir. Sadiq s'était montré avisé lorsqu'il lui avait conseillé d'inviter les sans-emploi et les mendiants ; ils s'étaient vite passionnés pour l'exercice, et pour ses paroles aussi. Sans doute n'étaient-ils pas nombreux, mais leur ardeur leur permettrait de l'emporter à un contre quatre.

Ihsan se mit à gazouiller. “Da ! Da !” Il la couvrit de baisers. Elle avait mouillé sa djellaba toute neuve. De la cuisine lui parvenait le battement du pilon, les voix de Qamar et de Sakina, le miaulement du chat. Une calèche passa sous sa fenêtre ; les passagers chantaient un air joyeux en battant des mains. Qasim sourit en se rappelant qu'il avait entendu la même chanson dans la bouche de maître Yahya, un soir qu'il était complètement ivre.

Ah ! mon pauvre quartier ! Si les choses s'arrangeaient, tu n'aurais plus rien d'autre à faire que chanter toute la journée. Demain, l'association se remplira de garçons solides et fidèles. Demain, je défierai l'intendant, les *futuwwas* et tous les obstacles : il ne restera plus dans le quartier qu'un Ancêtre compatissant et ses petits-fils reconnaissants. C'en sera fait de la pauvreté, de la crasse, de la mendicité et de l'oppression ; il n'y aura plus de cafards, ni de mouches, ni de gourdins. La sécurité fleurira à l'ombre des jardins et des chansons.

Un bruit de dispute l'arracha brutalement à ses rêves : Qamar, la voix déformée par la colère, apostrophait

Sakina. Etonné, Qasim l'appela ; presque aussitôt, la porte s'ouvrit et sa femme fit son apparition, poussant rudement la servante devant elle.

— Regarde cette femme ! s'écria-t-elle. Elle est née dans cette maison comme sa mère avant elle, et elle n'a même pas honte de nous espionner !

— Je ne vous ai pas trahis, maître ! protesta la servante de sa voix de bronze. Mais c'est ma maîtresse qui est trop dure avec moi !

— Elle a eu le toupet de me dire en souriant : "A la prochaine fête, si Dieu le veut, maître Qasim sera le seigneur du quartier tout entier, comme Gabal était le seigneur des Hamdanites." Demande-lui donc un peu ce qu'elle entend par là ?

— Que voulais-tu dire, Sakina ? fit Qasim d'un air sévère.

— Je voulais dire ce que j'ai dit ! rétorqua la servante avec son franc-parler habituel. Moi, je ne suis pas une servante ordinaire, du genre un jour ici un jour là : j'ai été élevée dans cette maison. Alors ne n'était pas bien à vous de me faire des cachotteries !

Qasim jeta un coup d'œil à sa femme, qui vint prendre l'enfant, puis il ordonna à la servante de s'asseoir.

— Est-ce que c'est normal que tu racontes ton secret à des étrangers et que tu me le caches à moi ? poursuivit-elle, confortablement installée aux pieds de son maître.

— De quel secret parles-tu ?

— De ce que t'a confié Qindil près du rocher de Hind.

Qamar poussa un petit cri, mais Qasim fit signe à Sakina de poursuivre.

— C'est comme pour Gabal et Rifaa ! Tu ne vaux pas moins qu'eux, maître : toi, tu es un seigneur. Même quand tu gardais les moutons, tu étais déjà un seigneur.

C'est moi qui vous ai réunis, tu ne te rappelles pas ? J'aurais dû savoir ton secret avant tout le monde : comment peux-tu faire confiance à des gens du dehors et pas à moi ? Enfin, que Dieu vous pardonne à tous les deux ! Moi, en tout cas, je prie pour ta victoire, oui, pour ta victoire sur l'intendant et les *futuwwas*. Et d'ailleurs, qui ne prierait pas pour une chose pareille ?

— Tu n'avais pas à nous espionner ! s'écria Qamar tout en berçant l'enfant d'un geste nerveux.

— Je ne voulais pas vous espionner, le Seigneur en est témoin ! J'ai simplement entendu des mots, comme ça, sans pouvoir m'en empêcher. Je ne pouvais pas me boucher les oreilles quand même ! Mais ce qui m'a brisé le cœur, maîtresse, c'est que vous n'ayez pas eu confiance en moi. Je ne suis pas du genre à trahir un secret, et le tien moins que les autres ! Et d'abord, pour qui trahirais-je ? Que le bon Dieu te pardonne, maîtresse !

Qasim l'observait attentivement. Quand elle eut fini, il déclara d'un ton radouci :

— Tu es une fille fidèle, Sakina, personne n'en doute.

— Merci, maître, murmura-t-elle d'une voix un peu triste.

— Je m'y connais, en gens fidèles. La trahison n'entrera pas dans ma maison comme elle est entrée dans celle de mon frère Rifaa. Qamar, tu peux avoir confiance en Sakina comme en toi-même : inutile de te méfier d'elle, elle est l'une des nôtres. Et puis je n'oublierai jamais le jour, Sakina, où tu m'as porté un message de bonheur.

— Elle a quand même écouté aux portes, objecta Qamar d'une voix un peu plus rassurée.

— Non, elle n'a pas écouté aux portes, protesta Qasim en souriant. Nos paroles sont allées jusqu'à elle par la volonté de Dieu, tout comme Rifaa a entendu la voix de l'Ancêtre, sans le vouloir. Sois bénie, Sakina !

La servante lui effleura la main de ses lèvres.

— Qua ma vie soit ta rançon, maître. Par Dieu, tu remporteras la victoire sur tes ennemis et les nôtres, et tu règneras sur tout le quartier.

— Ce n'est pas cela que je cherche, ma bonne Sakina, protesta-t-il doucement.

— Alors, que le Seigneur Dieu te donne tout ce que tu demanderas, souhaita-t-elle en élevant les paumes vers le ciel.

— Dorénavant, répondit Qasim, je te chargerai de porter mes messages : ainsi, tu participeras à notre œuvre.

Le visage de la femme s'illumina de joie et de fierté.

— Si le destin nous permet de disposer du *waqf* à notre guise, chaque femme y aura droit, qu'elle soit maîtresse ou servante, reprit Qasim. Oui, poursuivit-il, voyant l'étonnement de Sakina, le Fondateur a déclaré que le *waqf* serait à tous : toi, Sakina, tu descends de lui, exactement au même titre que Qamar !

Un sourire de bonheur éclaira le visage de Sakina, qui jeta un regard d'adoration à son maître. Dans la rue, un hautbois entama un air dansant. "Lahita ! Vive Lahita !" cria une voix. Qasim jeta un coup d'œil au-dehors : les *futuwwas* s'avançaient en procession, montés sur des chevaux richement caparaçonnés, sous les acclamations de la foule. Ils s'éloignèrent dans la direction du désert : c'était leur habitude, les jours de fête, de s'y retirer pour s'affronter dans des courses et des combats amicaux.

A peine la cavalcade avait-elle disparu qu'Agrama sortit dans la rue, titubant sous l'effet de l'ivresse. Qasim sourit en voyant ce garçon, qu'il considérait comme l'un des éléments les plus fidèles de sa bande, et le suivit des yeux pendant qu'il se dirigeait vers le centre du quartier des Gerboises.

— Je suis un homme, moi ! cria-t-il.

— Ouais, t'es l'orgueil des rats du caniveau ! lança une voix gouailleuse depuis le secteur rifaïte.

Levant ses yeux rougis par l'alcool vers la fenêtre d'où était tombée l'insulte, Agrama hurla d'une voix avinée :

— Rigolez, bande d'ordures ! Bientôt ce sera notre tour !

Les enfants et les ivrognes s'attroupèrent autour de lui, dans un charivari d'acclamations ironiques et de cris d'animaux, ponctués par les tambourins et les hautbois.

— Ecoutez ça ! cria une voix. Bientôt ça va être le tour des Gerboises ! Mais écoutez donc !

— Un seul Ancêtre pour tous ! Un seul *waqf* pour tous ! Et adieu les *futuwwas* ! hurla Agrama, avant de disparaître dans la foule.

Qasim se leva d'un bond, empoignant sa cape au passage, et sortit de la pièce en courant.

— Que Dieu maudisse le vin et les ivrognes ! pestait-il.

77

— Dorénavant, évitez de sortir quand vous serez ivres.

La voix de Qasim était grave et sévère. Assis au pied du rocher de Hind, il dévisageait l'un après l'autre ses compagnons, les éléments les plus fidèles du groupe sportif : Sadiq, Hasan, Agrama, Chaaban, Abou Fasada et Hamrouch. Derrière lui se dressait la masse imposante de la montagne, sur laquelle s'installaient les premières ombres de la nuit. Le désert était vide, à l'exception d'un berger appuyé sur son bâton, très loin vers le Sud.

Agrama baissait la tête d'un air penaud.

— Je voudrais être mort avant d'avoir dit ça ! murmura-t-il.

— De toute façon, le mal est fait, et ce n'est pas les regrets qui y changeront quelque chose. L'important, c'est de savoir ce que nos ennemis ont tiré de tout ça.

— Ce qu'il y a de sûr, c'est que beaucoup de gens l'ont entendu, déclara Sadiq.

— Hier, renchérit Hasan, un ami gabalite m'a invité dans le café de son secteur : eh bien, il y avait un type qui racontait l'histoire d'Agrama à tout le monde. Bien sûr, il ne la prenait pas au sérieux, mais on ne peut pas exclure qu'elle provoque des soupçons. Surtout qu'à force, elle finira bien par arriver jusqu'aux *futuwwas*.

— Tu exagères, Hasan ! protesta Agrama d'une voix misérable.

— Il vaut mieux exagérer que sous-estimer l'ennemi ! rétorqua Sadiq. Si on ne prend pas nos précautions, on va se faire avoir par surprise.

— Nous avons juré de ne pas craindre la mort ! objecta Agrama.

— Oui, et nous avons aussi juré de garder le secret !

— Si on se fait massacrer maintenant, c'est la fin de nos espoirs, trancha Qasim.

Un silence morose plana. Les ténèbres s'épaississaient.

— Il faut trouver un plan, reprit Qasim.

— Oui, et en supposant le pire, renchérit Hasan.

— Ce qui veut dire la guerre ouverte, acheva Qasim d'un ton lugubre.

Un frémissement parcourut le groupe. Dans le ciel, les étoiles s'allumaient une à une. Une petite brise se leva, gardant dans ses plis des poches de chaleur diurne, comme des noyaux au goût amer.

— On se battra jusqu'à la mort ! proclama Hamrouch.

— Si on meurt, rien n'aura changé ! répondit Qasim d'un ton agacé.

— C'est sûr qu'ils ne feront qu'une bouchée de nous, confirma Sadiq.

— On a quand même un atout, intervint Abou Fasada : n'oublie pas que tu es parent de Sawaris, et que ta dame est parente de la dame de l'intendant. Et en plus de tout ça, Lahita et ton père étaient amis d'enfance.

— Ça pourra retarder un peu l'issue fatale, mais ça ne change rien au fond, répondit Qasim.

— Dans le temps, tu avais pensé à t'adresser à un avocat, suggéra Sadiq.

— Et on nous a répondu qu'aucun avocat n'oserait défier l'intendant et les *futuwwas*.

— J'ai entendu parler d'un avocat à Beit el-Qadi qui ne se laisse pas facilement impressionner, intervint Agrama, désireux de réparer sa faute.

— Oui, mais il y a un gros risque, reprit Sadiq, revenant sur sa proposition : en engageant un procès, nous dévoilons clairement nos intentions, alors que nous ne savons pas encore si nos craintes sont fondées ou non.

— On peut toujours demander conseil à l'avocat, en lui disant d'attendre pour déposer la plainte, insista Agrama. Quand on sera forcés de le faire, on trouvera bien quelqu'un à qui donner procuration, même s'il n'est pas du quartier.

Qasim et les autres se rallièrent à ce plan, par mesure de précaution. Ils se rendirent sur-le-champ à l'étude de maître Chanafiri, l'avocat de Beit el-Qadi. Celui-ci les fit entrer, et Qasim lui exposa l'affaire, tout en lui exprimant son intention de surseoir provisoirement au dépôt de la plainte, le temps pour eux d'étudier la question et de prendre les mesures adéquates. Contrairement à ce que croyaient la plupart d'entre eux, l'avocat accepta de se charger de l'affaire, et toucha une avance d'honoraires.

Fort satisfaits de la tournure que prenaient les choses, ils se retirèrent et se séparèrent, les jeunes gens rentrant au quartier pendant que Qasim se rendait chez maître Yahya ; les deux hommes passèrent un long moment à fumer et à échanger leurs vues sur la situation. Yahya semblait inquiet ; à maintes reprises, il recommanda à Qasim de se montrer prudent et vigilant.

Lorsqu'il rentra, un peu plus tard, Qamar vint lui ouvrir, le visage décomposé.

— L'intendant t'a envoyé chercher, lui dit-elle.

Son cœur cessa de battre.

— Quand ça ?

— La dernière fois, c'était il y a dix minutes.

— La dernière fois ?

— Oui, il t'a envoyé chercher trois fois en une heure.

— Allons, allons, je te croyais plus courageuse, dit-il, voyant ses yeux rouges de larmes.

— N'y va pas ! supplia-t-elle.

— C'est moins dangereux d'y aller que de rester ici. Et puis, n'oublie pas que ces bandits ne s'en prennent jamais à qui est sous leur toit.

Ihsan se mit à pleurer, quelque part dans la maison ; Sakina courut la consoler.

— Alors, retarde un peu ton départ, le temps que j'aille voir Amina *hanem*, suggéra-t-elle.

— Non, c'est indigne de nous ! répondit-il avec détermination. J'irai tout de suite ; il n'y a pas à s'inquiéter, aucun d'eux ne sait rien de nos plans.

— Mais c'est toi qu'il a appelé, pas Agrama ! protesta-t-elle en s'accrochant à lui.

— Depuis le premier moment, je t'ai annoncé que les jours heureux avaient pris fin, déclara-t-il en se dégageant doucement. Nous savons tous que, tôt ou tard, il faudra affronter le mal. Tu ne dois pas avoir peur comme ça : reste tranquillement ici, je n'en ai pas pour longtemps.

78

L'air renfrogné, le portier ressortit de la maison et fit signe à Qasim d'entrer. S'efforçant de contrôler son inquiétude, il suivit le domestique à travers le jardin, indifférent aux odeurs suaves qui l'entouraient. Lorsqu'ils atteignirent la porte de la grande salle, le portier s'effaça et Qasim pénétra dans la pièce, étonné de se sentir si parfaitement maître de lui.

L'intendant était assis sur un large divan, au fond de la salle. Deux fauteuils, l'un à sa gauche, l'autre à sa droite, étaient occupés par deux hommes que Qasim ne distinguait pas bien ; au reste, il n'avait guère d'attention à leur accorder. Arrivé à un pas de l'intendant, il leva la main en signe de salut.

— Bonsoir, notre maître ! fit-il d'un ton courtois.

Jetant un coup d'œil à l'homme assis à la droite de l'intendant, il reconnut Lahita. Quant à celui qui était à sa gauche, sa vue lui causa un tel choc qu'il faillit s'écrouler : il ne s'agissait de rien de moins que du respectable maître Chanafiri. Il mesura toute l'étendue du danger : son secret était éventé, cette canaille d'avocat n'avait rien eu de plus pressé que de le trahir. Dans son cœur, le désespoir se mêlait à la colère et à l'amertume. Comprenant qu'il ne servirait plus à rien de ruser ou de finasser, il opta pour la résistance et le défi. S'il ne pouvait plus reculer, il n'avait qu'à aller de l'avant, ou au moins à tenir fermement sur ses positions. Plus tard, il devait se souvenir de cet instant comme de celui où un être nouveau était né en lui, un être dont il n'avait jamais soupçonné l'existence.

Mais la voix de l'intendant vint interrompre le cours de ses pensées.

— C'est toi Qasim ? demanda-t-il d'un ton rude.

— Oui, notre maître, déclara Qasim d'un ton égal.

— La présence de maître Chanafiri ne t'étonne pas ? poursuivit l'autre sans l'inviter à s'asseoir.

— Pas du tout, notre maître.

— C'est bien toi le gardien de moutons ?

— Je ne le suis plus depuis au moins deux ans.

— Et que fais-tu à présent ?

— Je gère les biens de ma femme.

L'intendant eut un hochement de tête ironique, puis il fit un geste vers l'avocat, lui donnant la parole.

— Tu t'étonneras peut-être de ma position dans cette affaire, étant donné que je suis ton avocat, pontifia ce dernier. Mais le rang et le prestige qui sont ceux du seigneur intendant imposent d'écarter toute autre considération. L'initiative que j'ai prise t'offrira l'occasion de te repentir, ce qui vaudra mieux que de t'obstiner dans un conflit où tu cours immanquablement à ta perte. Le seigneur intendant m'autorise en outre à te faire savoir que, sur mes instances, il est prêt à te pardonner, pour peu que tu lui exprimes publiquement tes excuses. Je suis certain que tu sauras apprécier mes bonnes intentions à leur juste valeur. Quant à l'avance que tu m'as versée, il va de soi que je suis prêt à te la rembourser : la voici.

— Et pourquoi ne m'as-tu pas donné tous ces bons conseils quand je suis allé te voir ? interrogea hardiment Qasim.

— Tu n'es pas ici pour poser des questions, mais pour y répondre, intervint l'intendant, venant au secours de l'avocat, manifestement pris de court.

Celui-ci se leva pour prendre congé et s'éloigna, s'enveloppant dans son cafetan pour dissimuler son embarras.

L'intendant examina Qasim d'un regard mauvais.

— Comment as-tu pu avoir l'audace de porter plainte contre moi ? cracha-t-il.

Qasim avait le dos au mur : il fallait accepter le combat, ou se laisser assassiner. Mais que pouvait-il répondre ?

— Parle ! reprit l'autre. Dis-nous un peu ce que tu as. Tu es devenu fou, c'est ça ?

— J'ai toute ma raison, grâce à Dieu.

— On peut en douter ! Pourquoi voulais-tu me faire ce mauvais coup, hein ? Tu n'es pas pauvre, pourtant, depuis que cette idiote t'a pris pour mari. Alors, que veux-tu ?

— Je ne veux rien pour moi, gronda Qasim du ton de quelqu'un qui refuse de se laisser emporter par la colère.

L'intendant se tourna vers Lahita, comme pour le prendre à témoin d'une pareille énormité, puis, revenant à Qasim :

— Alors, pourquoi as-tu fait cela ? cria-t-il.

— Je ne veux que la justice.

— C'est parce que ta femme est parente de la *hanem* que tu te crois tout permis ?

— Pas du tout, notre maître, répondit Qasim en baissant les yeux.

— Ou que tu te crois capable d'affronter tous les *futuwwas* du quartier en même temps ?

— Non, notre maître.

— Alors dis une bonne fois que tu es fou et finissons-en ! hurla l'intendant.

— J'ai toute ma raison, notre maître.

— Alors pourquoi porter plainte contre moi ?

— Je veux la justice.

— La justice pour qui ?

— Pour tous.

L'intendant resta un long moment à l'examiner d'un air incrédule.

— Mais qu'est-ce que ça te fait, à toi ?

— Telle est la volonté du Fondateur, répliqua Qasim, comme enivré de sa propre audace.

— Toi, toi, le rat de caniveau, tu oses parler de la volonté du Fondateur ! cria l'autre, indigné.

— C'est notre Ancêtre à tous.

Ne pouvant plus se contenir, l'intendant se leva d'un bond et, de toutes ses forces, abattit son chasse-mouches sur le visage de Qasim.

— Notre Ancêtre ! hurla-t-il. Il n'y en a pas un parmi vous qui sache seulement qui est son père, et vous avez l'audace de parler de l'Ancêtre comme si c'était le vôtre ! Voleurs ! Rats de caniveau ! Racaille ! Tu te crois tout permis parce que toi et ta femme, vous êtes sous ma protection ! Mais le chien de la maison aussi est sous ma protection : crois-tu que ça lui permet de mordre impunément la main qui le nourrit ?

— Je t'en prie, notre monsieur, rassieds-toi, intervint Lahita, s'approchant de lui pour le calmer. Tu lui fais trop d'honneur en te mettant en colère après lui.

Rif'at s'assit, les lèvres encore tremblantes de rage.

— Tu te rends compte ! pesta-t-il. Même les Gerboises se mettent à guigner le *waqf* et à parler de l'Ancêtre !

— Donc, apparemment, les bruits qui courent sur les Gerboises sont exacts, poursuivit Lahita en s'asseyant à son tour. Autrement dit, le quartier est à nouveau en danger. Ecoute, Qasim, reprit-il en se tournant vers ce dernier, ton père était un homme à moi, un des premiers à faire partie de ma bande : ne m'oblige pas à te massacrer.

— Il mérite plus que la mort ! pesta l'intendant. Sans la *hanem*, son compte était bon !

— Ecoute-moi un peu, mon garçon, continua Lahita : qui est derrière toi dans cette affaire ?

— Que veux-tu dire ? demanda Qasim, dont la joue cuisait encore.

— Qui t'a encouragé à porter plainte ?

— Personne. Je l'ai décidé tout seul.

— Tu n'étais qu'un petit berger de rien du tout ; maintenant que la chance t'a souri, qu'espères-tu encore ?

— La justice. Rien que la justice.

— La justice ! répéta l'intendant à travers ses dents serrées. Les chiens ! Les ordures ! C'est toujours votre mot magique quand vous voulez piller et voler vos supérieurs ! Allez Lahita, fais-le avouer !

— Dis-nous qui est derrière toi, répéta Lahita, d'un ton paternel et menaçant tout à la fois.

— L'Ancêtre ! répondit Qasim avec défi.

— L'Ancêtre !

— Oui ! Regarde sur l'acte de fondation du *waqf*, et tu verras si j'ai dit la vérité !

— Emmène-le, hurla Rif'at en se levant à nouveau. Fous-le dehors !

De sa poigne de fer, le *futuwwa* saisit Qasim par le bras et le poussa vers la porte ; le jeune homme s'efforçait de supporter courageusement la douleur.

— Montre-toi raisonnable, c'est dans ton intérêt, lui glissa Lahita. Je ne voudrais pas être forcé de boire ton sang…

79

En rentrant chez lui, Qasim trouva toute une assemblée : il y avait là Zakariya, Oways, Hasan, Sadiq, Agrama, Chaaban, Abou Fasada et Hamrouch. Ils l'accueillirent en silence, avec des regards navrés.

— Je t'avais pourtant prévenu ! commença Oways, lorsque Qasim se fut assis à côté de sa femme.

— Doucement, mon oncle, protesta Qamar. Laisse-lui le temps de souffler.

— Les pires malheurs sont ceux qu'on attire sur sa propre tête, proféra le bonhomme d'un ton sentencieux.

Pendant ce temps, Zakariya examinait le visage de Qasim d'un air soucieux.

— Ils t'ont fait passer un sale quart d'heure, mon pauvre petit ! déclara-t-il enfin. Oui, je te connais aussi bien que je me connais moi-même. Ah ! tu avais bien besoin de te mettre dans ces beaux draps !

— C'est cette crapule d'avocat qui nous a donnés ! déclara Qasim, tourné vers ses camarades dont les visages se figèrent.

— Ecoutez, rentrez donc chez vous, et remerciez Dieu que ça ne se soit pas plus mal terminé, intervint Oways.

— Et toi, cousin, qu'en dis-tu ? interrogea Hasan.

— Je ne vous cacherai pas que nous sommes tous en danger de mort, répondit Qasim après avoir réfléchi un instant. Aussi tous ceux qui le voudront seront déliés de toute obligation envers moi.

— Eh bien parfait ! conclut Zakariya. Autant en rester là…

— Quant à moi, reprit Qasim d'un ton égal, je n'abandonnerai pas la lutte quelles qu'en soient les conséquences. Je ne serai pas moins dévoué que Gabal et Rifaa à l'Ancêtre et à notre quartier !

Excédé, Oways se leva et prit la porte.

— Cet homme est fou ! s'écria-t-il avant de sortir. Que Dieu te vienne en aide, ma pauvre petite !

Quant à Sadiq, il se jeta au cou de Qasim et l'embrassa sur le front.

— Tu m'as rendu la vie ! s'exclama-t-il.

— Dans notre quartier, on meurt pour un millime ou même pour rien du tout ! renchérit Hasan, enthousiaste. Pourquoi aurions-nous peur de nous faire tuer pour une bonne cause ?

A ce moment, la voix de Sawaris s'éleva de la rue, interpellant Zakariya. Celui-ci se mit à la fenêtre et invita le *futuwwa* à monter. Quelques instants plus tard, il entra dans la pièce et s'assit, le visage fermé.

— Je ne savais pas qu'il y avait un autre *futuwwa* que moi dans le secteur ! lança-t-il à l'adresse de Qasim.

— On t'a dit des choses qui ne sont pas exactes, glissa Zakariya d'un ton conciliant.

— Figure-toi qu'on m'a dit des choses encore plus désagréables à entendre ! rétorqua le *futuwwa* d'un ton sec.

— Que veux-tu, nos enfants sont devenus fous, soupira le bonhomme.

— A cause de ton neveu, Lahita m'a tenu des propos que je n'aurais jamais dû entendre. Et moi qui le prenais pour un garçon raisonnable ! On n'a jamais vu un cinglé pareil ! Alors, écoutez bien, vous tous : si je vous laisse la bride sur le cou, c'est Lahita en personne qui se chargera de vous donner une correction. Bref, c'est mon honneur qui est en jeu, et je ne laisserai personne jouer avec ça. Alors, vous avez intérêt à vous tenir à carreau, et malheur aux récalcitrants !

De ce jour, Sawaris établit une surveillance permanente autour de la maison de Qasim, ne laissant aucun de ses compagnons en approcher. Il envoya également Zakariya recommander à son neveu de ne plus sortir de chez lui jusqu'à ce que les choses se calment. Qasim se trouva donc prisonnier dans sa propre maison, isolé de ses compagnons : seul Hasan avait encore le droit de lui rendre visite. Mais, dans notre quartier, on n'a encore jamais trouvé le moyen d'empêcher les rumeurs de circuler. Dans le secteur des Gabalites et dans celui des Rifaïtes, on chuchotait que les choses allaient mal chez les Gerboises : on parlait d'une plainte qui avait failli être déposée contre l'intendant, d'allégations bizarres au sujet des Dix Conditions, et même de relations entre Qasim et Qindil, le serviteur de Gabalawi. Bref, un certain émoi régnait, les uns colportant les accusations les plus saugrenues, les autres faisant les plus grasses plaisanteries.

— Le quartier bourdonne de rumeurs, annonça un jour Hasan à son cousin. On ne parle que de toi dans tous les cercles de haschisch.

— Oui, mais avec tout ça, nous sommes prisonniers, répondit Qasim en levant vers lui son visage rongé par les soucis et l'inquiétude. Les jours passent, et on ne fait rien.

— Tu ne peux pas donner plus que ce que tu as, fit observer Qamar.

— En tout cas, les frères débordent d'enthousiasme, déclara Hasan, changeant de sujet.

— Est-il vrai que les Gabalites et les Rifaïtes me traitent de menteur et de fou ?

— Que veux-tu, la lâcheté change le cœur des hommes, avoua Hasan en baissant la tête.

— Et pourquoi font-ils cela ? Gabal et Rifaa n'ont-ils pas parlé à Gabalawi ? Pourquoi me traitent-ils de menteur : ils devraient plutôt être les premiers à me croire et à me soutenir !

— La lâcheté est la plaie de notre quartier : ils sont trop occupés à ramper aux pieds de leurs *futuwwas*.

La voix de Sawaris s'éleva au-dehors, couvrant quelqu'un d'injures et de malédictions ; se mettant à la fenêtre, ils virent le *futuwwa* qui tenait Chaaban au collet.

— Qu'est-ce que tu viens fricoter par ici, fils de pute, hein ? beuglait-il.

Le jeune homme se débattait en vain pour échapper à la poigne qui l'emprisonnait. Sawaris le saisit à la gorge de la main gauche tout en le bourrant de gifles de la droite. Furieux, Qasim se précipita vers la porte, sourd aux prières de Qamar. Quelques secondes plus tard, il se dressait devant le *futuwwa*.

— Lâche-le, maître Sawaris, réclama-t-il d'une voix ferme.

— Sauve-toi d'ici, ou bien tes ennemis n'auront jamais la joie de te liquider ! grogna l'autre en continuant à cogner.

Alors, Qasim lui empoigna le bras, tentant d'arrêter les coups.

— Je ne te laisserai pas le massacrer ! s'écria-t-il, furieux.

Le *futuwwa* lâcha brutalement prise, laissant Chaaban s'effondrer à terre, et, saisissant un panier de terre que transportait une passante, le renversa sur la tête de Qasim. A cette vue, Hasan fit un geste pour se ruer sur Sawaris ; Zakariya le saisit à bras-le-corps au dernier moment. Qasim souleva le panier ; il avait le visage congestionné et couvert de terre. Une quinte de toux le plia en deux, cependant que Qamar poussait des hurlements, que Sakina appelait au secours et qu'Oways arrivait en courant. En un clin d'œil, un attroupement se forma autour de la bagarre. Zakariya était toujours accroché au bras de son fils et le suppliait des yeux.

— Essuie sur ma face l'affront qui t'a été fait, maître Sawaris, supplia Oways.

— Pitié, pour l'amour de Dieu, maître Sawaris ! reprirent plusieurs voix.

— La famille d'un côté, les amis de l'autre ! cria ce dernier. Avec tout ça, il y a plus de Sawaris ! C'est plus un *futuwwa*, il a tourné gonzesse !

— Dis pas ça, notre maître ! protesta Zakariya. Tu es notre seigneur et la couronne de notre tête !

Sawaris retourna vers le café ; on releva Chaaban, pendant que Hasan essuyait le visage de Qasim et époussetait ses vêtements. Le *futuwwa* parti, la foule manifesta librement son chagrin.

80

Ce soir-là, un ululement funèbre éclata dans l'un des bâtiments du secteur des Gerboises, vite repris par des dizaines de voix dans tout le quartier : quelqu'un venait de mourir. Mettant la tête à la fenêtre, Qasim héla Fatin, le marchand de graines de courge grillées.

— Puisses-tu vivre longtemps ! C'est Chaaban qui est mort, répondit celui-ci.

Effondré, Qasim courut vers la demeure de Chaaban, à deux pâtés de maison de chez lui. La cour, plongée dans l'obscurité, était remplie de monde : tous les habitants du rez-de-chaussée étaient là, échangeant des paroles tristes et indignées, pendant que les cris et les gémissements retentissaient à l'étage.

— Il n'est pas mort naturellement, c'est Sawaris qui l'a tué ! dit une voix de femme.

— Puisse Dieu le faire crever dans la misère !

— Non, intervint une troisième, celui qui est responsable, c'est Qasim, et personne d'autre ! Il raconte des histoires à dormir debout, et nos hommes meurent !

Le cœur serré, Qasim se fraya un passage jusqu'au premier, où se trouvait le logis de Chaaban. A la lueur d'une lampe suspendue devant la porte, il reconnut ses compagnons, Hasan, Sadiq, Agrama, Abou Fasada, Hamrouch et d'autres encore. Sadiq s'avança vers lui, les larmes aux yeux, et les deux hommes se donnèrent l'accolade sans un mot. Dans la pénombre, le visage de Hasan semblait une tête de mort.

— Son sang ne restera pas sans vengeance, dit-il.

Agrama s'approcha de Qasim et lui chuchota à l'oreille :

— Sa femme a perdu la tête : elle te rend responsable de sa mort.

— Que Dieu lui vienne en aide.

— Il faut absolument punir l'assassin ! reprit Hasan.

— Oui, mais qui osera témoigner contre lui, dans ce quartier ? fit Abou Fasada.

— Nous aussi, on est capables de tuer !

— En tout cas, il vaut mieux que vous n'assistiez pas à l'enterrement, trancha Qasim. On se retrouvera au cimetière.

Il pénétra dans le logis du défunt, repoussant Sadiq qui tentait de l'en empêcher. La femme de Chaaban s'avança vers lui.

— Que veux-tu ? lui demanda-t-elle d'une voix dure.

— Je suis venu te présenter mes condoléances.

— C'est toi qui l'as tué ! s'écria-t-elle. Le *waqf*, on n'en avait rien à faire, c'est de lui qu'on avait besoin !

— Que le Seigneur te donne de supporter courageusement cette épreuve, et qu'Il fasse périr les coupables. Nous serons à ton côté autant que tu en auras besoin : son sang ne restera pas sans vengeance.

Elle lui jeta un regard soupçonneux, puis, faisant demitour, rentra dans la chambre ; aussitôt, les cris et les gémissements reprirent de plus belle. Qasim se retira, le cœur lourd.

Le lendemain matin, Sawaris était assis à sa place habituelle devant le café de Dongol, toisant les passants d'un regard chargé de défi et de menaces. Les gens le saluaient, redoublant de servilité pour cacher leur colère ; ils évitèrent de participer au cortège funèbre, restant dans leurs boutiques, derrière leurs charrettes ou simplement assis sur le sol. Au milieu de la matinée, la bière fut portée au-dehors ; le cortège funèbre se limitait à la proche famille du défunt. Mais Qasim, ignorant les regards mauvais du *futuwwa*, vint se joindre à eux.

— Tu l'as tué et maintenant tu vas suivre son enterrement ! s'emporta le beau-frère du défunt.

— Qu'est-ce que tu viens faire ici ? demanda un autre d'un ton brutal.

— Je viens combattre l'injustice comme la combattait mon ami disparu, répondit fermement Qasim. C'était un homme courageux, lui ; pas comme vous, qui connaissez le meurtrier et passez votre colère sur moi !

Embarrassés par cette réplique, les autres se turent. Pendant ce temps, les femmes s'étaient rassemblées derrière les hommes, les pieds nus et vêtues de noir, répandant de la poussière sur leurs têtes et se frappant les joues. Le cortège parcourut la Gamaliyya jusqu'au cimetière de Bab el-Nasr. A l'issue de la cérémonie, l'assistance se dispersa, à l'exception de Qasim : il se laissa distancer, puis revint près de la tombe, où il trouva ses amis qui l'attendaient. Tous avaient les larmes aux yeux.

— Ceux qui craignent pour leur vie peuvent s'en aller, déclara enfin Qasim.

— Si on avait peur, on ne serait pas là ! rétorqua Hamrouch.

— Sa mort est une grande perte pour nous, reprit Qasim, posant la main sur la stèle de son ami. C'était un garçon courageux et dévoué. Il a été tué par traîtrise au moment où nous avions le plus grand besoin de lui.

— Il a été tué par une ordure de *futuwwa*, renchérit Sadiq. Mais patience ! Il y en a plus d'un ici qui verra crever le dernier *futuwwa* du quartier.

— Oui, mais il ne faudrait pas qu'on se fasse tous liquider les uns après les autres comme lui, souligna Hamrouch. Réfléchissez bien, il faut trouver un plan…

— Réfléchir ? reprit Qasim. Je n'avais que ça à faire, dans ma retraite. Et j'ai trouvé une idée. Ce ne sera pas facile, mais il n'y a pas d'autre solution.

Les autres lui jetèrent un regard interrogateur. Il poursuivit :

— Nous allons émigrer hors du quartier, comme l'a fait Gabal au temps jadis, comme l'a fait maître Yahya il n'y a pas si longtemps. Nous nous installerons quelque part dans le désert, dans un endroit tranquille, où nous pourrons enfin croître en force et en nombre.

— Bonne idée, approuva Sadiq.

— C'est uniquement par la force que nous purifierons notre quartier de la vermine des *futuwwas* ! poursuivit Qasim. C'est par la force que nous réaliserons la volonté du Fondateur ! C'est par la force que nous ferons régner la justice, la compassion et la paix. Car notre force sera la première à n'être pas tyrannique !

Ils écoutaient de tout leur cœur, les yeux fixés sur Qasim et sur la stèle qui se dressait derrière lui ; il leur semblait que Chaaban écoutait avec eux et qu'il les bénissait.

— Oui, c'est par la force qu'on règle toutes les questions, commenta Agrama. Mais pas par la tyrannie, par la force juste. Chaaban se rendait chez toi au moment où Sawaris l'a attaqué : si nous avions été avec lui, les choses auraient tourné autrement. Que Dieu maudisse la peur et les divisions !

— Notre Ancêtre nous a accordé sa confiance ! conclut Qasim, en qui s'allumait une lueur d'espoir, la première depuis longtemps. Cela veut nécessairement dire qu'il y a parmi ses descendants des êtres qu'il considère dignes de lui.

81

Lorsque Qasim rentra, au milieu de la nuit, il trouva Qamar qui l'attendait. Ces derniers temps, elle l'entourait d'une tendresse et d'une sollicitude presque exagérées : c'est alors qu'il remarqua ses yeux rouges et fatigués.

— Tu pleurais ? lui demanda-t-il, douloureusement surpris.

Elle ne répondit pas, s'affairant à lui préparer une tasse de lait chaud.

— La mort de Chaaban nous a tous affectés, reprit Qasim. Que Dieu ait son âme.

— J'ai souvent pleuré sur Chaaban avant sa triste fin, répondit-elle soudain. Je pleure chaque fois que je me souviens de la façon dont cet homme t'a traité : te verser de la terre sur la tête et sur les vêtements, à toi !

— Ce n'est pas grand-chose, à côté de ce qu'il a fait à notre pauvre ami, soupira Qasim.

— Et puis, tous ces bruits qu'on colporte sur toi ! poursuivit-elle en s'asseyant à son côté. Galta va raconter aux Gabalites que tu veux t'emparer du *waqf* pour en profiter tout seul, et pendant ce temps, Haggag raconte la même chose aux Rifaïtes. Et tout le monde chuchote que tu dénigres Gabal et Rifaa.

— Je le sais bien, fit-il sans dissimuler son inquiétude. Je sais aussi que sans toi, je ne serais plus de ce monde à l'heure actuelle.

Elle lui caressa l'épaule d'un geste tendre. Tout à coup, sans raison, le souvenir des jours enfuis lui vint à l'esprit. Les jours qu'ils passaient ensemble, à bavarder interminablement, les jours où le bonheur semblait ne pas avoir de fin. Et les nuits illuminées de félicité, avant la naissance d'Ihsan. Aujourd'hui, elle ne possédait plus rien de lui ; il ne se possédait plus lui-même. Elle lui cachait jusqu'aux douleurs qui l'assaillaient parfois : elle aurait rougi de l'importuner avec ses craintes et ses malheurs personnels. Il lui semblait qu'en ajoutant à ses soucis, elle serait la complice involontaire de ses ennemis. Qui pouvait la rassurer sur l'avenir de Qasim, alors que les jours de sa vie touchaient à leur fin, comme s'étaient écoulés les jours de bonheur ? Que ce quartier était cruel !

— Je n'ai jamais perdu l'espoir, même aux moments les plus sombres, poursuivit Qasim. N'ai-je pas des amis sur qui je puis compter, lors même que je parais seul ? L'un d'eux est allé jusqu'à défier Sawaris : qui donc aurait osé une chose pareille, avant ? Et les autres sont comme lui : c'est avant tout de courage que notre quartier a besoin pour ne pas rester sous la botte de l'intendant et des *futuwwas*. Alors ne viens pas me parler de prudence : celui qui s'est fait tuer l'a été parce qu'il voulait entrer chez moi. Tu ne voudrais quand même pas que ton mari soit un lâche !

Qamar reprit le verre vide en souriant.

— Les femmes des *futuwwas* poussent des acclamations quand leurs maris se battent pour le mal ; comment pourrais-je faire moins qu'elles, quand tu te bats pour le bien ?

Il se rendit compte qu'elle souffrait plus qu'elle ne voulait le montrer ; lui caressant tendrement la joue, il lui dit pour la consoler :

— Tu es tout pour moi en ce monde ; tu es le meilleur compagnon que j'aie eu de ma vie.

Elle sourit, appelant la paix qui précède le sommeil.

Le lendemain matin, oncle Chantah, le rétameur, s'étonna fort de ne pas voir Sadiq ; il alla le chercher chez lui, mais il avait disparu sans laisser d'adresse ainsi que toute sa famille. La même surprise advint à Abd el-Fattah, le marchand de poissons séchés : son employé Agrama était également introuvable. Quant à Abou Fasada, il avait déserté la bassine à friture de Hamdoun, sans le moindre préavis. Et où diable était passé Hamrouch ? Hassouna, le boulanger, racontait partout qu'il avait disparu sans plus laisser de traces que s'il avait été dévoré par la flamme de son four ! Et il y en avait d'autres encore. Partie du secteur des Gerboises, la nouvelle se répandit dans tout le quartier ; les Gabalites et les Rifaïtes en faisaient des gorges chaudes, disant que Sawaris ne trouverait bientôt plus personne pour lui payer le prix de la protection. Ce dernier convoqua Zakariya au café de Dongol.

— Ton neveu sait sûrement quelque chose sur cette histoire ! lui dit-il d'un ton menaçant.

— Je t'assure que tu l'accuses à tort, maître Sawaris ! protesta l'autre. Ça fait des jours, des semaines, des mois qu'il n'a pas mis le nez hors de chez lui !

— Des momeries, tout ça ! grogna le *futuwwa*. En attendant, je t'ai fait venir pour t'avertir qu'il pourrait lui arriver des ennuis, à ton neveu.

— Qasim est du même sang que toi ! Ne fais pas ce cadeau à nos ennemis !

— Il est son propre ennemi, et le mien également ! Il se prend pour le Gabal de son temps : c'est le meilleur raccourci pour le cimetière !

— Grâce, maître Sawaris ! supplia le bonhomme. Nous sommes tous sous ta protection !

En rentrant chez lui, Zakariya croisa Hasan qui revenait de chez Qasim ; il passa sur lui la colère qu'il n'avait osé manifester devant Sawaris.

— S'il te plaît, père ! interrompit le jeune homme. Qamar est malade, gravement malade…

Le bruit de la maladie de Qamar se répandit dans tout le quartier, jusque dans la maison de l'intendant. Rongé par l'anxiété et le chagrin, Qasim ne quittait pas son chevet.

— Et dire que ça t'a pris comme ça, tout à coup ! soupirait-il en hochant la tête d'un air perplexe.

— Je te cachais mon mal, répondit-elle d'une voix faible. Je ne voulais pas ajouter à tes soucis.

— Tu aurais dû m'avertir dès le début, pour que je partage tes souffrances.

Les lèvres pâles de Qamar s'ouvrirent en un sourire triste, semblable à une fleur fanée sur une tige desséchée.

— Tu verras, tout redeviendra comme avant, dit-elle.

Il ne demandait que cela. Mais quel était ce voile qui couvrait son regard ? Cette sécheresse qui semblait lui dévorer le visage ? Cette force pour cacher sa douleur ?

Tout cela, c'est ta faute ! Seigneur, guéris-la, je T'en conjure par Ta miséricorde ! Garde-la-moi et aie pitié des pleurs de l'enfant qui ne cessent de couler !

— Je me sens encore plus coupable de savoir que tu me pardonnes.

Elle sourit à nouveau, un sourire de doux reproche. Oumm Salim lui fit des fumigations, Oumm Atiyya lui prépara des onguents, Ibrahim le barbier lui posa des ventouses, mais son mal semblait résister à tous les traitements.

— Je voudrais donner ma vie pour que tu guérisses, lui dit Qasim.

— Que Dieu te préserve du mal, répondit-elle dans un souffle. Tu es l'être au monde que j'aime le plus, poursuivit-elle après un silence.

Excédé par l'afflux des visiteurs et des visiteuses, il se réfugia sur la terrasse de la maison. Les bavardages des femmes s'élevaient de toutes les fenêtres, mêlés aux injures et aux appels des marchands ambulants. Un enfant se mit à pleurer ; il crut tout d'abord que c'était Ihsan, avant de se rendre compte que les cris provenaient de la terrasse voisine. La nuit tombait, sans se presser, un vol de pigeons revenait à son pigeonnier, une étoile solitaire montait à l'horizon. Qasim s'inquiétait de l'expression étrangement absente qui apparaissait dans le regard de sa femme, des tressaillements involontaires qui lui tiraient le coin de la bouche, de la teinte bleuâtre que prenaient ses lèvres, de cette angoisse diffuse qui le taraudait. Lorsqu'il descendit, plusieurs heures après, Sakina le rejoignit dans la salle, portant Ihsan dans ses bras.

— Entre sans faire de bruit, pour ne pas la réveiller, chuchota-t-elle.

Il s'étendit sur le canapé qui faisait face au lit ; la pièce était faiblement éclairée par une veilleuse posée sur l'appui de la fenêtre. Le quartier était silencieux, à part le gémissement du *rebab* qui accompagnait Taza le conteur :

"Parlant avec douceur, Gabalawi dit à Hammam : «J'ai décidé de te donner une chance que je n'ai encore jamais accordée à personne de l'extérieur : tu viendras vivre dans cette maison, tu y prendras femme et tu y commenceras une vie nouvelle...» Ivre de joie, le cœur battant à tout rompre, Hammam attendait la suite, comme un mélomane attend la variation après l'exposé du thème. Mais l'autre semblait retombé dans le silence. «Je te remercie de ta sollicitude, articula-t-il après une hésitation. – Tu la mérites. – Mais... et ma famille ? poursuivit-il d'une voix étranglée. – Je crois avoir clairement exprimé ma volonté, répondit Gabalawi d'un ton un peu distant. – Eux aussi sont dignes de ta miséricorde et de ton affection...»"

Un geste brutal de la dormeuse le précipita sur ses pieds. Les yeux de Qamar, habituellement ternes, brillaient d'une lumière nouvelle.

— Ihsan ! Va me chercher Ihsan ! demanda-t-elle d'une voix ferme en réponse à sa question.

Il sortit de la chambre en courant ; un instant plus tard, il réapparut, entraînant Sakina qui portait l'enfant endormie dans ses bras. Qamar lui fit signe de l'approcher afin qu'elle pût l'embrasser sur la joue, pendant que Qasim s'asseyait à son chevet.

— Ça va plus mal, chuchota-t-elle.

— Que veux-tu dire ? interrogea Qasim en se penchant vers elle.

— Pardon de te faire de la peine, mais ça va plus mal.

Qasim se mordit les lèvres.

— Qamar, tu ne peux pas savoir combien je suis malheureux de ne pouvoir soulager ta souffrance.

— J'ai peur de ce qui t'arrivera quand je ne serai plus là.

— Ne te fais donc pas de souci pour moi.

— Qasim, il faut que tu t'en ailles. Tes amis ont raison, ils te tueront si tu restes !

— Nous partirons ensemble !

— Oui, mais pas dans la même direction ! articula-t-elle avec difficulté.

— Tu n'as donc pas pitié de moi comme autrefois ?

— Ah, c'était autrefois…

Elle semblait lutter contre un poids qui l'écrasait. Son bras s'agita convulsivement. Qasim se pencha davantage sur elle. Son corps se tordit ; elle tendit le cou comme pour appeler au secours ; sa poitrine se souleva brutalement, laissant échapper un râle profond.

— Assieds-la ! cria Sakina. Elle veut s'asseoir !

Il l'entoura de ses bras pour l'aider. Elle poussa un faible soupir, comme un adieu muet, et sa tête retomba sur sa poitrine. Sakina sortit en courant, l'enfant toujours dans les bras.

Un instant plus tard, ses ululements déchirèrent le silence.

82

Le lendemain matin, la maison de Qasim se remplit de gens venus présenter leurs condoléances ; la foule était si nombreuse qu'elle débordait jusque dans la rue. Dans notre quartier, on a le respect des liens de parenté, à défaut d'autre chose. C'est pour cette raison que Sawaris ne put se dispenser de venir, aussitôt imité par tous les habitants du secteur des Gerboises. C'est aussi pour cette raison que Rif'at, l'intendant, vint présenter ses condoléances ; sa visite entraîna celles de Lahita, Galta et Haggag, qui entraînèrent à leur tour celle de tout le monde. Bref, l'enterrement fut suivi par une foule énorme, privilège qui, jusqu'alors, était réservé aux cortèges funèbres des *futuwwas*. Qasim supporta courageusement cette nouvelle épreuve, se forçant à cacher sa peine : même à l'instant où la défunte fut mise en terre, il sut retenir ses larmes. L'assistance se retira enfin, le laissant seul près de la tombe, en compagnie de Zakariya, Oways et Hasan.

— Du courage, neveu, lui dit Zakariya en lui tapotant le bras. Puisse Dieu te venir en aide.

— Mon cœur est enterré avec elle, murmura Qasim, laissant échapper un profond soupir.

Une expression de douloureuse sympathie apparut sur le visage de Hasan. Le silence se fit sur le cimetière.

— Il est temps de rentrer, proposa Zakariya, esquissant un pas en avant.

Mais Qasim restait figé sur place.

— Pourquoi sont-ils venus ? se demanda-t-il d'un ton plein de ressentiment.

— Quoi qu'il en soit, ils ont droit à notre reconnaissance, répondit Zakariya, qui avait compris de qui son neveu voulait parler.

— C'est le moment pour toi de prendre un nouveau départ, intervint Oways d'un ton optimiste. Ils ont fait un pas, tu peux bien en faire un autre. Et puis, par bonheur, en dehors de notre secteur, personne ne prend au sérieux les bruits qui courent sur toi.

Plutôt que d'engager une nouvelle discussion, Qasim préféra se réfugier dans le silence de son chagrin. A ce moment, un groupe d'hommes apparut, à la tête duquel marchait Sadiq ; ils avaient manifestement attendu le départ de la foule pour se manifester. Ils étaient nombreux, mais aucun n'était inconnu de Qasim, qui leur donna l'accolade à tous, les larmes aux yeux. Oways les fusillait du regard, sans que cela semble les émouvoir le moins du monde.

— Tu n'as plus rien qui te retienne dans le quartier, fit observer Sadiq.

— Et sa fille ? Et sa maison ? Et ses biens ? protesta Zakariya d'un ton indigné.

— Je ne pouvais faire autrement que de rester, intervint Qasim ; et c'est grâce à cela que vous êtes aujourd'hui si nombreux.

Il promena son regard sur les visages qui se tournaient vers lui ; leur nombre témoignait de la vérité de ce qu'il venait de dire. La plupart d'entre eux, il les avait persuadés de fuir et de rejoindre ses compagnons au cours des nuits où, sortant secrètement de sa maison, il allait rendre visite à ses sympathisants dans le quartier.

— On va encore attendre longtemps ? interrogea Agrama.

— Jusqu'à ce que nous soyons nombreux.

Sadiq le prit à part et, l'embrassant au front, lui chuchota :

— Tu ne peux pas savoir combien j'ai de chagrin pour toi. Nul plus que moi ne peut savoir combien ta perte est cruelle.

— Oui, la douleur est atroce, répondit Qasim sur le même ton.

— Dépêche-toi de nous rejoindre. Tu n'as plus personne, maintenant.

— Chaque chose en son temps.

— Il faudrait penser à rentrer, coupa Oways, à voix haute.

Les compagnons se donnèrent l'accolade et Qasim revint, en compagnie de ses parents. Il passa les jours qui suivirent dans la solitude ; il semblait si abattu que Sakina se mit à craindre pour sa santé. Mais cela ne l'empêchait pas de poursuivre en secret ses tournées nocturnes, avec un zèle que rien ne pouvait abattre. Le nombre des disparitions ne cessait de croître, suscitant la perplexité générale. Le secteur des Gerboises devint aussi la cible des mauvais plaisants : on annonçait comme imminent le départ de Sawaris lui-même.

Un jour, oncle Zakariya vint le mettre en garde :

— La situation devient de plus en plus inquiétante, lui dit-il. Tout ça, ça finira mal…

Mais il n'y a pas autre chose à faire qu'attendre. Ce furent des jours remplis d'action et de danger. Seule Ihsan parvenait à faire naître un sourire sur le visage triste de Qasim. Elle apprenait à se mettre debout, s'agrippant aux meubles ; alors elle tournait vers lui son visage candide et lui adressait de longs discours gazouillés, pendant qu'il la regardait avec tendresse. “Ce sera une belle petite fille, se disait-il. Mais ce qui compte le plus, c'est qu'elle devienne aussi bonne et douce que sa mère.” Il aimait retrouver dans ses yeux noirs et son visage rond un reflet des traits de Qamar ; c'était comme une trace de cette tendre liaison, brutalement interrompue par le destin. Vivrait-il assez vieux pour la voir mariée ; ou bien était-elle destinée à ne recueillir, dans cette maison où elle était née, que des souvenirs douloureux ?

Un jour, on frappa à la porte de la maison. Sakina alla ouvrir : c'était une jeune fille d'une douzaine d'années. De façon assez inhabituelle pour son âge, elle était enveloppée dans un châle et s'était voilé le visage. Intriguée, Sakina lui demanda ce qu'elle voulait ; sans répondre, elle se glissa dans la pièce où se trouvait Qasim.

— Bonsoir, l'oncle ! lui dit-elle.

Elle ôta son voile, laissant apparaître un charmant visage au teint clair, où jouait une expression mutine.

— Bonsoir, répondit Qasim. Assieds-toi, sois la bienvenue.

— Je suis Badriyya, la sœur de Sadiq. C'est lui qui m'envoie.

— Sadiq !

— Oui.

— Et pourquoi a-t-il fait ça ? C'est dangereux…

— Personne ne pourrait me reconnaître, avec ce châle, répondit-elle avec un air sérieux qui la rendait plus délicieuse encore.

Qasim se rendit compte que son corps était en effet celui d'une femme faite ; il hocha la tête, rasséréné.

— Il te fait dire de quitter le quartier immédiatement, reprit-elle avec une animation accrue. Lahita, Galta, Haggag et Sawaris projettent de t'assassiner ce soir même !

Qasim fronça les sourcils d'un air soucieux. Sakina laissa échapper un sourd gémissement.

— Et comment le sait-il ?

— C'est maître Yahya qui l'a prévenu.

— Mais comment se fait-il que maître Yahya soit au courant ?

— Un de ses amis a entendu un ivrogne en parler dans une taverne. C'est ce qu'a dit mon frère.

Il la regarda en silence pendant qu'elle se levait et s'enveloppait à nouveau dans son châle.

— Je te remercie, Badriyya, fit-il en se levant à son tour. Fais bien attention qu'on ne te reconnaisse pas. Tu salueras ton frère de ma part. Allez, va, et que Dieu te garde. Dis-lui que nous nous retrouverons avant l'aurore.

Elle lui serra la main et s'en fut.

83

Le visage de Sakina avait pris une teinte terreuse ; ses yeux luisaient de peur.

— Il faut partir tout de suite ! chuchota-t-elle en se levant.

— Enveloppe bien Ihsan, cache-la sous ton châle et sors tranquillement comme si tu allais faire une course. Quand tu seras hors du quartier, va directement au tombeau de la défunte et attends-moi là-bas.

— Et toi, maître ?

— Je te rejoindrai le moment voulu.

Voyant qu'elle hésitait, visiblement irrésolue, il ajouta d'un ton apaisant :

— Hasan vous accompagnera jusqu'à l'endroit où nous irons nous installer.

En quelques secondes, elle eut achevé ses préparatifs. Lorsque Qasim eut embrassé Ihsan, elle se dirigea vers la porte.

— Je te confie au Vivant qui ne meurt pas, déclara-t-elle en sortant.

Le cœur battant, il mit l'œil à la fente de la porte, surveillant la servante qui s'éloignait vers la Gamaliyya, sa précieuse charge dissimulée au creux de son bras. Lorsqu'elle eut tourné au coin, il jeta un regard circulaire sur la rue : plusieurs hommes de main des *futuwwas* rôdaient dans le secteur, les uns attablés au café de Dongol, les autres traînant çà et là. A l'évidence, quelque chose se tramait contre lui. Mais la question était de savoir s'ils étaient à l'affût en attendant qu'il sorte pour sa tournée nocturne, dont le secret pouvait s'être éventé, ou s'ils comptaient l'attaquer chez lui ; dans ce dernier cas, cela ne se passerait pas avant la fin de la nuit. Les voilà qui commençaient à se disperser, pour ne pas attirer l'attention sur leur complot. Ils se glissaient dans la nuit comme des scorpions, puant le crime. Qasim se demandait quel serait son destin : celui de Gabal, ou celui de Rifaa ? C'est par une nuit pareille à celle-ci qu'avait péri Rifaa : il s'était dissimulé dans sa maison, le cœur plein de bonnes intentions, pendant qu'à l'étage au-dessous résonnaient les pas lourds des tueurs. Ah ! quartier de malheur, quand donc seras-tu rassasié du sang des hommes ?

Il resta un long moment à marcher de long en large dans la pièce. Soudain, on frappa à la porte ; la voix de

Hasan l'appela du dehors. Bientôt, le jeune homme entra, un regard inquiet dans les yeux.

— Il se passe des choses bizarres dans le quartier, déclara-t-il… ça m'inquiète.

— L'oncle est rentré de sa tournée ? interrogea Qasim, comme s'il n'avait pas entendu.

— Pas encore ! Mais je te dis qu'il se passe des choses pas normales : jette un coup d'œil par la fenêtre, sans te faire voir.

— J'ai déjà vu, et je sais ce que c'est : Sadiq m'a fait prévenir par sa petite sœur. S'il ne se trompe pas, ils tenteront de m'assassiner ce soir. Ihsan est en sécurité avec Sakina : elles doivent m'attendre près du tombeau de la défunte. Pars tout de suite les rejoindre : tu les conduiras auprès des frères.

— Et toi ?

— Je m'arrangerai pour m'évader à mon tour : je vous rejoindrai là-bas.

— Je ne te laisserai pas seul ! déclara Hasan d'un ton ferme.

— Fais ce que je te dis. Je leur échapperai par la ruse, pas par la force : si je suis rejoint, tu ne me servirais à rien. Mais en allant là-bas, tu pourras protéger ma fille. Tu posteras simplement quelques-uns de nos hommes à tous les coins de rue, depuis la Gamaliyya jusqu'à la montagne : ils pourront me prêter main-forte en cas de besoin.

Hasan finit par se laisser convaincre.

— Après tout, tu es le plus intelligent de nous tous : ton plan est probablement le meilleur, fit-il en serrant vigoureusement la main de Qasim avant de partir.

Quelques instants plus tard, oncle Zakariya arriva à son tour, suant et soufflant. Il arrivait manifestement de chez maître Yahya et connaissait la nouvelle. Qasim ne lui laissa pas le temps d'ouvrir la bouche.

— Je suis au courant, déclara-t-il, Sadiq m'a fait prévenir.

— Oui, c'est ce que m'a dit Yahya quand je suis passé chez lui, il y a un instant : j'avais peur que tu n'aies pas reçu le message.

Qasim le fit asseoir.

— Pardonne-moi toute la peine que je t'ai donnée, s'excusa-t-il.

— Je m'y attendais ! gémit le bonhomme. J'avais bien remarqué que Sawaris avait changé de ton avec moi, mais je ne voulais pas y croire. Et puis aujourd'hui j'ai vu ces crapules grouiller dans le secteur comme des sauterelles. Et pendant ce temps, tu es là, tout seul, sans pouvoir t'enfuir…

— J'essaierai, en tout cas. Et si j'échoue, il y a dans la montagne de braves garçons qui sont prêts à prendre la relève.

— Je m'en moque ! Rien ne compte pour moi que ta vie et celle de la petite.

— Je me suis toujours demandé pourquoi tu n'étais pas à la tête de mes compagnons, murmura Qasim d'un ton de reproche.

— Ecoute, on va aller voir Sawaris pour essayer de s'arranger avec lui, proposa l'oncle, comme s'il n'avait rien entendu. On lui promettra ce qu'il voudra…

Qasim ne répondit que par un rire bref. Zakariya se tourna vers la fenêtre, observant la rue : elle lui parut sombre, menaçante.

— Pourquoi ont-ils précisément choisi cette nuit ? demanda soudain Qasim.

— Avant-hier, un Gabalite a déclaré ouvertement que ce que tu faisais était pour le bien de tout le quartier.

Il paraît qu'on dit la même chose chez les Rifaïtes. C'est probablement pour ça qu'ils sont si pressés.

— Tu vois, mon oncle ! Je suis l'ennemi de l'intendant et des *futuwwas*, mais l'ami des gens du quartier. Bientôt, tout le monde le comprendra.

— Pour le moment, tu ferais mieux de penser à toi.

— Voici mon plan : je vais filer par les terrasses jusque chez toi, en laissant la lampe allumée pour leur donner le change.

— On pourrait te voir…

— J'attendrai qu'il n'y ait plus personne.

— Et suppose qu'ils t'attaquent avant ?

— Ça ne risque pas, ils attendront que tout le monde soit endormi.

— On n'en sait rien : ils sont tellement arrogants qu'ils sont capables de tout.

— Eh bien, je mourrai alors ! fit Qasim en souriant. Si tel est mon destin, qu'y puis-je ?

Zakariya leva les yeux sur lui, le suppliant du regard ; mais la résolution qui brillait dans l'expression de son neveu ne lui laissait pas d'espoir.

— Ils pourraient fouiller ma maison, murmura-t-il.

— Je ne crois pas. Notre grande chance, c'est qu'ils ne savent pas que nous sommes au courant : Si Dieu le veut, je serai loin avant qu'ils ne s'en rendent compte.

Ils échangèrent un long regard, plus éloquent que des larmes, puis se donnèrent l'accolade. Resté seul, Qasim, maîtrisant son émotion, alla jeter un coup d'œil à la fenêtre. Tout semblait normal : les enfants jouaient près des lampes des marchands ambulants, le café était plein de monde, les terrasses retentissaient du bavardage des femmes, la toux des fumeurs de haschisch se mêlait aux injures et aux obscénités, sur fond de *rebab*. Voici Sawaris, aux aguets sur le seuil du café, et les tueurs tapis dans les coins sombres. Race de traîtres et de voleurs ! Depuis le premier ricanement d'Idris, vous avez le crime dans le sang, vous qui plongez le quartier dans une mer de ténèbres.

Les heures passèrent lentement, lourdement. Les veillées prirent fin, les terrasses se turent, la rue se vida de ses charrettes et de ses bandes d'enfants, les cafés devinrent déserts. Les gens rentrèrent chez eux, échangeant un dernier salut. Les ivrognes revinrent de la Gamaliyya en titubant. Les braseros s'éteignirent dans les cercles de haschisch. Seuls les tueurs veillaient encore dans l'ombre. "Allons, c'est l'heure !" se dit Qasim.

Escaladant rapidement l'échelle qui menait à la terrasse, il se dirigea vers le muret qui séparait celle-ci de la maison voisine et le franchit sans peine. Alors qu'il allait prendre sa course, une silhouette se dressa dans l'ombre : "Halte !" cria une voix. Comprenant que les terrasses étaient surveillées par les tueurs, il voulut faire demi-tour : mais l'autre se jeta sur lui, le saisissant à bras-le-corps. Rassemblant toutes ses forces décuplées par la terreur, Qasim frappa son assaillant au ventre ; pris par surprise, celui-ci relâcha son étreinte. Qasim lui décocha un coup de pied dans le ventre ; l'autre tomba en gémissant, pour ne plus se relever. A ce moment, un bruit étouffé lui parvint de la terrasse suivante, ou de celle d'après ; n'osant continuer, il revint sur la terrasse de sa maison et, du haut de l'échelle, tendit l'oreille à l'intérieur : il entendit des pas dans l'escalier ! Ceux-ci s'arrêtèrent devant la porte de son appartement : une vigoureuse poussée ouvrit la porte, manquant de l'arracher à son chambranle, et les assaillants se ruèrent à l'intérieur. Sans perdre une seconde, Qasim dégringola l'escalier jusqu'à la cour et courut vers le portail d'entrée. Soudain, une ombre se dressa devant lui. Qasim lui sauta à la gorge, puis lui donna un coup de tête, suivi d'un coup de genou dans le bas-ventre ; l'autre s'effondra, privé de mouvement. Poursuivi par les battements de son cœur, Qasim se rua vers la Gamaliyya ; maintenant, les autres avaient compris que la maison était vide, peut-être certains étaient-ils montés jusqu'à la terrasse et avaient trouvé leur compagnon évanoui, peut-être les autres étaient-ils à sa poursuite.

Sans s'arrêter, il passa devant le bâtiment où habitait son oncle. En arrivant aux maisons du quartier, il força encore l'allure. Au coin de la Gamaliyya, une ombre bondit en travers de son chemin. “Arrête, fils de pute !” cria-t-elle d'une voix retentissante, pour avertir les autres. Pris par surprise, Qasim n'eut pas le temps de l'éviter. Un gourdin se leva. Mais à ce moment précis, une autre ombre apparut à l'angle de la rue. Frappé d'un coup de massue, l'assaillant de Qasim s'écroula en hurlant.

— Et maintenant, à fond de train ! lança le nouveau venu.

Qasim et Hasan s'élancèrent dans les ténèbres, sans souci des pierres et des nids-de-poule qui parsemaient le chemin.

A l'entrée du quartier des Chauves-Souris, Sadiq se joignit à eux. A l'autre bout, ils trouvèrent Agrama, Abou Fasada et Hamrouch, stationnés près d'une calèche. Ils montèrent en toute hâte, le cocher fouetta vigoureusement son cheval qui s'élança au grand trot. La voiture roulait à vive allure, malgré l'obscurité, dans un bruit infernal. Les passagers se retournaient sans cesse avec inquiétude ; Sadiq entreprit de les rassurer :

— Ils vont prendre la direction de Bab el-Nasr : ils doivent penser que tu comptes te réfugier dans la nécropole…

— Non, répliqua Qasim, ils savent très bien que ce n'est pas là-bas que vous êtes.

Cependant, la vitesse de la voiture était un élément déterminant ; bientôt ils sentirent qu'ils s'éloignaient vraiment du danger.

— C'était bien organisé, les gars ! reprit Qasim. Et merci à toi, Sadiq : si tu ne m'avais pas averti à temps, je ne serais plus de ce monde à l'heure qu'il est.

Sadiq lui serra la main en silence. La voiture continuait son train d'enfer ; bientôt, Souk el-Muqattam leur apparut à la lueur des étoiles. Le quartier était désert et plongé dans les ténèbres, à part la lumière d'une lampe qui brillait devant la cabane de maître Yahya. Par mesure de précaution, ils firent arrêter la voiture au milieu de la place, et terminèrent à pied. Bientôt, la voix de maître Yahya les héla. Qasim répondit, et les deux hommes se donnèrent chaleureusement l'accolade.

— Je te dois la vie, déclara Qasim.

— Le hasard, tout simplement ! protesta l'autre en riant. Mais c'est un hasard qui est tombé à point nommé pour sauver l'homme au monde qui méritait le plus de vivre. Et maintenant, filez vers la montagne : là vous serez en sécurité.

Qasim lui serra la main, une lueur d'amitié dans les yeux.

— Aujourd'hui, tu ressembles vraiment à Rifaa et Gabal ! poursuivit le vieil homme. Un jour, après ta victoire, je reviendrai au quartier.

Ils s'éloignèrent de la cabane, coupant à travers le désert pour rejoindre la montagne. Sadiq, qui connaissait bien le chemin, marchait en tête. L'obscurité semblait un peu moins épaisse, signe que l'aurore était proche. Des gouttes de rosée tombaient, rafraîchissant le sol. Un coq chanta au loin, annonçant la naissance d'un jour nouveau. Parvenus aux premières pentes de la montagne, ils la contournèrent vers le sud jusqu'à l'entrée de l'étroit défilé qui menait à leur campement, non loin du sommet. Ils avançaient en file indienne, précédés par Sadiq.

— On t'a préparé un abri au milieu des nôtres, annonça-t-il à Qasim. C'est là qu'Ihsan est installée.

— Ce n'est pas très luxueux, l'avertit Agrama : des vieilles tôles et de la toile à sacs.

— Bref, ça ne nous change pas tellement du quartier ! plaisanta Hasan.

— Et puis, il ne s'y trouve ni intendant ni *futuwwas* : c'est le principal, conclut Qasim.

Un bruit de voix monta au loin.

— Notre nouveau quartier s'est réveillé pour t'attendre, expliqua Sadiq.

En levant la tête, ils aperçurent les premières lueurs de l'aurore qui dissipaient les ténèbres. Sadiq poussa un cri sonore. Un concert d'acclamations et de youyous fusa, puis toutes les gorges entonnèrent un chant d'allégresse.

— Comme ils sont nombreux ! s'exclama Qasim, pris d'une soudaine gaieté.

— C'est pratiquement un nouveau quartier que nous avons bâti sur la montagne ! répliqua Sadiq avec fierté. Et leur nombre croît de jour en jour. Grâce à maître Yahya, tous ceux qui avaient émigré de chez nous nous ont rejoints.

— Le seul ennui, c'est qu'on doit travailler très loin, pour éviter de se faire repérer, signala Hamrouch.

Lorsque Qasim arriva au sommet de la pente, les hommes se précipitèrent vers lui pour lui donner l'accolade et les femmes pour lui serrer la main. L'air résonnait de leurs exclamations joyeuses. Sakina se trouvait au premier rang ; elle lui annonça qu'Ihsan dormait dans la cabane qu'on leur avait préparée comme logis. Puis tous s'en furent vers le nouveau quartier, construit en carré, sur un plateau à flanc de montagne. L'horizon était inondé de lumière, tel un lac couvert de fleurs blanches.

— Bienvenue à Qasim, notre *futuwwa* ! s'écria un homme.

A ces mots, une expression nouvelle apparut sur le visage de ce dernier.

— Non ! cria-t-il avec colère. Que Dieu maudisse tous les *futuwwas* ! Partout où ils sont, il ne peut y avoir ni paix ni tranquillité !

Comme les nouveaux venus se tournaient vers lui avec une expression intriguée, il continua :

— Sans doute, nous lèverons nos gourdins, comme l'a fait Gabal, mais nous les lèverons pour faire régner la compassion, comme le voulait Rifaa ! Et nous utiliserons l'argent du *waqf* pour le bien de tous : ainsi nous réaliserons le rêve d'Adham. C'est cela notre mission, pas de jouer les *futuwwas* !

— Il a passé la nuit sans fermer l'œil, intervint Hasan en le poussant doucement vers sa cabane. Laissez-le prendre un peu de repos, il en a besoin !

Qasim s'étendit sur son matelas, à côté de sa fille, et ne tarda pas à s'endormir. Il se réveilla au début de l'après-midi, la tête lourde et le corps engourdi. Sakina lui amena Ihsan ; il la prit sur ses genoux et l'embrassa tendrement. Elle lui donna ensuite une cruche d'eau.

— Elle vient de la fontaine publique, celle-là même où Gabal a rencontré son épouse, fit-elle remarquer.

Qasim sourit ; tout ce qui lui rappelait Gabal et Rifaa faisait naître en lui une grande douceur. Il embrassa son nouveau logis d'un regard circulaire : les parois se composaient uniquement de toile à sacs. Après avoir serré une dernière fois Ihsan sur son cœur, il se leva et, remettant l'enfant à Sakina, sortit de la cabane pour retrouver Sadiq et Hasan qui l'attendaient. Il s'assit entre eux, et ils échangèrent les salutations du matin. Le quartier semblait vide ; on ne voyait que des femmes et des enfants.

— Les hommes sont partis à Sitt Zeynab et à Zeinhom, gagner leur vie, expliqua Sadiq. Nous restons tous les deux pour veiller sur toi.

Qasim suivit du regard les femmes, occupées à la cuisine ou à la lessive devant les huttes, et les enfants qui jouaient çà et là.

— Je me demande si elles se plaisent ici, s'interrogea-t-il.

— Elles rêvent au *waqf* et à la belle vie qu'elles mèneront quand nous en aurons repris possession, répondit Sadiq. Elles se voient déjà dans les chaussures d'Amina *hanem*, la dame de l'intendant.

— Et maintenant, quels sont vos plans ? poursuivit Qasim, changeant de sujet.

— Nous sommes près du but ! déclara Hasan, carrant ses larges épaules.

— Oui, mais comment y arriver ?

— Il faut passer à l'attaque à la première occasion favorable.

— Non, objecta Sadiq. Il vaut mieux attendre que la grande majorité du quartier se soit jointe à nous. Ainsi nous frapperons à coup sûr, et nous limiterons le nombre des victimes.

— Bien vu ! approuva Qasim en souriant.

Alors qu'ils rêvaient de succès, une voix un peu hésitante leur parvint :

— Le repas est prêt !

Levant les yeux, Qasim aperçut Badriyya qui apportait un plat de fèves et quelques galettes de pain. Il ne put s'empêcher de répondre au sourire qu'il lisait dans les yeux de la jeune fille.

— Bienvenue à la messagère qui m'a sauvé la vie !

— Puisse Dieu te faire vivre longtemps, répondit-elle en déposant le plat devant lui.

Elle s'éloigna vers la tente de Sadiq, qui jouxtait celle de Qasim. Celui-ci se mit à manger avec appétit ; il se sentait le cœur léger.

— J'ai emporté une bonne somme d'argent, déclara-t-il entre deux bouchées. Ça pourra nous servir, à l'occasion. Ah ! autre chose ! reprit-il quelques instants plus tard. Nous devons contacter tous les habitants du quartier susceptibles de se joindre à nous. Beaucoup souhaitent notre victoire, seule la peur les retient encore.

Sadiq et Hasan ne tardèrent pas à prendre congé pour rejoindre les autres. Resté seul, Qasim s'en fut inspecter les lieux. Il passa auprès de groupes d'enfants qui jouaient, et dont aucun ne fit attention à lui ; les femmes, en revanche, le saluaient et le bénissaient. Son regard s'arrêta sur l'une d'entre elles, qui paraissait très vieille ; elle avait les cheveux tout blancs, ses yeux étaient voilés par le grand âge, et son menton était agité d'un tremblement perpétuel. Il s'approcha d'elle et la salua ; elle lui rendit son salut.

— Qui es-tu, ma bonne mère ?

— La mère de Hamrouch, répondit-elle d'une voix fêlée.

— Bienvenue à notre mère à tous ! Ça ne t'a pas été trop pénible de quitter le quartier ?

— Tu sais, pourvu que je sois près de mon fils, je suis toujours bien. Et ici il n'y a pas de *futuwwas*, et c'est déjà ça de gagné.

Elle hésita un instant, puis, encouragée par son sourire, reprit :

— Tu sais, j'ai connu Rifaa quand j'étais jeune !

— Vraiment ? demanda-t-il d'un air intéressé.

— Oui, c'était un joli garçon, très doux. Seulement je n'aurais jamais pensé à l'époque qu'il donnerait son nom à un secteur du quartier et qu'on raconterait sa vie au son du *rebab*.

— Et tu n'es pas allée le voir comme les autres ?

— Oh non ! Personne ne s'intéressait à nous dans le quartier, même pas nous-mêmes. Sans toi, il n'y aurait personne pour parler des Gerboises.

Il l'examina avec curiosité : si elle, qui avait été contemporaine de Rifaa, paraissait si vieille, à quoi pouvait donc ressembler le Patriarche ? Mais il se borna à lui sourire amicalement, et elle le couvrit d'interminables bénédictions alors qu'il s'en allait. Il marcha jusqu'au sommet du raidillon, sur la pente de la montagne, et jeta un coup d'œil vers le désert qui s'étendait tout en bas, puis leva les yeux vers l'horizon.

Vues de loin, les coupoles et les terrasses lui apparaissaient comme les contours d'une seule et même entité. Il songea que cela était bien : ils ne devaient former qu'un seul être. Un être bien petit, vu d'en haut ! Que l'intendant Rif'at et le *futuwwa* Lahita semblaient insignifiants : quelle différence y avait-il, en réalité, entre eux et l'oncle Zakariya ? Il avait du mal, d'ici, à distinguer ce quartier pour lequel il s'était donné tant de peine. Sans la maison du Fondateur, il n'y serait pas parvenu : elle, on pouvait apparemment la reconnaître de n'importe où, avec son étrange mur d'enceinte et ses grands arbres. Mais l'Ancêtre est vieux, et il n'impressionne plus grand monde ; il est comme le soleil qui décline vers l'horizon… Ceux qui ont falsifié tes volontés habitent à deux pas de ta maison ; ces femmes et ces enfants dans la montagne ne sont-ils pas plus proches de ton cœur ? Mais tu retrouveras toute ta gloire lorsque les Dix Conditions seront mises en vigueur, et qu'il n'y aura plus d'intendant pour les détourner, ni de *futuwwas* pour les bafouer ; ainsi, demain, le soleil reviendra au zénith. Sans toi, nous n'aurions ni père, ni quartier, ni *waqf*, ni espoir.

Une voix douce le tira soudain de sa rêverie.

— Ton café, maître Qasim.

Il se retourna et vit Badriyya qui lui tendait une tasse.

— Il ne fallait pas te donner ce mal ! protesta-t-il.

— C'est un honneur, maître.

Après avoir appelé la miséricorde de Dieu sur Qamar, il se mit à siroter son café à petites gorgées. De temps en temps, son regard croisait celui de Badriyya, et ils se souriaient. Comme c'était agréable de boire un café au flanc de la montagne, au-dessus du désert.

— Quel âge as-tu, Badriyya ? demanda-t-il.

— Je ne sais pas, murmura-t-elle avec une moue.

— Mais tu sais pourquoi nous sommes ici, sur cette montagne ?

— A cause de toi ! répondit-elle d'une voix intimidée.

— A cause de moi ?

— Oui, parce que tu veux cogner l'intendant et les *futuwwas* et nous rendre le *waqf* ! C'est ce que dit mon frère.

Qasim sourit. Il s'aperçut que sa tasse était vide depuis un moment ; il la lui rendit en disant :

— J'aimerais te remercier autant que tu le mérites.

Elle rougit légèrement et s'en fut.

— Que Dieu te protège, murmura Qasim.

85

La fin de l'après-midi était réservée à l'entraînement ; à peine revenus d'une dure journée de travail, les poches tout juste lestées de quelques piécettes et le ventre presque vide, les volontaires s'exerçaient au maniement du gourdin, se soumettant à la discipline la plus rigoureuse. Qasim était toujours le premier à se présenter, heureux de voir l'enthousiasme de ses compagnons, et l'impatience avec laquelle ils attendaient le grand jour. C'étaient des hommes forts et rudes, mais unis par une affection nouvelle dans ce quartier déchiré par les querelles. Les gourdins se levaient, s'abattaient, s'entrechoquaient avec un bruit sourd. Les enfants observaient la scène et s'efforçaient d'imiter les grands, pendant que les femmes se reposaient ou préparaient le repas. Le nombre de tentes augmentait chaque jour, à mesure que de nouveaux habitants venaient se joindre aux rebelles. Sadiq, Hasan et Abou Fasada affirmaient en riant qu'ils étaient d'habiles traqueurs : ils se mettaient à l'affût aux bons endroits et, chaque fois qu'ils voyaient passer un homme du quartier, ils ne le lâchaient plus jusqu'à ce qu'ils l'aient convaincu de se joindre à eux. Beaucoup fuyaient ainsi le quartier, secrètement, habités d'un espoir qu'ils connaissaient pour la première fois dans leur vie.

— Oui, mais avec tout ça, je ne garantis pas que nos ennemis ne finiront pas par savoir où nous sommes, objectait Sadiq, toujours prudent.

— De toute façon, on ne peut arriver ici que par le défilé : s'ils montent par là, ils sont cuits ! répondait Qasim.

Ses plus grands moments de bonheur étaient ceux qu'il passait auprès d'Ihsan, à jouer avec elle, à la bercer, à lui parler dans son langage enfantin ; mais, parfois, l'une de ses expressions évoquait en lui le souvenir de la disparue. Et il ressentait douloureusement l'absence de celle qui lui avait été arrachée à l'orée du chemin, le laissant en proie à la solitude, et parfois au remords, comme cela s'était produit au flanc de la montagne, le jour du café, ou à l'occasion d'un certain regard doux comme une brise de fin d'après-midi.

Un soir qu'il n'arrivait pas à s'endormir, tourmenté par une solitude encore plus pesante que de coutume, il se leva, sortit de sa tente et s'en fut marcher sous les étoiles, respirant la fraîche brise de la nuit sur la montagne. Soudain, une voix le héla : se retournant, il aperçut Sadiq qui venait vers lui.

— Où vas-tu, à cette heure ? demanda-t-il.

— Tu ne dors pas ?

— J'étais couché devant ma tente et je t'ai aperçu ; ta compagnie vaut mieux que le sommeil.

Ils s'en furent côte à côte jusqu'au bord du précipice.

— Parfois, la solitude m'est insupportable, avoua soudain Qasim.

— Qu'elle soit maudite jusqu'à la fin des temps !

Il leva les yeux vers l'horizon : l'univers se réduisait à un ciel scintillant au-dessus d'une mer de ténèbres.

— La plupart de tes compagnons ont emmené leur femme, ou leurs parents, reprit Sadiq. Ils ne manquent jamais de compagnie.

— Où veux-tu en venir ?

— Un homme comme toi ne pourra jamais se passer de femme !

— Me remarier, moi ! protesta Qasim, d'un ton d'autant plus vigoureux qu'il sentait, au fond de lui-même, que son ami avait raison.

— Si ta défunte femme pouvait te faire entendre sa voix, elle dirait la même chose ! répliqua Sadiq avec conviction.

— Ce serait comme une trahison, après tant d'amour et de confiance, murmura l'autre, profondément troublé malgré lui.

— Les morts n'ont pas besoin de notre fidélité !

"Quelle est son intention ? se demandait Qasim. Parle-t-il sincèrement, ou cherche-t-il à trouver des excuses à mon caprice ? Sans doute, la vérité a souvent un goût amer. Mais la vérité, c'est aussi que tu n'oses pas te regarder toi-même avec autant de lucidité que tu regardes la situation du quartier. Celui qui a mis ces choses dans ton cœur est le même que Celui qui a mis les étoiles dans le ciel. La vérité, qui n'a rien d'amer, c'est que ton cœur bat aussi fort que la première fois."

— Ce qu'il te faut, c'est quelqu'un pour te tenir compagnie, insista Sadiq.

En revenant vers sa tente, il aperçut Sakina qui l'attendait, debout près de la porte.

— Je me suis aperçue que tu étais sorti, fit-elle d'une voix un peu inquiète. Et moi qui te croyais endormi du sommeil du juste !

Il était tellement pris par ses pensées qu'il répondit tout à trac :

— Imagine-toi un peu ça : Sadiq veut que je me remarie !

— Eh bien ! à la bonne heure ! Il y a longtemps que je voulais t'en parler.

— Toi !

— Oui, maître. Ça m'a souvent fait gros cœur, de te voir assis tout seul, à te ronger les sangs !

— Mais tous ceux-ci sont avec moi, objecta Qasim en désignant les tentes d'un geste circulaire.

— Oui, mais tu n'as personne avec toi, sous ta tente, à part moi, une pauvre vieille qui a déjà un pied dans la tombe.

Il se rendait bien compte que le simple fait de prolonger la conversation signifiait qu'il acceptait cette idée ; mais il ne se décidait pas à rentrer.

— Jamais je ne trouverai une femme comme Qamar, murmura-t-il.

— Pour sûr ! N'empêche qu'il y a bien des filles avec qui tu pourrais être heureux. Tiens, reprit-elle après un silence, la petite Badriyya par exemple : elle est très bien, cette fille.

— Mais c'est une enfant ! protesta-t-il, le cœur battant.

— Ce n'est pas ce que tu penses quand elle t'apporte ton repas ou ton café, glissa-t-elle d'un air malicieux.

— Veux-tu te taire, vieille drôlesse ! fit-il en rentrant sous la tente.

La nouvelle du remariage de Qasim fut accueillie dans l'allégresse générale. Sadiq en dansait presque de joie, et sa mère poussa des youyous qui réveillèrent tous les échos de la montagne. Les compliments et les vœux de bonheur pleuvaient sur Qasim. La noce fut célébrée dans le camp, sans le concours de professionnels : les femmes dansèrent, surtout la mère de Badriyya, et Abou Fasada, qui avait une belle voix, chanta des chansons de pêcheurs. La procession fit le tour du campement à la lumière des étoiles. Sakina et Ihsan allèrent s'installer sous la tente de Hasan, pour préserver l'intimité des jeunes époux.

86

Assis sur une peau de mouton devant sa tente, Qasim observait Badriyya en train de pétrir la pâte à pain. Elle faisait vraiment plaisir à voir : quelle énergie, quel sens de l'organisation, pour une aussi jeune fille ! Et comme elle étirait la pâte avec vigueur ! Et quel joli geste elle avait pour rejeter ses cheveux en arrière, du dos de la main ! Se sentant observée, elle rougit légèrement et s'arrêta, le regardant avec coquetterie ; il s'inclina vers elle en riant, la saisit par la natte et l'embrassa plusieurs fois avant de revenir à sa place. Il se sentait joyeux et insouciant, comme toujours dans ces moments, trop rares et trop brefs, où il pouvait oublier ses compagnons et ses projets. Non loin de là, Ihsan trottinait de long en large, sous l'œil vigilant de Sakina, assise sur une grosse pierre.

Un bruit de voix s'éleva du côté du défilé : Sadiq, Hasan et quelques autres arrivaient vers lui, entourant un homme du quartier, un certain Khorda, éboueur de son état, qui appartenait au clan des Rifaïtes. Qasim se leva aussitôt pour l'accueillir, pendant que les femmes poussaient des youyous, comme elles le faisaient pour fêter l'arrivée de chaque nouveau rallié.

— Je suis avec vous ! proclama Khorda en donnant l'accolade à Qasim. Et j'ai amené mon gourdin !

— Sois le bienvenu, Khorda ! Pour nous, il n'y a pas de différence entre les clans : nous sommes tous du même quartier et le *waqf* est à tous.

— Ils se demandent tous où vous êtes passés, et ça les inquiète, tu peux me croire ! Mais il y en a beaucoup qui souhaitent secrètement la victoire.

Il jeta un coup d'œil circulaire sur le campement et siffla d'un air admiratif.

— Tu as tout ce monde-là avec toi !

— Khorda nous apporte une nouvelle très importante, intervint Hasan.

— Aujourd'hui, Sawaris se marie pour la cinquième fois, annonça celui-ci, répondant à un regard interrogateur de Qasim. La procession a lieu ce soir.

— C'est une occasion rêvée pour s'en débarrasser ! commenta Hasan.

Cette idée fut accueillie par les autres avec enthousiasme.

— Un jour ou l'autre, il faudra bien que nous attaquions le quartier, renchérit Sadiq. Plus nous aurons liquidé de *futuwwas* avant, plus notre victoire sera facile et certaine.

— Eh bien nous attaquerons la procession, trancha Qasim après un instant de réflexion. Ce sont des méthodes de *futuwwas* mais n'oubliez jamais que, si nous y recourons, c'est seulement pour en finir avec leur système.

Un peu avant minuit, les hommes se rassemblèrent en haut du raidillon ; sous la conduite de Qasim, ils s'engagèrent dans le défilé en file indienne, le gourdin à la main. La nuit était claire : la pleine lune brillait au firmament, baignant l'univers d'une lumière étrange. Arrivés au désert, ils se dirigèrent vers le nord, passant au-dessous de Souk el-Muqattam, puis longèrent le pied de la montagne, afin de ne pas s'égarer. Lorsqu'ils approchèrent du rocher de Hind, une ombre apparut dans la nuit : c'était un des leurs, qui leur servait d'espion.

— La procession prendra le chemin de Bab el-Nasr, annonça-t-il à Qasim.

— Mais d'habitude nos cortèges de noce passent par la Gamaliyya, s'étonna celui-ci.

— Probable qu'ils tiennent à rester à l'écart des endroits où ils croient qu'on pourrait les attendre, suggéra Khorda.

Qasim réfléchit rapidement, arrêtant un plan de bataille.

— Bien ! déclara-t-il. Sadiq et son groupe prendront position derrière Bawwabet el-Fotouh ; Agrama et les siens se dissimuleront dans le cimetière. Hasan et moi, nous allons avec les autres derrière la porte de Bab el-Nasr. Attaquez à mon signal.

Les hommes se divisèrent en trois groupes. Avant qu'ils ne se séparent, Qasim leur fit ses dernières recommandations :

— Concentrez vos coups sur Sawaris et ses hommes de main : les autres, ce sont nos frères.

Chaque détachement s'en fut de son côté. Qasim et Hasan, à la tête du leur, se dirigèrent vers le nord, longeant le pied de la montagne, avant d'obliquer vers la droite, en direction de la nécropole ; arrivés aux fortifications, ils se dissimulèrent dans l'ombre, derrière le bâtiment massif qui abritait la porte. Lui et ses hommes bloquaient ainsi le chemin de la procession, pendant que Sadiq était dissimulé du côté droit et qu'Agrama était en embuscade du côté gauche.

— La procession doit se réunir au café Falaki, annonça Hasan.

— Il faut passer à l'attaque avant, déclara Qasim, sinon on s'en prendra à des innocents…

Les nerfs tendus à craquer, ils attendaient dans l'ombre.

— Je me rappelle le meurtre de Chaaban, déclara soudain Hasan.

— Les victimes des *futuwwas* sont innombrables, approuva Qasim.

Sadiq lança un coup de sifflet auquel Agrama fit écho.

— Si on descend Sawaris, tout le secteur se mettra de notre côté, poursuivit Hasan.

— Et si les autres viennent nous attaquer, on les massacrera dans le défilé.

Dans une heure tout au plus, la victoire leur serait acquise, ou alors leurs espoirs partiraient en fumée, avec leurs vies. Qasim crut voir la forme de Qindil, et entendre la voix de Qamar. Il lui semblait que des siècles avaient passé depuis l'époque où il gardait les moutons. Il étreignit son gourdin avec une force redoublée ; il ne fallait pas qu'ils perdent.

— Tu entends ? lui demanda soudain Hasan.

Tendant l'oreille, il perçut une rumeur.

— Préparez-vous, ils arrivent ! ordonna-t-il.

Le bruit se rapprochait. Maintenant on entendait clairement les hautbois et les tambourins, les cris de joie et les acclamations. Quelques instants plus tard, la procession apparut à la lueur des torches ; ils virent Sawaris lui-même, entouré de danseurs et d'acrobates.

— Je siffle Agrama ? demanda Hasan.

— Attends que le début du cortège soit à la hauteur du caravansérail, ordonna Qasim.

La procession avançait toujours ; les danseurs et les acrobates se démenaient de plus belle. L'un d'entre eux, particulièrement enthousiaste, se prit à bondir et à tournoyer sur lui-même devant le défilé, décrivant des cercles ondulants, tout en gardant son gourdin en équilibre sur la paume de sa main, qu'il faisait tournoyer au-dessus de sa tête. Derrière lui, le cortège progressait lentement.

Lorsque les premiers rangs arrivèrent à la hauteur du caravansérail, Hasan siffla trois fois. Aussitôt, Agrama et ses hommes jaillirent de la ruelle des Rapaces et, le gourdin en avant, se ruèrent sur la queue de la procession ; la foule reflua en désordre, poussant des hurlements de rage et de peur. Hasan siffla à nouveau : Sadiq et ses hommes sortirent de l'impasse des Poissonniers et attaquèrent le centre du cortège, sans lui donner le temps de se reformer après le premier assaut. A ce moment, Qasim et ses hommes bondirent de leur cachette et, comme un seul homme, chargèrent les premiers rangs.

Le premier moment de surprise passé, Sawaris et ses hommes de main reprirent leurs esprits et, le gourdin brandi, engagèrent le combat, pendant que les moins belliqueux parmi l'assistance se réfugiaient dans les ruelles et les impasses adjacentes. La bataille fut âpre ; les gourdins s'entrechoquaient avec un bruit sourd, les visages étaient en sang, les lampes fracassées tombaient à terre et les pétales de rose jonchaient le sol, foulés aux pieds des combattants. Les spectateurs aux fenêtres poussaient des cris et les cafés fermaient leurs portes. Sawaris, déchaîné, se démenait comme un beau diable, frappant de tous les côtés à la fois, à coups redoublés. La violence et la haine épaississaient la nuit.

Soudain, Sawaris se trouva face à face avec Sadiq.

— Prends, ça, fils de pute ! lui lança-t-il.

Touché, Sadiq chancela. Le *futuwwa* leva une seconde fois son gourdin ; l'autre éleva le sien des deux mains, bloquant le coup, mais, sous la violence du choc, il tomba sur les genoux. Sawaris levait une troisième fois son arme pour lui porter le coup fatal, quand il aperçut Hasan qui se ruait sur lui comme un fauve.

— Toi aussi tu vas y passer, fils de Zakariya ! hurla le *futuwwa*. Tiens, salope !

Hasan esquiva d'un bond de côté, tout en portant un violent coup de pointe qui toucha son adversaire à la gorge, le mettant provisoirement hors de combat. Profitant de ce répit, le jeune homme reprit son équilibre et abattit à nouveau son gourdin, de toutes ses forces. Un geyser de sang explosa sur le front du *futuwwa* ; le gourdin lui échappa des mains, il tournoya sur lui-même, recula en chancelant et tomba lourdement sur le dos, privé de vie. Un cri s'éleva au-dessus du bruit des gourdins entrechoqués :

— Sawaris est mort !

Agrama fracassa le nez de l'homme qui avait crié ainsi ; il poussa un hurlement de douleur, chancela en arrière, buta contre un corps étendu à terre, et s'écroula. Ragaillardis par ce succès, les compagnons de Qasim se battaient avec une détermination redoublée, alors que les hommes de Sawaris perdaient tout courage, terrifiés par leurs pertes. Bientôt ils lâchèrent pied et s'enfuirent en désordre. Encore tout essoufflés, les vainqueurs se regroupèrent autour de leur chef, soutenant leurs blessés. A la lueur des lampes qui filtrait par les judas des portes des cafés, ils virent un nombre impressionnant de corps étendus, morts ou simplement évanouis. Hamrouch s'approcha du cadavre de Sawaris.

— Tu peux reposer en paix, Chaaban ! déclara-t-il.

— Le jour de la victoire est proche, l'interrompit Qasim, le tirant en arrière. Ce jour-là, tous les *futuwwas* connaîtront le même sort. Ce jour-là, nous serons les maîtres du quartier et de son *waqf*, et les dignes descendants de l'Ancêtre.

Lorsqu'ils revinrent sur la montagne, les femmes les accueillirent par des cris d'allégresse : la nouvelle de la victoire semblait leur être arrivée sur les ailes du vent. Qasim se retira sous sa tente.

— Tu es couvert de poussière et de sang ! lui dit Badriyya. Il faut te laver avant de te coucher.

Lorsqu'il s'étendit sur son matelas, après avoir fait sa toilette, il ne put réprimer un gémissement de douleur.

Badriyya lui apporta son dîner ; mais il resta couché, à demi assoupi. Une vague inquiétude se mêlait à sa joie.

— Mange donc, insista Badriyya.

— Tu verras, Qamar, nous serons bientôt victorieux, murmura Qasim, comme dans un rêve.

Il se rendit compte immédiatement de son lapsus. Voyant se fermer le visage de Badriyya, il se hâta de s'asseoir sur son matelas.

— Ça a l'air bon ! déclara-t-il avec une tendresse un peu embarrassée.

Mais la jeune femme gardait son expression boudeuse.

— Elle était vieille et pas belle du tout ! murmura-t-elle.

— Il ne faut pas en dire du mal, répondit Qasim. Elle mérite qu'on se souvienne d'elle avec tendresse et respect.

Il y avait tant de souffrance dans sa voix qu'elle sursauta et se tourna vers lui ; en voyant son expression, elle hésita à parler, et finit par se réfugier dans le silence.

87

Les vaincus s'en retournèrent dans un état de désarroi et d'humiliation totale. Evitant le plus possible les lumières qui sortaient de la maison de Sawaris, où les derniers préparatifs de la fête se déroulaient dans l'allégresse, ils rentrèrent se claquemurer, chacun chez soi. Mais, dans notre quartier, les mauvaises nouvelles se propagent à la vitesse des incendies : des hurlements s'élevèrent de plusieurs maisons, et les lumières de la noce s'éteignirent d'un coup, comme étouffées sous une pelletée de terre. Les ululements funèbres retentirent pour Sawaris, puis pour ceux de ses hommes qui s'étaient fait tuer ; d'ailleurs, les victimes comprenaient également des Gabalites et des Rifaïtes qui s'étaient mêlés au cortège. Et qui était l'agresseur ? Qasim, Qasim le berger, Qasim qui serait resté un mendiant toute sa vie s'il n'avait rencontré Qamar !

Un homme affirma qu'il avait suivi la bande jusqu'à son refuge sur le Muqattam. Allaient-ils rester tranquillement sur la montagne jusqu'à ce qu'ils aient liquidé tous les hommes du quartier ? Les dormeurs se réveillèrent, et tous les secteurs furent bientôt en émoi.

— Tuez les Gerboises ! hurla un Gabalite, furieux.

— Ils n'y sont pour rien ! s'interposa Galta. On leur a descendu leur *futuwwa* et plusieurs de leurs hommes.

— Mettez le feu au Muqattam !

— Amenez le corps de Qasim, qu'on le jette aux chiens !

— Que ma femme soit répudiée si je ne bois pas son sang !

— Le rat de caniveau ! L'ordure ! Le lâche !

— Il se croit bien à l'abri dans sa montagne !

— Ne t'inquiète pas, il ne perd rien pour attendre.

— Et quand je pense qu'autrefois il m'aurait baisé les pieds pour un millime !

— Ah ! il nous a bien trompés avec ses petits airs doucereux !

Le lendemain, tout le quartier pleura ses morts. Le jour suivant, les *futuwwas* se réunirent dans la maison de Rif'at, l'intendant. Celui-ci bouillait de rage.

— Eh bien, on n'a plus qu'à rester enfermés chez nous si on veut rester en vie ! ricana-t-il d'un ton sarcastique.

Bien qu'il fût piqué au vif, Lahita s'efforça de minimiser la gravité de la situation, afin de mettre sa responsabilité à couvert.

— Après tout, il ne s'agit que d'une rixe entre un *futuwwa* et certains hommes de son secteur, déclara-t-il.

— Pardon ! protesta Galta. Il y a eu un mort et trois blessés dans notre clan.

— Et un mort chez nous, renchérit Haggag.

— En tant que *futuwwa* du quartier, c'est ta réputation qui est atteinte au premier chef, conclut Rif'at.

— Un gardien de moutons ! Tu veux rire !

— Gardien de moutons tant que tu voudras, n'empêche qu'il est devenu dangereux. Au début, on ne l'a pas pris au sérieux, on a fermé les yeux à cause de sa femme : voilà le résultat. Il a réussi à apitoyer le monde jusqu'au moment où il est devenu assez fort pour tuer son *futuwwa* et ses hommes. Et maintenant il s'est retranché dans la montagne : tu peux être sûr qu'il n'en restera pas là !

Les autres échangèrent des regards chargés de haine, pendant que Rif'at reprenait :

— Il attire les gens en leur faisant miroiter toutes sortes de promesses. Et ça, c'est grave : pas la peine de se boucher les yeux. Il leur promet le *waqf* pour tous, et tu peux toujours leur dire que le *waqf* ne suffira même pas pour l'entretenir, lui et ses compagnons, personne ne te croira ! Pas les mendiants, en tout cas, et il n'y a pratiquement que ça dans le quartier. Il leur promet d'en finir avec le système des *futuwwas*, et ça, ça plaît aux lâches, et Dieu sait que le quartier en est plein ! De toute façon, les gens se mettront toujours du côté du plus fort : si on ne fait rien, on est cuits !

— Ça ne devrait pas être difficile de liquider cette bande de rats ! grommela Lahita.

— Tu oublies qu'ils sont retranchés dans la montagne ! objecta Haggag.

— Eh bien, il faut surveiller la montagne et trouver un chemin pour arriver jusqu'à eux, suggéra Galta.

— Tu te souviens, notre maître, du jour où j'avais tout préparé pour éliminer Qasim, du vivant de sa femme, et où la *hanem* s'est interposée ? fit soudain Lahita.

— Inutile de s'étendre sur les erreurs du passé, répondit l'intendant, un peu embarrassé. Et puis, ajouta-t-il, on a toujours respecté ce genre de liens, dans notre quartier.

A ce moment, des clameurs s'élevèrent dans la rue, comme si un nouveau malheur était arrivé. Nerveux, l'intendant héla le portier et lui demanda ce qui se passait.

— Ils disent que le berger du quartier s'est rallié à Qasim avec tout le troupeau ! répondit l'autre.

— Le chien ! s'écria Lahita, se levant d'un bond. Quartier de chiens ! Ah ! je vais lui faire voir !

— Il est de quel secteur, ce berger ? s'enquit l'intendant.

— Du secteur des Gerboises, fit le portier. Il s'appelle Zaqla.

88

— Bienvenue à toi, Zaqla !

Qasim donna l'accolade au berger.

— Je n'ai jamais été contre toi, déclara celui-ci avec enthousiasme. Dès le début, j'étais de ton côté, seulement j'avais peur du danger, et je ne me suis pas rallié. Mais maintenant que Sawaris est mort – que le bon Dieu l'envoie rôtir en enfer ! – j'accours vers toi, en t'amenant les moutons de tes ennemis.

Qasim jeta un coup d'œil au troupeau, rassemblé au centre du campement, entouré d'un cercle de femmes qui commentaient joyeusement l'événement.

— Eh bien, ce ne sera qu'une juste compensation pour tout ce qu'ils nous ont volé ! plaisanta-t-il.

Au cours de cette journée, le nombre des nouveaux ralliés fut inhabituellement élevé, ce qui renforça encore la détermination des rebelles. Mais, le lendemain, Qasim fut réveillé à la pointe du jour par un bruit bizarre. Il sortit immédiatement de sa tente : plusieurs de ses compagnons arrivaient en courant, en proie à la plus grande agitation.

— Tout le quartier est là ! lui lança Sadiq. Ils viennent se venger ! Ils sont rassemblés au bas du défilé !

— J'ai été le premier à descendre ce matin, pour aller au travail, expliqua Khorda. Je les ai vus au dernier moment : je n'ai eu que le temps de faire demi-tour et de revenir en courant. Plusieurs d'entre eux m'ont poursuivi, et j'ai reçu une pierre dans le dos. Alors j'ai appelé Sadiq et Hasan : plusieurs de nos frères sont arrivés en haut du défilé. En voyant le danger, ils ont bombardé les assaillants à coups de pierres et les ont obligés à reculer.

Qasim lança un coup d'œil vers le défilé : Hasan et plusieurs autres y montaient la garde, une pierre dans chaque main.

— Dix hommes suffiraient à les arrêter, commenta-t-il.

— S'ils veulent se suicider, ils n'ont qu'à essayer de monter ! renchérit Hamrouch.

Les hommes et les femmes se rassemblèrent autour de Qasim, abandonnant leurs cabanes. Les hommes avaient tous leur gourdin, et les femmes portaient des paniers pleins de pierres, qu'elles avaient préparés en prévision de ce jour. Le premier rayon de soleil jaillit dans le ciel sans nuages.

— Il n'y a pas d'autre chemin pour descendre vers la ville ? demanda soudain Qasim.

— Si, il y en a un plus au sud, seulement, il faut deux heures de marche dans la caillasse pour y arriver, répondit Sadiq d'un air sombre.

— On a de l'eau pour deux jours, pas beaucoup plus, ajouta Agrama.

Un murmure inquiet parcourut la foule ; les femmes surtout n'étaient pas rassurées.

— Ils sont venus se venger, pas mettre le siège, trancha Qasim. Et même si cela était, il nous reste l'autre chemin.

Il se mit à réfléchir, s'efforçant, sous les regards de ses compagnons, de préserver son calme extérieur. S'ils étaient assiégés, la grosse difficulté serait d'approvisionner le camp en eau, en empruntant le chemin du sud. D'autre part, s'il passait immédiatement à l'attaque avec ses hommes, était-il sûr de remporter la victoire contre un groupe mené par Lahita, Galta et Haggag ? L'issue de cette journée serait décisive.

Il revint vers sa tente, prit son gourdin, et s'en fut rejoindre Hasan en haut du défilé.

— Ils n'osent pas avancer, lui dit le jeune homme.

Qasim s'approcha du raidillon : il aperçut ses ennemis rangés en demi-cercle dans le désert, hors de portée des pierres. Leur nombre l'effraya ; il n'arrivait pas à distinguer les *futuwwas* parmi eux. Il chercha des yeux la Grande Maison, la maison de Gabalawi, plongée dans son éternel silence, comme si l'Ancêtre ne se souciait guère du combat que ses descendants allaient livrer pour sa cause. Et pourtant, ils auraient eu grand besoin de sa force légendaire, qui avait soumis toute la contrée dans les temps lointains. Qasim se souvenait que Rifaa avait été assassiné à portée de voix de la maison de l'Ancêtre : son inquiétude venait-elle de là ? Quelque chose, au fond de lui-même, le poussait à appeler Gabalawi au secours, comme le font les gens de notre quartier à tout propos ; mais, à ce moment, il entendit les voix des femmes qui se rapprochaient. Se retournant, il vit que les hommes s'étaient alignés en haut de la pente, face à leurs ennemis, et que les femmes s'apprêtaient à les rejoindre. Il leur cria de revenir en arrière ; il dut répéter plusieurs fois son ordre pour qu'elles obéissent et retournent à leurs occupations habituelles.

— Tu as bien fait, approuva Sadiq, qui s'était approché de lui. Moi, ce que je crains avant tout, c'est l'effet que peut produire le nom de Lahita.

— De toute façon, on n'a plus d'autre solution que de se battre, intervint Hasan. Maintenant, ils connaissent notre refuge : on ne pourra plus sortir pour aller travailler. Il faut attaquer tout de suite !

— Tu as raison, approuva Qasim, les yeux toujours fixés sur la Grande Maison. Et toi, Sadiq, qu'en dis-tu ?

— Attendons plutôt la nuit.

— L'attente risque de faire tomber le moral, et on ne gagnera rien à se battre de nuit, objecta Hasan.

— A votre avis, quel est leur plan ? reprit Qasim.

— Ils veulent nous obliger à descendre vers eux, répondit Sadiq.

— Si nous arrivons à tuer Lahita, la victoire est à nous, murmura Qasim, pensif. S'il tombe, Galta et Haggag s'entretueront pour prendre sa place.

Le soleil était déjà haut sur l'horizon : ses rayons se reflétaient sur les cailloux avec un éclat aveuglant. Il commençait à faire chaud.

— Bon, alors, que faisons-nous ? insista Hasan.

Les deux autres n'eurent pas à hésiter longtemps : du côté du camp, une femme se mit soudain à hurler, imitée par d'autres.

— On est pris à revers ! cria quelqu'un.

Les hommes qui se tenaient au haut de la pente firent aussitôt volte-face, et se précipitèrent vers le plateau, du côté du sud. Ayant recommandé aux gardiens du défilé de faire bonne garde, Qasim ordonna à Khorda d'envoyer les femmes les plus vaillantes se joindre aux défenseurs. Puis, flanqué de Sadiq et Hasan, il courut vers le plateau rejoindre ses hommes. Lahita arrivait par le sud de la montagne, à la tête d'un groupe nombreux.

— Le siège n'était qu'une diversion, commenta Qasim : il voulait se donner le temps d'arriver par l'autre chemin.

— Il est bien pressé d'arriver à la mort ! cria Hasan en se ramassant sur ses jarrets, prêt à bondir.

— Nous devons gagner et nous gagnerons ! reprit Qasim.

Ses compagnons se déployèrent de chaque côté de lui. Les assaillants approchaient, le gourdin levé ; on aurait dit un buisson d'épines. On pouvait désormais distinguer leurs visages.

— Galta et Haggag ne sont pas de la bande, observa Sadiq.

Qasim comprit que ces derniers devaient être à la tête de l'autre groupe, celui qui était posté au bas du défilé ;

cela voulait dire qu'ils comptaient attaquer également par là, quel que soit le prix à payer. Mais Qasim se garda de déclarer ses inquiétudes. Il fit un pas en avant, brandissant son gourdin ; les autres empoignèrent plus fermement le leur. Lahita était parvenu à portée de voix :

— Je ferai bouffer vos cadavres par les chiens, bande de fils de pute !

Qasim se rua en avant, suivi par ses hommes ; les autres arrivèrent comme des boulets de canon. Et la mêlée s'engagea, dans le fracas des gourdins entrechoqués, et des injures hurlées à pleine voix. Au même moment, l'autre groupe monta à l'assaut par le défilé, accueilli par une grêle de pierres. Seules les femmes défendaient cet endroit : chacun des hommes de Qasim était aux prises avec un ennemi. Qasim lui-même affrontait Dongol, adversaire aussi hargneux que retors. Lahita, d'un coup, avait brisé la clavicule à Hamrouch. Sadiq et Zeinhom étaient engagés dans un corps à corps acharné. Hasan s'escrimait en silence, levant et abattant méthodiquement son gourdin auquel nul ne pouvait résister. Lahita frappa Zaqla à la nuque, le renversant à terre. Qasim réussit à toucher Dongol à l'oreille : il poussa un hurlement, fit trois pas en arrière et s'écroula. Zeinhom se rua sur Sadiq, mais celui-ci, plus rapide, lui porta un coup de pointe au creux du ventre qui l'arrêta net. Sadiq redoubla son coup et l'autre roula dans la poussière. Khorda finit par avoir raison de Hafnawi, mais son triomphe fut de courte durée : Lahita lui endommagea le bras. Hasan se rua à la rescousse ; le *futuwwa*, esquivant habilement, leva son gourdin sur le jeune homme, mais fut obligé de dévier son coup pour parer un assaut de Qasim, venu au secours de son cousin. Abou Fasada se précipita pour frapper à son tour, mais Lahita lui fracassa le nez d'un coup de tête. Il semblait invincible.

Le combat redoubla de violence. Les gourdins s'entrechoquaient sans merci, parmi des torrents d'injures et de malédictions. Le sang coulait sous le soleil brûlant. Dans les deux camps, les hommes tombaient les uns après les autres. Rendu fou de rage par cette résistance acharnée, à laquelle il ne s'attendait pas, Lahita redoubla de fureur. De son côté, Qasim ordonna à Hasan et Agrama d'avoir l'œil sur le *futuwwa* : à la première occasion, ils l'attaqueraient tous les trois ensemble. Une fois leur chef hors de combat, les assaillants perdraient rapidement courage. A cet instant, une des femmes qui défendaient le défilé accourut vers lui.

— Ils arrivent ! cria-t-elle. Ils se servent de plateaux de boulanger comme de boucliers !

Un vent de panique passa sur les défenseurs de la montagne.

— On donnera vos cadavres à bouffer aux chiens, fils de pute ! hurla Lahita.

— A l'attaque ! répondit Qasim. Il faut en finir avec eux avant que les autres salopards n'arrivent au plateau !

Flanqué de Hasan et d'Agrama, il courut vers Lahita. Le *futuwwa* l'accueillit d'un coup terrible, qu'il para de son gourdin. Agrama tenta de frapper avant qu'il se fût remis en garde, mais l'autre le cueillit au menton, et il s'écroula face contre terre. Hasan se rua en avant, para le coup de Lahita et se jeta sur lui ; les deux adversaires engagèrent un corps à corps mortel. Les cris des femmes s'enflaient de plus belle du côté du défilé ; quelques-unes commençaient même à fuir. Voyant que la situation devenait critique, Qasim se hâta d'envoyer Sadiq et quelques autres prêter main-forte aux défenseurs. Cela fait, il voulut reprendre la lutte, mais il fut intercepté par un certain Zahlafa, avec lequel il engagea un violent corps à corps. Hasan, de toute sa force, repoussa Lahita qui fit un pas en arrière ; il en profita pour lui cracher dans l'œil, tout en lui donnant un coup de pied au genou. Puis, se courbant en deux, il le frappa de la tête au creux de l'estomac, tel un taureau enragé ; Lahita, perdant l'équilibre, tomba sur le dos. Hasan lui sauta sur la poitrine, lui mit son gourdin en travers de la gorge et appuya de toutes ses forces. A cette vue, les attaquants se précipitèrent au secours de leur *futuwwa*, mais Qasim et quelques autres réussirent à les tenir en respect. Les yeux exorbités, le visage congestionné, Lahita gigotait désespérément, à demi étranglé. Soudain, Hasan se releva d'un bond et, à toute volée, abattit son gourdin, fracassant le crâne de son adversaire, qui mourut sur-le-champ.

— Lahita est mort ! cria Hasan d'une voix de tonnerre. Regardez le cadavre de votre *futuwwa* !

L'événement produisit une impression immédiate, renforçant la détermination des uns, affaiblissant celle des autres. Hasan rejoignit Qasim ; chacun de ses coups portait. Le plateau était couvert de formes bondissantes, de gourdins qui se levaient et s'abattaient, dans un nuage de poussière. Une couronne de sang ornait le front des combattants. Des cris, des gémissements, des malédictions, des rugissements. A chaque instant, un homme chancelait et tombait, ou reculait avant de s'enfuir. Des corps privés de vie jonchaient le sol, et le sang brillait dans la lumière du soleil.

S'écartant de la mêlée, Qasim jeta un coup d'œil inquiet vers l'entrée du défilé : Sadiq et ses hommes déversaient des pierres à pleins paniers, avec un acharnement et une tension qui indiquaient que l'ennemi se rapprochait dangereusement. Les femmes – et notamment la sienne, dont il reconnut la voix – appelaient au secours. Plusieurs hommes empoignèrent leurs gourdins, prêts à repousser les assaillants qui arrivaient en haut de la passe, sous une grêle de pierres. Devant la gravité de la situation, Qasim se précipita vers le cadavre de Lahita, qui gisait un peu à l'écart de la mêlée, et entreprit de le traîner vers le défilé. Sur son appel, Sadiq vint lui donner un coup de main : les deux hommes lancèrent leur fardeau, qui roula le long de la pente et vint s'immobiliser aux pieds des hommes qui grimpaient toujours, abrités derrière leurs plateaux. Cette vue sema la consternation parmi les assaillants.

— Avancez ! Mort aux assassins ! hurla Haggag.

— Oui, avancez donc ! répondit Qasim, avec un calme superbe. Voici le cadavre de votre *futuwwa* : ceux des autres sont derrière. Avancez, on vous attend !

Il fit un signe aux femmes et aux hommes qui se tenaient derrière lui : aussitôt un nouveau déluge de pierres s'abattit sur l'avant-garde des attaquants, qui se mirent à reculer lentement, malgré Haggag et Galta qui les poussaient à l'assaut. Un murmure de protestation et de dispute s'éleva jusqu'à Qasim.

— Hé, Galta ! Hé, Haggag ! Pourquoi vous sauvez-vous ? Venez donc ! leur cria-t-il.

— Descendez, si vous êtes des hommes ! répondit Galta d'un ton de haine impuissante.

— Que je sois pendu si je ne bois pas ton sang, sale petit gardien de moutons ! hurla Haggag, immobile parmi la vague des assaillants qui refluaient.

Qasim s'empara d'une pierre et la jeta de toutes ses forces. Le bombardement reprit, manquant de transformer la retraite en déroute. A ce moment, Hasan apparut, essuyant son visage couvert de sang.

— C'est fini, déclara-t-il. Les survivants sont en fuite vers le sud.

— Envoie quelques hommes à leur poursuite ! ordonna Qasim.

— Tu as la bouche et la barbe pleines de sang, fit remarquer Sadiq.

Il se passa la main sur le bas du visage : elle devint rouge vif.

— Huit des nôtres sont morts, reprit Hasan d'un air triste. Et les survivants sont tous plus ou moins gravement blessés.

Baissant les yeux, il aperçut, à travers une pluie de pierres, les ennemis qui se retiraient en courant vers l'entrée du défilé.

— S'ils étaient arrivés en haut, ils n'auraient pas trouvé un seul homme pour leur résister, reprit Sadiq, en passant la main sur la barbe de Qasim. Ton intelligence nous a sauvés !

Qasim posta deux hommes en sentinelle au haut du défilé, et en envoya quelques autres suivre les fuyards, pour éviter toute surprise. Cela fait, il revint vers le plateau, toujours flanqué de ses deux amis ; ils marchaient d'un pas lourd, recrus de fatigue. L'endroit était jonché de cadavres : une vraie boucherie. Huit des siens étaient morts, et dix ennemis, outre Lahita. Et aucun des survivants ne s'en était sorti sans une blessure ou un os brisé, au moins. Ils avaient été portés dans leurs cabanes, où les femmes s'affairaient à panser les blessures, pendant que les cris et les pleurs s'élevaient des tentes des disparus.

Le visage grave, Badriyya vint au-devant d'eux et les invita à entrer sous la tente, pour qu'elle puisse laver leurs plaies. Un peu plus tard, Sakina arriva à son tour, portant Ihsan qui pleurait à grand bruit. Le soleil, à son zénith, les bombardait de ses rayons, les milans et les corbeaux tournaient dans le ciel, et l'odeur du sang mêlée à celle de la poussière emplissait l'atmosphère. Ihsan ne cessait pas de pleurer, dans l'indifférence générale. Même Hasan, Hasan le colosse, ne semblait plus pouvoir tenir debout.

— Que Dieu fasse miséricorde à nos morts, murmura Sadiq.

— Que Dieu fasse miséricorde aux morts comme aux vivants, le corrigea Qasim.

— Bientôt, nous serons vainqueurs, et nous dirons adieu au temps du sang et de la terreur ! fit Hasan, pris par une soudaine bouffée d'enthousiasme.

— On lui dira d'aller au diable ! approuva Qasim.

89

Jamais le quartier n'avait subi pareille catastrophe. Les hommes revinrent, silencieux, abasourdis, épuisés, les yeux obstinément fixés à terre. Mais les mauvaises nouvelles les avaient précédés : dans tous les immeubles, les femmes poussaient des ululements et se frappaient le visage. La rumeur s'était même répandue dans les quartiers et les ruelles avoisinants ; la réputation belliqueuse de notre quartier n'y survécut pas, et il devint la cible de mille sarcasmes inspirés par la malveillance.

On s'aperçut alors que le secteur des Gerboises avait fui en bloc, par crainte des représailles, abandonnant maisons et boutiques ; il allait de soi qu'ils s'étaient ralliés au parti victorieux, le renforçant d'autant. La douleur s'installa sur le quartier endeuillé, linceul de cendres, sous lequel couvaient la colère, la haine et le désir de vengeance.

Et, dans le secteur de Gabal, on commença à se poser la question du nouveau *futuwwa* du quartier ; au même moment, la même question était discutée chez les Rifaïtes. Une atmosphère de soupçon et de méfiance réciproque se répandit, comme la poussière dans la tempête.

Rif'at, comprenant que tout cela ne présageait rien de bon, convoqua Galta et Haggag. Les deux hommes se firent escorter chacun par leurs gros bras, si bien que la salle de réception de l'intendant se trouva pleine à craquer ; chaque groupe s'assit à l'écart de l'autre, tant la méfiance était exacerbée entre les deux partis. Ce spectacle ajouta encore aux soucis de l'intendant.

— Nous avons eu un coup dur, mais tout n'est pas encore perdu ! déclara-t-il. Nous sommes toujours capables de triompher, mais à une condition : il faut que nous restions unis. Autrement, il n'y a plus qu'à tirer l'échelle…

— On finira bien par les avoir ! renchérit un Gabalite. Après la pluie, le beau temps !

— S'ils ne s'étaient pas planqués dans la montagne, on les aurait liquidés jusqu'au dernier, grogna Haggag.

— Si Lahita s'est fait avoir, c'est parce qu'il était épuisé par sa course dans la montagne : même un chameau n'y aurait pas tenu ! ajouta un troisième.

— Oui, mais la grande question, c'est de savoir si vous êtes toujours unis, intervint l'intendant. Qu'est-ce que vous avez à dire là-dessus ?

— Par la grâce de Dieu, on est frères et on le restera, assura Galta.

— Alors pourquoi êtes-vous venus en nombre ? On dirait que vous vous méfiez l'un de l'autre.

— Pas du tout ! Ça prouve seulement que tout le monde brûle de se venger, protesta Haggag.

L'intendant se leva d'un mouvement nerveux et scruta les visages sombres qui l'entouraient.

— Soyez francs ! Tous les deux, vous avez un œil fixé sur le collègue et un autre qui guigne la place de Lahita ! Tant que ça restera comme ça, il n'y aura pas de tranquillité pour le quartier. Et pour peu que les gourdins entrent dans la danse, bonsoir ! Vous allez vous entre-tuer et Qasim ne fera qu'une bouchée du reste.

A ces mots, un chœur de protestations s'éleva dans l'assistance.

— Il ne reste plus dans le quartier que les Gabalites et les Rifaïtes ! reprit l'intendant, haussant la voix. Que chaque secteur ait son *futuwwa* : il n'est pas nécessaire qu'il y ait un *futuwwa* en chef. Mettons-nous d'accord là-dessus et unissons-nous pour combattre l'ennemi commun.

Quelques secondes passèrent dans un silence de mort. Enfin, on entendit quelques murmures d'acquiescement, totalement dépourvus d'enthousiasme.

— On s'en arrangera, bien qu'on ait toujours été les seigneurs de ce quartier, concéda Galta.

— On ne te demande pas l'aumône, Galta ! intervint sèchement Haggag. Il n'y a pas plus de seigneurs que de larbins, ici, surtout depuis que les Gerboises ont fichu le camp. Et de toute façon, personne ne peut nier que Rifaa soit l'homme le plus noble que ce quartier ait connu !

— Ce qui veut dire ? interrogea l'autre d'un ton menaçant.

Mais l'intendant ne laissa pas au Rifaïte le temps de répondre.

— Ecoutez, dites-moi tout de suite si vous avez l'intention de vous comporter en hommes ou pas ! explosa-t-il. Si vos zizanies viennent à se savoir, le lendemain les Gerboises vont descendre de leur montagne comme des loups affamés ! Dites-moi seulement si vous êtes capables de vous serrer les coudes, ou si je dois chercher un autre plan ?

— Silence, les gars ! intervinrent plusieurs voix dans la salle. Vous n'avez pas honte ? Et notre quartier qui est au bord de la ruine !

Matés, les deux *futuwwas* se tournèrent vers l'intendant, qui reprit :

— Vous êtes toujours les plus nombreux et les plus forts. Mais il ne faudra plus essayer de les prendre d'assaut. Non, poursuivit-il, voyant leur air étonné, on va les assiéger dans leur montagne, en bloquant les deux chemins qui permettent de monter là-haut : soit ils mourront de faim, soit ils descendront et vous les liquiderez.

— C'est un bon plan ! approuva Galta. D'ailleurs, c'est exactement ce que j'avais suggéré à Lahita : mais il a refusé, cela ne lui paraissait pas digne d'un homme. Il voulait absolument monter à l'assaut…

L'intendant exigea qu'ils se prêtent serment de fraternité et d'assistance réciproque. Les deux hommes se prirent par la main et répétèrent la formule après lui.

Dans les jours qui suivirent, Galta et Haggag s'appliquèrent à rudoyer leurs hommes plus encore que de coutume, pour cacher l'humiliation de leur défaite ; ils proclamaient partout que, sans l'imbécillité de Lahita, ils n'auraient guère eu de mal à liquider Qasim et sa bande ; mais que son obstination à prendre la montagne d'assaut avait causé la perte de ses hommes, les forçant à affronter l'ennemi dans les conditions les plus défavorables. La plupart des gens crurent ce qu'on leur disait ; au reste, la moindre manifestation de scepticisme était réprimée par les injures, les coups et les malédictions habituels.

Il était interdit de mentionner la question du remplacement de Lahita, du moins en public ; mais de nombreux habitants, tant Gabalites que Rifaïtes, se la posaient dans les cercles de haschisch, se demandant lequel des deux prétendants l'emporterait après la victoire. En dépit des pactes et des serments, une atmosphère de méfiance envahit le quartier. Aucun des deux *futuwwas* ne sortait de son territoire sans être accompagné de gardes du corps.

Les préparatifs de vengeance ne s'arrêtèrent pas pour autant. Il était convenu que Galta et ses hommes dresseraient leur camp à l'entrée de la passe qui partait de Souk el-Muqattam, alors que Haggag et les siens contrôleraient le chemin qui montait de la Citadelle. Ils s'engagèrent à rester à leur poste, quand bien même ils devraient y passer toute leur vie. Les femmes, elles, s'occuperaient de leurs commerces et leur apporteraient à manger.

La veille du jour où devait commencer la campagne, ils se rassemblèrent dans les cercles de haschisch, apportant des chaudrons pleins de *bouza* et de vin, et restèrent à fumer et à boire jusqu'à une heure avancée. Haggag, d'excellente humeur, se sépara de ses gardes du corps devant le bâtiment où il habitait, dans le secteur rifaïte ; il poussa la porte et pénétra dans le corridor, tout en fredonnant une chanson sentimentale.

Il n'eut pas le temps de finir le premier couplet : brusquement, une ombre se jeta sur lui par derrière, le bâillonna d'une main, et de l'autre lui enfonça un couteau dans le cœur. Le *futuwwa* eut un violent soubresaut et s'affaissa silencieusement entre les bras de son assaillant. Celui-ci étendit doucement à terre le corps privé de vie, et disparut dans la nuit.

90

Le lendemain matin, le quartier fut réveillé par un tumulte épouvantable. Les fenêtres s'ouvrirent, laissant passer des têtes aux expressions étonnées ; elles ne tardèrent pas à se tourner vers l'immeuble où habitait Haggag, le *futuwwa* des Rifaïtes. Il y avait là un grand attroupement, d'où provenaient les cris et les gémissements. L'entrée était remplie d'hommes et de femmes ; questions et commentaires allaient bon train, et les yeux rougis par les larmes annonçaient quelque malheur. De tout le quartier, les gens affluaient vers la scène ; Galta et ses hommes ne tardèrent pas, eux aussi, à faire leur apparition. La foule s'écarta devant eux, leur ouvrant un chemin jusqu'au corridor.

— Quel grand malheur ! s'écria Galta. J'aurais donné ma vie pour toi, Haggag !

A ces mots, les sanglots, les cris et les questions se turent d'un coup ; l'exclamation de Galta tomba dans un silence hostile, sans que personne prononce les formules de politesses coutumières en pareil cas.

— Un sale coup en traître ! reprit-il. Ce ne sont pas les *futuwwas* qui agissent ainsi : Qasim n'est qu'un minable petit berger, pas un *futuwwa* ! Mais il ne perd rien pour attendre : je n'aurai pas de repos avant d'avoir donné son cadavre aux chiens !

— Félicitations ! lui lança une femme d'une voix mordante. Te voilà le *futuwwa* du quartier, Galta !

Son visage se ferma d'un seul coup. Ceux qui l'entouraient n'eurent garde de rien dire, mais un murmure s'éleva, plus loin dans la foule.

— Les femmes seraient bien avisées de fermer le bec, un jour comme celui-ci ! cria-t-il, furieux.

— Que celui qui veut comprendre comprenne ! reprit la femme sur le même ton.

— Un piège ! hurla Galta, faisant taire les huées. C'est un piège pour nous diviser.

— Un piège, tu parles ! répliqua la femme. Qasim et les Gerboises sont dans la montagne, et Haggag s'est fait tuer dans son quartier, au milieu des siens, au milieu de ses voisins qui guignent la place de Lahita !

— Cette femme est folle ! Et tous ceux qui l'écouteront sont aussi fous qu'elle ! Si vous continuez, on va finir par s'entre-tuer : c'est exactement le plan de Qasim.

A ce moment, une cruche, fendant les airs, vint se fracasser à ses pieds. Il se retira, accompagné de l'intendant.

— Ah ! le fils de pute ! pestait-il. Il sait comment s'y prendre, pour nous monter les uns contre les autres.

Après son départ, les choses ne firent qu'empirer. Un Gabalite et un Rifaïte se prirent violemment de bec, relayés par leurs femmes, puis une bagarre éclata entre deux petits garçons, un de chaque parti. Des injures et des projectiles divers commencèrent à tomber des fenêtres. Bientôt, les hommes des deux camps se trouvèrent face à face, le gourdin à la main. L'intendant sortit en courant de sa maison, entouré d'un groupe de serviteurs, et s'interposa entre les deux camps.

— Vous êtes fous ! cria-t-il à pleine voix. La colère vous rend aveugles : votre ennemi véritable, c'est Qasim, l'assassin de maître Haggag !

— Et qu'en sais-tu ? rétorqua une voix du côté des Rifaïtes. Comment veux-tu qu'un de ces rats de caniveau se risque jusqu'ici ?

— Et pourquoi veux-tu que les Gabalites aient tué Haggag précisément aujourd'hui, alors qu'ils ont besoin de son appui ? reprit Rif'at.

— Ça, c'est aux assassins qu'il faut le demander, pas à nous !

— En tout cas, les Rifaïtes ne plieront pas le genou devant un *futuwwa* gabalite !

— Oui, on leur fera payer cher !

— Ne tombez pas dans le piège qu'on vous tend ! reprit Rif'at. Ou alors Qasim va vous tomber dessus comme la peste !

— Qu'il vienne s'il veut, mais Galta ne sera pas notre *futuwwa* !

— Si vous continuez comme ça, c'est la défaite à coup sûr ! s'écria l'intendant en se tordant les mains de désespoir.

— On aime mieux la défaite que Galta ! rétorquèrent plusieurs voix.

Une pierre partie du secteur rifaïte tomba au milieu d'un groupe de Gabalites, qui se hâtèrent de riposter.

L'intendant s'enfuit pour ne pas être pris entre deux feux. Les projectiles volaient entre les deux camps, et bientôt une bagarre sanglante éclata ; même les femmes se mirent de la partie, se bombardant d'une terrasse à l'autre de pierres, de cailloux, de poignées de terre et de bouts de bois. L'engagement dura un bon moment, bien que les Rifaïtes, qui se battaient sans *futuwwa*, fussent en position d'infériorité ; aussi beaucoup tombèrent-ils sous les coups de Galta.

Soudain, les femmes qui étaient aux fenêtres se mirent à pousser des cris, qui se perdirent tout d'abord dans le tumulte de la bataille ; mais, à force d'insistance et de grands gestes horrifiés, pointant alternativement vers les extrémités est et ouest du quartier, elles finirent par attirer l'attention de quelques-uns des combattants.

Se retournant, ils aperçurent Qasim devant la Grande Maison : il arrivait, conduisant un détachement de ses hommes, les gourdins en arrêt. Au même instant, Hasan apparut du côté opposé, à la tête d'un second groupe. Dès lors, tout se passa très vite : les combats cessèrent comme par enchantement, et, d'un geste spontané, les deux partis s'unirent, faisant bloc contre les nouveaux arrivants.

— Quand je vous disais que c'était un piège ! s'écria Galta, furieux.

Epuisés et démoralisés, ils ne s'en apprêtaient pas moins à combattre, sans grand espoir. Mais Qasim s'arrêta soudain dans sa progression, imité par Hasan : on eût dit qu'ils appliquaient un plan concerté par avance.

— Nous ne voulons de mal à personne ! proclama Qasim. Il n'y aura ni vainqueur ni vaincu : nous sommes tous fils d'un même quartier et d'un même ancêtre, et le *waqf* est à nous tous !

— Encore un piège ! cria Galta.

— Ne les pousse pas à combattre pour défendre ta place ! rétorqua Qasim. Défends-la tout seul, si tu y tiens tant !

— A l'attaque ! hurla le *futuwwa*.

Il se jeta sur le groupe de Qasim, pendant que d'autres attaquaient celui de Hasan. Mais le cœur n'y était plus ; les blessés se défilèrent vers l'entrée des immeubles, suivis par d'autres, qui étaient simplement fatigués, imités à leur tour par les hésitants. Bref, Galta se retrouva seul avec ses hommes de main ; cela ne les empêcha pas de se battre avec l'énergie du désespoir, à coups de gourdin, à coups de tête, de poing et de pied. Galta lui-même concentrait son assaut sur Qasim avec une rage aveugle ; celui-ci parait habilement les coups, sans prendre de risques inutiles. Bientôt, les hommes de Qasim, par la simple force du nombre, submergèrent la bande de Galta, qui disparut sous des dizaines de gourdins. Hasan et Sadiq se jetèrent alors sur le *futuwwa*, toujours engagé dans son corps à corps avec Qasim. Sadiq rabattit son gourdin pendant que Hasan le frappait à la tête, à toute volée, une fois, deux fois, trois fois. Laissant échapper son arme, Galta fit encore quelques pas, comme un bœuf égorgé, et s'écroula d'un bloc, face contre terre.

La bataille était finie. Le fracas des gourdins et les cris des hommes cessèrent. Les vainqueurs, haletants, essuyaient leurs visages, leurs crânes et leurs poignets couverts de sang, un sourire de triomphe et de soulagement aux lèvres. Des lamentations jaillirent des fenêtres ; les hommes de Galta étaient étendus dans la poussière, sous les rayons brûlants du soleil.

— Tu as vaincu ! dit Sadiq à Qasim, Dieu t'a donné la victoire. L'Ancêtre ne s'est pas trompé quand il t'a choisi. Désormais, on n'entendra plus de lamentations.

91

Prenant la tête de ses hommes, Qasim se dirigea vers la maison de l'intendant. L'édifice était plongé dans un silence lugubre, portes et fenêtres hermétiquement closes. Hasan frappa à coups redoublés, sans obtenir de réponse. Il fallut se résoudre à enfoncer le portail. Qasim pénétra dans la maison, suivi de ses hommes, sans rencontrer âme qui vive. Ils entrèrent dans la grande salle, fouillèrent toutes les pièces, visitèrent les trois corps de bâtiment, mais en vain : l'intendant, sa famille et ses serviteurs avaient pris la fuite. A la vérité, Qasim ne s'en chagrina pas outre mesure : dans le fond de son cœur, il répugnait profondément à infliger à l'intendant la punition qu'il méritait, en raison de la dette qu'il avait envers son épouse, sans l'intercession de laquelle il aurait été mis à mort depuis longtemps. Hasan et les autres, en revanche, étaient furieux de voir leur échapper celui qui, toute sa vie, avait maintenu le quartier dans la misère et l'oppression.

Voici donc comment triompha Qasim, et comment il devint le chef incontesté de tout le quartier. Il assuma la gestion du *waqf*, puisqu'il fallait bien que quelqu'un s'en charge. Les Gerboises revinrent dans leur secteur, de même que tous ceux qui avaient fui le quartier par crainte des *futuwwas*, et notamment maître Yahya. Les quarante premiers jours s'écoulèrent sans événement particulier ; les blessures se refermèrent, les esprits se calmèrent, et les cœurs retrouvèrent la sérénité. Le quarante et unième jour, Qasim se tint devant la porte de la Grande Maison et convoqua tous les habitants, hommes et femmes. Ils se rassemblèrent devant lui, agités par des sentiments divers : impatience pour les uns, curiosité pour les autres, inquiétude pour d'autres encore. La place était noire de monde, tous clans confondus.

Le visage souriant et l'allure sereine de Qasim inspiraient tout à la fois la sympathie et le respect. Il pointa un doigt vers le haut, vers la Grande Maison et commença :

— Ici réside Gabalawi, notre Ancêtre à tous. Nous sommes tous ses descendants au même titre, sans distinction de clan, d'individu ou de sexe.

A ces mots, les visages s'épanouirent, surtout chez ceux qui s'attendaient à entendre le discours d'un maître et d'un conquérant.

— Tout autour de vous s'étend son *waqf*, poursuivit Qasim. Il sera votre propriété à tous, dans l'égalité, comme l'Ancêtre l'a promis à Adham quand il lui a dit : "Le *waqf* appartiendra à ta descendance." Il nous incombera de le faire fructifier, afin qu'il suffise à nous tous, pour que nous vivions comme Adham avait souhaité vivre : dans l'abondance, la sécurité et le bonheur paisible.

Tous échangeaient des regards incrédules, comme pour se demander s'ils ne rêvaient pas.

— L'intendant est parti pour ne plus revenir, reprit Qasim. Les *futuwwas* ont disparu. Soyez vigilants avec le nouvel intendant : s'il vous trompe, déposez-le, s'il recourt à la violence contre l'un d'entre vous, frappez-le, et si un individu ou un clan se prétend supérieur aux autres, corrigez-le. C'est seulement ainsi que vous serez à l'abri d'un retour à l'ancien système. Que le Seigneur soit avec vous.

Ce jour-là, les familles endeuillées finirent de pleurer leurs morts, et les clans vaincus se consolèrent de leur défaite. Tous étaient emplis d'espérance et attendaient l'avenir comme on attend le lever de la pleine lune par une nuit de printemps. Qasim redistribua le revenu du *waqf* dans une totale égalité, après avoir retenu une certaine somme destinée à la rénovation et à l'extension du quartier. Assurément, cela ne faisait pas grand-chose pour chacun, mais ce qui comptait, c'était un sentiment nouveau de respect et de justice.

Le règne de Qasim fut marqué par la rénovation du quartier et le rétablissement de la concorde : jamais auparavant on n'avait joui d'une telle cohésion et d'une telle prospérité. Sans doute subsistait-il, çà et là, quelques Gabalites et quelques Rifaïtes irréductibles, qui, tout en cachant leurs sentiments, n'en étaient pas moins mécontents d'être soumis à un "rat de caniveau". Et, même parmi les Gerboises, il y en avait à qui le triomphe était monté à la tête. Mais, du vivant de Qasim, aucune voix ne s'éleva pour troubler la paix.

Les Gerboises voyaient en lui un homme à part, tel que le quartier n'en avait encore jamais connu, et n'en connaîtrait jamais plus. Un homme qui combinait la force et la douceur, la sagesse et la simplicité, la majesté et l'affabilité, la puissance et la modestie, l'habileté et l'honnêteté la plus scrupuleuse. On louait sa courtoisie raffinée, sa bonne humeur et son élégance, qui en faisaient un compagnon idéal de toutes les parties de haschisch : n'était-il pas un causeur subtil, aimant les chansons et l'humour ?

Son nouveau rôle n'amena aucun changement dans son existence, sauf dans sa vie conjugale : il semblait y mener la même politique d'expansion et de renouvellement que dans sa gestion du *waqf*. En dépit de son amour pour Badriyya, il épousa une jolie fille gabalite et une autre rifaïte. Ensuite, il tomba amoureux d'une jeune fille du clan des Gerboises et l'épousa. Certains disaient qu'il recherchait une chose qu'il avait perdue en même temps que sa première femme, Qamar. L'oncle Zakariya, au contraire, affirmait qu'il voulait ainsi établir des alliances avec tous les clans. Mais la plupart des gens n'allaient pas chercher si loin. Disons-le franchement : on le respectait plus encore pour sa virilité que pour tout le reste. Chez nous, l'aptitude à aimer les femmes est particulièrement admirée, et ceux qui la possèdent jouissent d'un prestige égal, ou même supérieur, à celui des *futuwwas* à l'époque où il y avait des *futuwwas*.

Quoi qu'il en soit, jamais avant lui notre quartier ne s'était senti aussi maître de son destin : il était libre de s'occuper de ses propres affaires, sans intendant pour l'exploiter, ni *futuwwas* pour le maintenir dans la sujétion. Jamais il n'avait connu cette atmosphère paisible de fraternité et de solidarité.

Beaucoup de gens affirmaient que si, dans le passé, l'oubli avait été le fléau de notre quartier, ce temps était désormais révolu à jamais.

C'est ce qu'ils disaient…

ARAFA

92

Qui examinerait notre quartier avec quelque attention aurait beaucoup de mal à croire à ce que l'on chante dans les cafés, au son du *rebab*, Gabal, Rifaa, Qasim... ont-ils jamais existé ? Que reste-t-il d'eux ? Un quartier plongé dans les ténèbres, et un *rebab* qui ressasse des rêves anciens.

Comment en sommes-nous arrivés là ? Qu'est-il advenu de l'œuvre de Qasim : un seul quartier pour tout le monde, et le revenu du *waqf* dépensé pour le bien de tous ? D'où viennent cet intendant rapace qui nous exploite et ces *futuwwas* déchaînés qui nous oppriment aujourd'hui ? On vous le racontera autour de la pipe à eau, dans les fumeries de haschisch, entre une quinte de toux et un éclat de rire.

Sadiq succéda à Qasim et poursuivit son œuvre. Cependant, certains considéraient que Hasan aurait dû être nommé intendant à sa place : n'était-il pas le plus proche parent de Qasim, sans parler du rôle qu'il avait joué dans la liquidation des *futuwwas* ? Ceux-là encouragèrent vivement Hasan à lever son gourdin, auquel nul ne pouvait résister ; il refusa, ne voulant pas ramener le quartier à la triste époque des *futuwwas*. Mais le mal était fait : le quartier était divisé. Ce qui restait des Gabalites et des Rifaïtes en profita pour relever la tête. Aussi, lorsque Sadiq quitta ce monde, les ambitions refoulées reparurent à la surface, avec leurs visages hideux et leurs regards de haine. Les gourdins rentrèrent en action après une période de sommeil. Des rixes sanglantes éclatèrent dans tous les secteurs, et entre chaque secteur et tous les autres. Le nouvel intendant périt d'ailleurs dans l'une de ces bagarres.

Alors, la violence ne connut plus de bornes ; la tranquillité et la paix se fanèrent avant d'avoir donné tous leurs fruits. Faute de trouver une autre solution, on attribua la direction du *waqf* à un descendant de l'ancien intendant Rif'at, dans l'espoir de couper court aux conflits d'ambitions. C'est ainsi que Qadri hérita de l'administration du *waqf*, tandis que les différents secteurs retournaient à leurs vieilles guerres de clans. Bientôt, chacun d'entre eux se retrouva sous la coupe d'un *futuwwa* ; à la suite d'une série de bagarres, l'un d'entre eux, Saadallah, s'imposa comme *futuwwa* en chef du quartier. Il s'installa d'autorité dans la maison du *futuwwa* et devint le principal homme de main de l'intendant, pendant que Yousouf s'arrogeait le secteur des Gabalites, Aggag celui des Rifaïtes, et Santouri celui des Qasimites.

Au début, l'intendant distribua honnêtement les revenus du *waqf* et le mouvement de rénovation et d'agrandissement du quartier se poursuivit. Mais bientôt, comme il fallait s'y attendre, il succomba à l'appât des richesses, et l'ancien système revint en vigueur : l'intendant empochait la moitié des bénéfices et remettait l'autre moitié aux quatre *futuwwas*, qui la gardaient pour eux. En outre, ils ne se gênaient pas pour extorquer le prix de la protection aux habitants de leur secteur.

Le travail de rénovation s'arrêta, des bâtiments à moitié construits restèrent inachevés. Bref, la seule différence apparente avec l'ancien temps était que le secteur des Gerboises portait maintenant le nom de secteur des Qasimites, et que des bâtiments en dur y avaient remplacé les cahutes et les ruines d'antan : pour le reste, il était sous la coupe d'un *futuwwa* parfaitement semblable aux autres. Quant aux habitants, ils étaient retournés à la situation qui était la leur pendant les années noires : privés d'honneur et de prestige, crevant de misère, ils vivaient sous la menace perpétuelle des gourdins et des gifles, dans la crasse, les mouches et les poux. Les mendiants, les voleurs à la tire et les estropiés se multipliaient.

Gabal, Rifaa et Qasim n'étaient plus que des noms, des personnages mythiques que chantaient les conteurs des cafés, ces imbéciles abrutis par l'alcool et le haschisch. Chaque faction vantait son héros à l'exclusion des autres, ce qui entraînait souvent des disputes, voire des batailles rangées. Pour le reste, leur conception du monde se résumait en quelques maximes cyniques et résignées. "A quoi bon tout ça ?" s'écriait l'un au cours de quelque partie de haschisch ; et ce n'était pas de la drogue qu'il voulait parler, mais de la vie. "De toute façon, on finira tous par mourir, renchérissait un autre : alors, plutôt la main de Dieu que le gourdin d'un *futuwwa*. Saoulons-nous et fumons !" Et ils chantaient de tristes complaintes, tissées des fils de leur désillusion, de leur misère et de leur impuissance ; ou ils composaient des refrains obscènes qu'ils beuglaient, de préférence dans les oreilles des femmes ou de ceux qui cherchaient à s'isoler pour oublier la misère, fût-ce dans l'obscurité d'une cabane en ruine.

Et, lorsqu'ils atteignaient le fond du malheur, ils soupiraient : "Ce qui est écrit est écrit ! Gabal a échoué, tout comme Rifaa et Qasim : notre destin est d'être dévorés par les mouches en ce monde, et par les vers dans l'autre !"

Le plus étrange, c'est que notre quartier est considéré, malgré tout, comme l'un des plus distingués de la ville. Nos voisins nous montrent du doigt d'un air admiratif : "Le quartier Gabalawi !" Pendant ce temps, nous sommes assis dans la poussière, immobiles et silencieux, comme si nous nous contentions désormais de nous remémorer les souvenirs d'un passé glorieux. Comme si nous écoutions une toute petite voix, à l'intérieur de nous-mêmes, une petite voix qui murmure : "Ce qui s'est passé autrefois pourrait se reproduire demain. Les rêves du *rebab* pourraient bien se réaliser une fois encore, et chasser les ténèbres de notre vie."

93

Un beau jour, vers le milieu de l'après-midi, un jeune homme inconnu apparut dans le quartier ; il arrivait du côté du désert, suivi d'une sorte de nain. Il avait aux pieds une paire de vieux souliers rapiécés et portait une djellaba grise à même la peau ; elle était serrée à la taille par une ceinture, et dessinait toutes sortes de bosses et de plis dans sa partie supérieure, signe que son propriétaire y avait dissimulé diverses possessions. Celui-ci avait les cheveux longs et emmêlés, le teint sombre, l'œil rond et vif. On pouvait lire dans ses regards une certaine inquiétude, qui contrastait avec son attitude assurée.

Il fit une courte pause devant la Grande Maison, puis reprit sa route, toujours suivi de son compagnon. Toutes les têtes se tournaient vers lui avec une impression d'incrédulité, comme pour dire : "Un étranger dans notre quartier ! Quel culot !" Il lisait cela dans les yeux des marchands ambulants, des boutiquiers, des hommes assis dans les cafés, des femmes penchées à leur fenêtre, et jusque dans ceux des chiens et des chats ; il lui sembla que même les mouches s'éloignaient de lui en signe de protestation. Une bande de gamins se rassembla d'un air belliqueux. Quelques-uns s'avancèrent, pendant que les autres chargeaient leurs lance-pierres ou ramassaient des fragments de briques.

Avec un grand sourire, l'étranger sortit de sa djellaba quelques sucreries à la menthe qu'il distribua à la ronde. Ravis, les enfants se rassemblèrent autour de lui, suçant leurs bonbons et le contemplèrent d'un air admiratif.

— Vous ne connaîtriez pas un sous-sol à louer ? leur demanda-t-il, toujours souriant. Allez, les gars ! Il y a tout un sac de sucreries pour celui qui m'en indiquera un !

Une femme assise devant le bâtiment voisin se mêla à la conversation.

— Dis donc, espèce de cloche, qui tu es pour vouloir habiter dans notre quartier ? lança-t-elle.

— Je m'appelle Arafa, pour te servir, répondit l'autre en riant. Je suis né dans ce quartier, comme vous tous, et je reviens après une longue absence.

— Et tu es le fils de qui, mon petit gars ? demanda-t-elle en l'observant attentivement.

— De la célébrissime Gahcha ! lança-t-il en riant encore plus fort. Tu as sûrement entendu parler de Gahcha, gente dame ?

— Gahcha la diseuse de bonne aventure ?

— Elle-même en personne !

— Oui, je me souviens ! intervint une autre femme qui avait suivi la conversation tout en épouillant un enfant. Je te revois encore quand tu étais petit, toujours fourré dans les jupes de ta mère. Tu as bien changé depuis, mais tes yeux sont restés les mêmes.

— Oui, c'est bien ça, approuva l'autre femme. Et ta mère, qu'est-elle devenue ? Elle est morte ? Que le bon Dieu lui fasse miséricorde. Combien de fois je me suis assise devant son panier pour qu'elle me dise l'avenir : je récitais la formule à voix basse, elle lançait les coquillages et puis elle me racontait de ces choses… Que le bon Dieu ait ton âme, Gahcha !

— Que Dieu te donne longue vie ! Mais peut-être pourrais-tu m'indiquer un sous-sol à louer, avec l'aide de Dieu.

— Qu'est-ce qui t'amène par ici après tout ce temps ? interrogea-t-elle après l'avoir dévisagé de ses yeux chassieux.

— On finit toujours par retourner dans son quartier, auprès des siens, répondit-il d'un ton faussement sentencieux.

Elle lui montra du doigt un bâtiment dans le secteur des Rifaïtes.

— Tu as un sous-sol là-dedans : il est vide depuis que la femme qui y habitait est morte brûlée. Dieu ait son âme. Ça ne te fait pas peur ?

— Ce serait plutôt lui qui ferait fuir les fantômes ! lança une autre femme du haut de sa fenêtre.

— Quel quartier plaisant que le nôtre ! s'écria Arafa avec une gaieté un peu forcée. Comme c'est agréable de trouver des gens aussi sympathiques et spirituels ! Je comprends pourquoi ma mère, avant de mourir, m'a recommandé de retourner ici !

Puis, s'adressant à la femme assise, il reprit :

— La mort est une dette que nous devons tous payer un jour ou l'autre, ma toute bonne ; peu importe que ce soit par le feu, par l'eau, par un mauvais esprit ou par un coup de gourdin !

L'ayant saluée, il s'en fut vers le bâtiment qu'elle lui avait indiqué, suivi par tous les regards.

— Dis donc, lui lança un homme avec un gros rire, ta mère on l'a bien connue, mais ton père, on n'a jamais su qui c'était !

— Dieu a ordonné de taire les scandales ! grommela une vieille.

— Ouais, il peut se dire aussi bien fils d'un Gabalite que d'un Rifaïte ou d'un Qasimite, selon ce qui l'arrange ! renchérit un troisième. Enfin, que le bon Dieu pardonne à sa mère !

— Tu crois que c'était une bonne idée de revenir ? glissa le nain à l'oreille d'Arafa.

— Tu sais, dans tous les quartiers c'est la même chose, répondit celui-ci, le sourire toujours aux lèvres. Au moins, nous sommes ici chez nous : c'est le seul endroit où nous pouvons nous installer. J'en ai assez de traîner dans les souks et de dormir à la belle étoile. Et puis, ces gens ne sont pas vraiment méchants, ils sont seulement grossiers. En plus, ils ont beau rouler des mécaniques, ce sont des naïfs : ne t'en fais pas, mon vieux Hanach, on trouvera facilement à gagner notre vie par ici !

Hanach haussa ses maigres épaules, de l'air de dire : "On verra bien !" Soudain, un homme, manifestement pris de boisson, se mit en travers de leur chemin.

— Comment c'est qu'on t'appelle ? lança-t-il.

— Arafa.

— Et ton patronyme ?

— Arafa, fils de Gahcha.

Un groupe de traîne-savates qui se trouvait à proximité éclata de rire en voyant son humiliation.

— Tu peux pas savoir comme on s'est disputé quand ta mère est tombée enceinte pour savoir qui était le père ! poursuivit l'ivrogne. Elle te l'aurait pas dit, par hasard ?

— Eh non ! répondit Arafa en riant plus fort encore pour dissimuler sa peine. Elle-même ne l'a jamais su !

Les autres riaient encore quand il s'éloigna. Pendant ce temps, la nouvelle de son retour s'était répandue dans tout le quartier : avant même qu'il eût pris possession de son sous-sol, le garçon du café des Rifaïtes vint lui dire que maître Aggag, le *futuwwa* du secteur, voulait le voir.

Il se dirigea donc vers le café, tout proche du bâtiment où il avait élu domicile. La première chose qui attira son attention, en approchant de l'établissement, fut l'image peinte sur le mur du fond, au-dessus de l'estrade du conteur. En bas figurait Aggag, fièrement juché sur un cheval ; au-dessus de lui trônait l'intendant,

Qadri, avec ses grosses moustaches en croc et sa cape richement brodée ; enfin, surmontant le tout, l'image de Gabalawi portant entre ses bras le corps de Rifaa, qu'il venait de sortir du tombeau.

Après avoir observé l'ensemble d'un coup d'œil rapide mais attentif, il pénétra dans le café et aperçut Aggag assis sur un banc au milieu de la travée de droite, entouré de ses hommes de main et flagorneurs attitrés. Lorsqu'il fut devant lui, le *futuwwa* lui lança un long regard hostile, comme s'il cherchait à l'hypnotiser avant de se jeter sur lui.

— Salut et bénédictions à notre *futuwwa* ! lança Arafa en portant respectueusement la main à son front. Salut à celui qui nous protège de sa force et dont la présence garantit notre bonheur !

Une lueur amusée brilla dans les yeux porcins du *futuwwa*.

— Tu causes bien, pour un fils de pétroleuse ! lança-t-il. Seulement, tu vois, les belles paroles, c'est pas une monnaie qui a cours par ici… enfin, pas toute seule.

— Le reste viendra aussitôt que possible, si le Seigneur le veut, répondit l'autre sans se départir de son sourire.

— Pas mèche ! On a déjà assez de mendigots comme ça dans le secteur !

— Mais je ne suis pas un mendiant, patron ! protesta Arafa avec une vanité bouffonne. Tu vois devant toi un magicien et alchimiste dont l'univers entier a reconnu le talent !

— Qu'est-ce que tu me chantes là, enfant de sagouine ? grogna l'autre en baissant les yeux.

Arafa plongea une main dans l'ouverture de sa djellaba et en sortit un petit récipient joliment décoré, de la taille d'un jujube. Prenant un air humble, il s'approcha d'Aggag et le lui tendit ; l'autre s'en empara sans enthousiasme et l'ouvrit : il contenait une sorte de pâte noirâtre.

— Prends-en gros comme un grain de blé dans une tasse de thé deux heures avant l'acte… tu me comprends, et tu m'en diras des nouvelles !

Du coup, l'assistance, jusqu'alors parfaitement indifférente, se tourna vers les deux hommes, tendant le cou pour apercevoir le produit magique. Même Aggag ne put dissimuler complètement son intérêt.

— C'est tout ce que tu as, comme magie ? demanda-t-il pourtant, feignant l'indifférence.

— Non certes ! J'ai encore des parfums rares et de grand prix, des potions merveilleuses, des remèdes souverains, des amulettes de grand pouvoir… Mais c'est surtout contre la maladie, la langueur et la stérilité que j'excelle !

— Eh bien c'est parfait ! Comme ça tu pourras payer de belles contributions ! conclut Aggag d'un ton vaguement menaçant.

— Tout ce que je possède est à ton service, patron ! répondit Arafa, se forçant à prendre un ton joyeux.

— Seulement, tu ne nous as toujours pas dit qui était ton père ! reprit soudain le *futuwwa* avec un rire gras.

— Si ça se trouve, tu es mieux placé que moi pour le savoir ! rétorqua le jeune homme sur le ton de la plaisanterie.

Un éclat de rire général accueillit la réplique ; les commentaires graveleux se croisaient dans l'air enfumé. "Et qui peut vraiment savoir qui est son père ? se dit le jeune homme en s'éloignant. Même pas toi, Aggag ! Bande de crapules !"

Ayant rejoint Hanach, il s'en fut examiner tranquillement son nouveau logis.

— C'est plus grand que je ne le pensais, déclara-t-il enfin. Tout à fait ce qu'il nous faut, mon vieux Hanach ! Je pourrai recevoir les clients dans cette pièce-ci ; à côté, ce sera la chambre à coucher, et tout au fond j'installerai le laboratoire.

— Dis donc, demanda l'autre d'une voix inquiète, d'après toi, dans quelle chambre elle a brûlé, la femme ?

Arafa éclata d'un rire qui se répercuta dans l'appartement vide.

— Tu as peur des fantômes, Hanach ? s'exclama-t-il. Pourtant ce sont nos alliés, comme les serpents étaient les alliés de Gabal ! Evidemment, reprit-il en jetant un coup d'œil à la ronde, il n'y a qu'une seule fenêtre, dans la pièce qui donne sur la rue. Mais enfin, nous pourrons observer les pieds des passants à travers ce soupirail, derrière ces barreaux ! Et puis, ce qu'il y a de bien, avec ce caveau, c'est qu'on n'a rien à craindre des cambrioleurs.

— Ils pourraient forcer la porte !

— Oui, ils pourraient, mais ça ne veut pas dire qu'ils le feront !

Puis, changeant de ton :

— Dire que je possède tant de choses utiles à mes semblables, et que je n'ai jamais connu que les mauvais traitements ! soupira-t-il.

— Ne t'inquiète pas, le rassura Hanach. Le succès te vengera bientôt de tout le mal qu'on t'a fait, et qu'on a fait à ta pauvre mère avant toi !

A ses moments de loisir, il aimait s'asseoir sur un vieux divan et regarder par le soupirail ; il appuyait le front aux barreaux et observait tout ce qui se passait à ras de terre : les pieds des passants, les roues des charrettes, les chats, les chiens, les insectes et les enfants. Quant aux visages et aux corps, il ne pouvait les apercevoir qu'en se ratatinant sur lui-même et en levant la tête. En ce moment, il contemplait un petit garçon tout nu qui jouait avec une souris morte ; puis passa un vieil aveugle qui portait de sa main gauche un plateau chargé de graines de courges, de fèves grillées, de sucreries, et surtout de mouches, et s'appuyait de la main droite à un bâton de bois mal dégrossi. Un cri de douleur s'éleva d'un soupirail voisin. Une bagarre éclata entre deux hommes, qui eurent bientôt tous deux le visage en sang. Arafa sourit au petit garçon et lui demanda :

— Comment t'appelles-tu, mon grand ?

— 'Ouna.

— Tu veux dire Hassouna ? Elle te plaît tant, cette souris morte, Hassouna ?

Sans répondre, il la lui lança à la tête ; sans un barreau du soupirail, Arafa l'aurait reçue en plein visage. Le petit se sauva, roulant et tanguant comme un bateau.

— Il n'y a pas un pouce de ce quartier où tu ne trouveras pas la trace de la présence des *futuwwas*, déclara-t-il à Hanach qui sommeillait, étendu devant ses pieds. Par contre, je ne vois vraiment rien qui indique l'existence de gens comme Gabal, ou Rifaa, ou Qasim.

— Que veux-tu, répondit l'autre en bâillant, les Saadallah, les Yousouf, les Aggag et les Santouri, on les a sans arrêt sous les yeux, alors que Gabal, Rifaa et Qasim, on n'a jamais fait qu'en entendre parler.

— Mais ils ont vraiment existé…

— Ecoute un peu : tous ceux qui habitent ce secteur sont des Rifaïtes. Ça veut dire qu'ils sont les disciples de Rifaa, dont le conteur nous rappelle tous les soirs qu'il a vécu et qu'il est mort pour que les autres vivent dans l'amour et le bonheur. Résultat, chaque matin à jeun, on a droit à leurs injures et à leurs engueulades. Et ils sont tous comme ça, hommes et femmes.

— Mais ils ont existé… répéta Arafa avec une moue agacée.

— Les injures, passe encore, poursuivit le nain. C'est le moins qui puisse t'arriver dans le secteur de Rifaa. Mais les bagarres, que Dieu t'en préserve ! Hier encore, un type y a laissé un œil…

— Quel quartier, quand même ! s'écria Arafa en se levant avec colère. Que Dieu ait l'âme de ma pauvre mère ! nous rendons service à tout le monde, mais personne ne nous respecte !

— De toute façon, ils ne respectent personne.

— A part les *futuwwas*, naturellement !

— Enfin, ne te plains pas, conclut Hanach en riant : tu es le seul homme du quartier qui a des relations aussi bien avec les Gabalites qu'avec les Rifaïtes et les Qasimites.

— Qu'ils aillent tous au diable, les uns et les autres !

Il garda quelques instants le silence ; dans la pénombre, ses yeux brillaient de colère.

— Chacun de ces imbéciles se gargarise de son héros, dont il ne reste plus que le nom ! Mais à part les vantardises et les rodomontades, ils ne font strictement rien ! Bande de lâches ! Fils de chiens !

Sa première cliente avait été une femme du secteur rifaïte ; elle était venue le consulter la première semaine de son installation.

— Connais-tu le moyen de se débarrasser d'une femme sans que personne le sache ?

Complètement estomaqué, il l'avait regardée un long moment d'un air stupéfait.

— Ce n'est pas mon métier, ma petite dame, avait-il fini par déclarer. Mais si tu veux des remèdes pour le corps et pour l'esprit, à ton service.

— Mais enfin, tu es sorcier ? avait-elle demandé d'un ton incrédule.

— Pour tout ce qui fait du bien, oui. Pour le meurtre, il y a d'autres spécialistes…

— Je vois… tu n'as pas confiance en moi. Mais dis-toi bien que j'aurai autant d'intérêt que toi à ce que ça ne se sache pas.

— Tout de même, Rifaa n'aurait pas fait une chose pareille ! observa-t-il avec une ironie secrète.

— Rifaa, que la miséricorde de Dieu l'accompagne ! Mais dans ce quartier, la compassion n'a pas cours : sans ça, Rifaa ne serait pas mort.

Elle était partie fort mécontente, mais il ne regrettait rien. Rifaa lui-même, qui était le meilleur des hommes, n'avait pas connu la sécurité dans ce quartier : comment pouvait-il escompter, lui, y vivre en paix s'il commençait son travail par un crime ? Et sa mère ! Que de maux n'avait-elle pas soufferts, alors qu'elle n'avait causé de tort à personne ! Non, il lui fallait agir en commerçant habile, et nouer de bonnes relations avec tout le monde.

Il fréquentait donc tous les cafés, rencontrant dans chacun un client. Il écoutait les récits des conteurs de chaque faction, tant et si bien qu'ils se mélangeaient tous dans sa tête. Son premier client qasimite fut un vieillard décrépit qui lui chuchota avec un sourire égrillard :

— On a entendu parler du cadeau que tu as donné à Aggag, le *futuwwa* des Rifaïtes…

Arafa examina curieusement le visage ridé.

— Ne fais pas cette tête et donne-moi un peu de ton truc, reprit l'autre. T'en fais pas, il y a encore de la ressource…

Ils échangèrent un sourire ; le vieux reprit, d'un ton câlin :

— Tu es un Qasimite, non ? En tout cas, c'est ce que tout le monde raconte, dans notre secteur…

— Parce qu'on sait qui est mon père, par chez vous ? demanda Arafa d'un ton ironique.

— Non, mais entre Qasimites, on se reconnaît toujours, et toi, tu en es un, pour sûr… C'est nous qui avons élevé ce quartier au sommet de la justice et du bonheur… malheureusement, c'est un quartier qui n'a pas de chance !

Puis, se souvenant du but de sa visite :

— Le petit cadeau, s'il te plaît.

L'homme s'en fut aussitôt après, couvant le récipient de son regard chassieux, trottinant sur ses jambes débiles, d'un air sérieux et plein d'espoir.

Tout dernièrement, il avait reçu une visite complètement inattendue. Alors qu'il était dans sa pièce de réception, assis sur un coussin devant lequel fumait un brûle-parfum, Hanach apparut, précédant un vieux Nubien.

— Oncle Younis, le portier de notre monsieur, l'intendant, annonça-t-il.

Arafa se leva d'un bond, les deux mains tendues :

— Bienvenue… Bienvenue… Tu nous fais bien de l'honneur. Donne-toi la peine de t'asseoir, notre maître.

— C'est pour Nazira *hanem*, la dame de l'intendant, déclara le portier sans préambule. Elle fait de mauvais rêves et ça l'empêche de dormir.

Une lueur d'intérêt brilla dans les yeux d'Arafa et il sentit son cœur battre, sous l'effet de l'espoir et de l'ambition. Toutefois, il aurait été maladroit de sembler se donner trop d'importance.

— Ça ne sera rien, dit-il. Une indisposition passagère, sans doute. Tout va bientôt rentrer dans l'ordre.

— Oui, mais la *hanem* souffre beaucoup ; elle m'a envoyé à toi pour que tu lui prescrives quelque chose qui lui convienne…

— Le mieux serait que je puisse lui parler moi-même, risqua Arafa qui, pour la première fois de sa vie, se sentait important.

— Pas question ! coupa l'autre. Elle ne viendra pas ici, et toi, tu n'entres pas chez elle.

— Alors il me faudrait au moins son foulard, ou quelque chose qui lui appartienne, insista-t-il.

Le portier inclina gravement sa tête enturbannée et se leva pour partir. Au moment de passer la porte, il hésita un instant, puis, s'inclinant à l'oreille d'Arafa, lui chuchota :

— On a entendu parler du cadeau que tu as fait à Aggag, le *futuwwa* des Rifaïtes…

Lorsqu'il s'éloigna, serrant précieusement sa petite boîte, Arafa et Hanach furent pris d'une longue crise de fou rire.

— Pour qui le petit cadeau ? se demanda le nain. Pour lui, pour l'intendant, ou pour la *hanem* ?

— Les petits cadeaux et les gourdins, ils ne connaissent que ça, dans ce quartier de malheur !

Arafa se mit à la fenêtre pour regarder le quartier sous la nuit. Le mur d'en face était tout argenté par la lumière de la lune ; à travers le chant des grillons, on entendait la voix du conteur, dans le café du quartier :

“Adham dit : «Quand reconnaîtras-tu enfin qu'il n'y a plus rien de commun entre toi et moi ? – Mais enfin, que le ciel te préserve, n'es-tu pas mon frère ? s'écria Idris. C'est là un lien que rien ne saurait briser. – Idris ! Est-ce que tu ne nous as pas assez fait souffrir comme ça ? – Le chagrin te fait délirer ! Mais nous sommes tous deux dans l'affliction : tu as perdu Hammam et Qadri, et moi j'ai perdu Hind. Ah ! elle est belle, la descendance du grand et vénérable Gabalawi ! Une putain et un assassin ! En tout cas, tu t'en tires à meilleur compte que moi : il te reste encore des enfants pour remplacer ceux qui ne sont plus là… – Si ta punition n'est pas à la mesure de tes actes, que le monde s'écroule !» rugit Adham, exaspéré.”

Avec dégoût, Arafa se détourna de la fenêtre. Ils n'en finiraient donc jamais de rabâcher les mêmes histoires ? Quand le monde s'écroulerait-il enfin ? Sa mère aussi lui avait dit un jour : “Si la punition n'est pas à la mesure du crime, alors que le monde s'écroule !” Sa pauvre mère, qui vivait dans le désert… Mais à quoi leur avaient servi toutes ces histoires ?

95

Arafa et Hanach travaillaient dans la pièce du fond de leur appartement, à la lumière d'une lampe à pétrole fixée au mur : c'était un réduit humide et sans fenêtre, qui ne pouvait servir de pièce d'habitation, aussi l'avaient-ils converti en laboratoire. Sur le sol s'accumulait un bric-à-brac d'objets mystérieux, soigneusement empilés : du charbon, un réchaud, des feuilles de papier couvertes de formules magiques, des terres et des minéraux variés, des plantes et des aromates, et toutes sortes d'animaux et d'insectes desséchés : souris, crapauds ou scorpions… On devinait aussi des piles d'éclats de verre, des flacons, des bidons de fer-blanc remplis d'eau, de mystérieux liquides à l'odeur violente. Le long des murs couraient des étagères chargées de pots, de flacons et de sachets.

Arafa était occupé à mélanger divers ingrédients dans un grand récipient de terre cuite, s'arrêtant de temps à autre pour s'éponger le front, pendant que Hanach le surveillait attentivement, prêt à intervenir au moindre geste de son compagnon.

— Si ce n'est pas malheureux, tout de même ! s'écria-t-il soudain. Tu te donnes deux ou trois fois plus de mal que le plus gros travailleur de ce quartier de malheur, et pour gagner quoi ? Quelques millimes, au mieux une piastre !

— Que Dieu fasse miséricorde à ma mère ! répondit paisiblement Arafa. Il n'y a que moi pour savoir ce qu'elle valait : le jour où elle m'a confié à ce magicien étranger, qui savait lire dans la pensée, elle a changé toute ma vie ! Sans cela, je serais devenu voleur à la tire, ou mendiant, dans le meilleur des cas !

— Et tout ça pour gagner quelques millimes ! répéta tristement le nain.

— Que veux-tu, les petits ruisseaux font les grandes rivières ! Ne désespère pas : il n'y a pas que les *futuwwas* qui peuvent s'enrichir. Et n'oublie pas le prestige dont nous jouissons, et la confiance que tous mes clients m'accordent, en mettant leur vie et leur réputation entre mes mains. Sans compter le plaisir que nous tirons de ce métier : quoi de plus beau qu'extraire un produit bénéfique à partir de matériaux impurs, ou de voir réussir une cure, et guérir un malade ? Il y a toutes sortes de forces obscures et inconnues à découvrir et à maîtriser…

— Je ferais mieux d'allumer le réchaud dans le corridor, autrement on va étouffer, coupa l'autre, changeant brusquement de sujet.

— Eh, va l'allumer en enfer si tu veux, mais ne m'interromps pas ! Aucun de ces imbéciles, qui se prennent pour les patrons de ce quartier, n'est capable de s'imaginer l'importance des choses qui se passent dans cette cave obscure, pleine de saletés et d'odeurs bizarres. Le "petit cadeau", ça oui, ils ont compris à quoi ça servait, mais c'est de la broutille comparé aux prodiges qui pourraient sortir de cette cave. Les crétins ! Ils ignorent ce que vaut Arafa, mais pas pour longtemps ; alors il faudra bien qu'ils bénissent ma mère, au lieu de déshonorer sa mémoire !

Hanach, qui s'était à demi levé, se rassit en tailleur.

— Et pourtant, il suffirait d'un imbécile de *futuwwa* armé d'un gourdin pour détruire tout ça, objecta-t-il.

— Mais nous ne faisons de mal à personne et nous payons la protection : pourquoi veux-tu qu'on nous cherche noise ?

— Et Rifaa, qu'avait-il fait ? ricana l'autre.

— Ah ! fiche-moi la paix avec tes idées noires !

— Réfléchis un peu, vieux frère : tu rêves de gagner de l'argent et de devenir quelqu'un d'important, mais ici, seuls les *futuwwas* ont le droit d'être riches et puissants…

Arafa se tut, absorbé par l'examen de sa mixture ; puis il leva les yeux vers Hanach et dit en riant :

— Merci pour tes conseils, mon vieux Hanach, mais ma mère me les avait donnés avant toi ! Seulement, figure-toi que j'ai un plan !

— Pourtant, on dirait que seul ton art t'intéresse.

— Oui, l'alchimie est une chose merveilleuse, aux pouvoirs illimités : celui qui la possède se moque des gourdins des *futuwwas*. Allons, Hanach, ne sois pas stupide ! Imagine ce qui se passerait, si tous les habitants du quartier étaient alchimistes !

— Il se passerait qu'ils mourraient tous de faim, voilà tout !

— Tu es bête ! Réfléchis un peu à tout ce qu'ils pourraient faire : je te jure qu'il apparaîtrait autant de merveilles dans ce quartier qu'on y entend aujourd'hui d'injures et de malédictions !

— Oui, seulement il seraient tous morts de faim avant !

— Non, ils ne mourraient pas tant qu'ils resteraient sans…

Il s'interrompit soudain, plongé dans ses pensées, et resta silencieux jusqu'à ce qu'il eût fini son travail.

— Le conteur des Qasimites affirme que Qasim voulait utiliser le *waqf* pour donner à chacun selon ses besoins, reprit-il. Ainsi, plus personne ne serait obligé de travailler pour vivre, selon le rêve d'Adham.

— Oui, enfin, c'est ce qu'ils prétendent.

— Mais ce n'est pas ça le but de la vie ! s'exclama Arafa, les yeux brillants. Tu t'imagines, passer ta vie à flemmarder et à chanter ! C'est un beau rêve si on veut, mais au fond c'est un peu ridicule, mon vieux Hanach. Ce qui serait vraiment bien, ce serait d'être libre de consacrer son temps à créer des merveilles !

Hanach secoua sa grosse tête, qui semblait posée directement sur ses épaules, comme pour couper court à une conversation dépourvue de sens.

— Eh bien, maintenant, si tu me le permets, je vais allumer le réchaud sous le soupirail, proposa-t-il.

— C'est ça, vas-y, et jette-toi dedans ! C'est tout ce que tu mérites, approuva Arafa en riant.

Une heure plus tard, il sortit de l'atelier et alla s'adosser au divan, devant le soupirail. Après le silence, le tumulte de la rue lui paraissait assourdissant : les cris des marchands ambulants, les caquetages des femmes, les plaisanteries braillées à pleins poumons, et un bel assortiment d'injures diverses accompagnaient le flot ininterrompu des passants.

Soudain, son regard fut attiré par un détail nouveau : en face de son soupirail, de l'autre côté de la rue, un café en plein vent s'était installé. Sur un léger bâti de bois, recouvert d'un vieux drap, s'alignaient des boîtes de café, de thé et de cannelle, un réchaud à charbon de bois, des cafetières, des tasses et des verres. Un vieil homme assis par terre attisait le feu pour faire chauffer l'eau, pendant que, derrière le comptoir improvisé, une toute jeune fille interpellait les passants d'une voix chaude : "Au bon café, les gars !"

L'échoppe se trouvait aux confins du secteur qasimite et du secteur rifaïte ; elle semblait attirer essentiellement les marchands ambulants et les miséreux. Arafa examina longuement la fille à travers les barreaux du soupirail, admirant la douceur de son visage à la peau sombre, encadré d'un fichu noir, l'élégance de ses mouvements lorsqu'elle se déplaçait, chastement vêtue d'une longue robe brune qui tombait jusqu'à terre, et l'éclat ambré de ses yeux, malgré la paupière de son œil gauche rougie et enflammée par quelque infection. Elle était manifestement la fille du vieil homme, avec qui elle présentait un air de famille évident ; sans doute l'avait-il engendrée sur le tard, comme cela arrive souvent dans notre quartier.

— Hé, la fille ! cria-t-il sans hésitation. Un thé, s'il te plaît !

Elle remplit prestement un bol à une bouilloire à demi enterrée dans la cendre du réchaud et, traversant la rue, le lui tendit.

— Dieu te bénisse ! remercia Arafa en souriant. C'est combien ?

— Deux millimes.

— C'est cher pour le thé… par contre, toi, tu vaux bien plus !

— Dans les grands cafés, tu le paies cinq millimes et il n'est pas meilleur, protesta-t-elle.

Pendant qu'elle s'éloignait, Arafa se mit à siroter le liquide brûlant à petites gorgées, sans la quitter des yeux. Sa beauté lui paraissait sans défaut, à part cette inflammation de la paupière : et combien il lui aurait été facile de la guérir ! Seulement, pour l'avoir à lui, il faudrait certainement plus d'argent qu'il n'en possédait pour l'instant. Il avait d'ailleurs un logement tout prêt : Hanach n'aurait qu'à aller dormir dans le couloir, ou, s'il préférait, dans le cabinet de consultation, à condition de le débarrasser au préalable des punaises qui y grouillaient.

Une rumeur l'arracha à sa rêverie : les passants se retournaient tous vers le haut de la rue et murmuraient entre eux : "Voilà Santouri !" Se penchant au-dehors autant que lui permettaient les barreaux, Arafa aperçut le *futuwwa* qui approchait, entouré de ses hommes de main. Alors qu'il passait près du café en plein vent, son regard s'arrêta sur la jeune fille.

— Qui c'est ? demanda-t-il à un de ses compagnons.

— Awatef, la fille d'oncle Chakroun.

Santouri haussa les sourcils d'un air satisfait et passa son chemin. Cette scène produisit une impression désagréable sur Arafa ; il fit signe à la jeune fille, qui vint reprendre le bol vide et toucher les deux millimes.

— Tu n'as pas d'ennuis ? lui demanda-t-il, en montrant du menton la direction qu'avait prise Santouri.

— Si jamais j'en avais, je saurais que je peux compter sur toi ! répondit-elle en riant, avant de s'en retourner.

Son ironie ne contenait aucun défi, seulement une profonde tristesse. Le cœur serré, Arafa la regarda s'éloigner. Puis, entendant Hanach qui l'appelait, il se précipita vers la pièce voisine.

96

Les clients d'Arafa se multiplièrent ; mais aucune visite ne le réjouit autant que lorsqu'il vit Awatef pénétrer dans son cabinet de consultations. Oubliant de prendre l'air grave et doctoral, comme il le faisait habituellement avec ses clients, il se leva pour l'accueillir et la faire asseoir devant lui sur un coussin, avant de prendre place à son tour, le cœur en fête.

Après avoir examiné son œil gauche, qui disparaissait presque derrière sa paupière rouge et enflée, il déclara d'un ton de reproche :

— Tu n'aurais pas dû attendre si longtemps, ma petite demoiselle : déjà, le premier jour où je t'ai vue, tu avais la paupière toute rouge !

— J'ai pensé qu'il suffirait de la laver à l'eau tiède, s'excusa-t-elle. Que veux-tu, j'ai tant de travail que je n'ai pas pu la soigner.

— C'est pourtant presque un crime de négliger de si jolis yeux !

Le compliment lui fit plaisir, et elle sourit pendant qu'il se tournait vers l'étagère pour y prendre un petit paquet.

— Mets ça dans une gaze, fais chauffer le tout à la vapeur et attache-le sur ton œil chaque nuit, jusqu'à ce qu'il redevienne aussi beau que l'autre.

Elle prit le paquet et sortit son porte-monnaie de sa poche.

— Laisse donc ! protesta le jeune homme en riant. Entre voisins, on se doit bien ça !

— Mais toi, tu paies quand tu prends du thé chez nous…

— C'est à ton père que je paie… Quel homme remarquable ! J'aimerais bien le connaître. C'est vraiment triste qu'il soit encore obligé de travailler, à son âge.

— Mais c'est qu'il a encore bon pied bon œil ; d'ailleurs c'est lui qui refuse de rester à la maison. Et pourtant, son grand chagrin, c'est d'avoir vécu si vieux : il a connu l'époque de Qasim.

— Vraiment ! s'écria Arafa, manifestement intéressé. Et il a été parmi ses compagnons ?

— Non, mais il a goûté le bonheur en ce temps-là, et depuis il ne cesse de le regretter.

— J'aimerais bien faire sa connaissance : il doit avoir des choses passionnantes à raconter.

— Non, il ne faut surtout pas l'encourager à parler de ça ! Au contraire, mieux vaudrait pour lui tout oublier : une fois, qu'il était à la taverne avec des amis, et qu'il avait bu quelques coups de trop, il s'est levé brusquement pour réclamer le retour au système de Qasim. Eh bien, ce soir-là, en rentrant chez lui, il s'est trouvé nez à nez avec Santouri, qui l'a laissé à moitié mort...

— On n'est jamais tranquille, avec ces *futuwwas* ! approuva Arafa, en jetant un regard oblique à la jeune fille.

Celle-ci leva les yeux, essayant de discerner si cette remarque cachait une intention secrète.

— Oui, approuva-t-elle, on n'a jamais la paix avec eux.

— Il m'a semblé que Santouri te regardait d'une façon un peu inconvenante, poursuivit-il après une brève hésitation.

— Que le diable l'emporte !

— Et pourtant, il y en a à qui ça ne déplairait pas, d'attirer l'attention du *futuwwa* du secteur...

— Il a déjà quatre femmes ! objecta-t-elle.

— Mais s'il était libre ?

— Je l'ai toujours détesté depuis ce qu'il a fait à mon père ! s'écria-t-elle. D'ailleurs, tous les *futuwwas* sont pareils : tous des sans-cœur ! Ils vous extorquent le prix de la protection, et on dirait qu'ils vous font une faveur !

— Tu as bien raison, Awatef ! s'exclama Arafa, qui se sentait un poids de moins sur la poitrine. Et Qasim aussi a eu raison de les éliminer ; mais ils sont revenus, comme une peste maligne.

— Et c'est pourquoi mon père soupire toujours après le bon temps de Qasim.

— Oui, comme d'autres soupirent après le temps de Gabal ou de Rifaa, ajouta-t-il, pris d'un désespoir soudain. Mais le passé ne reviendra pas.

— Tu dis ça parce que tu n'as pas connu Qasim comme mon père l'a connu ! s'exclama-t-elle avec une indignation qui la rendait encore plus ravissante.

— Et toi, tu l'as connu ?

— Non, mais mon père m'a raconté…

— Ma mère aussi m'a raconté, mais à quoi ça sert ? Ça ne nous débarrassera pas des *futuwwas* ; ma mère elle-même a été leur victime, et ça ne les empêche pas d'insulter sa mémoire.

— Vraiment ?

— C'est pourquoi je crains pour toi, Awatef, reprit-il, se rembrunissant soudain. Les *futuwwas* ne respectent rien, ni la propriété, ni l'honneur, ni l'amour, ni la dignité. Ecoute, je vais te dire la vérité : depuis que j'ai vu comment cette sale bête te regardait, je me dis que la seule solution, c'est de les liquider tous.

— C'était la volonté de notre Ancêtre le Fondateur.

— Ah oui ? Et où est-il, notre Ancêtre ?

— Dans la Grande Maison.

— Oui. Ton père parle de Qasim, et Qasim parlait de l'Ancêtre. Et nous, pendant ce temps-là, qu'est-ce qu'on voit ? Qadri, Saadallah, Aggag, Santouri et Youssouf ! C'est de la force que nous avons besoin pour nous débarrasser de cette engeance, pas de vieux souvenirs !

Se rendant compte que cette conversation risquait de ternir l'atmosphère de la rencontre, il reprit, par une transition habile :

— Le quartier a besoin de la force, comme moi j'ai besoin de toi.

Elle lui jeta un regard réprobateur, qu'il accueillit d'un sourire audacieux, avant d'ajouter, pour détourner la colère qui s'amoncelait dans les sourcils froncés de la jeune fille :

— Eh oui, c'est comme ça : il était une fois une fille, belle, bonne et intelligente, travailleuse au point d'en oublier de se soigner. Un jour, elle va chez le magicien du quartier, s'imaginant avoir besoin de lui ; et là, elle s'aperçoit que c'est lui, au contraire, qui a besoin d'elle.

— Il faut que je m'en aille, maintenant, déclara-t-elle en se levant.

— J'espère que tu ne m'en veux pas, au moins ? Après tout, je ne t'ai rien dit que tu ne saches déjà : tu as bien dû te douter de quelque chose en me voyant toujours à la fenêtre à observer ton café. Que veux-tu, un célibataire comme moi ne peut pas rester éternellement seul : quand on a une maison à tenir et qu'on gagne honnêtement sa vie, on a besoin de partager avec quelqu'un…

Awatef sortit de la pièce. Il la raccompagna jusqu'au corridor ; elle semblait répugner à partir sans rien dire.

— Porte-toi bien, murmura-t-elle.

Il resta quelques instants immobile, fredonnant une chanson qui parlait d'amour et de clair de lune, puis, d'un pas vif et plein d'ardeur, se dirigea vers son atelier, où il trouva Hanach penché sur son travail.

— Alors ? lui lança-t-il.

— Tout est prêt ! répondit l'autre en lui montrant une bouteille de verre hermétiquement fermée. Seulement il faudrait faire un essai dans le désert.

— Oui, dans le désert, approuva Arafa en observant attentivement l'objet. Sinon, ça va se savoir.

— Ecoute, reprit le nain d'un ton inquiet, on commence à gagner de l'argent, la vie a l'air de nous sourire : est-ce que c'est vraiment la peine de risquer tout ça ?

C'était bien Hanach ! Il fallait toujours qu'il s'inquiète quand les choses allaient bien.

— C'était ta mère tout comme c'était la mienne, fit-il en souriant.

— Oui, et elle t'a toujours supplié de ne pas chercher à te venger.

— Tu ne pensais pas comme ça, autrefois.

— Ecoute donc, ils nous tueront avant !

— Pour te dire la vérité, il y a longtemps que je ne pense plus à la vengeance, avoua Arafa en riant.

Le visage de Hanach s'illumina.

— Alors passe la bouteille, vieux frère, que je la vide.

— Mais non, mais non ! protesta l'autre en serrant l'objet dans sa main. On va quand même continuer les essais jusqu'à ce que ce soit parfait.

Voyant que son compagnon se rembrunissait, il ajouta :

— Je t'assure que je parle sérieusement, Hanach. J'ai abandonné toute idée de vengeance, non pour obéir aux recommandations de ma mère, mais parce que j'ai compris que cela ne servirait à rien : ce qu'il faut, c'est éliminer les *futuwwas* une fois pour toutes !

— Tu dis ça parce que tu es amoureux de cette fille !

— Amoureux de cette fille, amoureux de la vie, appelle ça comme tu voudras. Oui, Qasim avait raison !

— Et qu'est-ce que tu as à voir avec Qasim ? Lui, il réalisait la volonté de l'Ancêtre !

— Va savoir ! rétorqua Arafa avec une moue dubitative. On raconte tant d'histoires dans notre quartier. Ce qui est sûr, c'est que, dans cette pièce, nous réalisons un travail important et, malgré ça, nous vivons dans l'insécurité permanente. Demain, Aggag peut débarquer ici et nous voler nos quatre sous. Si je demande la main d'Awatef, je suis sûr de rencontrer Santouri sur mon chemin. Et c'est la même chose pour tous les hommes ici, même pour les mendiants ! Ce qui m'empoisonne la vie est aussi ce qui empoisonne la vie du quartier ; et ce qui peut me rendre la paix la rendra aussi au quartier. Bon, c'est vrai, je ne suis pas un *futuwwa*, ni un homme de Gabalawi : mais je possède dans cette chambre des objets extraordinaires, qui me donnent dix fois plus de force que Gabal, Rifaa et Qasim tous ensemble !

Il éleva la bouteille, comme s'il prenait son élan pour la lancer, puis revint vers Hanach.

— On fera les essais cette nuit, dans la montagne. Allez, ne fais pas cette tête-là ! Un peu d'enthousiasme, que diable !

Arafa retourna près du soupirail et s'assit à croupetons sur le divan, les yeux fixés sur le café de plein vent. Dans la nuit qui tombait peu à peu, il entendait la voix d'Awatef vantant sa marchandise ; elle évitait de tourner les yeux vers le soupirail, ce qui lui parut de bon augure. Un sourire furtif jouait sur ses lèvres, comme le clignotement d'une étoile. Arafa sourit à son tour ; le monde entier souriait. Une joie profonde se répandait dans son cœur, et il se promit que, dorénavant, il se peignerait chaque matin. De la Gamaliyya provenaient les cris d'une foule lancée à la poursuite d'un voleur. Puis les sons du rebab s'élevèrent du café voisin, accompagnant l'invocation préliminaire du conteur :

> *"Au seigneur Qadri notre intendant – Salut !*
> *A Saadallah notre* futuwwa *– Salut !*
> *A Aggag le* futuwwa *de notre secteur – Salut !"*

Le rêve doré d'Arafa éclata comme une bulle de savon. "Et c'est reparti pour les histoires ! se dit-il agacé. Mais quand donc cela finira-t-il ? Et quel profit trouvent-ils donc à écouter ces sornettes toutes les nuits ? Ah ! on est bien lotis, entre les conteurs et les fumeries de haschisch !"

97

Un désordre étrange commençait à apparaître dans le comportement d'oncle Chakroun. Parfois il parlait tout seul, à haute voix, comme s'il discourait. "C'est le grand âge !" disaient les gens d'un air de commisération. A d'autres moments, il se mettait dans des colères folles sous les prétextes les plus futiles, et même sans prétexte. "Le grand âge", disaient les gens. Ou encore, il restait silencieux, des heures durant, ne répondant même pas lorsqu'on lui adressait la parole. "Le grand âge", disaient encore les gens. Il lui arrivait même de tenir des propos qui, dans le quartier, frisaient le blasphème : "Le grand âge, disait-on toujours. Que Dieu nous en préserve !"

Arafa l'observait fréquemment à travers les barreaux de son soupirail ; il se faisait du souci pour lui. "C'est un homme qui inspire le respect, malgré ses haillons et sa crasse", se disait-il. Son visage maigre portait les stigmates de la déchéance qu'avait connue le quartier après l'époque glorieuse de Qasim. Oui, son grand malheur était d'avoir connu cette période, d'avoir connu le règne de la justice et de la paix, d'avoir touché sa part sur les revenus du *waqf*, avant que Qadri ne les confisque à son profit. En un mot, son malheur était d'avoir vécu trop vieux !

Awatef arriva ; maintenant que son œil était guéri, elle avait retrouvé toute sa beauté. Se tournant vers elle, il la héla :

— Un peu de thé, s'il te plaît !

Elle ne tarda pas à arriver, le bol fumant à la main ; il ne le prit pas tout de suite, pour l'obliger à rester quelques instants près de lui.

— Que Dieu bénisse ta guérison, lui dit-il en souriant. Te voilà redevenue la rose de notre quartier !

— Le mérite en revient à Dieu et à toi, répondit-elle.

Il effleura volontairement ses doigts en prenant le bol ; elle s'en alla d'une démarche dansante, signe que les avances d'Arafa étaient loin de lui déplaire. C'était le moment où jamais de franchir le pas décisif ; mais, bien qu'il ne manquât pas de courage, il se méfiait comme de la peste de la réaction de Santouri. Ah ! quel diable d'idée avait eu oncle Chakroun, en exposant ainsi sa fille aux regards du *futuwwa* ! Mais, en vérité, le pauvre n'avait pas le choix : après s'être esquinté toute sa vie à faire le marchand ambulant, il n'avait plus la force de pousser sa charrette ; c'est pour cela qu'il avait ouvert ce café de plein vent.

Une rumeur s'éleva au loin ; les têtes se tournèrent vers la Gamaliyya. Quelques instants après, une calèche apparut, chargée d'un groupe de femmes qui chantaient et battaient des mains, entourant une jeune mariée qui revenait du hammam. Les gamins accoururent de partout en poussant des acclamations et s'accrochèrent aux garde-boue et aux portières de la voiture, qui remontait vers le secteur de Gabal. Pendant un moment, l'air résonna de cris, d'acclamations et de commentaires grivois.

Soudain, oncle Chakroun se leva, l'air furieux et se mit à crier d'une voix de tonnerre :

— Cogne ! Cogne !

Awatef se précipita vers lui, le fit asseoir en lui tapotant le dos ; elle avait l'air triste et inquiet. Arafa se demanda si le vieux avait fait un rêve, ou s'il avait des visions. "Quelle malédiction que la vieillesse ! se dit-il. Je me demande dans quel état doit être Gabalawi, notre ancêtre."

— Dis donc, oncle Chakroun, lui glissa-t-il quand il se fut un peu calmé, tu ne l'as jamais vu, Gabalawi ?

— Espèce d'imbécile ! grogna l'autre sans même se retourner. Il n'a plus mis le pied hors de chez lui depuis l'époque de Gabal, tout le monde sait ça !

— Que le bon Dieu te donne longue vie, oncle Chakroun ! répondit Arafa en souriant.

— Ce genre de souhait n'a de valeur que si la vie elle-même en a ! s'écria le vieil homme à haute voix.

Sous prétexte de reprendre le bol vide, Awatef s'approcha de lui et lui glissa à voix basse :

— Laisse-le donc tranquille ! Déjà qu'il ne dort pas la nuit !

— Tu sais, je me fais du souci pour toi, Awatef, répondit-il sur le même ton. Ecoute, reprit-il en hâte, alors qu'elle se retournait, il faut que je te parle… que je te parle de nous.

D'un geste du doigt, elle lui enjoignit la prudence, puis elle s'en alla. Pour se distraire, Arafa s'absorba dans la contemplation d'enfants qui jouaient à saute-mouton.

Soudain, Santouri apparut, arrivant du secteur qasimite ; d'un mouvement instinctif, Arafa s'éloigna vivement des barreaux. “Que vient-il faire ici ? s’interrogea-t-il. Heureusement que j’habite dans le quartier des Rifaïtes, sous la protection d’Aggag… Aggag qui ne peut plus vivre sans ses «petits cadeaux».”

Le *futuwwa* vint se planter devant le café de Chakroun, lorgnant Awatef sans vergogne.

— Un sans sucre ! lança-t-il.

Une femme à sa fenêtre se mit à rire, pendant qu’une autre s’interrogeait :

— Qu’est-ce que le *futuwwa* des Qasimites peut bien venir faire au café des mendigots ?

Mais Santouri semblait se moquer des commentaires. Awatef vint lui apporter une tasse. En attendant que le café refroidisse, il continuait de la dévisager insolemment, avec un large sourire qui découvrait toutes ses dents en or. Arafa lui promit tout bas une raclée aussi grosse que le Muqattam.

— Merci, ma jolie ! lança Santouri après avoir bu une gorgée.

Elle resta interdite, craignant autant de lui rendre son sourire que de détourner les yeux ; pendant ce temps, oncle Chakroun observait la scène d’un œil alarmé. Le *futuwwa* tendit une pièce de cinq piastres ; Awatef plongea la main dans sa poche pour chercher la monnaie, mais l’autre, sans attendre, revint vers le café des Qasimites.

— N’y va pas ! glissa Arafa à la jeune fille, en la voyant hésiter.

— Et la monnaie ?

Mais oncle Chakroun, malgré sa faiblesse, se mit sur ses pieds, prit les piécettes, et se dirigea vers le café. Quelque temps après, il revint et se rassit à sa place. Soudain, il se mit à rire, sans pouvoir s’arrêter. Sa fille s’approcha de lui.

— Ça suffit, père ! dit-elle d'un ton suppliant.

Le vieillard se releva et, se tournant vers la maison de Gabalawi, au haut bout du quartier, se mit à hurler :

— Gabalawi ! Hé, Gabalawi !

Tous les regards se fixèrent sur lui, depuis les fenêtres, les portes des immeubles, les cafés et les sous-sols. Les gamins accoururent ; même les chiens levèrent les yeux !

— Hé, Gabalawi ! poursuivit le vieux. Jusqu'à quand vas-tu rester enfermé chez toi à garder le silence ! Ils ont négligé tes volontés et dilapidé tes biens ! Ils t'ont volé comme ils ont volé tes descendants, Gabalawi !

Les enfants accueillirent cette sortie par des vivats ironiques ; on entendit des éclats de rire étouffés.

— Hé, Gabalawi, tu ne m'entends donc pas ? Tu ne sais pas ce qui nous est arrivé ? Tu as eu tort de punir Idris : il valait mille fois mieux que nos *futuwwas* ! Hé, Gabalawi !

C'est à ce moment que Santouri sortit du café.

— Non mais dis donc, tu vas la fermer, espèce de vieux gâteux ! hurla-t-il.

— Je t'emmerde, salaud !

— Aïe, le pauvre ! Ça va être sa fête ! murmuraient les gens d'un air apitoyé.

Santouri arriva, fou de rage, et abattit son poing sur la tête de Chakroun ; celui-ci chancela, et serait tombé si Awatef ne l'avait pas attrapé. En la voyant, Santouri tourna les talons et revint vers le café.

— Allez, viens, père, on rentre à la maison, dit la jeune fille en pleurant.

Arafa vint lui prêter main-forte, pendant que le vieux tentait faiblement de les éloigner, respirant avec peine. Les passants attroupés gardaient le silence.

— C'est de ta faute, aussi, Awatef ! lança une femme de sa fenêtre. Fallait le garder à la maison !

— Je n'y pouvais rien, répondit la jeune fille, pleurant toujours.

Pendant ce temps, Chakroun murmurait d'une voix faible :

— Gabalawi ! Hé, Gabalawi !

98

Un peu avant l'aube, des lamentations éclatèrent dans le silence : on comprit que Chakroun était mort. Un tel événement n'avait rien d'inhabituel dans le quartier. “Que Dieu l'envoie en enfer, dirent les partisans de Santouri en guise d'oraison funèbre. De son vivant, c'était une grande gueule, et c'est de ça qu'il est mort !”

— Ils ont tué Chakroun, après tant d'autres, dit Arafa à Hanach. Et ils ne se donnent même pas la peine de cacher leurs crimes : ils savent très bien que personne n'osera témoigner contre eux, ni à plus forte raison porter plainte.

— Quelle chiennerie ! grogna l'autre avec dégoût. Quelle idée on a eue de s'installer ici !

— C'est notre quartier.

— Oui, et notre mère l'a quitté, brisée par le chagrin et l'humiliation. Un quartier maudit, avec tous ceux qui l'habitent.

— C'est pourtant notre quartier, insista Arafa.

— C'est comme si on payait pour des crimes qu'on n'a jamais commis !

— Le plus grand des crimes, c'est la résignation, ne l'oublie pas.

— Et de plus, nos essais avec la bouteille ont complètement raté ! s'écria Hanach avec désespoir.

— On réussira la prochaine fois.

Quand on enterra Chakroun, Awatef et Arafa furent les seuls à suivre la bière. La présence de l'alchimiste fut remarquée par tout le monde, et sa témérité suscita bien des commentaires.

Mais ce fut bien pis quand Santouri lui-même vint se joindre au maigre cortège, lorsque celui-ci traversa le secteur des Qasimites. Avec une totale impudence, il s'approcha de la fille de l'homme qu'il avait assassiné et lui glissa :

— Puisses-tu vivre longtemps, Awatef !

Aussitôt, tout changea en un clin d'œil : les voisins et amis du défunt, que la peur des *futuwwas* avait tenus à distance, accoururent se joindre au cortège, remplissant toute la rue.

— Puisses-tu vivre longtemps, Awatef ! répéta Santouri.

— Tu suis toujours l'enterrement de ceux que tu assassines ? lui lança la jeune fille d'un ton de défi.

— Qasim aussi, on l'a accusé à tort ! répondit le *futuwwa*, de façon à être entendu de tous.

— Calme-toi ! firent plusieurs voix, à l'adresse de la jeune fille. La vie et la mort sont dans la main de Dieu, et de Dieu seul.

— Mais c'est de ta main que mon père a été tué !

— Dieu te pardonne, Awatef ! reprit le *futuwwa*. Si je l'avais vraiment frappé, il serait mort sur le coup. En réalité, je l'ai juste un peu bousculé : tout le monde ici peut en témoigner.

— Ça c'est vrai, s'écrièrent plusieurs voix dans l'assistance. Non, pour ça, il l'a pas touché, il l'a juste un peu bousculé ! Pour sûr qu'il l'a pas touché ! Que les vers du tombeau me bouffent les yeux si je suis un menteur !

— Le bon Dieu me vengera ! cria Awatef.

— Que Dieu te pardonne, Awatef, répéta Santouri, faisant preuve d'une mansuétude qui, de longues années après, était encore citée en exemple.

— Laisse tomber, que le cortège poursuive son chemin sans incident, glissa Arafa à l'oreille de la jeune fille.

C'est alors que l'un des hommes de Santouri lui allongea une claque en plein visage.

— Dis donc, enfant de pisseuse, qu'est-ce que tu viens te mettre entre elle et le patron ? grogna-t-il.

Le jeune homme se retourna vers son agresseur ; un second coup, plus violent que le précédent, le déséquilibra. Un autre homme de main le gifla à toute volée, un troisième lui cracha en pleine figure, un quatrième l'agrippa par le col, un cinquième, d'une violente bourrade, l'envoya rouler les quatre fers en l'air, et un sixième lui dit, tout en lui allongeant un coup de pied dans les côtes :

— Si tu continues à lui tourner autour, c'est le cimetière !

A demi assommé, Arafa resta un moment allongé à terre avant de se relever. Tout son corps lui faisait mal. Il se mit à essuyer la poussière de ses vêtements et de son visage. Une bande de gamins s'attroupa autour de lui, criant : "Le veau est tombé, apportez le couteau !"

Il revint chez lui, boitant bas, le cœur plein d'une rage qui touchait à la folie.

— Je t'avais bien dit de ne pas y aller ! lui rappela Hanach en le voyant rentrer en cet équipage.

— Ta gueule ! hurla Arafa. Ah ! les salauds ! Ils ne perdent rien pour attendre !

— Laisse donc tomber cette fille, ou tu es un homme mort.

Arafa garda un instant le silence, plongé dans ses pensées ; puis il releva la tête d'un air résolu.

— Dans quelques jours, tu me verras marié avec Awatef, déclara-t-il.

— Complètement cinglé !

— Et c'est Aggag qui marchera en tête du cortège de noces.

— Trempe tes habits dans l'alcool à brûler et jette-toi au feu, ce sera encore plus simple !

— Et cette nuit, on recommence les essais dans le désert.

Il s'enferma chez lui pendant plusieurs jours ; mais il continuait à communiquer avec Awatef à travers les barreaux de son soupirail. Lorsque la période de deuil fut achevée, il la rencontra secrètement dans le corridor de l'immeuble où elle habitait.

— Il faut qu'on se marie tout de suite ! lui dit-il à brûle-pourpoint.

Cette proposition n'étonna pas la jeune fille ; mais elle l'inquiéta.

— Si j'accepte, cela provoquera bien des malheurs, soupira-t-elle.

— Ne t'en fais pas ! Aggag a accepté de présider la cérémonie… Tu vois ce que je veux dire.

Les préparatifs furent menés dans le plus grand secret, jusqu'à ce que tout soit achevé. Un beau jour, les habitants du quartier apprirent, à leur grande surprise, qu'Awatef, la fille de Chakroun, avait épousé Arafa l'alchimiste, qu'elle s'était installée chez lui, et que le mariage s'était déroulé en présence d'Aggag, le *futuwwa* des Rifaïtes. Beaucoup en restèrent stupéfaits, d'autres se demandèrent où Arafa avait trouvé l'audace d'agir ainsi, et comment il avait réussi à obtenir le soutien d'Aggag. Mais les plus lucides hochèrent la tête et dirent tout bas : "C'est maintenant que les ennuis vont commencer !"

99

Santouri avait rassemblé ses hommes au café des Qasimites. Apprenant cela, Aggag réunit les siens au café des Rifaïtes. Une atmosphère lourde et tendue s'installa dans le quartier : en quelques minutes, les marchands ambulants, les mendiants et les bandes de gamins évacuèrent la ligne de démarcation entre les deux secteurs ; les portes et les fenêtres furent fermées à double tour.

Santouri sortit du café, entouré de ses hommes ; Aggag en fit autant. La violence était dans l'air, épaisse, palpable ; l'odeur nauséabonde en venait aux narines. A ce moment, il suffisait d'une étincelle pour mettre le feu aux poudres. Du haut d'une terrasse, un homme de bonne volonté apostropha les deux groupes :

— Pourquoi vous mettez-vous en colère ? Réfléchissez avant de faire couler le sang !

— On n'est pas en colère ! répondit Aggag à travers le silence, les yeux fixés sur Santouri. On n'a aucune raison pour ça !

— Tu as manqué à un collègue, Aggag ! riposta l'autre d'une voix rude. Après ce que tu as fait, personne ne peut plus t'appeler un *futuwwa* !

— Et qu'est-ce que j'ai fait ?

— Tu as accordé ta protection à un homme qui me défiait.

— Il n'a rien fait d'autre que d'épouser une fille qui était restée seule au monde après la mort de son père. Et d'ailleurs, j'assiste à tous les mariages des Rifaïtes.

— Seulement, il n'est pas rifaïte : personne ne sait qui est son père, même pas lui. Si ça se trouve, c'est toi, ou moi, ou n'importe quel mendiant du quartier !

— Oui, mais il habite mon secteur.

— Parce qu'il y a trouvé un logement vide, c'est tout !

— Et quand bien même ce serait ?

— Tu reconnais que tu as manqué à un collègue, oui ou non ? reprit Santouri, haussant le ton.

— Pas la peine de crier comme ça, mon vieux ! On n'a pas besoin d'un combat de coqs !

— Peut-être bien que si…

— C'est heureux pour toi que je sois patient !

— Aggag, prends garde à toi !

— Lavette !

— Bâtard !

Ils levaient leurs gourdins, quand soudain une voix de tonnerre les figea sur place :

— Arrêtez ça tout de suite, les gars ! Vous n'avez pas honte ?

Se retournant, ils aperçurent maître Saadallah, le *futuwwa* en chef du quartier qui se frayait brutalement un chemin parmi les Rifaïtes.

— Bas les gourdins ! ordonna-t-il en arrivant sur le champ de bataille.

Les instruments de mort s'abaissèrent aussitôt, comme s'inclinent les têtes des fidèles au moment de la prière.

Saadallah dévisagea alternativement Santouri et Aggag, avant de reprendre d'un ton sans réplique :

— Je ne veux pas entendre un mot de cette affaire ! Allez hop, tout le monde se disperse dans le calme ! Se bagarrer pour une gonzesse ! Ah ! ils sont beaux, les hommes de maintenant, tiens !

Le groupe se dispersa en silence, pendant que Saadallah retournait chez lui.

Dans leur sous-sol, Arafa et Awatef, qui avaient suivi toute la scène, le cœur noué par l'appréhension, poussèrent un soupir de soulagement.

— Quelle vie cruelle, tout de même, commenta la jeune femme.

— Ne t'en fais pas ! Moi, c'est avec ma tête que je travaille. Comme Gabal et ce petit malin de Qasim !

— Tu crois qu'ils vont nous laisser en paix, maintenant ?

— Souhaite plutôt à tous les couples d'être aussi heureux que nous ! répondit-il avec une gaieté un peu forcée, tout en la pressant sur son cœur.

— Tu crois vraiment que ça va en rester là ? insista-t-elle.

— Avec les *futuwwas*, on n'est jamais sûrs…

— Je sais bien, approuva-t-elle en levant la tête. Ma blessure ne sera guérie que quand je l'aurai vu mort.

Il comprit de qui elle voulait parler ; la regardant dans les yeux, il poursuivit d'un ton pensif :

— Dans ton cas, la vengeance est un devoir ; mais ce ne sera pas une solution définitive. Si nous sommes en danger, ce n'est pas seulement parce que Santouri aimerait bien nous étriper, mais parce que le quartier tout entier est menacé par la violence des *futuwwas*. A supposer que nous nous débarrassions de Santouri, rien ne nous garantit qu'Aggag ne s'en prendra pas à nous, demain, ou Yousouf après-demain.

— Tu voudrais donc être Gabal, ou Rifaa, ou Qasim ? demanda-t-elle avec un pâle sourire.

Il l'embrassa sur les cheveux sans répondre, humant leur doux parfum de girofle.

— Eux, ils étaient mandatés par le Fondateur, notre ancêtre, insista-t-elle.

— Le Fondateur, notre ancêtre ! répéta Arafa avec amertume. Dès que quelque chose ne va pas, on l'appelle au secours, comme ton pauvre père : "Gabalawi ! Hé, Gabalawi !" Mais a-t-on jamais vu un ancêtre comme le nôtre, qui se claquemure chez lui sans jamais voir ses descendants ? A-t-on jamais vu un fondateur laisser son *waqf* aux mains d'escrocs et de margoulins, sans rien dire ?

— Que veux-tu, c'est le grand âge…

— Justement, reprit-il avec une moue dubitative. Je n'ai jamais entendu parler de personne d'autre qui ait vécu si vieux.

— Pourtant, il paraît qu'à Souk el-Muqattam, il y a un homme qui a dépassé les cent cinquante. Après tout, la puissance de Dieu n'a pas de limites.

— C'est comme l'alchimie, murmura-t-il après un court silence. Sa puissance non plus n'a pas de limites…

— Au moins, elle peut guérir les yeux malades ! concéda-t-elle en riant.

— Elle peut faire encore bien d'autres choses, dont tu n'as pas idée.

— Tout de même, quels imbéciles sommes-nous ! soupira-t-elle. Nous restons là à bavarder de choses et d'autres, comme si rien ne nous menaçait !

— Elle pourrait même un jour nous débarrasser définitivement des *futuwwas*, poursuivit-il sans tenir compte de l'interruption. Elle pourrait construire des maisons neuves et permettre d'économiser les revenus du *waqf* pour les distribuer à tous les habitants du quartier.

— Et tu crois que ça arrivera avant le Jugement dernier ? demanda Awatef en riant.

— Ah ! si nous étions tous alchimistes ! soupira-t-il d'un air rêveur.

— Ah ! qu'est-ce qu'on ne ferait pas avec des "si" ! Et d'ailleurs, poursuivit-elle, il n'a pas fallu longtemps à Qasim pour établir la justice, sans l'aide de ta magie !

— Oui, et ça n'a pas duré ! Mais ce que fait l'alchimie ne disparaît pas si vite. Ne la dédaigne pas tant, ma belle ; elle est aussi importante que notre amour. Et elle peut créer pour nous une vie nouvelle ; mais pour qu'elle produise tout ce dont elle est capable, une majorité d'entre nous doit devenir alchimiste !

— Et comment cela pourrait-il arriver ? demanda-t-elle.

— Si la justice est rétablie, et si les conditions du Fondateur sont appliquées, répondit-il après avoir réfléchi un instant. Alors un grand nombre de gens pourront se consacrer entièrement à l'alchimie.

— Tu voudrais un quartier de magiciens ? s'exclama-t-elle avec un petit rire. De toute façon, il n'y a pas moyen de faire appliquer les Dix Conditions : depuis que l'Ancêtre ne quitte plus son lit, il ne peut plus désigner l'un de ses descendants pour faire le travail.

— Et pourquoi ne serait-ce pas nous qui irions à lui, demanda-t-il d'une voix étrange.

— Tu peux entrer dans la maison de l'intendant ? ironisa Awatef.

— Evidemment non ; mais je pourrais peut-être entrer dans la Grande Maison…

— Crois-tu que c'est le moment de plaisanter, avec tous les dangers qui nous entourent ?

— Si j'avais envie de plaisanter, crois-tu que je serais revenu m'installer dans ce quartier ?

— Parles-tu sérieusement ? chuchota-t-elle, inquiète. Imagine, si on te surprenait là-bas ?

— Quoi d'étonnant à ce qu'un petit-fils vienne visiter son grand-père ?

— Dis-moi que tu plaisantes ! Seigneur, ne prends pas cet air sérieux ! Mais pourquoi veux-tu donc aller là-bas, à la fin !

— Le jeu n'en vaut-il pas la chandelle ?

— Mais comment en sommes-nous arrivés là ? gémit-elle. Au début, c'étaient des paroles en l'air, et puis maintenant les voilà qui se transforment en réalité ! J'ai peur…

— Depuis que je suis revenu ici, je réfléchis à des choses que personne n'a jamais encore imaginées, déclara-t-il en lui caressant la main pour la rasséréner.

— Pourquoi ne pourrions-nous pas vivre tranquillement dans notre coin ? demanda-t-elle d'une voix suppliante.

— Et tu crois qu'ils nous laisseraient tranquilles ? Non, on ne peut pas vivre sans se sentir en sécurité.

— Alors, il ne nous reste que la fuite.

— Je ne fuirai pas tant que je pourrai disposer de l'alchimie.

L'attirant doucement contre lui, il lui caressa l'épaule, lui chuchotant à l'oreille :

— Nous aurons encore bien des occasions de reparler de tout ça. Pour le moment, tu peux être tranquille.

100

“Est-il devenu fou, ou bien est-ce l’orgueil qui l’aveugle ?” se demandait Awatef en observant son mari pendant ses travaux ou ses méditations. Quant à elle, la seule chose qui lui manquait pour être complètement heureuse était de tirer vengeance de Santouri, le meurtrier de son père.

Dans notre quartier, la vengeance est une tradition sacrée, dont l’origine se perd dans la nuit des temps. Et cependant, cette tradition sacrée, elle était prête à passer par-dessus, bien qu’à regret, pour préserver son bonheur. Arafa affirmait, de son côté, que cette vengeance n’était qu’un élément d’une vaste tâche qui lui incombait, ou du moins se l’imaginait-il, et à laquelle elle ne comprenait rien. Se prenait-il pour l’un des héros dont on racontait les aventures au son du *rebab* ? Mais Gabalawi ne lui avait rien promis ; et d’ailleurs il ne semblait pas faire particulièrement confiance à Gabalawi, non plus qu’aux récits des conteurs. Quoi qu’il en soit, il consacrait à ses travaux dix ou vingt fois plus d’efforts que ne l’exigeait leur subsistance quotidienne. Et ses méditations, loin de se limiter à ce qui le concernait directement, lui et sa famille, étaient consacrées à des questions d’ordre général, qui n’avaient d’intérêt pour personne : l’avenir du quartier, le rôle des *futuwwas* et de l’intendant, le bon usage du *waqf* et de ses revenus, les pouvoirs de l’alchimie…

Il était le seul homme du quartier à ne pas fumer du haschisch, car son travail exigeait de lui qu’il gardât toute sa lucidité ; et pourtant, il échafaudait des rêves grandioses et fantastiques. Mais tout cela n'était encore rien à côté de son projet insensé de s'introduire dans la Grande Maison. Elle remuait dans sa tête les discussions qu'ils avaient eues maintes fois à ce sujet :

— Mais pourquoi ?

— Pour demander conseil sur la façon dont les choses devraient se passer dans ce quartier.

— Mais tu le sais déjà, comment elles devraient être ! Tout le monde le sait ! Quel besoin as-tu de risquer ta vie ?

— Je veux connaître les Dix Conditions du *waqf*.

— Mais ce qui compte n'est pas de savoir, c'est de réaliser ! Et toi, que peux-tu faire ?

— La vérité est que je voudrais jeter un œil sur ce livre qui a valu à Adham d'être chassé de la Grande Maison, s'il faut en croire les récits d'autrefois.

— Et en quoi peut-il t'intéresser ?

— Je ne sais pas pourquoi, mais je suis sûr qu'il s'agit d'un traité d'alchimie. Ce n'est pas seulement par la force de ses bras et la grosseur de son gourdin que Gabalawi a pu accomplir tous ses exploits, jadis, dans le désert : cela ne peut s'expliquer que par l'alchimie et la magie…

— Mais pourquoi risquer tant ? Tu es heureux sans ça, tu gagnes bien ta vie…

— Ne crois pas que Santouri nous ait oubliés. Chaque fois que je sors, je vois comment ses hommes me regardent.

— Ta magie te suffit ! Laisse donc la Grande Maison en paix.

— Oui, mais le livre… le grand traité d'alchimie… le secret de la force de Gabalawi, qu'il a caché même à ses fils !

— Ce n'est peut-être pas du tout ce que tu t'imagines.

— Peut-être que si : et ça vaut la peine de prendre le risque.

Et ainsi de suite… Mais un jour, dans un accès de franchise, il lui dévoila le fond de son cœur :

— Je suis comme ça, Awatef, et personne n'y peut rien. Que veux-tu, je ne suis qu'un malheureux bâtard, fils d'une pauvresse et d'un inconnu ; tout le monde est au courant et en fait des gorges chaudes. Mais moi, la seule chose qui m'intéresse, c'est la Grande Maison : n'est-il pas normal, quand on est né de père inconnu, de s'attacher à son grand-père ? Dans mon laboratoire, j'ai appris à ne croire qu'en ce que je vois de mes yeux et que je touche de mes mains. Il faut que je pénètre dans la Grande Maison : peut-être y trouverai-je le secret de la force qui l'a bâtie, peut-être n'y trouverai-je rien du tout. Mais cela vaudra mieux que l'incertitude dans laquelle je vis aujourd'hui. D'ailleurs, je ne serai pas le premier, dans ce quartier, à choisir la voie ardue : Gabal aurait pu garder sa place auprès de l'intendant, Rifaa devenir le menuisier le plus prospère du quartier, Qasim vivre tranquillement auprès de Qamar en jouissant de sa fortune. Mais ils ont choisi l'autre voie.

— Oui, c'est fou le nombre de ceux qui sont allés d'eux-mêmes à l'abattoir, commenta Hanach d'un air lugubre.

— Mais peu d'entre eux avaient de bonnes raisons pour le faire, rétorqua Arafa.

Hanach ne refusa pas pour autant son concours à son frère. Lorsque ce dernier sortit, dans les petites heures, il l'accompagna comme son ombre. L'obscurité était épaisse ; la lune, couchée depuis longtemps, ne s'était montrée qu'un bref instant, au début de la nuit. Longeant les façades des immeubles, les deux frères parvinrent enfin au mur d'enceinte qui protégeait l'arrière de la Grande Maison, du côté du désert.

— Nous sommes exactement à l'endroit où Rifaa a entendu la voix de Gabalawi, fit remarquer Hanach.

— C'est du moins ce que disent les conteurs, répondit Arafa en jetant un regard autour de lui. Bientôt, nous saurons toute la vérité.

— Et c'est là-bas, dans le désert, qu'il a, lui-même, parlé à Gabal, qu'il a envoyé son serviteur à Qasim…

— Oui, et c'est là qu'on a assassiné Rifaa, qu'on a violé notre mère et qu'on l'a battue, sans que notre vénérable ancêtre lève le petit doigt !

Hanach posa à terre un panier qui contenait des outils de terrassement ; ils se mirent à creuser un trou au pied du mur, déblayant la terre au moyen du panier. Ils travaillaient avec acharnement, dans l'odeur de la poussière qui emplissait leurs poumons. Hanach ne semblait pas avoir moins de cœur à l'ouvrage que son frère ; malgré ses appréhensions, il semblait animé du même espoir. Bientôt la tête d'Arafa ne dépassa plus du trou que de quelques centimètres.

— En voilà assez pour cette nuit ! déclara-t-il en se hissant au-dehors à la force du poignet. Il faut aussi camoufler le travail.

Ils recouvrirent l'excavation d'une planche de bois, qu'ils dissimulèrent sous une mince couche de terre, puis ils revinrent en hâte, poursuivis par le jour qui se levait. Arafa pensait au lendemain, à ce moment inimaginable où il pénétrerait dans la Grande Maison inconnue. Qui sait, peut-être rencontrerait-il Gabalawi et pourrait-il s'entretenir avec lui, lui demander des explications sur le passé, sur le présent, sur les Dix Conditions, sur son mystérieux registre, et réaliser ce rêve qui, jusqu'à présent, n'avait d'existence que dans les vapeurs de la pipe à haschisch ?

Lorsqu'il rentra chez lui, Awatef ne dormait toujours pas.

— On dirait que tu sors du tombeau, murmura-t-elle sur un ton de reproche ensommeillé.

— Que tu es belle ! répondit-il avec un entrain qui cachait mal son inquiétude.

— Si je comptais vraiment pour toi, tu ne négligerais pas mes conseils, poursuivit-elle pendant qu'il s'étendait à son côté.

— Tu changeras d'avis demain, quand tu verras ce qui se passera.

— On n'a jamais qu'une seule occasion d'être heureux, et mille de se perdre.

— Si tu voyais les regards qu'on nous jette, tu saurais que nous vivons dans une fausse sécurité.

Un cri perçant, suivi d'un hurlement de douleur, fracassa le silence de l'aube.

— Mauvais présage ! murmura Awatef en se rembrunissant.

Arafa haussa les épaules avant de reprendre :

— Ne me fais pas de reproche, Awatef : tu portes également ta part de responsabilité dans tout ça.

— Moi ? s'écria-t-elle.

— Je suis revenu dans ce quartier poussé par un vague désir de venger ma mère. Puis, lorsque ton père a été agressé, mon désir de revanche s'est cristallisé sur tous les *futuwwas*. Ensuite, mon amour pour toi m'a apporté un désir nouveau, qui a presque remplacé l'ancien : éliminer les *futuwwas*, non pas pour me venger, mais pour que tous puissent vivre en paix. Et, si je veux m'introduire dans la maison de l'Ancêtre, c'est uniquement pour découvrir le secret de sa force.

Elle lui jeta un long regard, où il lut clairement la crainte de le perdre comme elle avait perdu son père. Il lui répondit par un sourire de tendresse et d'encouragement. Au-dehors, les hurlements reprirent avec une vigueur accrue.

101

A demi engagé dans le trou, Arafa serra la main de Hanach et commença à ramper dans le tunnel obscur ; quelques instants plus tard, sa tête apparut au ras du sol, dans le jardin de la Grande Maison. Des senteurs extraordinaires emplissaient ses narines ; on aurait dit de la quintessence de rose, de jasmin et de henné dissoute dans la rosée du matin. Il en avait la tête qui tournait, au point d'oublier le danger : le voici enfin, ce fameux jardin après lequel Adham avait soupiré jusqu'à sa mort. Pour l'instant, il était plongé dans l'obscurité et le silence ; on entendait seulement, de loin en loin, le murmure des branches agitées par une brise intermittente. La terre était molle et humide sous ses pieds, et il décida d'ôter ses sandales lorsqu'il se glisserait dans la maison, pour ne pas laisser de traces.

Où diable pouvaient bien dormir le portier, le jardinier et les autres domestiques ? Marchant pratiquement à quatre pattes, s'appliquant à ne faire aucun bruit, il se faufila vers le bâtiment, dont il apercevait vaguement la forme géante, tapie dans l'obscurité. Jamais il n'avait eu aussi peur de sa vie, bien qu'il fût accoutumé depuis longtemps à passer les nuits dans la solitude du désert.

Rampant, il longea le mur de la maison jusqu'à ce qu'il sente sous ses doigts la première marche du perron qui, s'il fallait en croire des récits des conteurs, menait au *selamlik*. C'était ce perron que Gabalawi avait fait descendre de force à Idris, lorsqu'il l'avait chassé. Idris avait été puni pour avoir résisté à l'ordre de son père : quelle punition Gabalawi pourrait-il lui infliger, à lui qui se glissait dans sa maison pour lui voler le secret de sa force ?

Allons donc ! Personne ne pouvait s'attendre à ce qu'un voleur s'introduise dans cette maison, protégée depuis des temps immémoriaux par la crainte superstitieuse qu'inspirait son maître.

Après avoir contourné la balustrade, il gravit lentement le perron, toujours à quatre pattes. Arrivé à la terrasse du *selamlik*, il ôta ses sandales, les glissa sous son bras, et se dirigea à pas de loup vers la porte latérale qui, toujours selon les conteurs, menait à la chambre à coucher.

Soudain, il entendit tousser. Cela venait du jardin. Il se colla au bas de la porte, tournant ses yeux vers l'entrée : une forme avançait le long de l'allée et se dirigeait vers le *selamlik*. Arafa retint son souffle ; il lui semblait que les battements de son cœur allaient le trahir. La forme s'approchait toujours. C'était peut-être Gabalwi ; peut-être le Patriarche allait-il le surprendre la main dans le sac, tout comme il avait surpris Adham, bien des années auparavant, mais à peu près à la même heure.

La silhouette traversa la terrasse du *selamlik* ; elle passa à moins de deux mètres de l'endroit où Arafa se tapissait, avant de s'éloigner vers le côté opposé de la pièce et de s'étendre sur quelque chose qui ressemblait à un matelas. La tension d'Arafa se relâcha d'un coup, le laissant sans force. Finalement, il ne s'agissait sans doute que d'un serviteur, qui était sorti un instant avant de retourner se coucher ; d'ailleurs, le voici qui ronflait.

Reprenant un peu courage, Arafa leva le bras, tâtonnant dans la pénombre jusqu'à ce qu'il trouve la poignée de la porte ; il la tourna sans bruit et poussa doucement le battant. Lorsque l'ouverture fut assez grande, il se glissa à l'intérieur et referma. L'obscurité était totale ; avançant la main, il rencontra les premières marches de l'escalier, qu'il gravit, silencieux comme le vent. Il se trouva ainsi dans un long corridor éclairé par une lampe à huile posée dans un renfoncement du mur : sur sa droite, il formait un coude ; à gauche, il traversait le bâtiment sur toute sa largeur. Il ne comportait qu'une seule porte, à mi-distance. C'était ici, dans cet angle, qu'Oumayma s'était postée ; et c'était de là qu'Adham s'était avancé vers la porte close. Et maintenant, c'était à son tour de pénétrer dans la chambre, poussé par la même convoitise que son ancêtre.

La peur emplissait sa poitrine ; il appela toute sa volonté et tout son courage à la rescousse. Abandonner si près du but aurait été ridicule. Et puis, un domestique pouvait surgir d'un instant à l'autre et l'arracher à sa stupeur en lui empoignant brusquement l'épaule. Oui, il fallait faire vite ! Sur la pointe des pieds, il se glissa jusqu'à la porte et posa la main sur le bouton, qui tourna lentement sous ses doigts.

Arafa se faufila dans la pièce, tira le battant derrière lui et s'y adossa, retenant son souffle, écarquillant vainement les yeux dans une obscurité totale : il ne distinguait rien. Au bout d'un instant, il perçut un parfum d'encens, extraordinairement suave, qui remplit son cœur d'un trouble et d'un chagrin dont il ignorait la cause. Il n'y avait plus de doute, il était dans la chambre de Gabalawi : mais quand donc s'accoutumerait-il aux ténèbres ? Quand reprendrait-il enfin ses esprits ? Il lui semblait qu'il allait se liquéfier sur place s'il ne réussissait pas immédiatement à rassembler toutes ses forces, toute sa détermination, tout son courage. Il fallait soigneusement calculer chaque geste à l'avance, sans quoi il était perdu. Soudain, il se mit à penser aux nuages poussés par le vent, qui prennent dans leur course toutes sortes de formes bizarres, évoquant aussi bien une montagne qu'un tombeau.

Se guidant du bout des doigts contre le mur, il avança, plié en deux, jusqu'à ce que son épaule rencontre un siège. C'est alors qu'un mouvement, à l'autre extrémité de la pièce, l'arrêta, le sang figé dans les artères. Il se dissimula derrière le siège, les yeux tournés vers la porte par laquelle il était entré ; il entendit un bruit de pas, accompagné d'un froissement d'étoffe. D'une seconde à l'autre, pensait-il, une lumière s'allumerait, dissipant l'obscurité, et Gabalawi se dresserait devant lui. Alors, il s'agenouillerait pour lui demander pardon, et lui dirait : “Me voici. Je suis ton descendant, je n'ai pas de père et je ne veux que le bien. Fais de moi ce que tu voudras.”

Malgré l'obscurité, il perçut une silhouette qui se dirigeait vers la porte ; elle l'ouvrit silencieusement et se glissa au-dehors, laissant le battant entrebâillé. A la lumière de la lampe qui brûlait dans le couloir, Arafa put distinguer ses traits : c'était une vieille femme noire, au visage émacié, au maintien imposant. Etait-ce une servante ? Se pouvait-il que cette chambre soit située en réalité dans l'aile réservée aux domestiques ? Il observa attentivement la pièce, à la faible lueur qui entrait par la porte. Il aperçut vaguement des fauteuils, des canapés, et, contre le mur du fond, la forme d'un grand lit à colonnes muni d'une moustiquaire, au pied duquel un matelas plus petit était jeté : sans doute celui que la vieille femme venait de quitter. Quant à ce lit splendide, il ne pouvait appartenir qu'à Gabalawi en personne ; il y dormait en ce moment, ignorant le crime qui se perpétrait juste à côté de lui.

Arafa aurait bien voulu jeter un coup d'œil sur le Patriarche, fût-ce de loin, n'eût été cette porte entrebâillée qui annonçait le retour imminent de la servante. En regardant vers la gauche, il aperçut la porte du cagibi, fermée sur son terrible secret. Celle-là même qu'avait contemplée Adham, de longues années auparavant ; que Dieu ait son âme ! Rampant derrière les fauteuils, se forçant à ignorer Gabalawi, Arafa parvint au pied de la petite porte. Incapable de résister à la tentation, il leva la main, glissa le doigt dans le trou de la serrure, et, tout en exerçant une pression vers le bas, tira vers lui le battant, qui céda !

Tremblant d'émotion, le cœur plein d'un sentiment de triomphe, Arafa se figea sur place. La faible lueur qui arrivait du corridor s'éteignit d'un coup, laissant la pièce dans une obscurité totale. On entendit à nouveau un bruit de pas furtifs, puis le grincement d'un lit, et le silence se rétablit : la vieille servante était de retour. Se forçant à la patience, Arafa lui laissa le temps de se rendormir ; il tendait ses regards vers le grand lit, sans rien apercevoir.

Il pensa un instant à s'en approcher, mais il se rendit compte que ce serait de la folie : avant qu'il y soit parvenu, la vieille se réveillerait et remplirait la maison de ses cris, et alors… adieu !

Non, il se contenterait du livre mystérieux, qui contenait les statuts du *waqf* et les recettes magiques par lesquelles le Patriarche, jadis, avait assuré son pouvoir sur le désert et ses habitants. Personne avant lui ne s'était douté qu'il s'agissait d'un traité d'alchimie ; mais aussi personne avant lui n'avait pratiqué cet art.

Levant à nouveau le bras, il attira la porte à lui, se glissa dans le cagibi et referma. Respirant profondément pour chasser sa nervosité, il se redressa avec précaution. Pourquoi Gabalawi avait-il caché ce livre à tous ses descendants, même à Adham, son fils préféré ? Oui, il y avait sûrement là un profond mystère. Un mystère qui allait s'éclaircir dans quelques secondes : juste le temps d'allumer une chandelle. Jadis, Adham aussi en avait allumé une ; mais cette fois c'était lui, Arafa, le bâtard, le fils de personne ! Demain, les conteurs chanteraient cet exploit.

A peine eut-il fait de la lumière qu'il aperçut deux yeux fixés sur lui. Malgré son saisissement et sa terreur, il se rendit compte qu'ils appartenaient à un vieux serviteur noir étendu sur un matelas en face de la porte ; et que celui-ci, sans doute réveillé par le frottement de l'allumette, semblait lutter pour sortir complètement de sa torpeur. D'un geste instinctif, quasi inconscient, Arafa se jeta sur lui, le saisit à la gorge et serra de toutes ses forces. Le vieillard se débattit violemment, empoignant le bras d'Arafa et lui lançant des ruades dans le ventre, son énergie décuplée par l'étreinte qui lui serrait la gorge.

Le jeune homme laissa échapper la bougie, qu'il tenait de la main droite : elle tomba et s'éteignit, plongeant la pièce dans une obscurité totale. Le vieillard eut un dernier soubresaut, puis s'affaissa ; mais la main d'Arafa serrait toujours, absurdement, comme animée d'une volonté indépendante.

Ses doigts se décrispèrent enfin ; il recula en haletant, s'adossa à la porte. Il sentait le besoin irrépressible de s'enfuir : jamais il n'aurait la force d'enjamber le cadavre pour s'emparer du livre, du livre maudit. Jamais il n'aurait le courage de rallumer sa bougie ; non, il valait mieux rester aveugle que de voir cela. Une douleur cuisante lui lacérait les avant-bras, labourés sans doute par les ongles du vieillard, lors de sa résistance désespérée. Cette pensée le fit trembler de tout son corps. Adham n'avait fait que désobéir à son père ; lui, il avait tué. Il avait tué sans raison un homme qu'il ne connaissait même pas. Il était venu en quête d'un pouvoir pour combattre les assassins, et voilà que, sans le vouloir, lui-même en était devenu un.

Après un dernier regard vers l'endroit où le registre était censé se trouver, quelque part dans les ténèbres, il poussa le battant, se glissa hors de la pièce et revint sur ses pas. Suivant les murs, à tâtons, il atteignit la porte de la chambre. Arrivé derrière le dernier fauteuil, il hésita un instant. Jusqu'à présent, il n'avait vu dans cette maison que des serviteurs : où donc était le maître ? Mais son crime dresserait à jamais entre eux une barrière infranchissable. Un sentiment d'échec et d'abattement le pénétrait jusqu'à la moelle des os.

Il ouvrit prudemment la porte ; la lumière lui blessa les yeux, et il eut l'impression qu'elle se jetait sur lui, telle une bête fauve. S'éloignant sur la pointe des pieds, il redescendit l'escalier plongé dans les ténèbres, et entreprit de traverser le *selamlik* vers le jardin. Sans doute la fatigue et le chagrin l'avaient-ils rendu imprudent, car soudain le serviteur qui dormait dans le *selamlik* s'éveilla, criant : "Qui va là ?"

Paralysé par la terreur, Arafa se colla contre le mur du fond. La voix réitéra sa question ; le miaulement d'un chat lui répondit. Tapi dans sa cachette, Arafa n'osait bouger : allait-il être conduit à commettre un nouveau crime ? Lorsque le silence se rétablit, il traversa le jardin de derrière en rampant, jusqu'au mur d'enceinte. Il chercha à tâtons l'orifice du tunnel et s'y glissa à plat ventre, comme il était venu. Lorsqu'il fut presque arrivé à l'autre extrémité, il se heurta soudain à un pied. Avant qu'il ait eu le temps de réagir, celui-ci le frappa violemment à la tête.

102

Arafa se jeta sur l'inconnu. Une courte bataille s'engagea, vite interrompue lorsque l'autre poussa un grognement de colère.

— Hanach ! s'exclama Arafa, reconnaissant sa voix.

Ils s'entraidèrent pour sortir du trou.

— J'ai trouvé que tu tardais à revenir, alors je suis parti aux nouvelles, expliqua Hanach.

— Et tu as fait une bêtise, comme d'habitude, répondit Arafa, respirant avec peine. Mais peu importe, allons-nous-en d'ici.

Ils revinrent au quartier toujours plongé dans les ténèbres. Awatef les attendait.

— Va vite te laver ! ordonna-t-elle à son mari. Seigneur ! Qu'est-ce qui t'est arrivé ? Tu as du sang plein les bras et autour du cou.

Le jeune homme, agité d'un frisson violent, ne répondit pas. Il se lava, puis tomba à terre comme une masse. Il revint à lui peu de temps après, avec l'aide d'Awatef et de Hanach, et s'assit entre eux, sur le canapé ; le sommeil lui semblait plus lointain et inaccessible que Gabalawi. Ne supportant plus de garder son secret pour lui seul, il leur raconta tout ce qui était arrivé ; lorsqu'il termina son récit, tous avaient les yeux écarquillés par la peur et le désespoir.

— J'étais contre ce projet dès le départ, murmura Awatef.

— De toute façon, tu ne pouvais pas faire autrement que de le tuer, fit observer Hanach, désireux d'alléger le sentiment de culpabilité de son frère.

— Mais mon crime est encore plus dégoûtant que ceux de Santouri et des autres *futuwwas*, répondit tristement celui-ci.

— En tout cas, il faudra prendre garde à ne pas attirer les soupçons, insista le nain.

— Mais j'ai tué un pauvre vieillard qui ne m'avait jamais rien fait ! Et d'ailleurs, qui sait si ce n'est pas précisément lui que Gabalawi a envoyé, jadis, à Qasim ?

Un silence lourd s'établit. Au bout d'un instant, Awatef reprit la parole :

— Ne ferions-nous pas mieux d'aller nous coucher ? proposa-t-elle.

— Allez dormir, vous deux. Moi, je ne fermerai pas l'œil de la nuit.

Le silence s'établit à nouveau.

— Et tu n'as seulement pas vu Gabalawi, ou entendu sa voix ? demanda soudain Hanach.

— Non, fit Arafa en hochant tristement la tête.

— Tu as quand même aperçu son lit dans l'obscurité ?

— Oui, comme nous apercevons sa maison.

— Et dire qu'en te voyant rester absent si longtemps, je me suis imaginé que tu t'entretenais avec lui ! soupira le nain.

— Oui, c'est fou ce qu'on peut s'imaginer quand on est hors de la maison.

— Tu as l'air fiévreux, intervint Awatef. Tu ferais mieux de te coucher.

— Et comment veux-tu que je trouve le sommeil ? protesta-t-il.

Mais il reconnaissait qu'elle avait raison : il se sentait effectivement fiévreux et abattu.

— Quand je pense que tu avais le Testament à portée de main et que tu n'y as même pas jeté un coup d'œil, glissa Hanach. Oui, beaucoup de mal pour rien.

— Tu l'as dit, approuva Arafa, le visage marqué par la douleur. Et pourtant, reprit-il d'une voix changée, tout ça m'a appris quelque chose : rien ne peut nous sauver, hormis l'art que nous possédons ! Tu vois bien que je me suis embarqué dans une équipée absurde pour quelque chose qui n'avait peut-être rien à voir avec l'idée que je m'en faisais.

— Oui, tu étais bien le seul à imaginer que le célèbre registre de l'Ancêtre pouvait être un livre de magie.

— Nous réussirons à mettre au point nos bouteilles bien plus tôt que tu ne le crois ! reprit Arafa avec une excitation qui cachait mal son trouble. Et tu verras qu'elles nous seront bien utiles quand il faudra nous défendre.

Craignant le retour du silence, Hanach soupira :

— Dommage que ton alchimie ne t'ait pas enseigné un moyen pour arriver à la Grande Maison et à son maître sans tous ces malheurs !

— Il n'y a pas de limite à ce que l'alchimie peut faire ! s'écria l'autre avec emportement. Aujourd'hui, mon savoir se limite à la préparation de quelques remèdes et à ce projet de bouteille explosive, mais personne ne peut même imaginer jusqu'où il est possible d'aller !

— Tu n'aurais jamais dû songer à un tel projet, intervint Awatef. L'Ancêtre vit dans un monde, nous dans un autre : même si tu lui avais parlé, ça n'aurait servi à rien. Qui sait s'il n'a pas tout oublié, le *waqf*, l'intendant, les *futuwwas*, le quartier et tous ceux qui l'habitent ?

Une colère soudaine, maladive, s'empara d'Arafa.

— Quartier de malheur ! explosa-t-il. Tous des vaniteux et des ignorants ! Qu'ont-ils, mis à part leurs vieilles sornettes et leurs *rebabs* ? Rien ! Et encore, s'ils mettaient en pratique ce qu'ils entendent ! Tu parles ! Ils se prennent pour le centre du monde, et ce n'est qu'un ramassis de traîne-savates et de mendigots. Au début, ce quartier était juste bon à élever les cafards et les scorpions, avant que notre Ancêtre ne mette la main dessus.

Awatef trempa une serviette dans l'eau froide et la lui posa sur le front, mais il l'écarta rageusement :

— Je sais des choses que personne d'autre ne connaît, pas même Gabalawi ! Je connais l'alchimie, et elle est capable de faire plus pour ce quartier que Gabal, Rifaa et Qasim réunis.

— Quand vas-tu t'endormir ? glissa Awatef d'une voix suppliante.

— Quand s'éteindra le feu qui brûle sous mon crâne.
— Le jour va se lever, murmura Hanach.
— Pour moi, le jour se lèvera quand l'alchimie aura liquidé tous les *futuwwas*, purifié les âmes de leurs mauvais génies, et réalisé un bonheur que tout l'or du *waqf* serait impuissant à atteindre. Quand l'alchimie sera devenue cette musique faite vie dont rêvait Adham !

Puis il poussa un profond soupir et se tourna vers le mur. Awatef espérait qu'il allait enfin s'endormir, quand un tumulte éclata dans le silence, les faisant sursauter. Des cris et des gémissements retentirent.

— On a trouvé le corps ! s'écria Arafa en sautant à bas du lit.
— Qu'en sais-tu ? protesta Awatef, la gorge sèche. Ça ne vient peut-être pas de la Grande Maison.

Arafa se précipita dehors, suivi des deux autres. Ils se tinrent devant l'immeuble, les yeux tournés vers la Grande Maison. La nuit touchait à sa fin, et les premières lueurs de l'aube apparaissaient à l'horizon. Des fenêtres s'ouvraient, des têtes se penchaient vers l'extérieur ; un homme arriva en courant, depuis le haut bout du quartier, se dirigeant vers la Gamaliyya.

— Eh, l'oncle, que se passe-t-il ? lui lança Arafa quand il passa à leur hauteur.
— La volonté de Dieu ! répondit-il sans s'arrêter. Gabalawi est mort !

103

Ils se retirèrent précipitamment dans leur sous-sol ; les jambes molles, Arafa s'écroula sur le canapé.

— Mais enfin, l'homme que j'ai tué n'était qu'un pauvre vieux domestique noir ! s'écria-t-il d'un air égaré. D'ailleurs, il dormait dans le cagibi…

Silencieux, les deux autres tournaient leurs regards vers le sol, comme pour éviter le sien.

— Vous ne me croyez pas, hein ? reprit-il, criant presque. Puisque je vous jure que je ne me suis pas approché de son lit.

Hanach hésita à prendre la parole, puis, estimant qu'il valait mieux dire n'importe quoi plutôt que d'abandonner son frère au silence, hasarda :

— Peut-être que tu ne l'as pas reconnu, sous le coup de la surprise ?

— Ridicule ! protesta l'autre. D'ailleurs, tu n'étais pas avec moi.

Il se leva soudain et, les plantant là, courut se réfugier dans son atelier. Il resta longtemps assis dans l'obscurité, tremblant d'anxiété et de misère. Quelle folie l'avait donc poussé à entreprendre cette équipée maudite ? Oui, c'était bien une équipée maudite. La terre elle-même semblait trembler et gémir de tous ses abîmes. Pour lui, il n'y avait plus d'espoir que dans cette pièce, et dans toutes les merveilles qu'elle contenait.

Les premiers rayons du soleil apparurent, éclairant un quartier en émoi : une foule s'était rassemblée devant la Grande Maison. Des bruits étranges passaient de bouche en bouche, surtout après que l'intendant eut brièvement pénétré dans la maison, avant de rentrer chez lui. On disait que des voleurs avaient pénétré dans la Grande Maison après avoir creusé un tunnel sous le mur arrière et qu'ils avaient tué un serviteur de confiance : l'émotion avait été trop forte pour la santé déclinante de Gabalawi et son grand âge, et il avait rendu l'âme aussitôt.

La colère s'éleva dans la foule, comme un épais nuage de fumée, étouffant les larmes et les lamentations.

— Vous voyez ! s'écria Arafa quand sa femme et son frère lui rapportèrent ces détails. J'avais raison !

Puis s'avisant soudain qu'il était tout de même responsable de la mort de l'Ancêtre, il se tut, le cœur plein de honte et de misère.

— Que Dieu lui fasse miséricorde, balbutia Awatef, ne sachant que dire.

— En tout cas, il aura eu une longue et belle vie, renchérit Hanach.

— Mais c'est moi qui suis la cause de sa mort ! gémit Arafa. Je suis plus vil encore que le plus vil de ses descendants !

— Et pourtant, tu es parti le cœur plein de bonnes intentions, pleura Awatef.

— Au fait, ils ne risquent pas de remonter jusqu'à nous ? interrompit Hanach.

— Il faut fuir ! s'écria la femme.

— Sûrement pas ! rétorqua Arafa avec un geste agacé. Ce serait le meilleur moyen d'attirer les soupçons.

Pendant ce temps, les commentaires allaient bon train dans la rue noire de monde :

— Il faut tuer le coupable avant que le Vieux soit en terre !

— Quelle génération maudite ! Même les pires canailles ont toujours respecté cette maison. Même Idris ! Nous sommes maudits jusqu'au jour du Jugement !

— Ce n'est sûrement pas des gens du quartier qui ont fait le coup, tu penses !

— T'en fais pas, on saura bientôt le fin mot de l'histoire.

— Nous sommes maudits jusqu'au Jugement dernier !

Les Gabalites proposèrent que l'Ancêtre soit enterré dans le tombeau de leur héros, faisant valoir, d'une part, qu'il en était le descendant le plus direct, et d'autre part qu'il serait malséant que le Fondateur fût enterré dans le caveau de famille, où il côtoierait la dépouille d'Idris. Aussitôt, les Rifaïtes réclamèrent qu'il repose dans le tombeau qu'il avait creusé de ses propres mains pour Rifaa, dans l'enceinte de la Grande Maison. Quant aux Qasimites, ils clamaient haut et fort que, du moment que Qasim était le plus noble des descendants de l'Ancêtre, seule sa tombe était digne d'en recevoir l'auguste dépouille. On faillit en venir aux mains avant même de procéder aux funérailles. Mais l'intendant Qadri mit tout le monde d'accord en décrétant que Gabalawi serait enterré dans le petit oratoire bâti à la place de l'ancien bureau du *waqf*, à l'intérieur de la maison. Cette décision provoqua un soulagement général, même si beaucoup de gens regrettaient de ne pouvoir assister à l'enterrement de leur Ancêtre, comme ils avaient été privés de sa vue quand il était vivant. Les Rifaïtes, tout réjouis, laissaient courir le bruit que Gabalawi serait finalement enseveli dans la tombe de Rifaa. Mais ils étaient bien les seuls à prêter foi à cette vieille histoire, et tous les autres en faisaient des gorges chaudes. Si bien que leur *futuwwa*, Aggag, finit par se mettre en colère : une rixe faillit éclater entre lui et Santouri, mais Saadallah vint y mettre bon ordre.

— Je casse la tête au premier imbécile qui vient troubler cette journée de deuil ! proclama-t-il.

Seuls quelques serviteurs de confiance assistèrent à la toilette mortuaire. Ce furent également eux qui déposèrent le défunt dans la bière ; ils la portèrent à travers la grande cour, qui avait vu tant d'événements importants dans l'histoire de la famille. Cela fait, on invita l'intendant et les notables des trois clans à venir prier sur la dépouille. On l'enterra enfin, au moment où le soleil déclinait sur l'horizon. Le soir venu, tous les habitants du quartier se rassemblèrent sous l'auvent dressé à cet effet ; Arafa et Hanach assistèrent à la cérémonie parmi le groupe des Rifaïtes. Autour d'eux, la conversation roulait exclusivement sur les titres de gloire de Gabalawi, le maître du désert, le seigneur des braves, l'incarnation de la force et du courage, le fondateur du *waqf*, le patriarche à la descendance innombrable.

Arafa, le visage défait par l'insomnie, paraissait plongé dans le chagrin ; mais personne ne pouvait se douter des pensées qui roulaient dans son for intérieur. C'était lui qui s'était glissé dans la Grande Maison, sans respect pour son caractère vénérable. Lui qui avait douté de l'existence de l'Ancêtre, jusqu'au moment où il l'avait tué. Lui qui s'était mis au ban du quartier et qui s'était souillé pour l'éternité. Comment pourrait-il jamais expier ce crime ? Tous les mérites de Gabal, Rifaa et Qasim réunis n'y auraient pas suffi. Liquider l'intendant et les *futuwwas*, guérir le quartier de tous ses maux, risquer sa vie dans tous les dangers, enseigner à chacun les secrets de l'alchimie, rien de tout cela ne suffirait. Non, la seule expiation possible était de progresser suffisamment dans son art pour ressusciter Gabalawi. Gabalawi, il lui avait été plus facile de le tuer que de le voir ! Puisse le temps cicatriser la blessure qu'il portait au cœur ! Et ces *futuwwas* avec leurs larmes de crocodile ! Mais hélas !

aucun d'eux n'avait commis de crime qui pût se comparer au sien.

Les *futuwwas* étaient assis en groupe, l'air morose, remâchant leur colère et leur humiliation. Maintenant, tout le monde, dans les quartiers environnants, allait raconter que Gabalawi s'était fait assassiner dans son lit, pendant que les grands *futuwwas*, censés le garder, fumaient tranquillement leur haschisch. Et des lueurs de meurtre passaient dans leurs yeux.

Vers la fin de la nuit, quand Arafa retourna dans son sous-sol, il attira Awatef contre lui et lui demanda avec désespoir :

— Awatef, dis-moi franchement ce que tu en penses : me considères-tu comme un criminel ?

— Tu es un homme bon, répondit-elle doucement. Je n'en connais pas de meilleur que toi… ni de plus malchanceux.

— Personne n'a jamais souffert ce que je souffre en ce moment, soupira-t-il en fermant les yeux.

— Oui, je sais.

Elle l'embrassa de ses lèvres froides et reprit à voix basse :

— J'ai peur que la malédiction tombe sur nous.

— Je ne suis pas tranquille, intervint Hanach. Un jour ou l'autre, ils finiront par découvrir le pot aux roses. Je n'arrive pas à croire que l'on sache tout sur Gabalawi, son origine, son *waqf*, son attitude envers ses fils, ses relations avec Gabal, Rifaa et Qasim, et qu'on ne sache rien de sa mort !

— A part la fuite, que proposes-tu ? interrogea Arafa.

Voyant qu'Awatef gardait le silence, il poursuivit :

— Quant à moi, j'ai un plan. Mais je dois être sûr de moi avant d'en commencer l'exécution : si je suis un assassin, je ne peux rien faire.

— Tu es innocent, déclara Hanach d'une voix qui manquait de conviction.

— Alors, je me mets à l'œuvre ! Ne t'en fais pas pour nous, Hanach : bientôt le quartier aura d'autres soucis que le crime qui vient de se commettre. Il va se passer des choses extraordinaires, et la plus extraordinaire de toutes sera la résurrection de Gabalawi !

— Tu es devenu fou ? s'inquiéta Hanach.

— Non, poursuivit l'autre d'une voix fébrile. Un seul mot de l'Ancêtre poussait les meilleurs de ses descendants à agir sans craindre la mort. Mais maintenant que sa mort est plus forte que ses paroles, il incombe à ses descendants de tout faire par eux-mêmes. De prendre sa place, d'être lui.

104

Arafa se préparait à quitter le sous-sol, alors que les dernières voix ne s'étaient pas encore tues dans le quartier. Les yeux rougis par les larmes, Awatef le suivit jusque dans l'entrée.

— Que la Providence te garde, murmura-t-elle d'une voix résignée.

— Tu ne veux vraiment pas que je t'accompagne ? insista Hanach.

— Non, trancha Arafa. J'ai de meilleures chances de leur échapper tout seul que si nous sommes deux.

— En tout cas, n'utilise la bouteille qu'à la toute dernière extrémité, recommanda Hanach en lui frappant sur l'épaule.

Arafa hocha la tête et s'en fut. Il jeta un coup d'œil au quartier plongé dans les ténèbres, avant de s'éloigner dans la direction de la Gamaliyya ; faisant un long crochet par le quartier des Chauves-Souris et la Darrasa, il aboutit au mur du jardin de Saadallah, du côté du désert. Parvenu au milieu du mur, il tâta un instant le sol, trouva une grosse pierre, la déplaça, et se glissa dans le tunnel que, depuis plusieurs nuits, il s'était occupé à creuser avec l'aide de Hanach. Rampant sur le ventre, il parvint à l'autre bout, éboula la mince couche de terre qui l'obstruait encore, et déboucha dans le jardin du *futuwwa*.

Se dissimulant derrière le mur, il jeta un regard alentour : dans la maison, une fenêtre fermée laissait échapper quelques rayons de lumière. Le jardin était plongé dans le sommeil et l'obscurité, à l'exception du pavillon, où brillait une lampe, et d'où s'échappaient, de temps en temps, des exclamations joyeuses et des rires gras. Il sortit un poignard de sa tunique et attendit, ramassé sur lui-même, pendant que passaient les minutes, plus lourdes que ses crimes. Une demi-heure plus tard, l'assemblée se dispersa, la porte s'ouvrit, et les invités sortirent en file indienne, précédés du portier qui tenait un fanal. Puis il entendit le portail se refermer et le serviteur revint vers le *selamlik*, suivi par Saadallah.

Arafa saisit une pierre de la main gauche et, le poignard serré dans la droite, s'avança courbé en deux jusqu'à un gros palmier, situé auprès du perron. Lorsque

Saadallah posa le pied sur la première marche, Arafa se rua sur lui et lui plongea le poignard dans la poitrine, un peu au-dessus du cœur. L'homme poussa un cri et s'affaissa sur lui-même. Le portier se retourna d'un air effaré ; mais la pierre jetée par Arafa vint fracasser son fanal.

Pendant que le domestique donnait l'alarme à grands cris, Arafa se précipita vers le mur extérieur ; en quelques secondes, la maison et le jardin se mirent à bourdonner de bruits de course et d'appels entrecroisés. Arafa, toujours courant, trébucha sur quelque chose, peut-être une vieille souche, et s'étala de tout son long ; une douleur fulgurante lui poignarda la jambe et le coude. Il réussit tant bien que mal à la surmonter et se traîna jusqu'à l'orifice du tunnel. Les cris et les bruits de pas se rapprochaient. Il se jeta dans l'excavation et, en quelques secondes, se trouva dehors, dans le désert. Grognant de douleur, il se releva et s'élança vers l'est.

Au moment de tourner le coin de la Grande Maison, il jeta un coup d'œil en arrière : des formes imprécises accouraient vers lui. Une voix lança : "Qui va là ?" Se forçant à accélérer l'allure, malgré la douleur, il atteignit le coin du mur arrière. Mais, alors qu'il traversait la placette qui le séparait de celle de l'intendant, il aperçut la lumière des flambeaux et entendit des cris ; il se lança alors vers le désert, dans la direction de Souk el-Muqattam. Il se rendait compte que, tôt ou tard, la douleur finirait par avoir raison de lui. D'ailleurs, les pas des poursuivants s'approchaient dangereusement, et leurs cris retentissaient dans le silence : "Le voilà ! Attrapez-le !"

Il sortit la bouteille de sa poche, cette bouteille qu'il avait passé un mois à mettre au point. Il s'arrêta, faisant face à la meute, attendit que les silhouettes se précisent, et la projeta dans leur direction de toutes ses forces. Une seconde après, une explosion terrible déchira l'air. Des cris de douleur et des râles s'élevèrent dans la nuit. Arafa se remit à courir ; cette fois-ci, il n'entendit plus aucun bruit de pas derrière lui. Arrivé au bord du désert, il se laissa tomber au sol, haletant et gémissant doucement. Il resta un long moment, seul sous les étoiles, avec sa douleur et sa faiblesse ; derrière lui, il n'y avait plus que silence et ténèbres. De la main, il essuya le sang qui couvrait sa jambe et étancha sa blessure avec du sable. Se rendant compte qu'il lui fallait partir, coûte que coûte, il se releva péniblement et s'en fut d'un pas traînant vers la Darrasa.

Lorsqu'il arriva aux premières maisons, il aperçut soudain la silhouette d'un homme qui s'avançait dans sa direction ; il l'observa avec méfiance et crainte, mais l'autre le croisa sans se retourner. Poussant un soupir de soulagement, Arafa se remit en route ; il revint par le même chemin qu'à l'aller. Alors qu'il s'approchait du quartier Gabalawi, une rumeur inhabituelle vint frapper ses oreilles : un concert d'appels, de lamentations, de cris de rage, qui n'annonçait rien de bon. Après une brève hésitation, il reprit sa marche, rasant les murs. Arrivé à l'entrée de l'allée principale, il jeta un coup d'œil à l'intérieur : la foule était rassemblée à l'autre bout, entre la maison de l'intendant et celle de Saadallah, alors que le secteur des Rifaïtes était silencieux et plongé dans l'obscurité.

Arrivé chez lui, il s'écroula entre Awatef et Hanach et découvrit sa jambe ensanglantée. Awatef courut chercher une bassine pleine d'eau et se mit à laver sa blessure, pendant qu'il serrait les dents pour ne pas crier.

— Ça barde, dehors ! déclara Hanach tout en prêtant assistance à l'opération.

— Que dit-on de l'explosion ? s'enquit Arafa, le visage crispé par la douleur.

— Ceux qui te poursuivaient ont raconté ce qui leur était arrivé : on ne les a pas crus ! Mais personne n'explique les blessures qu'ils portent au visage et au cou. L'histoire de l'explosion a presque fait oublier le meurtre de Saadallah.

— Le *futuwwa* du quartier est mort, fit Arafa. Demain, les autres s'entre-tueront pour prendre sa place.

Puis, tournant les yeux vers sa femme, toujours penchée sur la blessure, il ajouta :

— Le règne des *futuwwas* touche à sa fin : le premier à partir sera celui qui a assassiné ton père.

Mais elle ne répondit pas. L'inquiétude se lisait toujours dans les yeux de Hanach. Arafa plongea sa tête dans ses mains pour cacher sa douleur.

105

Le lendemain de bonne heure, on frappa à la porte du sous-sol. Lorsque Awatef alla ouvrir, elle se trouva nez à nez avec oncle Younis, le portier de l'intendant. Le saluant d'une voix douce, elle l'invita à entrer ; mais l'autre, sans bouger, déclara simplement :

— Notre monsieur demande oncle Arafa pour une consultation urgente.

Awatef s'en fut prévenir son mari ; en d'autres circonstances, elle se serait réjouie d'un appel venu de si haut, mais à présent elle ne ressentait que de l'inquiétude. Arafa vint, vêtu de ses plus beaux atours : une djellaba blanche, un turban à pois et des babouches neuves. Mais il s'appuyait sur un bâton, marchant avec un effort visible.

— A tes ordres, déclara-t-il, levant la main en guise de salut.

Il se mit en route, emboîtant le pas au portier. Le quartier semblait plongé dans une affliction générale ; la crainte se lisait dans les regards, et tous semblaient se demander avec effroi quelles nouvelles catastrophes leur réservait le lendemain. Les hommes de main des *futuwwas* tenaient des conciliabules dans les cafés, des cris et des lamentations s'élevaient de la maison de Saadallah. Toujours à la suite du portier, Arafa pénétra dans la maison de l'intendant ; longeant le passage couvert par un berceau de jasmin, ils parvinrent au *selamlik*. Arafa comparait mentalement cette demeure à la Grande Maison ; il trouva qu'elles se ressemblaient étroitement, excepté les dimensions. "Oui, se dit-il avec amertume, ils l'imitent, mais seulement pour ce qui est de leur intérêt : celui des autres, ils s'en moquent bien !"

Le portier le laissa dans l'entrée et s'en fut l'annoncer. Quelques instants plus tard, il l'introduisit dans la grande salle ; l'intendant était déjà là, assis au fond de la pièce. S'arrêtant à distance respectueuse, Arafa s'inclina profondément.

A première vue, l'intendant paraissait d'une taille imposante, solidement bâti, avec un visage rouge et charnu ;

mais quand il sourit pour répondre à son salut, il laissa voir des dents jaunes et gâtées qui ne correspondaient guère à son apparence majestueuse. Il lui fit signe de s'asseoir à son côté, sur le canapé ; mais Arafa, pour manifester sa discrétion, se dirigea vers le siège le plus proche, murmurant :

— Avec ta permission, notre maître…

— Non, ici ! Viens t'asseoir ici ! répondit l'autre, indiquant la place à côté de lui avec une amabilité sans réplique.

Arafa alla donc prendre place tout au bout du divan. "Ça doit être quelque chose de vraiment secret", se dit-il, impression renforcée lorsqu'il vit oncle Younis fermer la porte de la salle. Il resta silencieux, dans une posture pleine de déférence, pendant que l'intendant lui adressait un sourire aimable. Ce fut du même ton égal et paisible qu'il lui demanda à brûle-pourpoint :

— Eh bien, si tu me disais un peu pourquoi tu as tué Saadallah ?

Figé sur place, le regard vitreux, les membres paralysés, Arafa sentait tout se mélanger dans sa tête, passé et avenir. L'autre le contemplait toujours de son regard tranquille : assurément, il savait tout, comme la Providence.

— Eh, ne panique donc pas comme ça ! reprit-il d'un ton un peu plus sec. Quand on n'a pas de sang-froid, on ne se mêle pas de tuer les gens ! Allez, reprends-toi et réponds : pourquoi as-tu tué Saadallah ?

— Moi… moi, notre maître ? balbutia Arafa, sans savoir ce qu'il disait.

— Dis donc, fils de garce, tu crois que je radote ? Ou que je parle sans savoir ? Réponds, pourquoi l'as-tu tué ?

Absurdement, désespérément, Arafa scrutait tous les coins de la pièce.

— Tu ne t'en sortiras pas, mon pauvre Arafa, reprit l'intendant d'une voix froide comme la mort. Dehors, la rue est pleine de gens qui te déchireraient de leurs dents et boiraient ton sang s'ils apprenaient ce que tu as fait.

Dans la maison du *futuwwa*, les cris s'élevaient avec une intensité redoublée ; tous ses espoirs anéantis, Arafa ouvrit la bouche, mais ne put prononcer un mot.

— Continue à te taire si ça te chante. Moi, je vais te livrer aux bêtes féroces qui sont là dehors ; et je leur dirai : "Voici l'assassin de Saadallah". Et je pourrais leur dire aussi : "Voici l'assassin de Gabalawi."

— Gabalawi ? s'écria Arafa d'une voix étouffée.

— Celui qui creuse des tunnels sous les murs de derrière ! Eh oui, une fois ça passe, mais pas deux ! Mais dis-moi : pourquoi es-tu devenu un assassin, Arafa ?

— Mais je suis innocent, notre maître ! gémit Arafa sans savoir ce qu'il disait.

— Si je t'accusais publiquement, personne ne me demanderait la moindre preuve. Tu sais comment les choses se passent, ici : rumeur égale certitude, égale condamnation, égale exécution. Et maintenant, dis-moi ce qui t'a poussé à te glisser dans la Grande Maison d'abord, et à tuer Saadallah ensuite.

Il savait tout, mais comment ? Peu importe, il savait tout : autrement pourquoi aurait-il accusé Arafa plutôt que n'importe qui d'autre ?

— Tu voulais voler ? C'est ça ? Vas-tu parler, à la fin, fils de vipère !

— Notre maître !

— Et pourquoi donc en es-tu arrivé là ? Tu es plus à ton aise que beaucoup…

— L'homme est plein de mauvais penchants, balbutia-t-il.

L'intendant éclata d'un rire triomphant. "Mais pourquoi fait-il tant traîner les choses ?" se demanda Arafa. Et pourquoi n'avait-il pas tout simplement remis son sort à un *futuwwa*, au lieu de le faire venir chez lui ? Tout cela n'était pas clair.

Après avoir savouré quelques instants l'anxiété d'Arafa, l'intendant reprit :

— Tu es vraiment un homme dangereux, Arafa !

— Je ne suis qu'un pauvre homme, notre maître.

— Allons donc ! Un garçon capable d'inventer une arme comme la tienne, qui se moque des gourdins !

"Un mort ne pleure pas la perte de sa vue : le véritable magicien, c'est lui, pas moi", se dit Arafa.

— Un de mes serviteurs s'est joint à tes poursuivants, reprit l'intendant après une nouvelle pause. Il s'est laissé distancer par les autres, ce qui lui a permis d'échapper à ton arme. Ensuite, il t'a suivi sans que tu t'en aperçoives. Quand tu es arrivé à la Darrasa, il t'a reconnu, mais il n'a pas osé t'attaquer, de peur d'une nouvelle surprise : il est simplement revenu me prévenir.

— Et personne d'autre n'est au courant ? demanda instinctivement Arafa.

— C'est un serviteur de confiance, repartit l'autre avec un sourire. Et maintenant, parle-moi un peu de ton arme secrète, reprit-il d'un ton significatif.

A présent, Arafa y voyait un peu plus clair. Ce que l'intendant désirait avait plus d'importance à ses yeux que la vie d'un alchimiste.

— C'est beaucoup plus facile à fabriquer qu'on ne le pense, fit-il à voix basse.

— Je pourrais facilement faire fouiller ta maison à l'instant, mais je ne tiens pas à attirer l'attention sur toi. Tu vois ce que je veux dire ? Tu resteras en vie tant que tu seras docile.

— Tu trouveras en moi le plus dévoué des serviteurs, murmura Arafa d'une voix atone.

— A la bonne heure, tu commences à comprendre ! Si j'avais voulu ta mort, tu serais déjà dans le ventre des chiens.

Il s'éclaircit la gorge avant de poursuivre :

— Bon, laissons Gabalawi et Saadallah en paix, et parle-moi de ton arme secrète : de quoi s'agit-il ?

— D'une bouteille préparée selon une recette alchimique, répondit prudemment Arafa.

— Explique-toi plus clairement !

— L'alchimie est un langage que seuls les initiés peuvent comprendre, objecta Arafa d'un ton plus assuré.

— Tu refuses de t'expliquer même si je te promets la vie sauve ?

— Mais je ne t'ai dit que la stricte vérité, protesta-t-il, cachant sous un air sérieux un petit rire intérieur.

L'intendant fixa le sol un court instant, puis, relevant la tête :

— Et tu en as d'autres ? interrogea-t-il.

— Pour l'instant, je n'en ai pas une seule.

— Fils de vipère ! cracha-t-il entre ses dents serrées.

— Tu peux fouiller ma maison : tu verras toi-même si j'ai dit la vérité.

— Et tu pourrais en fabriquer de semblables ?

— Rien de plus facile.

L'intendant croisa les bras sur sa poitrine d'un air satisfait.

— Il m'en faudra beaucoup, déclara-t-il.

— Autant que tu voudras.

Pour la première fois, ils échangèrent un regard complice.

— Notre monsieur veut se débarrasser de ces maudits *futuwwas*, glissa audacieusement Arafa.

Un regard étrange brilla dans les yeux de l'intendant.

— Dis-moi franchement : qu'est-ce qui t'a poussé à t'introduire dans la Grande Maison ?

— Rien d'autre que la curiosité. Et puis j'ai eu la malchance de tuer ce vieux serviteur, sans le vouloir aucunement.

— Oui, et tu as provoqué la mort du Vieux, reprit l'autre avec un regard soupçonneux.

— C'est bien ça qui me rend le plus triste.

— Puissions-nous vivre aussi longtemps que lui, conclut l'intendant en haussant les épaules.

“L'hypocrite ! Le sale hypocrite ! Rien ne l'intéressait hormis le *waqf* !”

— Puisse Dieu te donner longue vie, souhaita Arafa.

— Et c'est seulement par curiosité que tu y es allé ? insista Qadri, repris par le soupçon.

— Oui.

— Et pourquoi as-tu assassiné Saadallah ?

— Parce que je suis comme toi : j'ai l'intention de liquider tous les *futuwwas*.

— Les *futuwwas* sont un vrai fléau, acquiesça l'intendant avec un sourire.

“Oui, mais la vérité c'est que tu les détestes parce qu'ils empochent une partie de l'argent du *waqf*, non pas parce qu'ils sont malfaisants !”

— C'est bien vrai, notre maître.

— Tu verras, tu ne perdras rien à me servir : tu deviendras plus riche que tu n'avais jamais rêvé de l'être.

— Je ne demande pas autre chose.

— Et puis, fini de t'esquinter le tempérament pour quelques millimes : désormais tu travailleras pour moi, pour moi seul, et tu obtiendras tout ce que tu désires.

106

Ils étaient assis tous les trois sur le canapé ; Arafa leur rapportait son entrevue avec l'intendant, pendant qu'Awatef et Hanach étaient suspendus à ses lèvres.

— Voilà, conclut-il, nous n'avons pas le choix. Saadallah n'a pas encore été mis en terre : ou bien nous acceptons, ou bien, adieu !

— Si on s'enfuyait ? suggéra Awatef.

— Impossible : ils nous surveillent jour et nuit.

— Et tu y crois, à sa protection ?

Arafa ignora la question : elle ne correspondait que trop à ses propres inquiétudes. Il se tourna vers Hanach :

— Et toi, tu ne dis rien ?

— Quand nous sommes revenus ici, nous avions des espérances modestes et raisonnables, déclara ce dernier, avec une tristesse lucide. Et puis tu as voulu changer de plan, t'accrochant à toutes sortes de projets mirifiques. Au début, j'ai essayé de discuter avec toi mais quand il l'a fallu, je t'ai aidé sans hésitation. Petit à petit, tu m'as convaincu : pour moi aussi, il n'y avait plus d'espoir que dans la libération du quartier. Et maintenant, voilà que tu nous sors un troisième plan, qui doit faire de nous les plus terribles instruments d'oppression que le quartier ait jamais connus : au moins, les *futuwwas*, pouvait-on parfois leur résister, et même les tuer. Nous, non.

— Nous ne serons plus jamais en sécurité, renchérit Awatef : une fois qu'il aura obtenu ce qu'il veut, il se débarrassera de toi par ruse, comme il va se débarrasser des *futuwwas*.

Dans le secret de son cœur, Arafa était persuadé qu'ils avaient raison, et cela le rendait soucieux. Il reprit cependant, comme se parlant à lui-même :

— Je m'arrangerai pour qu'il ait toujours besoin de mon art.

— Dans le meilleur des cas, tu ne seras que son nouveau *futuwwa*, fit observer Awatef.

— Certainement ! renchérit Hanach. Un *futuwwa* qui utiliserait des bouteilles explosives à la place d'un gourdin. Rappelle-toi quels sentiments tu éprouvais pour les *futuwwas* : eh bien, c'est exactement ce qu'on pensera de toi.

— Vous en avez de bonnes, à la fin ! explosa Arafa. On dirait que c'est moi le salaud et vous les petits saints ! Rappelez-vous que c'est moi qui vous ai donné la foi, qui ai passé mes nuits à veiller et qui ai risqué ma vie par deux fois pour le bonheur du quartier ! Alors, si vous refusez la solution qui nous a été imposée sans que nous le voulions, trouvez autre chose !

Sous son regard plein de défi et de colère, tous deux gardèrent le silence. Il lui semblait vivre un cauchemar horrible et étouffant. Une pensée étrange lui vint : c'était la punition de son assaut brutal contre l'Ancêtre. Sa douleur s'accrut encore.

— Fuyons ! répéta Awatef d'une voix suppliante.

— Comment veux-tu fuir ? rétorqua Arafa avec agacement.

— Je ne sais pas, moi ! Ça ne devrait pas être plus difficile que de pénétrer dans la Grande Maison, après tout !

— Oui, mais maintenant l'intendant nous a à l'œil. Ses espions nous surveillent sans cesse : comment faire ?

Un silence s'appesantit sur eux, tel le silence du tombeau où reposait Gabalawi.

— Je ne veux pas porter seul le poids de la défaite, reprit Arafa d'un ton plein de rancœur.

— De toute façon, nous n'avons pas le choix, répondit sombrement Hanach. Et puis, peut-être trouverons-nous un jour le moyen de tout arranger.

— Qui sait ? approuva distraitement Arafa.

Suivi de son frère, il se retira dans son atelier ; ils se mirent à remplir plusieurs bouteilles d'éclats de verre, de sable et d'autres ingrédients.

— Il faudra que nous inventions des symboles, des symboles secrets pour désigner les étapes du travail, déclara soudain Arafa. Nous mettrons mes recettes par écrit, dans un carnet que nous seuls pourrons lire : ainsi, nous ne risquerons pas de perdre le fruit de nos efforts, et, même si je venais à mourir, le travail pourrait continuer. Par ailleurs, j'aimerais beaucoup que tu te mettes à apprendre l'alchimie : qui sait ce que l'avenir nous réserve ?

Ils poursuivirent leur travail avec une ardeur redoublée. Arafa, jetant un coup d'œil à son compagnon, vit qu'il avait gardé son expression morose. Il savait bien pourquoi, mais choisit de faire comme si de rien n'était.

— Avec ces bouteilles, nous allons liquider les *futuwwas*, déclara-t-il.

— Oui, mais pas pour notre compte ni pour celui du quartier.

— Tu n'as donc rien appris à écouter les conteurs ? Il s'est trouvé dans le passé des hommes comme Gabal, Rifaa ou Qasim : pourquoi l'avenir n'en apporterait-il pas d'autres ?

— A un moment, j'ai failli croire que tu étais l'un d'eux, soupira Hanach.

— Et depuis, tu as changé d'avis ? demanda l'autre avec un rire sans joie.

Le nain ne répondit pas.

— En tout cas, reprit Arafa, il y a au moins un point sur lequel je ne leur ressemble pas : eux, ils avaient des partisans et des gens qui les aidaient parmi les habitants du quartier. Tandis que moi, personne ne me comprend. Tiens, prends Qasim par exemple : une seule de ses belles paroles lui ralliait un garçon solide et brave, mais moi, il me faut des années et des années pour arriver à former un seul aide !

Il acheva de remplir une bouteille, la boucha solidement et la mira à la lumière de la lampe, émerveillé.

— Aujourd'hui, elle peut tout juste effrayer et causer quelques écorchures ; mais demain, elle fera des morts. Je te le dirai toujours : il n'y a pas de limites à mon art.

107

Qui serait le *futuwwa* du quartier ?

Les gens se posaient cette question depuis que Saadallah dormait dans sa tombe. Chaque faction soutenait son protecteur attitré ; les Gabalites affirmaient que Yousouf était le plus fort, et de surcroît le plus étroitement apparenté à Gabalawi, pendant que les Rifaïtes faisaient valoir que leur secteur était celui du plus noble des fils de notre quartier, et que d'ailleurs Gabalawi lui-même l'avait enterré dans le jardin de la Grande Maison ; quant aux Qasimites, ils faisaient remarquer qu'eux, au moins, n'avaient pas profité de la victoire pour promouvoir leurs intérêts propres, mais ceux de tout le quartier, et que, du temps de leur fondateur, celui-ci avait formé une unité indivisible, gouvernée par la justice et la fraternité.

Comme d'habitude les disputes commencèrent *sotto voce* dans les cercles de fumeurs de haschisch, avant de se répandre et de s'enfler dans l'atmosphère, comme des nuées annonçant l'orage. Plus aucun *futuwwa* ne se risquait à sortir seul ; lorsque l'un d'eux passait la soirée au café ou dans un cercle de haschisch, il était entouré de ses gros bras armés de leurs gourdins. Chaque conteur proclamait au son du *rebab* les mérites du *futuwwa* de son secteur, pendant que les marchands ambulants et les boutiquiers faisaient grise mine, suants de peur. Personne ne pensait plus à la mort de Gabalawi ni à l'assassinat de Saadallah : on avait d'autres soucis en tête, plus immédiats. Et Oumm Nabawiyya, la marchande de fèves cuites, exprimait bien le sentiment général le jour où elle s'écria à haute voix :

— Ah ! chienne de vie ! Les morts ne connaissent pas leur bonheur !

Un beau soir, on entendit une voix tomber du haut de la terrasse d'un immeuble situé dans le quartier de Gabal :

— Bonnes gens du quartier ! Ecoutez et soyez raisonnables. Le secteur de Gabal est le plus ancien du quartier, et Gabal est le premier de nos grands hommes : il n'y a pas de honte pour vous à accepter Yousouf comme *futuwwa* !

Un concert de huées et de cris d'animaux s'éleva aussitôt des deux autres secteurs, mêlés des injures et des malédictions les plus raffinées. Un groupe d'enfants se rassembla dans la rue, chantant à pleine voix :

Yousouf, Yousouf, face de pignouf !
T'auras pas le temps de faire ouf !

Bref, les choses s'envenimaient. Toutefois, un élément retardait l'issue fatale : la partie se jouait à trois, chacun étant opposé aux deux autres. Pour débloquer la situation, il aurait fallu que deux secteurs s'unissent contre le troisième, ou que l'un se retirât volontairement de la compétition. Aussi les premières escarmouches se déroulèrent-elles loin du quartier. Un jour, deux marchands ambulants, l'un gabalite, l'autre qasimite, se rencontrèrent par hasard à Beit el-Qadi. La bataille fut âpre : le Qasimite y laissa toutes ses dents de devant et le Gabalite un œil. Au hammam des Sultans, une bataille rangée opposa les femmes des trois clans : elles se battirent toutes nues dans la piscine, se griffant le visage, se mordant les bras et le ventre et s'arrachant les cheveux, cependant que bassines, pierres ponces, gants de crin et morceaux de savon voltigeaient. Deux femmes furent relevées évanouies, une troisième fit une fausse couche, sans parler des blessures superficielles… Le soir du même jour, après le retour des combattantes, la bataille reprit sur les terrasses, à grand renfort de briques et d'injures ; bientôt, l'atmosphère de notre quartier fut remplie d'obscénités et de cris s'élevant jusqu'au ciel.

A ce moment-là, un envoyé de l'intendant se glissa discrètement auprès de Yousouf, le *futuwwa* des Gabalites, et lui fit savoir que son maître désirait un entretien avec lui, mais qu'il fallait éviter à tout prix d'ébruiter la chose.

L'intendant accueillit Yousouf avec la plus grande cordialité et lui demanda de s'arranger pour calmer les esprits dans son secteur : celui-ci jouxtait sa maison. En lui serrant la main pour lui dire adieu, il glissa qu'il espérait bien accueillir en lui le *futuwwa* en chef du secteur, lors de sa prochaine visite. Yousouf sortit, les oreilles encore bourdonnantes de la quasi-promesse qu'il venait d'entendre ; il ne doutait pas que la victoire était à portée de main. Il se hâta de rétablir l'ordre dans son secteur.

Naturellement, la rumeur se répandit parmi les Gabalites, qui se félicitèrent de la gloire et du prestige que leur réservait l'avenir. Naturellement, elle filtra dans les autres secteurs, où les esprits s'échauffèrent de plus belle. Quelques jours plus tard, Aggag et Santouri se rencontrèrent en secret, et convinrent de s'allier pour liquider Yousouf, après quoi ils laisseraient au sort le soin de les départager.

Le lendemain à l'aube, les gros bras des secteurs de Qasim et de Rifaa se ruèrent ensemble sur le secteur des Gabalites ; la bataille fut âprement disputée, mais Yousouf et la plupart de ses hommes de main furent tués, et les autres prirent la fuite. Les Gabalites durent s'incliner.

On décida de procéder au tirage au sort vers la fin de l'après-midi. A l'heure dite, une foule composée de Qasimites et de Rifaïtes se rassembla au haut du quartier, devant la Grande Maison, dans l'espace compris entre la demeure de l'intendant et celle du *futuwwa* en chef, laquelle devait revenir au vainqueur. Santouri et Aggag, chacun accompagné de sa bande, se saluèrent solennellement, renouvelant leur pacte. Les deux chefs se donnèrent l'accolade en présence de tous, et Aggag prononça à haute voix :

— Toi et moi on est frères et on le restera quoi qu'il arrive !

— A la vie, à la mort, parole d'homme ! approuva l'autre avec enthousiasme.

Les deux groupes se faisaient face, séparés par un espace vide. Deux hommes, un Qasimite et un Rifaïte, apportèrent un panier plein de petits sacs de papier, qu'ils déposèrent au milieu de l'arène, avant de revenir chacun vers son groupe. On proclama que l'herminette était le symbole d'Aggag et le hachoir celui de Santouri : chacun des sacs de papier en contenait un modèle en miniature, et il y en avait autant de l'un que de l'autre.

Puis on amena un jeune garçon, les yeux bandés ; dans un silence tendu, il plongea la main dans le panier et prit un sac au hasard. Les yeux toujours bandés, il l'ouvrit, saisit ce qu'il contenait, et l'éleva bien haut. Aussitôt les Qasimites se mirent à crier :

— Le hachoir ! Le hachoir !

Santouri s'avança vers Aggag et lui tendit la main : l'autre la serra en souriant. Les acclamations fusèrent :

— Vive Santouri, le *futuwwa* du quartier !

C'est alors qu'un homme sortit des rangs des Rifaïtes et s'avança les bras ouverts vers Santouri ; celui-ci ouvrit les siens à son tour pour lui donner l'accolade. Mais l'autre, d'un geste vif et puissant, lui enfonça un couteau dans le cœur : Santouri s'effondra comme une masse. Le premier mouvement de surprise passé, un concert de cris, de menaces et d'imprécations éclata : les deux groupes s'affrontèrent dans une mêlée sans merci. Mais, parmi les Qasimites, personne n'était de taille à tenir tête à Aggag : bientôt, ils lâchèrent pied, laissant leurs morts et leurs blessés sur le carreau. Avant la tombée du soir, Aggag fut proclamé *futuwwa* en chef. Pendant que le secteur des Qasimites retentissait des pleurs et des gémissements, les acclamations s'élevaient de chez les Rifaïtes ; les gens dansaient dans la rue autour de leur *futuwwa*, le *futuwwa* de tout le quartier, Aggag.

Soudain, une voix retentissante s'éleva au-dessus du tumulte.

— Silence ! Ecoutez ! Allez-vous écouter, bande de veaux !

Etonnés, ils se tournèrent vers l'endroit d'où provenait ce cri : ils aperçurent Younis, le portier de l'intendant, suivi de l'intendant en personne, qu'escortait un groupe de serviteurs. Aggag se porta au-devant du cortège.

— Ton serviteur Aggag, le nouveau *futuwwa* du quartier, à tes ordres.

L'intendant le toisa d'un regard dégoûté. Un silence lourd s'abattit sur tous.

— Vois-tu, Aggag, je ne veux plus de *futuwwa* ! déclara-t-il.

La stupéfaction se peignit sur les traits des Rifaïtes, effaçant les sourires triomphants qu'ils arboraient un instant plus tôt.

— Que veux-tu dire, notre maître ? questionna Aggag d'un ton incrédule.

— On ne veut plus de *futuwwa* ici, c'est clair ? Fichez le camp et laissez-nous vivre en paix.

— En paix ? ricana l'autre.

Et, bravant le regard de l'intendant, il poursuivit :

— Mais toi, alors, qui va te protéger ?

A cet instant, une volée de bouteilles explosives lancées par les serviteurs atteignit le *futuwwa* et ses hommes ; une série de détonations fit trembler les murs, des éclats de verre et des cailloux s'enfoncèrent dans les visages et les membres, faisant jaillir le sang, répandant la terreur. Aggag et ses hommes s'écroulèrent ; les serviteurs se hâtèrent de leur donner le coup de grâce. Des lamentations s'élevèrent du secteur des Rifaïtes, tandis que les Gabalites et les Qasimites criaient de joie.

Oncle Younis s'avança jusqu'au centre du quartier et demanda silence ; quand tout le monde se fut tu, il proclama à haute voix :

— Bonnes gens du quartier ! Une période de bonheur et de tranquillité s'ouvre devant vous, grâce à notre maître l'intendant, que Dieu lui accorde longue vie ! Désormais, il n'y aura plus de *futuwwa* pour vous maltraiter ou vous prendre votre argent !

Un concert d'acclamations s'éleva vers le ciel.

108

Une nuit, Arafa et les siens déménagèrent de leur soussol pour s'installer dans la résidence du *futuwwa*, à droite de la Grande Maison. Ainsi en avait décidé l'intendant dont la volonté ne souffrait pas de réplique. Comme dans un rêve, ils visitèrent le jardin, plein de fleurs et de chants d'oiseaux, où se dressait un élégant pavillon, le *selamlik*, la grande salle, puis, à l'étage, les chambres à coucher, les pièces de séjour, la salle à manger, et enfin la terrasse, avec ses poulaillers, ses clapiers et ses pigeonniers. Pour la première fois de leur vie, ils revêtirent de beaux vêtements et respirèrent un air pur, chargé d'odeurs suaves.

— On dirait une réplique de la Grande Maison, mais sans son mystère, fit observer Arafa.

— Et ton art, ça ne compte pas, comme mystère ? objecta Hanach.

— Jamais je n'avais vu cela, même en rêve, murmura Awatef.

Mais ils étaient à peine installés qu'ils virent arriver une théorie d'hommes et de femmes : le premier déclara qu'il était le nouveau portier, le second était cuisinier, le troisième jardinier, le quatrième s'occupait des poules et des pigeons, et les autres étaient filles de chambre.

— Et qui vous a dit de venir ? interrogea Arafa tout étonné.

— Notre monsieur l'intendant, répondit le portier.

Quelques instants plus tard, l'intendant invita Arafa ; il s'y rendit aussitôt.

— Nous aurons fréquemment à nous rencontrer, mon cher Arafa, lui dit-il. J'espère que mon invitation ne t'a pas dérangé.

— Mais c'est un honneur et un avantage, notre monsieur ! s'exclama l'alchimiste, dissimulant son dégoût sous un air riant.

— Tu es trop aimable. Ta nouvelle maison te plaît ?

— Elle est beaucoup trop belle, surtout pour de pauvres gens comme nous. Et tous ces domestiques qui nous sont arrivés aujourd'hui.

— Ce sont des gens de chez moi, que je vous envoie pour vous servir, et vous protéger.

— Nous protéger ?

— Eh oui ! fit l'intendant avec un gros rire. Tu ne sais donc pas que tout le quartier ne parle que de ton déménagement dans la maison du *futuwwa* ? Et tout le monde chuchote que c'est toi qui fabriques les bouteilles explosives. Les familles des *futuwwas* ont une vengeance à prendre, comme tu le sais ; quant aux autres, ils crèvent de jalousie. Bref, tu es entouré d'ennemis : si tu veux mon avis, ne te fie à personne, évite de sortir seul et de t'éloigner de chez toi.

Le visage d'Arafa se rembrunit : il se rendait compte que sa nouvelle maison n'était rien d'autre qu'une prison où il vivrait entouré de haine et de rancœur.

— Mais tu n'as rien à craindre tant que mes hommes seront autour de toi, ajouta Qadri. Profite de la vie tant que tu voudras dans ta maison et dans la mienne : de toute façon, qu'y perds-tu ? Du désert et des ruines ! Et n'oublie pas que les gens du quartier ont compris que Saadallah a été tué par la même arme qui a tué Aggag, et que l'assassin de Saadallah a utilisé le même moyen pour pénétrer chez lui que l'inconnu qui a tué le domestique dans la Grande Maison : par conséquent, le meurtrier d'Aggag, de Saadallah et de Gabalawi sont une seule et même personne : toi.

— Je ne me débarrasserai donc jamais de cette malédiction, soupira Arafa en frissonnant.

— Tu sais parfaitement que tu n'as rien à craindre, tant que tu seras sous ma protection et sous la garde de mes serviteurs, répéta Qadri d'une voix insinuante.

"Crapule ! Tu m'as fait tomber dans ta prison, moi qui n'ai appris l'alchimie que pour te liquider, pas pour te servir. Et aujourd'hui, ceux que j'aime et que je voulais délivrer me haïssent. Peut-être même mourrai-je de la main de l'un d'eux."

— Pourquoi ne distribuerais-tu pas la part des *futuwwas* aux gens du quartier ? proposa-t-il soudain. Cela te réconcilierait avec eux, et moi aussi...

— Si c'était pour en arriver là, à quoi bon les liquider ? rétorqua l'intendant ironique. Ainsi donc, tu recherches la faveur du peuple ? reprit-il en plissant les yeux. Oublie ça ! Fais plutôt comme moi : on s'habitue très bien à la haine des autres. Et n'oublie pas que ton seul salut, c'est de garder ma faveur !

— Tu sais bien que je suis à ton service, murmura Arafa, le cœur plein de désespoir.

L'intendant leva les yeux vers le plafond, comme s'il s'amusait à contempler les riches décorations qui l'ornaient, puis, baissant à nouveau la tête :

— En tout cas, j'espère que les distractions de ce monde ne te feront pas oublier ton art, reprit-il. Il faudra que tu me fabriques autant de tes bouteilles que possible.

— Celles que nous avons déjà sont bien suffisantes, protesta Arafa, méfiant.

— Il serait plus prudent d'en avoir une bonne provision, répondit l'intendant, cachant son mécontentement sous un sourire.

Arafa n'ajouta rien. Le désespoir l'écrasait : son tour était-il déjà venu ?

— Notre maître, déclara-t-il soudain, si ma présence t'importune, laisse-moi quitter le quartier pour toujours...

— Mais que me chantes-tu là, mon ami ? se récria Qadri d'un ton d'une parfaite fausseté.

— Je sais fort bien que ma vie dépend du besoin que tu as de moi.

— Ne crois pas que je sous-estime ton intelligence, déclara Qadri avec un rire sans joie. Je reconnais que tu as raisonné juste, mais pourquoi te figures-tu que j'ai seulement besoin de toi pour les bouteilles ? Ton art ne peut-il pas créer d'autres merveilles encore ?

— Ce sont tes hommes qui ont ébruité le secret de notre collaboration, poursuivit Arafa sans se laisser détourner, je n'en doute pas un instant. Mais n'oublie pas une chose : toi aussi, tu ne peux rester en vie que grâce à moi. Aujourd'hui, tu n'as plus de *futuwwas* pour te protéger : tu ne peux compter que sur mes bouteilles ; or celles que tu possèdes actuellement sont tout à fait insuffisantes. Si je meurs aujourd'hui, tu me suivras demain ou après-demain…

Soudain, l'intendant bondit sur lui comme une panthère et le saisit à la gorge des deux mains. Malgré lui, Arafa se mit à trembler ; mais bientôt l'étau se desserra, et Qadri le lâcha. Ses lèvres encore blanches de colère s'écartèrent dans un sourire.

— Vois-tu où tu as failli nous entraîner, avec ta langue trop bien pendue ! Alors que nous n'avons aucune raison de nous disputer, et que nous devrions au contraire profiter tranquillement de notre victoire.

Arafa respira profondément pour retrouver ses esprits, tandis que l'autre poursuivait :

— Pour ce qui est de moi, tu n'as rien à craindre pour ta vie : je la garderai comme la mienne. Alors, profite tant que tu voudras des plaisirs de l'existence, mais sans négliger ton art : j'en attends beaucoup. Et n'oublie pas que celui de nous deux qui trahira l'autre se perdra avec lui.

Le visage d'Awatef et de Hanach s'assombrirent quand il leur rapporta cette conversation ; aucun des trois ne se sentait réellement en sécurité. Mais ils oublièrent leurs inquiétudes, ce soir-là, devant une table garnie à profusion des mets les plus appétissants et des vins les plus vieux. Pour la première fois depuis bien longtemps, on entendit le rire d'Arafa et les plaisanteries de Hanach.

Les deux frères finirent par se plier aux circonstances. Ils avaient installé leur atelier dans une pièce située à l'arrière de la maison. Arafa continuait à enregistrer les résultats de ses expériences en langage chiffré, sur leur carnet secret. Un jour, alors qu'ils travaillaient, Hanach lui dit :

— On fait un beau trio de prisonniers !

— Pas si fort ! Les murs ont des oreilles ! le réprimanda son frère.

Hanach jeta un regard de haine dans la direction de la porte et reprit, chuchotant presque :

— N'aurais-tu pas le moyen d'inventer une arme nouvelle pour nous débarrasser de lui avant qu'il ne s'en aperçoive ?

— On ne pourra jamais faire nos expériences sans que les domestiques nous voient et le mettent au courant. Et, de toute façon, même si nous arrivions à l'éliminer, les parents des *futuwwas* nous attendent dehors ; ils nous mettront en pièces avant qu'on ait eu le temps de se défendre.

— Alors pourquoi te donner tant de mal ?

— Parce que je n'ai plus que mon travail, soupira Arafa.

A la fin de l'après-midi, il se rendait habituellement chez l'intendant ; les deux hommes passaient la soirée à boire et à se distraire. Lorsqu'il rentrait chez lui, il trouvait

Hanach qui lui avait préparé une petite soirée de haschisch, dans le jardin ou sur le balcon. Arafa n'avait jamais pratiqué ce vice auparavant mais il se laissait emporter par le courant. Awatef elle-même finit par s'y mettre. Il leur fallait à tout prix chasser l'ennui, la peur, le désespoir, et un sentiment lancinant de culpabilité ; il leur fallait aussi oublier leurs vastes espérances de jadis. Les deux hommes, au moins, s'occupaient ; quant à Awatef, elle tournait en rond. Elle mangeait à s'en rendre malade, elle dormait au point d'en prendre son lit en grippe, elle passait de longues heures au jardin, contemplant ses belles couleurs. "Et c'est donc ça la vie dont rêvait Adham ? se disait-elle. Quel ennui ! Pourquoi s'être torturé pour si peu ? Cette vie ne serait-elle pas plus heureuse, si elle n'était pas une prison, encerclée par la haine et la rancune ?"

Un soir, Arafa tarda à rentrer de chez l'intendant. Awatef eut l'idée d'aller l'attendre dans le jardin. La caravane de la nuit avançait, sous la conduite de la lune ; assise dans l'obscurité, la jeune femme écoutait le murmure des branches et le coassement des grenouilles. Soudain, au bruit du portail qu'on ouvrait, elle se leva pour aller au-devant de son mari. C'est alors qu'elle perçut le froufrou d'une robe : montant du sous-sol, la silhouette d'une servante se glissa vers la porte. D'une démarche titubante, Arafa s'avança vers elle et l'entraîna vers le mur qui s'étendait depuis le *selamlik* ; Awatef les vit s'étreindre dans l'ombre.

109

Awatef réagit en vraie fille du quartier Gabalawi : telle une lionne enragée, elle se jeta sur le couple enlacé, empoignant Arafa aux cheveux. Totalement pris au dépourvu, celui-ci tituba en arrière, perdit l'équilibre et tomba lourdement. Puis elle se retourna contre la servante, lui enfonçant ses ongles dans la gorge et faisant pleuvoir sur sa tête une grêle de taloches. L'autre hurla à pleine voix. Arafa se redressa, mais n'osa pas approcher de la bagarre.

Au bout d'un instant, Hanach arriva en courant, suivi de plusieurs domestiques ; lorsqu'il vit de quoi il retournait, il congédia son escorte, et, usant d'un tact et d'un doigté exquis, entreprit de séparer les deux femmes. Bientôt il fut en mesure de ramener à la maison Awatef, qui vomissait toujours un flot continu d'injures et de malédictions.

Arafa monta en titubant au balcon qui donnait sur le désert et s'écroula sur le matelas, jambes allongées et dos au mur, dans un état de semi-inconscience. Quelques instants plus tard, Hanach vint le rejoindre et s'assit en face de lui, de l'autre côté du brasero. Il lui jeta un regard à la dérobée, l'air embarrassé, puis se remit à fixer le sol.

— Ça devait arriver, déclara-t-il enfin.

Arafa le regarda d'un air honteux, puis, pressé de changer de sujet, ordonna :

— Allume donc.

Les deux hommes restèrent sur le balcon jusqu'au petit matin ; la servante fautive fut renvoyée, et une autre prit sa place.

Mais il semblait à Awatef que l'atmosphère où ils vivaient ne pouvait qu'entraîner Arafa dans de nouvelles aventures ; elle se mit à interpréter chacun des gestes de son mari dans un sens qui confortait ses doutes, et leur vie devint un enfer. Elle avait perdu l'unique consolation dont elle jouissait encore dans sa prison pleine de terreurs. Maintenant, elle ne se sentait plus chez elle : une prison le jour, un bordel la nuit ! Et son mari n'était même plus son mari. Qu'était devenu l'homme qu'elle avait aimé, l'homme qui avait défié Santouri pour l'épouser ? Celui qui avait plusieurs fois risqué sa vie pour le bien du quartier et qu'elle avait fini par prendre pour l'égal des héros de l'ancien temps ? Maintenant, ce n'était rien de mieux qu'une crapule, de la même espèce que Qadri et Saadallah. Vivre à ses côtés était une torture de tous les instants, un cauchemar sans fin.

Un soir, revenant de chez l'intendant, Arafa ne trouva pas sa femme. Le portier déclara qu'il l'avait vue sortir au début de la soirée, et qu'elle n'était pas rentrée.

— Où diable a-t-elle pu aller ? se demanda Arafa, la tête pleine de vin.

— Si elle n'a pas quitté le quartier, elle doit être chez son ancienne voisine, Oumm Zonfol, la marchande de halva, suggéra Hanach.

— Eh bien qu'elle y reste ! Il ne faut pas être trop bon avec les femmes, dans ce quartier. J'attendrai qu'elle revienne d'elle-même la tête basse.

Mais elle ne revint pas. Au bout d'une dizaine de jours, Arafa décida de se rendre de nuit chez Oumm Zonfol, bien emmitouflé de façon à ce que personne ne le reconnaisse. A l'heure dite, il se glissa hors de la maison, escorté par Hanach. Ils n'avaient pas fait dix mètres qu'ils entendirent un bruit de pas derrière eux : se retournant, ils aperçurent deux domestiques de la maison qui les suivaient.

— Rentrez tout de suite à la maison ! ordonna Arafa.

— On est là pour te protéger, par ordre de notre maître l'intendant, répondit l'un d'entre eux.

Etouffant sa rage, il reprit sa route jusqu'au vieux bâtiment du secteur qasimite, monta au dernier étage, où se trouvait la chambre d'Oumm Zonfol, et frappa à plusieurs reprises. Awatef vint ouvrir elle-même, le visage ensommeillé. En reconnaissant son mari, à la lueur de la petite lampe qu'elle tenait à la main, elle se hâta de battre en retraite ; il la suivit, tirant la porte derrière lui. Oumm Zonfol, qui dormait dans un coin de la chambre, se réveilla au bruit et se mit sur son séant, contemplant le nouveau venu d'un air ébahi.

— Que viens-tu faire ici ? lança Awatef à son mari. Rentre dans ta belle maison et fiche-moi la paix.

— Arafa le magicien ! murmura Oumm Zonfol d'une voix inquiète.

— Allez, sois raisonnable, viens avec moi, dit celui-ci sans s'occuper de la vieille.

— Je n'y retournerai pas, dans ta prison ! rétorqua-t-elle d'un ton décidé. Au moins, ici, je suis tranquille !

— Mais tu es ma femme !

— Tu en as bien d'autres là-bas, grand bien te fasse !

— Laisse-la dormir, intervint Oumm Zonfol. Tu reviendras demain…

Il la foudroya du regard sans lui dire un mot, puis, se retournant vers sa femme :

— N'importe quel homme peut faire un faux pas une fois dans sa vie, déclara-t-il.

— Oui, mais toi ta vie tout entière est un faux pas !

— Ecoute, Awatef, je ne peux pas vivre sans toi, reprit-il d'une voix plus douce.

— Oui, eh bien moi, je me passe très bien de toi !

— Tu vas me laisser tomber pour une seule bêtise que j'ai faite, un soir où j'avais trop bu ?

— Non, l'excuse de la boisson, ça ne marche pas ! s'écria-t-elle, frémissante de rage. Toute ta vie n'est qu'une suite d'erreurs, et des dizaines d'excuses ne suffiraient pas à te disculper, et de toute façon, je n'y gagnerais rien, que de nouvelles peines et de nouveaux malheurs !

— En tout cas, ça vaudra mieux que de vivre dans ce galetas.

— Qu'en sais-tu, lui lança-t-elle avec un sourire amer. Dis-moi plutôt comment il se fait que tes geôliers t'aient laissé sortir ?

— Awatef !

— Je ne retournerai pas dans une maison où je n'ai rien d'autre à faire que de bayer aux corneilles et de fréquenter les putains de mon mari, le grand sorcier !

C'est en vain qu'il essaya de la convaincre ; elle répondit à la douceur par l'obstination, et à la colère par des injures. Il finit par se retirer et rentra chez lui, suivi de Hanach et des deux serviteurs.

— Que vas-tu faire ? lui demanda Hanach.

— Comme d'habitude, répondit-il d'un ton excédé.

Quelques jours plus tard, Qadri l'intendant lui demanda :

— Il y a du nouveau, avec ta femme ?

— Têtue comme une mule, le Seigneur te préserve.

— Ne t'en fais donc pas : une de perdue, dix de retrouvées ! Mais dis-moi, au fait, reprit-il en le fixant attentivement, ta femme ne connaît rien de tes secrets ?

— Seuls les initiés connaissent les secrets de l'alchimie.

— Quand même, je crains que…

— Tu n'as rien à craindre ! Il n'y a aucun risque.

Quelques secondes de silence passèrent, puis il reprit d'une voix décidée :

— Tant que je vivrai, personne ne lèvera le petit doigt contre elle !

L'intendant fit un geste désignant leurs deux verres pleins.

— Qui donc voudrait lever le petit doigt contre elle ? demanda-t-il avec un sourire.

110

Lorsque Arafa et Qadri furent devenus vraiment intimes, ce dernier l'invita à ses soirées particulières, qui commençaient habituellement au milieu de la nuit. Dans la grande salle, Arafa vit des choses incroyables. Les tables croulaient sous une débauche des mets et des boissons les plus rares, et de jolies filles dansaient pour eux, entièrement nues, si bien qu'entre l'alcool et le spectacle, Arafa crut perdre la raison. Ce soir-là, il vit Qadri se déchaîner sans mesure, comme une bête enragée.

Plus tard, il l'invita à une soirée dans le jardin, au milieu d'un bosquet traversé par un ruisseau étincelant au clair de lune. Ils avaient des fruits et du vin devant eux, et deux jolies filles pour s'occuper du brasero et des pipes à haschisch. Une douce brise nocturne soufflait, portant le parfum des fleurs et les accords du luth qui accompagnaient une chanson pleine de mélancolie.

Le disque de la lune leur apparaissait de temps en temps, lorsque la brise faisait ployer les branches du grand mûrier. A d'autres moments, ils la voyaient comme une collection de points lumineux derrière l'enchevêtrement des rameaux et des feuilles. Il semblait à Arafa que sa tête tournait dans les étoiles, tant sous l'effet du haschisch que de la jolie fille.

— Que Dieu fasse miséricorde à Adham ! s'exclama-t-il soudain.

— Et à Idris par la même occasion ! répondit l'intendant avec un sourire. Pourquoi penses-tu à lui ?

— A cause de ça, déclara Arafa, embrassant la scène d'un geste.

— Adham était un rêveur ! Il ne connaissait rien de la vie, hormis ce que Gabalawi lui avait fourré dans le crâne !

Il eut un petit rire, puis ajouta :

— Gabalawi que tu as libéré d'une longue souffrance !

Arafa sentit son cœur se serrer ; il revint brutalement sur terre.

— Je n'ai tué de ma vie qu'un salaud de *futuwwa*, murmura-t-il d'une voix peinée.

— Ah oui ? Et le serviteur de Gabalawi ?

— C'était malgré moi…

— Au fond, tu n'es qu'un lâche, mon pauvre Arafa, ricana l'autre.

Pour ne pas entendre, il tourna son regard vers la lune à travers les branches, laissant le silence aux accords du luth. Puis il suivit des yeux la main de la fille qui émiettait du haschisch.

— Où étais-tu, baye-aux-corneilles ? lui lança soudain l'intendant.

— D'habitude, tu passes tes soirées tout seul ? interrogea l'autre avec un sourire.

— Et avec qui veux-tu que je les passe, dans ce quartier de croquants ?

— Oui. Moi aussi, je n'ai personne d'autre que Hanach avec qui passer mes soirées.

— Il vaut mieux rester seul que perdre son temps avec des crétins !

Arafa hésita un peu, avant de reprendre :

— Au fond, ne trouves-tu pas que nous vivons comme des prisonniers, notre maître ?

— Que veux-tu ? Nous sommes entourés de gens qui nous haïssent !

Il se souvint des paroles d'Awatef. Awatef qui préférait le taudis d'Oumm Zonfol à sa belle maison.

— Quelle malédiction, tout de même ! soupira-t-il.

— Attention à ne pas nous gâcher le plaisir !

— Puisse-t-il durer éternellement, souhaita Arafa en s'emparant de la pipe.

— Eternellement ? ricana l'intendant. Il nous suffira bien de garder une étincelle de jeunesse jusqu'à la fin de nos jours.

Arafa remplit sa poitrine de l'air embaumé par les parfums de la nuit, puis ajouta :

— Heureusement qu'Arafa a ses petites recettes !

L'intendant remit la pipe entre les mains de la fille en recrachant un nuage de fumée qui s'effilocha à la lueur de la lune.

— Pourquoi faut-il que nous vieillissions ? demanda-t-il. Nous mangeons les nourritures les plus délicates, nous buvons les meilleurs vins, nous vivons la vie la plus douce, mais la vieillesse nous rattrape toujours, sans que nous puissions rien faire pour la repousser…

— Mais les petites pilules d'Arafa ramènent la chaleur au cœur glacé de la vieillesse.

— Oui, mais il y a quand même une chose contre laquelle tu ne peux rien.

— Quoi donc, notre maître ?

— Quelle est la chose que tu détestes le plus ?

Peut-être était-ce la prison qui l'enfermait, peut-être la haine qui l'entourait, peut-être le but grandiose qu'il n'avait pas réussi à atteindre. Mais il dit :

— Perdre ma jeunesse ?

— Pfff ! De ce côté-là, tu ne crains rien !

— Avec ma femme qui est partie ?

— Les bonnes femmes trouvent toujours une raison pour faire des histoires…

La brise souffla à nouveau, un peu plus fort, faisant bruire les feuilles et rougeoyer les charbons dans le brasero.

— Pourquoi mourons-nous, Arafa ? demanda soudain Qadri.

L'autre, plongé dans la tristesse, ne répondit pas.

— Même Gabalawi est mort, insista l'intendant.

Il ressentit comme une piqûre d'épingle au cœur.

— Nous sommes tous mortels et fils de mortels, déclara-t-il.

— Si c'était pour me dire ça, ça ne valait pas la peine ! rétorqua l'autre, toujours plongé dans la dépression.

— Puisses-tu vivre longtemps, notre maître, se hâta de souhaiter Arafa.

— Que la vie soit longue ou brève, elle finira quand même dans un grand trou plein de vers.

— Ne te laisse pas aller à ces idées noires, tu vas gâcher la soirée.

— Eh, je n'arrête pas d'y penser ! La mort, la mort, toujours la mort ! Elle peut venir n'importe quand, pour la moindre des raisons, ou sans raison du tout. Où est Gabalawi ? Où sont ceux dont on chante les exploits au son du *rebab* ? C'est trop injuste, à la fin !

Arafa l'observa furtivement : son visage était blafard et la peur luisait dans ses yeux. Quelle distance entre son humeur et la scène qui l'entourait ! Embarrassé, il dit d'une voix douce :

— L'important, c'est d'avoir une bonne vie…

L'autre fit un geste agacé et déclara d'un ton qui brisait définitivement l'atmosphère :

— La vie, la vie, oui pour ça je n'ai pas à me plaindre, même la jeunesse on peut la retrouver grâce à tes pilules, mais tout cela est inutile quand la mort te suit comme ton ombre. Comment l'oublier, quand elle se rappelle à toi à chaque instant ?

Arafa se réjouit de le voir souffrir ; mais l'instant d'après, il se trouva ridicule. Il suivit du regard la main de la fille : "Qui me garantit que je verrai la lune, demain soir ?" se demanda-t-il.

— Peut-être que nous n'avons simplement pas assez bu ? suggéra-t-il.

— Oui, mais demain, quand on aura dessoûlé, ce sera pareil.

Arafa se dit qu'il y avait là une occasion à ne pas manquer.

— Si nous n'étions pas entourés de la haine des exclus, nous trouverions meilleur goût à la vie, risqua-t-il.

— Contes de bonne femme ! ricana l'autre. Admettons que nous puissions élever le niveau de vie de tout le quartier jusqu'au nôtre : est-ce que la mort cesserait pour autant de nous poursuivre ?

— La mort s'installe là où elle trouve la pauvreté et la détresse.

— Et aussi là où elle ne la trouve pas, imbécile !

— Oui, concéda Arafa, mais c'est parce qu'elle est contagieuse.

— En voilà une idée bizarre ! ricana l'intendant. Tu ne sais vraiment pas quoi inventer pour justifier ton impuissance.

— Après tout, et si j'avais raison ? Plus la vie des humains s'améliore, plus elle gagne en valeur, et plus ils ressentent la nécessité de combattre la mort pour préserver leur bonheur.

— Oui, et ça leur fait une belle jambe !

— Au contraire ! Tous les alchimistes et les magiciens se rassembleront pour résister à la mort ! Tout le monde deviendra alchimiste ! Alors, les jours de la mort seront comptés !

L'intendant éclata d'un rire sonore ; puis il ferma les yeux, perdu dans son rêve. Arafa s'empara de la pipe et tira une énorme bouffée, portant la boulette à l'incandescence. Le luth reprit sa mélodie et la chanteuse entama une chanson pleine de mélancolie.

— Tu es un vrai fumeur de haschisch, Arafa, reprit Qadri. Tu délires complètement.

— C'est comme ça qu'on tue la mort.

— Pourquoi ne t'y mets-tu pas toi-même ?

— J'y travaille chaque jour ; mais à moi seul je ne puis arriver à rien.

L'intendant se tut un instant, écoutant la chanteuse, puis il reprit :

— Ah ! si tu pouvais réussir ! Et d'ailleurs que feraistu, si tu réussissais ?

— Je ressusciterais Gabalawi, murmura Arafa, comme malgré lui.

— Dans la mesure où tu l'as tué, c'est bien le moins que tu puisses faire, commenta l'autre avec une moue de mépris.

Arafa baissa douloureusement la tête, pendant que l'intendant grommelait d'une voix presque inaudible :

— Ah ! si seulement tu réussissais, Arafa !

111

Arafa ne sortit de la maison de l'intendant qu'un peu avant l'aurore. Il vivait encore dans le monde enchanté du haschisch, plein de sons et de visions indéfinissables. Le quartier était plongé dans le sommeil, sous la clarté de la lune. Lorsqu'il fut arrivé à mi-chemin, devant la porte de la Grande Maison, une forme humaine, sortie de Dieu sait où, se mit en travers de son chemin.

— Bonjour, maître Arafa.

La peur s'empara de lui ; mais les deux serviteurs qui l'escortaient se précipitèrent sur l'inconnu et l'empoignèrent. Malgré son hébétude, Arafa, s'approchant pour l'observer, vit qu'il s'agissait d'une femme noire, vêtue d'une tunique sombre qui la couvrait jusqu'aux pieds. Il ordonna à ses serviteurs de la lâcher.

— Que veux-tu, ma bonne ? demanda-t-il.

— Je veux te parler seule à seul.

— Et pourquoi ?

— Je suis dans le malheur, et voudrais te demander secours.

— Que Dieu te vienne en aide, grommela-t-il en se tournant pour s'en aller.

— Par la vie de ton grand-père, je t'en conjure, écoute-moi !

Il la foudroya du regard ; mais quelque chose dans ses traits retint soudain son attention : où et quand donc avait-il déjà vu cette femme ? Puis la mémoire lui revint, et, d'un coup, il retrouva toute sa lucidité : c'était le visage qu'il avait vu cette nuit maudite, dans la chambre de Gabalawi, quand il était caché derrière le fauteuil ! Oui, c'était la servante de Gabalawi, qui dormait dans sa chambre. Une terreur soudaine s'empara de lui.

— On la chasse ? demanda l'un des serviteurs.

— Non, allez m'attendre à la porte de la maison.

Pendant qu'ils s'éloignaient, Arafa observait le visage noir et émacié, au front haut et étroit, au menton pointu, et à la bouche encerclée de rides. Cherchant à se rassurer, il se dit qu'elle n'avait pu le voir ce soir-là. Mais où donc pouvait-elle se cacher depuis la mort de Gabalawi ? Et que lui voulait-elle ?

— Oui, ma bonne ? reprit-il.

— Je n'ai rien à te demander, déclara-t-elle à voix basse. Je voulais seulement te voir afin d'accomplir les dernières volontés d'un défunt.

— De quoi s'agit-il ?

Elle s'inclina davantage vers lui.

— J'étais la servante de Gabalawi. Il est mort entre mes bras.

— Toi !

— Oui.

— Et comment l'Ancêtre est-il mort ?

— Il a ressenti un tel choc en découvrant le cadavre de son serviteur que le trépas a été presque immédiat : je n'ai eu que le temps de me précipiter pour le soutenir.

Arafa poussa un profond soupir qui déchira le silence de la nuit. Il pencha la tête, comme pour dissimuler sa douleur et son remords à la clarté de la lune.

— Si je suis venue, reprit la femme, c'est pour exécuter ses dernières volontés.

— Eh bien ? Parle ! murmura-t-il d'une voix étranglée.

— Avant de rendre l'âme, il m'a dit : "Va voir Arafa l'alchimiste et dis-lui que son ancêtre est mort en le bénissant."

Arafa bondit comme sous la morsure d'un serpent.

— Mensonges ! s'écria-t-il. Tu cherches à m'embobiner, hein ? Quel est ce petit jeu ? Avoue !

— Je ne t'ai dit que la vérité, notre maître, Dieu m'en est témoin.

— Et l'assassin ? Tu sais quelque chose sur lui ?

— Je ne sais rien du tout, notre maître. Je n'ai pas quitté ma chambre depuis que mon maître est mort : à peine guérie, je suis venue te voir.

— Répète-moi ce qu'il t'a dit.

— "Va voir Arafa l'alchimiste et dis-lui que son ancêtre est mort en le bénissant."

— Menteuse ! cria-t-il. Tu sais très bien… Et d'ailleurs, poursuivit-il en changeant de ton, comment savais-tu où me trouver ?

— J'ai demandé après toi : on m'a dit que tu étais chez l'intendant, alors je t'ai attendu ici.

— Et on ne t'a pas dit que c'était moi qui ai tué Gabalawi ?

— Mais personne n'a tué Gabalawi ! protesta-t-elle d'une voix effrayée. Personne n'aurait pu le tuer.

— Si ! Celui qui a tué son serviteur est le responsable de sa mort.

— Des mensonges ! Puisque je te dis qu'il est mort entre mes bras !

Arafa avait envie de pleurer, mais ses larmes n'arrivaient pas à couler.

— Eh bien, que Dieu te garde, reprit la femme, prenant congé sans cérémonie.

— Jure-moi que tu as dit la vérité ! insista Arafa d'une voix rauque.

— Je le jure par notre Seigneur, puisse-t-il en être témoin !

Elle s'éloigna ; il la suivit des yeux, dans la lueur de l'aurore qui colorait déjà l'horizon, jusqu'à ce qu'elle disparaisse, puis il reprit sa route. Arrivé dans sa chambre à coucher, il tomba sans connaissance ; en revenant à lui, quelques minutes plus tard, il se sentit fatigué jusqu'à la mort et se mit au lit. Mais il ne dormit guère plus de deux heures ; l'angoisse secrète qu'il ressentait le réveilla. Il appela Hanach, qui vint aussitôt, et lui rapporta ce qui venait de lui arriver. Lorsqu'il eut terminé, l'autre éclata de rire :

— Tu devais en tenir une carabinée, hier soir !

— Ça n'a rien à voir ! protesta Arafa, furieux. C'est la vérité, il n'y a pas de doute là-dessus.

— Ecoute, essaie de dormir. Ce qu'il te faut, c'est une bonne grasse matinée.

— Alors, tu ne me crois pas ?

— Evidemment, que je ne te crois pas ! Allez, tâche de dormir : quand tu te réveilleras, ça ira mieux.

— Et pourquoi ne me crois-tu pas ?

— J'étais à la fenêtre quand tu es sorti de chez l'intendant, expliqua Hanach en riant. Je ne t'ai pas quitté des yeux pendant que tu traversais la place. Tu t'es seulement arrêté deux minutes devant la porte de la Grande Maison avant de reprendre ta route, suivi par tes deux gardes du corps. Voilà tout !

— Eh bien justement ! s'écria Arafa d'une voix triomphante, en se levant d'un bond. Va me les chercher !

— Sûrement pas ! Ils vont croire que tu es devenu fou.

— Va me les chercher ! Ils donneront leur témoignage en ta présence.

— Ecoute, ils nous respectent déjà à peine, ce n'est pas la peine d'en rajouter.

— Et pourtant je ne suis pas fou ! insista Arafa, l'air hébété. Et ce n'était pas non plus le haschisch, ça j'en suis sûr. Gabalawi est mort en me bénissant !

— Eh bien d'accord, je te crois si tu veux, seulement ne mêlons pas les domestiques à tout ça.

— Si un malheur arrive, tu seras le premier à en souffrir, poursuivit Arafa du même ton.

— A Dieu ne plaise, répondit Hanach d'une voix patiente. Au fond, il n'y a qu'à demander à la femme de venir nous répéter tout cela : où est-elle partie ?

— J'ai oublié de lui demander où elle habitait, avoua Arafa en baissant la tête.

— Eh bien tu vois ! Si tu l'avais vraiment vue, tu n'aurais pas oublié.

— Puisque je te dis que c'est vrai ! Je ne suis pas fou : Gabalawi est mort en me bénissant !

— Allez, ne te mets pas dans cet état : ce qu'il te faut, c'est du repos.

Il s'approcha de lui, lui tapota la tête et l'entraîna doucement vers le lit. Arafa finit par se coucher ; il eut à peine fermé les yeux qu'il s'endormit d'un sommeil de plomb.

Arafa parlait avec une calme résolution :

— J'ai décidé de m'enfuir, dit-il.

Frappé de stupeur, Hanach s'arrêta net dans son travail et jeta un regard inquiet autour de lui : la pièce avait beau être vide, il n'en semblait pas rassuré pour autant. Quant à Arafa, il continua tranquillement ce qu'il était en train de faire.

— Cette prison ne me donne plus que des idées de mort, poursuivit-il. J'entends la musique de la mort dans le plaisir, le vin et les danseuses, et je respire l'odeur des tombeaux dans les massifs de fleurs.

— Mais la mort nous attend tout aussi bien dans la rue, objecta Hanach, inquiet.

— Nous fuirons très loin du quartier.

Il regarda Hanach droit dans les yeux et ajouta :

— Et puis un jour nous reviendrons, et nous serons vainqueurs !

— Oui, encore faut-il que nous arrivions à nous enfuir !

— Ces crapules ne se méfient pas de nous : ne t'en fais pas, nous réussirons.

Ils se remirent au travail, Arafa reprit :

— N'est-ce pas ce que tu souhaitais ?

— Tu sais, je n'y pensais plus, grommela l'autre, un peu embarrassé. Mais, dis-moi, pourquoi t'es-tu décidé aujourd'hui ?

— L'Ancêtre m'a transmis sa bénédiction, bien que je sois entré clandestinement chez lui et que j'aie tué son serviteur, répondit Arafa en souriant.

— Tu vas vraiment risquer ta vie pour une hallucination due au haschisch ? interrompit Hanach, incrédule.

— Appelle ça comme tu voudras. Moi, je suis persuadé qu'il est mort en me bénissant et qu'il ne m'en a pas voulu. Mais s'il voyait la vie que je mène à présent, le monde ne serait pas assez vaste pour contenir sa colère ! Et c'est pour cela qu'il m'a fait transmettre sa bénédiction, ajouta-t-il à voix basse.

Hanach hocha la tête d'un air incrédule.

— Autrefois, tu ne parlais pas de l'Ancêtre avec autant de respect, fit-il observer.

— Oui. Autrefois, je ne savais trop que penser de lui. Maintenant qu'il est mort, il a droit à notre vénération.

— Que Dieu lui fasse miséricorde.

— Et puis, comment pourrais-je oublier que je suis la cause de sa mort ? Aussi faut-il que je le ramène à la vie, si je le peux : si je réussis, nous ne connaîtrons plus jamais la mort.

— Tout ce que l'alchimie t'a donné jusqu'à présent, ce sont des pilules aphrodisiaques et des bouteilles qui tuent, rappela tristement Hanach.

— L'alchimie, on sait où elle commence : qui peut s'imaginer où elle finit ?

Jetant un regard circulaire autour de la pièce, il ajouta :

— On va détruire tout ce qui est ici, sauf le cahier, mon vieux Hanach : ça, c'est notre trésor. Je le garderai sur moi. Tu verras, ça ne sera pas si difficile de nous sauver.

Ce soir-là, Arafa se rendit chez l'intendant, comme de coutume. Un peu avant l'aurore, il rentra chez lui ; Hanach l'attendait. Ils se retirèrent dans la chambre à coucher et attendirent une heure, pour laisser aux serviteurs le temps de s'endormir, après quoi ils se faufilèrent jusqu'au *selamlik*. Evitant de réveiller un domestique, qui ronflait paisiblement dans l'obscurité, ils descendirent le perron et se dirigèrent vers le portail. Hanach s'inclina vers le lit du portier et assena un solide coup de gourdin sur la forme qu'il distinguait confusément dans l'obscurité, mais il ne frappa qu'une sorte de mannequin creux qui résonna bruyamment dans le silence nocturne : le portier s'était manifestement absenté. Craignant d'avoir réveillé quelqu'un, ils attendirent un instant sous le porche, le cœur battant. Puis Arafa souleva la barre, ouvrit doucement le portail et se glissa dehors, suivi de Hanach. Rasant les murs, ils se dirigèrent vers l'immeuble où habitait Oumm Zonfol. A mi-chemin, un chien couché en travers de la route se leva et, s'approchant d'eux, se mit à les renifler avec curiosité ; il les suivit pendant quelques pas, puis s'arrêta en bâillant. Les deux hommes arrivèrent devant la porte d'Oumm Zonfol.

— Attends-moi ici, chuchota Arafa. Si tu vois quelque chose de suspect, donne un coup de sifflet et file vers Souk el-Muqattam.

Il entra dans l'immeuble, monta jusqu'à la chambre d'Oumm Zonfol et gratta à la porte. Au bout de quelques instants, la voix de sa femme lui parvint de l'intérieur.

— C'est moi, Arafa, glissa-t-il rapidement. Ouvre vite, Awatef !

La porte s'ouvrit, et le visage d'Awatef, encore tout ensommeillé, lui apparut à la lumière de la petite lampe qu'elle portait à la main. Sans préambule, il chuchota :

— Suis-moi, on va se sauver !

Mais elle se borna à le dévisager d'un air incrédule. Oumm Zonfol apparut derrière elle.

— On va s'enfuir du quartier, poursuivit Arafa. Tout redeviendra comme avant. Dépêche-toi !

— Ainsi donc, tu te souviens encore de moi ? ironisa-t-elle.

A cet instant, un coup de sifflet retentit au-dehors, suivi par un grand tumulte.

— Les chiens ! s'écria Arafa avec terreur. Tout est perdu !

Il se précipita sur le palier : des lumières s'agitaient dans la cour. Désespéré, il revint en arrière.

— Entre, lui dit Awatef.

— Non, il n'entre pas ! intervint brutalement Oumm Zonfol, craignant pour sa sécurité.

Mais à quoi bon entrer ? Il fit un signe vers une lucarne qui s'ouvrait dans le vestibule de l'appartement.

— Sur quoi donne-t-elle ? demanda-t-il vivement à sa femme.

— Le puits d'aération.

Sortant le cahier de sa tunique, il se précipita vers la lucarne, bousculant Oumm Zonfol au passage, et le lança à l'extérieur. Cela fait, il sortit rapidement de l'appartement, et gravit d'un bond les quelques marches qui menaient sur les toits. Le quartier grouillait de lumières et de silhouettes indécises. Il entendit un bruit de pas dans l'escalier : on montait vers lui. Il courut vers l'immeuble voisin, qui donnait sur la Gamaliyya : de ce côté, plusieurs ombres s'avançaient, précédées d'un homme qui portait une torche. Il rebroussa chemin, vers le mur qui donnait sur le secteur des Rifaïtes : derrière la porte qui menait à la terrasse, des torches approchaient déjà. Le désespoir s'empara de lui, paralysant ses mouvements.

Il lui sembla entendre Oumm Zonfol qui criait : avaient-ils envahi son appartement ? S'étaient-ils saisi d'Awatef ? Soudain une voix retentit du côté de la porte :

— Rends-toi, Arafa !

Il s'arrêta, résigné, sans prononcer un mot.

— Si tu lances une bouteille, on a de quoi te répondre ! reprit la voix.

— J'ai les mains vides.

Ils se jetèrent sur lui et l'encerclèrent. Arafa aperçut parmi eux Younis, le portier de l'intendant ; il s'approcha de lui et lui lança :

— Crapule ! Ordure ! Ingrat !

Dans la rue, deux hommes poussaient Awatef devant eux.

— Laissez-la tranquille, supplia Arafa. Elle n'y est pour rien.

Un violent coup sur la tempe le fit taire.

113

Les bras liés derrière le dos, Arafa et Awatef se tenaient devant l'intendant. Celui-ci était dans une rage folle ; il commença par assener une grêle de gifles à Arafa, avant de lui crier en plein visage :

— Alors, fils de pute ! Tu passais tes soirées avec moi tout en machinant tes petits complots, hein !

— Mais il était seulement venu pour essayer de se réconcilier avec moi ! pleura Awatef.

L'intendant lui cracha au visage.

— Tais-toi, sale garce !

— Elle n'y est pour rien ! protesta Arafa.

— Tu parles ! Elle a trempé dans l'assassinat de Gabalawi et dans tous tes crimes ! Ah ! vous vouliez vous échapper, hein ! Eh bien moi je vais vous faire échapper là d'où on ne revient pas !

Il appela ses hommes, qui apportèrent deux sacs. Awatef, déséquilibrée par une poussée brutale, tomba à plat ventre ; en quelques secondes, ils lui lièrent les jambes et l'enfournèrent dans l'un des sacs, après l'avoir solidement bâillonnée.

— Vous pouvez nous tuer ! cria Arafa. Demain vos ennemis vous tueront à votre tour !

— Sois tranquille ! ricana Qadri. J'ai assez de bouteilles pour me protéger jusqu'à la fin des temps.

— Hanach a pu s'enfuir avec tous nos secrets ! Un jour, il reviendra avec des armes invincibles, et il débarrassera le quartier de votre engeance !

L'intendant lui décocha un coup de pied dans le ventre ; il s'écroula à terre, se tordant de douleur. Les hommes de main se précipitèrent, l'enfermèrent dans l'autre sac, puis les emportèrent tous deux hors de la maison, vers le désert. Awatef ne tarda pas à s'évanouir ; Arafa, lui, restait conscient, souffrant mille morts. Où les emmenaient-ils ? Les massacreraient-ils à coups de gourdins ? A coups de pierres ? Par le feu ? Les précipiteraient-ils du haut de la montagne ? Ah ! les dernières minutes de sa vie n'étaient que douleur ! Même la magie devenait impuissante à le délivrer de ce piège qui l'étouffait. Il ne pouvait espérer de délivrance que dans la mort ! Oui, il mourrait, et ses espoirs mourraient avec lui : et ceux-là mêmes qu'il avait voulu délivrer n'auraient que des raisons de se réjouir de sa fin.

C'était par crainte de la mort qu'il s'était réfugié sous la protection de l'intendant. Et maintenant, tout était perdu : il allait mourir, dans le silence et les ténèbres. Oui, la peur de la mort est pire que la mort, elle tue à petit feu avant que la mort n'arrive. S'il pouvait revenir à la vie, il crierait au monde entier : "N'ayez jamais peur ! La peur n'empêche pas la mort, elle empêche la vie. Tant que vous craindrez la mort, vous ne serez pas vivants !"

— Ici, fit l'un des tueurs.

— Non, plutôt là-bas, objecta un autre, la terre est moins dure.

Arafa se mit à trembler : il ne comprenait pas bien ce qu'ils voulaient faire, mais il reconnaissait le langage de la mort. L'attente le torturait ; il aurait voulu les supplier d'en finir tout de suite. Le sac qui le contenait, brusquement lâché, tomba à terre ; sa tête heurta durement le sol, et il ressentit une douleur atroce dans la nuque et la colonne vertébrale. Il attendait le premier coup de gourdin, ou pis encore. Soudain, il entendit Younis qui disait :

— Dépêchez-vous de creuser, qu'on ait fini avant le jour !

Pourquoi creusaient-ils sa tombe avant de le tuer ? Un gémissement lui parvint : il reconnut la voix d'Awatef. Il se débattit violemment.

— Ne t'en fais pas, personne ne va vous toucher ! fit la voix de Younis. On va simplement vous déposer au fond du trou et remettre la terre en place...

Le hurlement d'Awatef se mêla au sien. Des bras solides les empoignèrent et les jetèrent dans la fosse. Des pelletées de terre s'abattirent sur les deux corps et un nuage de poussière s'éleva dans la nuit.

114

Le bruit de la mort d'Arafa se répandit dans le quartier. Personne ne connaissait les véritables causes de son combat, mais on comprit qu'il avait provoqué la colère de son maître, avec les conséquences inévitables que cela impliquait. La rumeur courut un temps qu'il avait été liquidé par l'arme magique dont il s'était servi pour tuer Saadallah et Gabalawi. Les gens se réjouirent de la mort du sorcier, malgré leur haine pour l'intendant. Les parents et alliés des *futuwwas* se trouvaient vengés. Les autres ne pouvaient que se féliciter du châtiment qui frappait l'assassin de leur Ancêtre béni, l'homme qui, de surcroît, avait fourni à l'intendant les moyens d'asseoir sa tyrannie jusqu'à la fin des temps : l'avenir apparaissait encore plus sombre, maintenant que le pouvoir était réuni dans les mains d'un seul maître, dur et cruel. On ne pouvait plus espérer qu'un conflit, éclatant entre les deux hommes, ait pour effet de les affaiblir tous les deux, et de les pousser à chercher l'appui des habitants du quartier. Il ne leur restait plus qu'à se soumettre, et à considérer le *waqf*, les Dix Conditions, et les paroles de Gabal, de Rifaa et de Qasim comme de simples légendes, tout juste bonnes à être chantées au son du *rebab*, mais qu'il était vain de vouloir mettre en pratique dans la vie.

Un jour, alors qu'Oumm Zonfol était allée en course à la Darrasa, un homme s'approcha d'elle et la salua. Intriguée, elle l'observa attentivement et, à sa grande surprise, reconnut Hanach.

— Mon frère n'a rien laissé chez toi, le jour où ils l'ont pris ? lui demanda-t-il.

— Il n'a rien laissé du tout, répondit-elle du ton de quelqu'un qui ne veut pas d'histoires. Je l'ai seulement vu jeter des papiers dans le conduit d'aération. Le lendemain, je suis allée voir : en fouillant dans les ordures, j'ai seulement trouvé un cahier à deux sous plein de gribouillages, alors je l'ai laissé là.

Une lueur étrange apparut dans les yeux de Hanach.

— Je t'en prie, aide-moi à le retrouver, supplia-t-il.

La vieille fit un saut en arrière.

— Fiche-moi le camp ! s'écria-t-elle. Déjà, la dernière fois, j'y serais restée, sans la protection du bon Dieu !

Hanach lui glissa une piécette dans la main ; un peu radoucie, elle accepta de lui donner rendez-vous le lendemain, pendant la nuit, quand tout le monde dormirait. A l'heure dite, il se présenta ; elle le conduisit au bas du puits d'aération. Il alluma une bougie, s'assit à croupetons parmi les tas d'ordures et se mit à fouiller partout, à la recherche du cahier d'Arafa. Il passa des heures à trier un par un tous les vieux papiers et les chiffons, à éparpiller les cendres, la terre, les vieux culots de pipe et autres détritus encore moins ragoûtants, mais sans résultat. Il remonta auprès d'Oumm Zonfol et déclara, partagé entre la colère et le désespoir :

— Je n'ai rien trouvé !

— Moi, vos petites affaires, je ne m'en mêle pas ! bougonna la vieille femme. Dès que vous arrivez quelque part, les catastrophes suivent !

— Je t'en prie, ma bonne mère, aie pitié de moi !

— Avec tous les malheurs qu'on a, crois-tu qu'on peut encore se permettre d'avoir pitié de quelqu'un ? Et d'ailleurs, qu'est-ce que c'est, ce cahier ?

— C'était celui d'Arafa.

— Ah oui, Arafa ! Que le bon Dieu lui pardonne ! Il a tué Gabalawi, il a donné sa magie à l'intendant, et puis bonsoir !

— C'était un des hommes les plus généreux du quartier, mais il n'a pas eu de chance. Il voulait votre bonheur à tous, comme Gabal, comme Rifaa, comme Qasim ; mais il voulait encore plus que cela.

Oumm Zonfol le dévisagea d'un air méfiant, puis, comme pour se débarrasser de lui :

— Peut-être le balayeur a-t-il emporté ton cahier avec les autres ordures : va donc le chercher à la chaudière du hammam de la Salihiyya.

Hanach courut à la Salahiyya et demanda à voir le balayeur chargé du quartier Gabalawi. Lorsqu'il l'eut trouvé, il lui demanda où se trouvaient les ordures du quartier.

— Tu as perdu quelque chose ? lui demanda l'homme. Il s'agit de quoi ?

— D'un cahier.

L'homme eut un regard soupçonneux ; il finit cependant par lui indiquer un endroit, dans le hangar voisin du hammam :

— Regarde toujours là-dedans. Si tu ne le trouves pas ici, c'est qu'il aura déjà été mis au feu.

Hanach se mit à fouiller dans le tas d'ordures avec patience et ardeur : toutes ses espérances reposaient dans ce cahier. Arafa n'avait pas eu de chance ; il avait été vaincu et assassiné, ne laissant derrière lui que le malheur et la haine. Ces pages pouvaient réparer toutes ses fautes, anéantir tous ses ennemis, faire renaître l'espoir parmi les gens du quartier. Au bout de quelque temps, le balayeur revint.

— Tu n'as toujours pas trouvé ? lui demanda-t-il.

— Laisse-moi encore un peu de temps, que le bon Dieu te récompense.

— Et qu'est-ce qu'il a de si important, ton cahier ? insista l'homme en se grattant les aisselles.

— C'est le livre de comptes de ma boutique, tu verras toi-même.

Il reprit ses recherches, de plus en plus inquiet. Soudain, une voix familière lui parvint :

— Eh, Metwalli, où tu as mis le chaudron ?

C'était oncle Chankal, le marchand de fèves cuites, un habitant du quartier. Tremblant de peur à l'idée d'être reconnu, Hanach se détourna. Luttant contre l'envie de s'enfuir, il se mit à fouiller de plus belle : on aurait dit un lapin qui creuse son terrier.

Lorsque oncle Chankal revint au quartier, il s'empressa de raconter à tout le monde qu'il avait vu Hanach, le compagnon d'Arafa, à la chaudière de la Salihiyya, fort occupé à fouiller les tas d'immondices à la recherche d'un cahier : ce dernier détail lui avait été fourni par le balayeur. A peine la nouvelle fut-elle parvenue aux oreilles de l'intendant qu'il envoya ses hommes de main à la Salihiyya ; mais Hanach s'était envolé. Interrogé, le balayeur répondit qu'il avait dû s'éloigner un instant, et qu'à son retour Hanach était déjà parti : il ignorait par conséquent si celui-ci avait trouvé ce qu'il cherchait ou non.

Personne n'a jamais su comment le bruit a fini par se répandre que le cahier retrouvé par Hanach à la chaudière de la Salihiyya n'était autre que celui où Arafa consignait les secrets de ses recherches alchimiques, et qu'il avait perdu lors de sa tentative de fuite. Dans les cercles de haschisch, on se mit à chuchoter que Hanach allait achever ce qu'Arafa avait commencé : qu'il reviendrait un jour au quartier et tirerait une vengeance éclatante de l'intendant.

Lorsque les hommes de main de celui-ci se répandirent dans les cafés et les cercles, promettant une grosse récompense à qui ramènerait Hanach mort ou vif, ces rumeurs se changèrent en certitude. Personne ne douta plus du rôle que Hanach serait appelé à jouer dans leur vie. Une vague d'espérance et d'optimisme s'éleva dans les cœurs, dissipant le découragement et la résignation. Tous avaient une pensée émue pour Hanach dans sa retraite clandestine ; et cette affection se reporta même sur le souvenir d'Arafa. Beaucoup brûlaient de seconder Hanach dans sa résistance contre l'intendant : sa victoire serait aussi la leur, et celle de tout le quartier, et marquerait le début d'une ère de justice et de paix. Ils jurèrent de lui venir en aide, autant qu'ils le pourraient, puisque c'était l'unique moyen pour eux de se libérer : tous admettaient que les armes magiques dont disposait l'intendant ne pouvaient être vaincues que par des armes plus puissantes encore, celles que Hanach préparait secrètement.

Ces murmures finirent par arriver aux oreilles de l'intendant ; il donna pour consigne aux conteurs des cafés de chanter l'histoire de Gabalawi, en insistant bien sur son assassinat par Arafa, et sur le fait que lui-même avait été contraint de ménager celui-ci et de conclure une alliance temporaire avec lui, de peur de son arme magique, jusqu'à ce qu'il arrive à s'en emparer et à l'éliminer, vengeant ainsi le Patriarche vénéré.

Or, il se passa une chose étonnante : loin de se laisser prendre à ces boniments, les auditeurs les accueillirent par des haussements d'épaules et des commentaires sarcastiques. "Qu'est-ce qu'on en a à fiche, de ces vieilles histoires ? ricanaient-ils. Notre seul espoir, c'est la magie d'Arafa : s'il faut choisir entre Gabalawi et la magie, donnez-nous la magie !"

Chaque jour, on apprenait de nouveaux détails sur la véritable personnalité d'Arafa et sur ses intentions. Ces rumeurs provenaient sans doute d'Oumm Zonfol : elle savait beaucoup de choses sur lui, grâce aux confidences d'Awatef. Mais peut-être Hanach lui-même y était-il pour quelque chose : ne lui arrivait-il pas de rencontrer certains habitants du quartier, dans des lieux éloignés ? Quoi qu'il en soit, on commença à mieux connaître l'homme qui avait défrayé la chronique du quartier, à mieux comprendre ce qu'il avait voulu réaliser grâce à son art magique : une vie merveilleuse pour tous, aussi belle que les rêves les plus enchantés.

Et les gens se mirent à vénérer sa mémoire et à célébrer son nom, le plaçant au-dessus de ceux de Gabal, Rifaa et Qasim eux-mêmes ! Certains soutenaient qu'il n'avait jamais tué Gabalawi : il s'agissait d'un mensonge de l'intendant. D'autres affirmaient que, quand bien même il l'aurait tué, cela ne changeait rien à l'affaire : c'était le plus grand homme du quartier. Les rivalités entre secteurs réapparurent, chacun le revendiquant pour sien.

Un événement nouveau se produisit alors : un à un, les jeunes gens du quartier commencèrent à disparaître. On expliquait cela en disant qu'ils avaient découvert la retraite de Hanach et étaient partis le rejoindre : Hanach leur enseignait les arts magiques, dans l'attente du jour de la libération.

Du coup, la peur s'installa dans le cœur de l'intendant et de ses hommes. Ils envoyèrent leurs mouchards dans tous les coins, fouillèrent les immeubles et les boutiques, infligeant les pires châtiments pour les motifs les plus futiles : on se faisait assommer pour un regard trop hardi, pour une plaisanterie, pour un éclat de rire. La peur et la haine s'appesantirent à nouveau sur le quartier ; mais tous supportaient les exactions avec courage et opiniâtreté, confiants dans l'avenir.

"Patience, disaient-ils. Tout a une fin, même l'oppression ! Le soleil finira bien par se lever, et nous verrons la chute du tyran : l'aube viendra, pleine de lumière et de merveilles…"

TABLE

DU MÊME AUTEUR

Impasse des deux palais, Lattès, 1987 ; LGF, 1989.
Le Palais du désir, Lattès, 1987 ; LGF, 1990.
Récits de notre quartier, Sindbad-Actes Sud, 1988 ; "Babel", 1999.
Le Jour de l'assassinat du leader, Sindbad-Actes Sud, 1989 ; "Folio", Gallimard, 2001.
La Chanson des gueux, Denoël, 1989 ; "Folio", Gallimard, 1992.
Dérives sur le Nil, Denoël, 1989.
Le Jardin du passé, Lattès, 1989 ; LGF, 1991.
Miramar, Denoël, 1990.
Mahfouz par Mahfouz, Entretiens avec Gamal al-Ghitany, Sindbad-Actes Sud, 1991.
Chimères, Denoël, 1992 ; "Folio", Gallimard, 1994.
Vienne la nuit, Denoël, Alif, 1996 ; "Folio", Gallimard, 1998.
Le Voyageur à la mallette, Editions de l'Aube, 1996 ; "L'Aube poche", 2001.
Mon Egypte. Dialogues avec Mohamed Salmawy, Lattès, 1996.
L'Amour au pied des pyramides, Sindbad-Actes Sud, 1997 ; "Babel", 2002.
La Quête, Denoël, 1997 ; "Folio", Gallimard, 1999.
Matin de roses, Sindbad-Actes Sud, 1998.
La Malédiction de Râ, Archipel, 1998 ; Libre Diffusion, 1999 ; LGF, 2001.
Akhénaton le Renégat, Denoël, 1998 ; "Folio", Gallimard, 2000.
Le Cortège des vivants (Khan al-Khalili), Sindbad-Actes Sud, 1999.
Le Monde de Dieu, Sindbad-Actes Sud, 2000.
La Belle du Caire, Denoël, 2000.
Le Vieux Quartier et autres nouvelles, Editions de l'Aube, 2001.
Miroirs, Desclée de Brouwer, 2001.
Thesaurus Mahfouz : *Passage des miracles, Les Fils de la médina, Le Voleur et les Chiens, Le Mendiant, Les Mille et Une Nuits*, Sindbad-Actes Sud, 2002.
Propos du matin et du soir, Actes Sud, 2002.

BABEL

Extrait du catalogue

553. PER OLOV ENQUIST
Le Médecin personnel du roi

554. SONALLAH IBRAHIM
Les Années de Zeth

555. MAHMOUD DARWICH
La Palestine comme métaphore

556. PAUL AUSTER
Je pensais que mon père était Dieu

557. ANNE-MARIE GARAT
Les Mal Famées

558. PRUNE BERGE
T'es pas ma mère

559. ANTON DONTCHEV
Les Cent Frères de Manol

560. ELIAS SANBAR
Le Bien des absents

561. REINALDO ARENAS
La Colline de l'Ange

562. LIEVE JORIS
Mali blues

563. DON DELILLO
Joueurs

564. *
Contes populaires de Palestine

565. WILHELM HAUFF
Contes

566. SELMA LAGERLÖF
Le Cocher

567. ALICE FERNEY
La Conversation amoureuse

583. PIERRETTE FLEUTIAUX
Des phrases courtes, ma chérie

584. ASSIA DJEBAR
Les Nuits de Strasbourg

585. HUBERT NYSSEN
Le Bonheur de l'imposture

586. ELIAS KHOURY
La Porte du soleil

587. ARTHUR MILLER
Mort d'un commis voyageur

588. HENRY BAUCHAU
Jour après jour. Journal (1983-1989)

589. WILLIAM SHAKESPEARE
Beaucoup de bruit pour rien

590. JEAN-PAUL GOUX
Mémoires de l'Enclave

591. PAUL AUSTER
Le Livre des illusions

592. REZVANI
L'Enigme

593. BARBARA GOWDY
Anges déchus

594. ZOÉ VALDÉS
Trafiquants de beauté

595. CATHERINE DE SAINT PHALLE
Après la nuit

596. JOSIANE BALASKO
Nuit d'ivresse / L'Ex-Femme de ma vie /
Un grand cri d'amour
(à paraître)

597. PIERRETTE FLEUTIAUX
Histoire du gouffre et de la lunette

598. ANNE BRAGANCE
Casus belli

599. ARNO BERTINA
Le Dehors ou la Migration des truites

600. CLAUDE PUJADE-RENAUD
Au lecteur précoce

601. LAURENT SAGALOVITSCH
La Canne de Virginia

602. JULIEN BURGONDE
Icare et la flûte enchantée

603. DON DELILLO
Body Art

604. JOSÉ CARLOS SOMOZA
La Caverne des idées

605. HELLA S. HAASSE
Locataires et sous-locataires

606. HODA BARAKAT
Le Laboureur des eaux

607. INTERNATIONALE DE L'IMAGINAIRE N° 16
Politique culturelle internationale

608. TORGNY LINDGREN
Paula ou l'Eloge de la vérité

609. IMRE KERTÉSZ
Kaddish pour l'enfant qui ne naîtra pas
(à paraître)

610. ALBERTO MANGUEL
Dans la forêt du miroir

COÉDITION ACTES SUD – LEMÉAC

Ouvrage réalisé
par l'atelier graphique Actes Sud.
Reproduit et achevé d'imprimer
en août 2009
par Normandie Roto Impression s.a.s.
61250 Lonrai
sur papier fabriqué
à partir de bois provenant
de forêts gérées durablement (www.fsc.org)
pour le compte des éditions
Actes Sud
le Méjan
Place Nina-Berberova
13200 Arles.

Dépôt légal
1re édition : octobre 2003
N° d'impression : 09 2855
(Imprimé en France)